Ella Griffin

Postais do Coração

Tradução
Denise Tavares Gonçalves

Editora Novo Conceito

Esta é uma obra de ficção. Nomes, personagens, lugares e acontecimentos descritos são produtos da imaginação do autor. Qualquer semelhança com nomes, datas e acontecimentos reais é mera coincidência.

1ª Impressão — 2012

Edição: Edgar Costa Silva
Produção Editorial: Lívia Fernandes
Preparação de Texto: Lizete Mercadante Machado
Revisão de Texto: Alline Salles, Elisabete B. Pereira, Tamires Cianci
Diagramação: Vanúcia Santos
Capa: Márcia Matos

Este livro segue as regras da Nova Ortografia da Língua Portuguesa.

Dados Internacionais de Catalogação na Publicação (CIP)
(Câmara Brasileira do Livro, SP, Brasil)

Griffin, Ella
Postais do Coração / Ella Griffin ; tradução Denise Tavares Gonçalves.
-- Ribeirão Preto, SP : Novo Conceito Editora, 2012.

Título original: Postcards from the heart.
ISBN 978-85-8163-049-6

1. Ficção inglesa I. Título.
12-10897 CDD-823

Índices para catálogo sistemático:
1. Ficção : Literatura inglesa 823

Editora Novo Conceito

Rua Dr. Hugo Fortes, 1.885 — Parque Industrial Lagoinha
14095-260 — Ribeirão Preto — SP
www.editoranovoconceito.com.br

Para Neil, que mudou tudo.

Agradecimentos

Se você for escrever um romance, provavelmente descobrirá, como descobri, que elaborar a história é só metade do processo. Você também precisará de mais algumas (ou de todas) estas coisas:

Um amigo que o encontre toda semana em um restaurante japonês na Rua George e o escute falar sem parar sobre os motivos pelos quais você adoraria escrever, mas não consegue. Alguém que resista à vontade de enfiar os sushis no ouvido e diga: "Vou assumir seu sonho de escrever um livro até que você mesma consiga realizá-lo". (Obrigada, Morag Prunty.)

De outro amigo que ouça pedaços esparsos dos primórdios de seu livro e faça elogios. E que reserve algum tempo de sua vida incrivelmente ocupada para ler seu primeiro rascunho (165 mil palavras, das quais 164 mil têm erros de ortografia). E que o ajude a encontrar um agente brilhante (veja mais adiante). E que o presenteie com um texto adorável para sua capa. (Obrigada, Marian Keyes.)

De algumas almas afins que genuinamente prefiram ficar sentadas na cozinha de alguém, anotando e lendo pedaços de texto, em vez de ir ao bar. (Obrigada, Ailish Connolly, Suzanne Power, Karen Hand e Lucy Masterson.)

De algumas aulas de redação. (Obrigada, Dorothy Carpenter e Claire Boylan. Infelizmente ambas se foram, mas serão sempre lembradas.)

De alguém para auxiliá-lo com alguma pesquisa. (Obrigada, John Lynn.) De alguém para ajudá-lo a montar de novo na sela quando você cair do cavalo. (Obrigada, Shiera O'Brien.) E de alguém gentilmente perfeccionista para orientá-lo quando você estiver editando. (Obrigada, Wendy Williams, Nikki Walsh, Hekena Mulkerns e Alison Walsh.)

É de grande valia ter um agente inteligente e brilhante. (Obrigada, Jonathan Lloyd.) Uma editora carinhosa e inspirada (obrigada,

Kate Mills), cujo local de trabalho pareça sua casa. (Agradeço a todos da Orion, especialmente a Susan Lamb e Jade Chandler.)

Você não será capaz de terminar seu romance sem alguém que o apoie e estimule em centenas de pequenos detalhes e em algumas coisas grandes. Alguém que deixe uma rosa do jardim em seu copo de água e faça um minestrone para você. E que o salve sempre que você atole. E leia seus rascunhos em trens e aviões e lhe mande torpedos para dizer que está rindo com as partes engraçadas pela sexta vez. Essa foi a pessoa de que mais precisei. (Obrigada por tudo, Neil Cubley. Especialmente pelo postal da garotinha soltando um balão em forma de coração. Você é muito querido.)

"Se a resposta é o amor, você poderia refazer a pergunta?"

Lily Tomlin

Primeira Parte

Capítulo 1

Eram somente nove horas da manhã, mas todos os homens na Rua Grafton levavam flores. Saffy adorava o modo como o Dia dos Namorados trazia à tona o romantismo nas pessoas mais improváveis. Como o empresário carrancudo, agarrado a um buquê de lírios, que gritava instruções em seu celular diante do Bewley's. E o gótico com o agasalho do Infected Malignity que ela surpreendeu cheirando sorrateiramente uma única rosa vermelha comprada na florista da esquina da Rua Duke.

O que quer que Greg fosse lhe dar, certamente não incluiria uma rosa vermelha. Rosas eram o que todos davam no Dia dos Namorados. Greg gostava de fazer coisas diferentes. Ele já havia mandado flores de cacto e orquídeas negras e, no ano anterior, uma enorme planta carnívora. Era realmente muito bonita, mas não havia muitas moscas em fevereiro, e a planta morreu depois que Saffy lhe serviu um pouco de salmão defumado tirado de um sanduíche.

A filosofia da Komodo, "Espere o Inesperado", estava escrita em uma parede na recepção, embaixo de uma enorme placa de aço com o logo da agência — um lagarto carnívoro. Era bem real e assustava todo mundo, exceto Ciara, a recepcionista, que não podia vê-lo porque ficava sentada de costas para ele. Mas nesse dia Saffy nem prestou atenção na placa, porque ocupando boa parte da recepção encontrava-se o mais maravilhoso buquê de rosas que ela já havia visto, e Ciara gesticulava, chamando-a. O cabelo oxigenado da moça mal aparecia por trás da montanha de papel celofane e papel de seda.

— Saffy! — ela arfou, balançando seu inalador. — Você pode tirar essas malditas flores daqui antes que eu...? — Abaixou-se para atender o telefone. — Aaalô, Komodo Propaganda — disse, ofegante. — Pooois não?

Saffy riu. Greg não havia mandado uma rosa vermelha. Ele mandara no mínimo três dúzias. Correu para lá, inclinou-se e respirou o perfume doce e picante. Havia um pequeno envelope branco enfiado entre as flores de vermelho aveludado.

O inalador apareceu novamente.

— Espere aí! Essas rosas são para Marsh. E provavelmente enviadas pela própria Marsh. Ela é a única pessoa que gosta de si mesma. — Ciara apontou para um buquê ainda maior que estava no canto, atrás de sua mesa. — Aquele é para você. Acho que sou alérgica àquela enooorme flor ca-ca-beluda.

— Tem um admirador secreto? — Simon indagou, de modo arrogante, quando Saffy passou por ele a caminho do escritório, carregando as flores. — É o Tim Burton?

— Oi, gata! Com que roupa você está?

Mesmo depois de seis anos, alguma coisa em Saffy explodia suavemente quando ela ouvia aquela voz. Greg podia fazer instruções para montar móveis soarem sexy. Quando ele gravava comerciais para o rádio, antes de ficar famoso, o Conselho de Regulamentação Publicitária recebeu 47 reclamações dizendo que seu anúncio de um banco — "os juros podem subir, mas também podem cair" — era sugestivo demais.

Ela olhou para sua camiseta branca justa e a calça listrada da DKNY. Calçava seus sapatos Kurt Geiger favoritos, mas Greg não gostava que ela usasse salto alto, a não ser que estivesse sentada ou deitada.

— Posso dizer com que roupa eu não estou? Talvez seja mais estimulante.

Ele riu.

— Então me diga que roupa vai usar quando eu levá-la para jantar hoje à noite.

Fazia anos que eles não saíam no Dia dos Namorados. Era difícil criar um clima romântico e ficarem com os olhos nos olhos, quando a maioria das mulheres do local tentava encarar Greg, e as que não tentavam tiravam fotos dele com seus celulares.

— Tem certeza de que não quer ficar em casa, comer escalopes e beber uma boa garrafa de vinho? — Havia um Prosecco na geladeira e ela havia jogado montes de pétalas de rosa na cama antes de sair pela manhã.

— Tenho certeza. Então, fique bem bonita. Está bem?

Saffy sorriu.

— Está bem. — Se trabalhasse na hora do almoço, poderia sair mais cedo, ir ao cabeleireiro e pegar o vestido creme na lavanderia.

— Ah, você recebeu as flores?

— Ah, é claro! Desculpe. Recebi, sim. Obrigada! Elas são simplesmente... — Ela ficou olhando o buquê, procurando a palavra certa; procurando alguma palavra, na verdade. O arranjo central era uma planta espinhosa roxa rodeada por aves-do-paraíso e por algo que parecia repolhos ornamentais remendados juntos. — São... incríveis. Eu adorei.

— Mesmo? Essa coisa de "uma dúzia de rosas vermelhas" no Dia dos Namorados é muito clichê. Eu disse ao florista para se esbaldar.

Greg tinha o hábito de dizer coisas prosaicas de modo inusitado. De alguma maneira, ele conseguia torcê-las e dar-lhes certo sentido estranho. Como "a loira guiando as loiras" e o muito inspirado "colocar os bois no carro".

— Bom — Saffy disse com sinceridade —, ele se esbaldou mesmo.

Ela ouviu vozes ao fundo. Greg estava na gravação de *A Estação*, uma novela diurna sobre uma equipe de bombeiros de Dublin. Havia o bombeiro mais velho e sábio, o bombeiro jovem e problemático, o bombeiro gay e a bombeira peituda. Greg era Mac Malone, o bombeiro heroico, aquele cuja foto decorava as paredes dos quartos de muitas adolescentes.

— Escute, Saff, eu devo gravar pelo menos até as 7 da noite, e reservei o restaurante para as 8, então encontro você lá. E tem uma coisa que eu queria perguntar para você hoje à noite, uma coisa muito importante... espere — ele cortou. — Cara, estou no telefone. Diga a ela que estarei lá em um minuto. E que não vou carregar aquela baleia escada abaixo... Ah, é? Bom, um dos dublês vai ter que fazer isso. Me desculpe, gata. O que eu estava dizendo?

— Estava dizendo que tem algo muito importante para me perguntar...

— Sim — ele disse, com a voz baixando uma deliciosa meia oitava. — Eu tenho uma coisa para perguntar... — Houve nova confusão e outra voz entrou na linha. — Aqui é Robert, o primeiro assistente de direção. Também quero perguntar uma coisa. Você poderia ligar de volta quando não houver uma mulher seminua grávida pendurada em uma escada de 30 metros que balança muito esperando que o sr. Gleeson faça o seu bendito trabalho?

Saffy tentou se concentrar no relatório do contato com a Avondale Alimentos, mas em sua cabeça havia ideias que não estavam relacionadas com queijo. Greg tinha algo a perguntar. O que seria? Seu coração batia contra as costelas como um balão aprisionado. Seria possível que fosse "aquilo"? Ela sorriu para a enorme planta espinhosa. Levantou-se e foi sentir o aroma um dos pequeninos repolhos cor-de-rosa. Surpreendentemente, tinha cheiro de repolho. Em seguida, voltou para sua cadeira. Isso era ridículo. Ela era a pessoa mais sensata que conhecia e não iria se deixar levar.

Greg tinha algo a perguntar, e pronto. Ele lhe fazia perguntas o tempo todo. Na noite anterior, quando assistiam a *24 Horas*, ele indagara se seria possível pedir anestesia geral para fazer uma tatuagem, se ela achava que Kiefer Sutherland usava Botox e por que os cães não tinham umbigo.

Ela se forçou a voltar para o relatório de contato e, quando terminou, clicou em enviar. Estava dando outra olhadela nas flores quando de repente se deu conta de que se esquecera de corrigir a ortografia.

Já se referira ao cliente, Harry, como "Hairy". Duas vezes. E havia colocado "cliente para perverter" em vez de "reverter" e digitado seu nome (seu próprio nome) como "Sassy". Por sorte, o e-mail ainda estava na caixa de saída e ela conseguiu cancelar o envio. Contudo foi por pouco.

Tirou as flores de vista, escondendo-as atrás de seu arquivo, e procurou afastar Greg da mente. Se conseguisse terminar todos os relatórios de contato nas próximas duas horas, poderia se permitir pensar nele novamente na hora do almoço. Ela gelou. Hora do almoço! Havia esquecido completamente que ia encontrar sua mãe para almoçar. Não podia desmarcar mais uma vez. Elas não se viam desde o Natal.

O pôster era vermelho vivo com letras brancas comportadas. "Se o amor é a resposta, você poderia refazer a maldita pergunta?". Não era exatamente um bom sinal, mas já parecia bem melhor do que a versão anterior: "Eu tenho cara de quem gosta de gente?".

Ant, o diretor de criação da Komodo, se recusava a falar diretamente com qualquer um da agência, exceto sua diretora de arte, Vicky. O restante do pessoal tinha que deduzir seu humor pelas brevíssimas mensagens que apareciam na porta de seu escritório todos os dias. Na verdade, não havia muito o que deduzir. Seu humor era geralmente ruim, mas ele não fora contratado por suas habilidades sociais.

Anthony Savage havia escrito o contundente *Os Geeks Herdarão a Terra* para a Compushop. E os comerciais de rádio dos Pneus Axis, que usavam trechos extraídos de discursos de políticos e sempre terminavam com a frase "Controle-se". E os anúncios de segurança nas estradas que exibiam o retrato de uma linda menina paraplégica e a frase "Você bebe, portanto eu existo". Seu trabalho publicitário era ouro puro.

O escritório era dividido em dois por uma linha traçada com fita adesiva que corria ao longo do carpete, subia na parede e atravessava o teto. A metade de Vicky parecia um verdadeiro templo à deusa "Garotinha". Seu computador era decorado com luzes. A mesa, atulhada de maquiagem e velas perfumadas, potes de canetas cintilantes e pastas com capas engraçadinhas. Quase não se via o chão sob as pilhas de livros e revistas.

A metade de Ant continha o próprio Ant, sua mesa, a cadeira e o cesto de lixo. Os únicos objetos em sua mesa eram o computador e uma caixa de confeitos de hortelã. As únicas coisas no chão eram seus sapatos da Camper, alinhados com precisão matemática, exatamente paralelos à cadeira.

— Olá, Saffy. — Vicky estava comendo salgadinhos. Ela usava uma malha colante vermelha e uma saia longa branca com meia-calça vermelha e preta listrada e botas de ciclista. Vicky tinha uns 35 anos a mais para usar roupas de uma menina de 5 anos de idade, mas de alguma maneira elas lhe caíam bem.

— Oi, gente. Eu só queria saber como estão indo com a campanha do queijo. Não estou pressionando...

Ant nem se deu ao trabalho de levantar os olhos de seu Sudoku. Na casa dos 30, tinha a cabeça raspada e um rosto pequeno, redondo e sempre franzido, que o fazia parecer uma mistura de um velho e um bebê mal-humorado. Como sempre, vestia-se de preto e não estava comendo nada. A única coisa que Saffy já vira Ant colocar na boca, exceto balas de hortelã e cerveja Guinness, fora um *banner*.

— Diga à moça de terninho para sair e morrer lá fora — ele murmurou para Vicky.

— Calminha, tigre! — Vicky levantou-se e sacudiu as migalhas dos salgadinhos de seu longo cabelo castanho. — Saffy é nossa amiga, lembra?

Espalhou alguns esboços feitos com marcador sobre a bagunça de sua mesa. Saffy olhou bem. Não poderia mostrar aquilo para seu cliente da Avondale de modo algum. Em um deles, ela conseguia ver o que parecia ser o rosto de Jesus entalhado em um pedaço de queijo. A chamada era: "Avondale, a Cara dos Queijos".

Em outro, Jesus estava segurando um sanduíche de queijo e uma caneca de chá, sob a frase: "Avondale, Uma Santa Ceia para Não Esquecer".

Havia outros. O pior mostrava um Jesus radiante com um pedaço de pão na ponta de um espeto. "Avondale, o que Jesus Acharia?"

A Komodo tinha a reputação de fazer um trabalho não convencional e a filosofia da agência era "esperar o inesperado", mas aquilo já era tomar esse lema muito ao pé da letra.

— Gente — ela disse com cuidado —, eu consigo ver a intenção de vocês com essa coisa de Jesus e queijos, mas...

Vicky cortou-a, soltando um sorriso de "confie em mim". Ela sempre conseguia controlar Ant o suficiente para que o trabalho fosse aprovado.

— Estamos só cogitando algumas ideias. Vamos continuar. Vamos ter um monte de opções para mostrar para você na segunda-feira.

— Isso aqui não é uma agência de propaganda — Ant silvou. — É o inferno com luzes fluorescentes.

Capítulo 2

— Este é bonito. — Sua mãe pegou um sutiã cor de limão com duas fileiras de nervuras de cetim cor-de-rosa e colocou-o sobre Saffy. — Este é lindo.

Lindo? Só se você for uma prostituta adolescente e daltônica.

— Ah-ah — Saffy balançou a cabeça. — Não acho que tem a ver comigo.

— Ah, Sadbh! — O couro cabeludo de Saffy pinicou de irritação. Ela odiava seu nome inteiro. — Temos que fazer você sair desse marasmo. Você precisa de um pouco mais de... como é que eles falam naquele anúncio?... va-va-vum. Uma dica de moda: se Deus quisesse que usássemos óculos, ele não nos teria dado lentes de contato.

Tinha parecido uma boa ideia levar sua mãe para fazer compras em vez de ir a um restaurante. Saffy pensara que poderia se esquivar da tentativa de Jill de ter uma conversa de mulher para mulher e comprar algo para usar sob seu vestido cor de creme. Algo suave e sexy para surpreender Greg. Sua mãe ficara encantada.

— Nem me lembro da última vez que fui fazer compras para você! Vai ser divertido!

Infelizmente, Saffy se lembrava. Tinha sido para seu vestido de debutante. Foram momentos de lágrimas (de Jill), pirraça (também de Jill) e humilhação (sua). Ela queria um elegante vestido azul-marinho de alcinha. Acabou usando um traje cor-de-rosa de cetim com saia bufante, meias rendadas e um bolero combinando. Ainda estremecia ao ver as fotos que de vez em quando apareciam no Facebook.

O departamento de lingerie da Brown Thomas estava apinhado de casais enamorados se afagando entre as araras dos suspensórios e calcinhas de renda.

— Você ficaria linda neste aqui! — Jill enfiou um sutiã com manchas de leopardo sob o braço. — Será que eles têm tamanho 34?

Nada como ter a própria mãe anunciando o tamanho de seu sutiã para uma pequena multidão para você desejar não ter nascido. Uma assistente as rondava.

— Se você e sua amiga precisarem de alguma ajuda, é só pedir — ela disse com um sorriso.

Saffy odiava quando as pessoas as tomavam como amigas ou, até pior, irmãs. Sua mãe adorava, é claro. Mas felizmente ela não tinha ouvido. Já havia ascendido ao paraíso do varejo. Estava saqueando uma arara com cabides que tilintavam. Seu cabelo loiro caía do coque frouxo. O rosto brilhava e seus olhos azuis soltavam faíscas. Por um breve período dos anos 1970, ela fora modelo, e tinha as maçãs do rosto e aquele andar de passarela, aos pulos, para provar. Também exibia um corpo incrível para seus 53 anos, e ainda conseguia atrair atenção, mas precisava fazer isso com um vestido coral justíssimo e botas de camurça roxas?

Saffy deu uma olhadela em si mesma em um espelho cuja moldura era uma silhueta de mulher. Como desvantagem, ela não tinha a estrutura óssea de sua mãe nem as curvas de parar o trânsito. Como vantagem, o que havia de tão incrível em parar o trânsito? As mulheres a detestariam, os homens perderiam o rumo e, em algum ponto do caminho, acabaria viciada em tanta atenção. Ela desconfiava que era por isso que a mãe sempre se vestia para ser a pessoa mais chamativa do local.

Seu terninho listrado da DKNY era simples, mas clássico. O cabelo castanho-caramelo estava no comprimento dos ombros e era desfiado para ressaltar seu rosto esguio. Sua pele era clara demais, mas com um pouco de base ela conseguia dar-lhe um tom mais quente. Era difícil vê-los quando usava óculos, mas seus olhos eram grandes e de um castanho-esverdeado. Gostaria de ter quadris menores e seios maiores, mas não é o que todas querem? Todas que têm seios, obviamente.

Certa vez, na estreia de um filme, um jornalista a tinha confundido com a esposa de Bono. Ali Hewson era tudo que Saffy desejaria ser: natural, elegante, suave, bem casada com um homem famoso, mas satisfeita em ficar fora dos holofotes, e não usaria botas roxas nem morta.

— Conte-me — sua mãe pegou-a pelo braço e guiou-a na direção de uma marca de lingerie luxuosa — como vão as coisas com o Greg?

— Está tudo ótimo — Saffy respondeu com calma. Essa era a conversa que ela vinha tentando evitar. — Como vão as coisas com o Len?

Quando era pequena, sua mãe costumava dizer que era preciso beijar um monte de sapos antes de encontrar um príncipe, e parece que ela tinha razão. Len era o último de uma fila de sapos que se estendia até onde Saffy podia lembrar.

Exceto pelo suéter tricotado a mão, a paixão pelo veganismo e a barba com aparência suja, não havia nada de errado com ele. Saffy o encontrara duas vezes, e provavelmente não o encontraria novamente. Os sapos nunca duravam muito tempo.

— Ah, o Len. — Jill passou os dedos pelo babado de um baby-doll e suspirou. — Ele tem boa vontade, mas estou começando a me cansar dessa coisa de "carne é assassinato". Nem me lembro da última vez que comi um sanduíche com bacon, e tive que guardar todos os meus sapatos de couro, exceto estes. — Deu um tapinha carinhoso em uma das botas. — Eu disse que era imitação de camurça. Ele vai aparecer mais tarde para me preparar um cozido de cinco tipos de feijão, que deve ser ótimo, mas não é exatamente um afrodisíaco. — Ela colocou o baby-doll de volta na arara, pensativa. — E você? Algum plano para o jantar de Dia dos Namorados?

— Acho que vamos sair para jantar — Saffy disse, casualmente.

— É? Onde?

— No 365. Fica na...

— Eu sei onde fica! É fantástico. Eu li a crítica no *Irish Times*. Você é uma garota de sorte. — Jill suspirou. — Acho que não tem ideia da sorte que tem, mas...

Saffy já sabia o que vinha a seguir.

— Uau! — Arrebatou um cabide a esmo e ergueu-o. — Você devia experimentar isso. — Era um corpete em arrastão vermelho.

Sua mãe nem chegou a olhar direito.

— Sadbh, você não acha que talvez seja hora de você e o Greg se casarem, porque já faz...

— Já faz o quê? — Saffy retrucou. — Seis semanas que você perguntou?

— Não precisa vir com duas pedras na mão.

Saffy tentou retroceder. Sua mãe adorava uma cena, principalmente em público.

— Me desculpe. Vamos mudar de assunto... — Mas era tarde demais. Jill estava a toda.

— Não, *eu* é que peço desculpas! Me desculpe se é crime demonstrar o mínimo interesse em minha filha única.

Não era culpa de Saffy ser filha única. Na verdade, ela adoraria ter tido irmãos. Quanto mais, melhor. Qualquer coisa que desviasse a ofuscante atenção de Jill. Qualquer coisa que impedisse sua mãe de obter um passe livre para sua vida pessoal.

— Me desculpe — Jill apontou-lhe um pequeno cabide de metal, acusando-a — por desejar que você seja feliz e tenha segurança. Me desculpe por não querer que você acorde de repente, com 50 anos, sozinha e...

— Eu sou feliz! E estou segura! E faltam dezessete anos para eu fazer 50! — A voz de Saffy saiu mais alta do que ela pretendia. Bem mais alta. Agora, era ela quem atraía a atenção.

— E me desculpe — Jill continuou dramaticamente — por qualquer coisa que eu tenha feito para fazer você gritar comigo em público! Algo que eu espero que sua filha nunca faça! — Contornou um banco redondo de veludo vermelho e dirigiu-se a uma parede de armários de vidro.

Ela não precisava se preocupar. Saffy não teria filhos. Havia decidido isso há muito tempo. Seus pais não eram exatamente um modelo de família feliz.

Ela nunca vira uma foto do pai. Se existira alguma, Jill a destruíra há bastante tempo. A única coisa que tinha para se lembrar dele era seu nome, Sadbh. Ele desaparecera antes que ela tivesse a oportunidade de chamá-lo de algum nome igualmente horrível. Até mesmo os irlandeses, que deveriam conhecer seu nome, soletravam a estranha combinação de consoantes com cuidado, como se temessem quebrar um dente.

Rob Reilly tinha mais do que o dobro da idade de sua mãe e era casado. Quando Jill ficara grávida, ele largara a esposa e eles se mudaram de Bristol para Dublin. Depois, quando Saffy tinha 2 anos de idade, parece que um dia ele acordou e mudou de ideia.

Ele saiu e reatou com a esposa. Jill raramente falava sobre isso, mas, pelo pouco que dizia, Saffy sabia que sua mãe não podia voltar para a casa dos pais. Eles disseram que se tivesse um filho com um homem casado, não precisaria nunca mais aparecer.

As pessoas dizem que você não pode sentir falta do que nunca foi seu, mas elas estão erradas. Mesmo quando era pequena demais para entender o motivo, Saffy sentia uma pontada no peito quando via um homem balançando uma menininha nos ombros ou pegando em sua mão para atravessar a rua.

Por alguma razão, sentira mais falta do pai quando era adolescente. Sempre foram as coisas mais corriqueiras que a tocavam. Um aparelho de barbear enfiado dentro do suporte de escovas de dente no banheiro de alguém. Um homem no portão da escola examinando a multidão de crianças em busca de um rosto que não era o dela. Sentada, invisível, no banco de trás do carro, enquanto um amigo discutia com o pai quando voltavam da discoteca. As palavras "Papai Noel". A total falta de sentido do Dia dos Pais.

Ela não sabia onde seu pai estava nem por que ele havia partido. Não conseguia mudar o fato de que ele não queria fazer parte de sua vida, mas podia mudar o nome horrível que ele lhe dera, e, quando fez doze anos, ninguém mais, exceto sua mãe, a chamava de Sadbh.

Abriu-se uma brecha na multidão e ela viu Jill no outro lado da loja, olhando para dentro de um armário de vidro, fingindo-se interessada em um mostruário de meias finas com costura e borlas de dançarina de cabaré. Por um instante, Saffy quase sentiu pena dela.

Sua mãe havia feito tanto. Ela havia aprendido a dirigir e a datilografar, e a suavizar seu sotaque inglês para não destoar tanto. Havia transformado os cavernosos apartamentos em que moraram em lares. Havia limpado escritórios e datilografado trabalhos até Saffy começar a frequentar a escola, deixando-a com uma vizinha ou levando-a em seu carrinho de bebê. Depois, havia arranjado um emprego de meio período em uma loja de antiguidades e aprendido tudo que conseguira sobre o ramo. Economizara o suficiente para comprar uma casa. Mas não importava o quanto fizesse, sua vida sempre seria definida por todos os "se".

Se ela não tivesse se apaixonado por Rob Reilly. Se não tivesse acreditado quando ele dissera que cuidaria delas. Se tivesse sido mais precavida. Se não tivesse sido apanhada. Todos os "se", Saffy percebera quando tinha 14 anos, se somavam em um só: se ela, Saffy, não tivesse nascido.

Jill estava determinada a fazer com que Saffy tivesse todas as coisas que ela perdera por ser uma mãe solteira: faculdade, uma carreira, viagens. Saffy já sabia de tudo isso, mas agora sua mãe estava lá, ansiosa, aguardando que ela chegasse à coisa mais importante. Algo relacionado a um longo vestido branco e ao "felizes para sempre" que ela jamais tivera.

Mas Jill teria que continuar aguardando. Porque ter um filho não significava poder viver de novo sua vida por intermédio de outra pessoa. Não funcionava assim.

Marsh, sentada à sua enorme mesa de vidro do escritório, encarava um documento e ignorava Simon, acomodado à frente dela, com os olhos no triângulo de pele cor de creme e as bordas rendadas do sutiã branco dela, que apareciam por baixo do macio e bem talhado casaco Nicole Farhi.

O escritório parecia um cenário da revista *Interiores*. Era enorme e elegante, com uma parede cheia de janelas que davam para a Mansion House, residência oficial do prefeito. Havia um pálido tapete cor de creme, uma cadeira Eames de couro e um sofá de veludo cinza sob uma prateleira flutuante de vidro que exibia os prêmios de publicidade conquistados. As rosas, agora dispostas em um enorme vaso de metal, eram, Saffy percebeu, exatamente da cor de seu *tailleur*.

Marsh olhou para Saffy.

— Está atrasada novamente — observou.

Simon nem se incomodou em esconder um sorriso. Tecnicamente, como eram ambos executivos-sênior de contas, Saffy e Simon ocupavam posições iguais. Mas, francamente, ela não conseguia saber qual era a dele, e ele parecia pensar que a descrição de seu cargo incluía sabotá-la.

Não ajudava o fato de Marsh ficar insinuando que um dia desses assumiria um cargo executivo e escolheria um deles como diretor administrativo. Ou que ela os jogasse um contra o outro, fazendo-os competir por migalhas do trabalho.

Saffy deixava Simon no chinelo quando se tratava de escrever um relatório, mas ele era moderno, bonito e esportivo, e imbatível quando se tratava de flertar com clientes do sexo feminino e deixar clientes do sexo masculino o derrotarem no golfe. Ela levava ligeira vantagem no faturamento mas, com Simon, era preciso sempre ficar alerta.

Saffy sentou-se o mais distante possível dele.

— Me desculpe, Marsh.

— Você sabe o que significa a palavra "pontual"?

Saffy sabia. Mas certamente Marsh não queria ouvir a definição do dicionário.

Marsh jogou seu cabelo sedoso para o lado e deu um leve sorriso.

— Pontual significa nunca ter que pedir desculpas.

Marsh nunca chegava atrasada, não cometia erros nem fazia nada malfeito. Ela era perfeita. Pessoalmente, profissionalmente e (pelo que Saffy podia dizer depois de três anos) perpetuamente. Era uma das poucas mulheres que haviam chegado ao topo da carreira publicitária e a única a fazê-lo com saltos altíssimos, com o cabelo de Teri Hatcher, o corpo de Victoria Beckham e o guarda-roupa de Carrie Bradshaw.

Ela poderia passar por 30, mas Ciara jurava que tinha visto seu passaporte e que Marsh tinha 45 anos. Mas Ciara também jurava que Marsh bebia o sangue de meninos adolescentes, nunca usava roupa de baixo e mantinha uma tira de camurça na gaveta, usada para polir os sapatos.

Saffy sentou-se em uma cadeira ao lado do gerente de mídia. Mike estava na casa dos 40, mas poderia passar por 60. Sua gravata amarela estava manchada com uma gota de sopa, sua calça tinha subido e ele usava meias de Natal. Em fevereiro.

Marsh levantou-se, abriu um *flipchart* novo e escreveu as palavras "Pluma Branca" com cuidado no alto da página. Seu marcador rangeu como um rato assustado.

— Esta é uma de nossas contas mais importantes, certo? E isto — ela rasgou a página, amassou-a e jogou a bola de papel no cesto de lixo — é o que estamos fazendo com ela.

Saffy suspirou. O problema não era dela. Pluma Branca era uma marca de absorventes higiênicos cujo orçamento, na maior parte, destinava-se a brindes e promoções. Era cria de Simon, e ela percebeu-lhe o pomo de adão subindo e descendo, feito um ioiô.

— Encontrei Dermot Clancy em um jantar da Associação de Marketing ontem à noite — Marsh disse, andando ao redor da mesa. Seus sapatos Louboutin de couro deixavam uma trilha de pequenas marcas no carpete. — Ele não está nada satisfeito.

Não era novidade nenhuma. Dermot Clancy sempre parecia insatisfeito. Era um sujeito de cabelo grisalho, da cor de algodão-doce, olhos claros parecidos com os de um coelho e sempre mordiscava coisas. Esferográficas, as próprias unhas, os cantos das pranchas de apresentação. Sua indecisão era lendária. Uma agência o apelidara de "Dermot Nervoso".

— A fatia de mercado baixou vinte por cento nos últimos seis meses. — Marsh olhou nos olhos de cada um. — E atenção. Ele está pensando em colocar a Pluma Branca em outra agência.

O ar parou. Não era mais um problema só de Simon. Perder uma conta de 2 milhões de euros no meio de uma recessão poderia acabar com a Komodo. Mesmo que não acabasse, começaria um efeito dominó. Uma perda grande sempre abala a fé dos clientes de uma agência. Outras contas poderiam debandar "feito ratos", como Greg dissera uma vez, "abandonando um navio que afunda".

— Não me perguntem como. — Marsh estreitou os olhos sugestivamente. — Mas consegui persuadir Dermot a nos dar uma última chance. Temos três semanas para criar uma estratégia de posicionamento, produzir conceitos e aumentar a adesão. — Ela olhou para o pequenino Rolex que envolvia seu pulso. — Três semanas! Começando agora!

Cortou o ar com seu marcador esperando ideias, mas ninguém queria ser o primeiro a ser abatido. O estômago de Saffy se retorcia. Mike descruzou as pernas e suas meias tocaram uma musiquinha de Natal. Ele tentou disfarçar tossindo.

Simon recostou-se na cadeira. Sua linguagem corporal era serena, mas suas mãos estavam tremendo e seu rosto bonito assumira um estranho tom arroxeado.

— Eu sabia que isso iria acontecer, Marsh. Venho tentando convencer Dermot a aumentar seu orçamento desde janeiro. A concorrência aumentou. O produto está velho. As embalagens precisam de modernização e precisamos de prêmios com mais classe, um item com valor que seja percebido, como um DVD, algo que realmente faça uma ligação com a marca.

Marsh escreveu as letras "DVD" no *flipchart*.

— Que filme?

— Não sei, mas algo como *28 Dias*, que seria perfeito porque o ciclo menstrual da mulher é de 28 dias.

— É aquele em que Sandra Bullock faz uma alcoólatra? — Mike perguntou. — É um filme brilhante.

— É. — Simon disse, balançando a cabeça. — E podíamos continuar com *28 Dias Depois*.

— Possivelmente o melhor filme de zumbis já realizado! — Mike disse, balançando a cabeça em reverência.

Marsh levantou uma das mãos, na qual usava o produto de uma pequena mina de diamantes.

— Vocês acham que uma mulher que está menstruada tem o menor interesse em alcoólatras e zumbis? — Ela virou-se para Saffy. — Me salve desses idiotas.

— O problema não é o orçamento nem as embalagens — disse Saffy. — O motivo pelo qual a fatia de mercado está em queda livre é que a Pluma Branca ficou parada na era medieval. Olhe só este *slogan*: "Seu segredo está seguro conosco". É tão paternalista.

— É um *slogan* perfeito — Simon bufou. — Ele existe há cinquenta anos.

— Exatamente. E se estivéssemos tentando atrair esposas medievais, seria ótimo. Mas não estamos. Estamos tentando atrair mulheres jovens, confiantes e *sexies* do século 21. E elas não estão nem um pouco interessadas em brindes baratos. Elas procuram uma ligação emocional. Penso que devíamos refazer a marca totalmente, anunciando na TV, on-line, no cinema e em outdoors.

— Certo — Simon intrometeu-se. — O que o mundo precisa agora é de mais um comercial clichê de absorventes com uma menina de jeans branco fazendo ginástica e sendo puxada sobre patins por um dogue alemão.

— Não — Saffy refutou —, o que o mundo precisa, o que o Dermot Nervoso precisa, é de uma ideia desafiante para uma campanha que redefina todo o setor.

— E suponho que você tenha essa ideia? — Simon zombou.

Saffy tinha. E embora se sentisse um pouco culpada por chutá-lo quando ele estava por baixo, era sua chance de expressá-la. Ela tivera essa ideia quando olhara um livro de fotografias no escritório de Ant e Vicky há algumas semanas. Ela havia parado em uma foto que Duane Michals fizera de um anjo lindo e seminu, sentado em uma cama observando uma mulher que dormia. Era tão perfeito.

Mas se ela se deixasse entusiasmar demais, estragaria tudo. Marsh tinha de pensar que a ideia era dela também.

— Bom, eu ainda não trabalhei a ideia, vou só pensar em voz alta, mas a essência da marca é "proteção" e o produto tem asas. Que tal, eu não sei — ela fez uma pausa por alguns instantes, para parecer que estava pensando naquilo pela primeira vez —, que tal um anjo que protege as mulheres naquele período do mês quando elas se sentem tão vulneráveis?

— Um anjo — Marsh disse, pensativa. — *Um protetor com asas*.

Saffy concordou. Era exatamente para onde ela queria conduzi-la.

— Isso! É essa a personalidade da marca. As mulheres vão adorar! E podemos torná-la mais viva com marketing de guerrilha. Colocar um sujeito vestido de anjo distribuindo amostras nas estações de trem.

Marsh colocou a tampa de volta no marcador.

— É para isso — ela disse — que eu lhe pago aquele salário ridiculamente alto. Simon, passe toda a pesquisa da Pluma Branca para a Saffy. Você está fora da conta, a menos que ela peça sua ajuda, o que eu acho que não vai acontecer. Mike, comece a procurar dados sobre mulheres entre 16 e 45 anos. Saffy, quero que deixe a apresentação do projeto em minha mesa antes de sair hoje.

Hoje? Era impossível.

— Muito bem, Saffy. — Simon parecia desapontado, mas conseguiu dar um sorrisinho maroto quando todos se levantavam para sair. — Espero que você não tenha planejado nada para a noite dos namorados.

Simon largara três caixas imensas com documentos da Pluma Branca no escritório de Saffy. Ela as arrastou até a sala de reunião, espalhou tudo sobre a grande mesa de vidro e começou a trabalhar na pesquisa. Às 5 horas, já não conseguia ler mais nada e o projeto não estava nem na metade. Queria telefonar para Greg e dizer-lhe que talvez não fosse uma boa ideia sair para jantar, mas ele estava gravando, então supôs que seu telefone estivesse desligado.

Levantou-se, pegou uma xícara de café, fechou as persianas e ligou o monitor da sala para assistir ao episódio do Dia dos Namorados da série *A Estação*. Deveria estar acostumada a ver Greg na TV, mas não estava. Não completamente. Talvez fosse diferente quando ele fizesse cinema, mas a série ia ao ar quase em tempo real. Era como se ele estivesse vivendo uma vida paralela, uma vida em que ela não existia. Saffy procurava não deixar que isso a afetasse, mas não gostava de vê-lo em cenas de amor com outras mulheres, principalmente quando eram com Mia, a bombeira que estava envolvida com ele, com algumas interrupções, há quase tanto tempo quanto ela.

Havia praticamente admitido isso para Greg, mas ele saíra pela tangente, culpando o roteiro. "Eu vivo dizendo aos roteiristas que eles precisam acrescentar mais conteúdo ao caso entre Mac e Mia, gata. Aquilo não vai adiante. É só atração sexual. Eles não têm nada em comum. Quase não falam, você percebeu?"

Ela já tinha percebido. Os dois estavam sempre ocupados demais enfiando a língua um na boca do outro e despindo os uniformes um do outro para dizer alguma coisa. E, por alguma razão, não achava isso nem um pouco reconfortante.

Os créditos de abertura terminaram e lá estava ele, avançando através da fumaça cada vez mais espessa, carregando um pequeno corpo inerte envolto em um cobertor. Poderia ser um cachorro morto ou até uma criança, mas ficou difícil concentrar a atenção nisso quando a câmera se aproximou para dar um close em Mac Malone.

Os jornalistas, especialmente as mulheres, ficavam sem palavras quando tentavam descrever aquele rosto. Seu queixo era "forte e benfeito" ou "quadrado e forte" ou "benfeito e forte". Seus olhos eram "cor de passas" ou "caramelo", embora uma jornalista do *Clare Champion* tivesse ido mais além e o chamado de "Valhrona 70 por cento". Não havia muito o que variar sobre seu cabelo, que era preto, mas às vezes o chamavam de "carvão", "alcatrão" ou "fuligem". De vez em quando, o debate sobre sua altura virava um problema, mas havia um consenso de que estatura não era importante. Não quando se tinha a aparência de Greg Gleeson.

Nesse momento, o cabelo dele estava molhado e grudado de modo atraente à testa suja de fuligem. Uma manga do uniforme rasgada deixava à mostra o ombro largo e o braço musculoso e bronzeado.

Os outros bombeiros baixaram a cabeça quando Mac passou carregando o corpo. Mia largou a mangueira e chamou-o, mas ele fez um sinal negativo com a cabeça e continuou caminhando.

Frank, o enrugado chefe dos bombeiros de *A Estação*, colocou o braço em volta dela. "Deixe-o ir", ele disse, acariciando-lhe a juba de cabelo altamente inflamável. "Ele precisa ficar só." Mia mordiscou seu brilhante lábio trêmulo. "Você não compreende, Frank. Mesmo rodeado de gente, Mac está sozinho." Entraram os comerciais.

A Estação fazia *Gossip Girl* parecer *The Wire*, mas a maioria das pessoas não estava procurando a mais pura realidade. Elas buscavam escapismo, e era o que *A Estação* oferecia três vezes por semana. Começava com um incêndio fora de controle, normalmente envolvendo crianças, mulheres seminuas ou animais de estimação, mas tudo isso era somente o pano de fundo para o verdadeiro drama: o último desdobramento do ardente triângulo amoroso entre Mac, Mia e Frank, o bombeiro-chefe, que era casado. E muitas tomadas com foco suave de Mac no chuveiro lavando a fuligem de seu abdômen sarado.

O que era estranho era que *A Estação* não existiria se não fosse por Saffy. Fora ela quem escalara Greg para a propaganda do sorvete Ice Bar e inspirara toda a série. *Bombeiro bem gato resgata linda jovem e seu sorvete de um prédio em chamas, depois a larga, rouba o sorvete e o toma.*

Greg quase perdera os testes. Ele aparecera tarde, usando um cavanhaque desgrenhado, e o diretor de elenco o mandara embora. Saffy estava do lado de fora falando ao telefone quando o viu sair. Todos os atores que eles testaram eram mais altos. Dois deles eram mais bonitos. Mas Greg tinha algo especial, algo que uma jornalista encantada viria a batizar de "poeira de Elvis", que a fez detê-lo e mandá-lo comprar um aparelho de barba. Depois, Saffy convenceu o diretor e os outros criadores a esperar para gravar o teste com ele.

E, quando ele olhou para dentro da câmera como se quisesse fazer sexo com ela agora e sempre e depois adormecer abraçado com ela e disse sua fala, "de todos os bares no mundo, ela tinha que vir comer aqui", ninguém precisou ser convencido. Ele era o cara.

As vendas do Ice Bar decolaram. Mulheres vandalizavam as garagens dos ônibus para roubar um pôster de Greg. Um tabloide colocou-o na primeira página com a manchete "Sexo em um palito". Depois, uma produtora de televisão fez um piloto de uma série envolvendo bombeiros e ofereceu-lhe o papel de Mac Malone.

Nada disso surpreendeu Saffy. O que a surpreendeu, naquela época, foi o fato de ele lembrar seu nome, conseguir seu número de telefone e ligar repetidas vezes pedindo que saísse com ele. E de ele prestar muita atenção no que ela dizia. E de tê-la beijado no restaurante, no táxi a caminho de casa, fora do apartamento dela, dentro do apartamento dela e em praticamente todos os lugares. E de ele continuar convidando-a para sair até que finalmente deu certo. Ele não era só o cara para eles. Era o cara para *ela* também.

Sempre achara que aquelas músicas que falam de pessoas que ficam admirando o outro dormir eram meio esquisitas, mas, durante os primeiros meses, acordava certas noites e ficava olhando para Greg. E toda vez que ele entrava em algum lugar, ela se sentia completa, como se ele preenchesse um espaço que ela não sabia que existia.

Não somente um, mas dois de seus ex-namorados lhe haviam comprado o livro *Homens São de Marte, Mulheres São de Vênus*: Ciaran, o contador com membranas entre os dedos dos pés, e Gordon, o designer gráfico que só conseguia ir ao banheiro na própria casa. Saffy era uma mulher que "resolvia problemas", mas o livro explicava que não se deve ajudar os homens a resolverem seus problemas. Se você, inocentemente, recomendar um cirurgião plástico competente ou um par de sessões com um hipnoterapeuta, eles desapareceriam (e desapareceram) dentro de suas cavernas.

Greg não parecia ter uma caverna. Ele queria seus conselhos. Ele os pedia e os escutava. Saffy o ajudara a encontrar o agente certo. Ela sabia quando era hora de pressionar para pedir aumento. Ela o afastava das mudanças de trama suspeitas que os roteiristas de *A Estação* arranjavam quando os índices de audiência variavam. Mostrar Mac vestido de mulher, beber e dirigir ou ficar viciado em cocaína poderia aumentar a audiência durante algum tempo, mas Saffy entendia o suficiente de marketing para saber que o maior produto que Mac tinha a oferecer era o fato de ser um herói. E ela garantia que Greg não se afastasse disso.

"Não conseguiria ter chegado aqui sem você, gata!" ele dissera no palco depois de receber seu primeiro Prêmio da Televisão e Cinema da Irlanda, e o coração dela dobrara de tamanho, porque ela sabia que era verdade.

A Estação voltou ao ar. Mia, uma nanica peituda de 25 anos de idade que os jornais gostavam de chamar de "gata com cabelos de fogo", estava tirando o uniforme no vestiário comum. Ao jogar a jaqueta de lado e revelar um sutiã com lacinhos, a porta se abriu e

Mac entrou. Ele tinha um estranho sexto sentido e aparecia sempre que Mia começava a se despir.

Mac virou-se para sair, mas Mia o pegou pelo braço. "Não se culpe, Mac. Você fez tudo que podia para salvar aquela menina." Ele soltou o braço e andou pela sala por alguns instantes. Depois, deu um soco num armário de metal que era frágil a ponto de abrir um buraco. "Não adianta. Não consigo mais!"

"Você não escolhe ser bombeiro. Você nasce para isso. Pare de dar ouvidos aos seus medos." Mia colocou sua pequenina mão em seus enormes seios. "Ouça seu coração!"

"Não, não consigo mais esconder o que sinto por *você*."

A câmera enquadrou os dois. Havia um fio saltando da sobrancelha esquerda de Greg que parecia um ponto de interrogação. Saffy o aconselharia a falar com a maquiadora. Ela pegou seu café.

"Mia," Mac disse, "quer se casar comigo?"

Saffy tomou um gole cheio de ar. O café caiu em sua blusa. O quê? Esse episódio tinha sido gravado na semana anterior. Por que Greg não lhe contara? Ficou olhando para a tela, incrédula, enquanto Mia levava as mãos ao rosto.

"Oh, Mac! Você fala sério? Fala sério mesmo?"

Mac ficou de joelhos e abriu a mão. Na palma cheia de fuligem havia um enorme solitário de diamante. Apareceram os créditos. Tudo indicava que ele estava realmente falando sério.

Capítulo 3

Rua Seacrest, 22
Dublin 2

14 de fevereiro

Prezada srta. Kemp,

Você recebe centenas de cartas como esta todos os dias, certo? E tem como regra não aceitar manuscritos sem que os tenha solicitado.

Eu sei que regras são regras, mas, como diz Yoda, "faça ou não faça. Não tente". Por isso estou enviando a você o primeiro pedaço de meu romance Dobra ou Desiste, *contando com a chance remota de que esta carta seja lida. A exceção que confirma a regra.*

Assim como as centenas de outros esperançosos que irão lhe escrever esta semana, eu sempre tive um livro dentro de mim. Imaginei que seria uma aventura emocionante passada nas ruazinhas de Nápoles ou uma história de amor predestinado tendo como pano de fundo um Iraque devastado pela guerra.

Contudo, quando me sentei para escrever, acabou saindo uma história sobre um pai que tenta educar seus gêmeos de 6 anos tendo como pano de fundo criancinhas aprendendo a andar, geleia, macacões cheios de pelo de cachorro grudado e vídeos do Barney.

Até agora escrevi 30 mil palavras e acho que ainda tenho mais umas 60 mil pela frente. Espero acabar antes do fim do verão para poder começar logo o próximo (estou achando que vai ser um conto sobre um senador americano obcecado pela escolha que tem de fazer entre a amante, atriz de cinema, e sua carreira em Washington. Mas provavelmente vai acabar sendo uma história sobre um motorista míope de um Fiat Punto com esposa e dois filhos que tem de escolher entre sanduíches de tomate ou banana no subúrbio de Dublin).

Se você tiver tempo, ficaria muito grato se pudesse ler uma página de Dobra ou Desiste *e me dizer se estou perdendo meu tempo. Se estiver, apenas mande-o de volta para mim no envelope que enviei junto. Posso usá-lo para forrar o chão da gaiola de Brendan.*

Atenciosamente,
Conor Fahey

P. S.: Caso tenha ficado preocupada com a última afirmação, Brendan é um hamster. Ele é marrom e branco e tem hábitos noturnos. Um detalhe que esqueceram de mencionar quando o comprei para meus filhos!

Jesus! Ele parecia desesperado e soava como um idiota, mas não tinha mais energia para escrever tudo de novo. Essa já era a terceira tentativa. Clicou em imprimir, deu uma ajeitada no cabo e mentalmente cruzou os dedos.

O telefone tocou e Jess saiu correndo da cozinha. A escrivaninha de Conor ficava encaixada no espaço debaixo da escada e sua cadeira bloqueava a passagem para o telefone. Ela enroscou o pé descalço no fio da impressora e da máquina velha, equilibrou-se nas escadas e aterrissou em um cesto de roupas cheio de toalhas de banho e brinquedos.

— Merda! Merda! Merda! — Desvencilhou-se do fio e se espremeu para passar por Conor. O corredor era tão estreito que foi pela frente dele. Ele a agarrou e a fez montar em seu colo.

— Ei, que surpresa boa você vir sentar no meu colo no Dia dos Namorados!

Ela estava usando um de seus suéteres e calças de moletom velhas. Seu cabelos loiros e longos o chicotearam no rosto. Tinham ao fundo um leve aroma de coco e um cheiro mais predominante de peixe frito.

— Me larga! — Ela tentou se libertar, mas ele a segurou com força. — Preciso atender o telefone.

Conor enfiou o rosto no pescoço dela e beijou seus ombros. O telefone parou de tocar.

— Seu idiota! Devia ser o Miles estendendo meu prazo de entrega.

— Jess, alguma vez o Miles já estendeu seu prazo de entrega?

Ela parou de lutar e o olhou fixamente. Tinha um pedacinho de alguma coisa presa na franja, que ele esperava que fosse Nutela.

— Nunca mais vou falar com você — ela resmungou.

— Está falando agora — ele respondeu. — Olha, já são quase 8 horas da noite. É Dia dos Namorados. Até o Miles deve ter um lugar para ir esta noite. Alguém deve amá-lo. Certo? — Deslizou as mãos pelas costas dela. Jess estava sem sutiã. — Eu estendo seu prazo. Você tem até segunda-feira. Está bem assim?

— Não, não está bem — ela reclamou, mas arqueou as costas e colocou os braços em volta dele.

— Vocês estão fazendo sexo? — Lizzie estava parada na porta da cozinha apertando os olhos para enxergá-los. Ela não estava usando seus óculos. Em uma das mãos segurava a metade mordida de um peixe empanado e na outra apertava um hamster que esperneava.

— Põe o Brendan no chão — Conor e Jess falaram ao mesmo tempo. Lizzie o largou e o hamster saiu correndo pelo corredor, mergulhando no cesto de roupas.

— Eles não estão fazendo sexo. — Luke, irmão de Lizzie, apareceu atrás dela. Ele estava usando os óculos de Lizzie, que aumentavam seus já enormes olhos azuis de um jeito assustador. — O homem não consegue colocar o pênis dentro da mulher quando ela está de calça comprida.

Às vezes, quando olhava para os gêmeos, Conor se lembrava da piada sobre a piscina genética. Aquela que diz que não há salva-vidas. Luke era Jess em miniatura, um garoto de ouro. Cabelos cor de mel lisos e pesados, olhos de um azul bem escuro com longos cílios e uma pele morena que até no inverno parecia sempre bronzeada. Lizzie carregava toda a genética dos Fahey. Os cachos negros bem armados, as sardas, olhos hipermetropes acinzentados, a pele branca dos irlandeses e o que sua mãe descrevia, de forma otimista, como uma "estatura generosa".

Contudo, o engraçado era que Conor os achava igualmente lindos. Na verdade, tirando Jess, eles eram os seres mais lindos que ele já vira.

Jess saiu de seu colo.

— Você acertou, Luke, nós *não* estamos fazendo sexo. O papai não me deixou atender o telefone, então nunca mais faremos sexo.

— A mamãe *não* está usando calça comprida — Lizzie disse.

As pessoas olhavam para Jess o tempo todo. Era algo que não podiam evitar. Quando Conor lera que a beleza tinha a ver com simetria, isso fez muito sentido, pois o rosto dela era como uma equação perfeita que todos os olhos procuravam decifrar.

Ele percebia as pessoas observando-a, somando os detalhes um a um. O azul-marinho aveludado dos olhos, mais a linha delicada das maçãs do rosto, multiplicada pela curva de seu lábio inferior, dividida por aquelas pernas esbeltas. Então, as pessoas o adicionavam àquela soma e ele sacava que estavam se perguntando como é que ele se encaixava naquilo tudo. Sabia disso porque ele próprio ainda estava tentando entender.

Haviam se conhecido oito anos atrás no *Irish Voice*. Ele estava na seção de notícias quando ela entrou no setor de atrações. Ela lhe sorriu algumas vezes no elevador, mas ele achou que não era nada pessoal. Afinal, mulheres bonitas daquele jeito tinham motivos de sobra para sorrir.

Certo dia, no horário de almoço, no café perto do escritório, ela esqueceu a bolsa e não podia pagar seu sanduíche. Ele pagou, mas quando ela reparou que ele não teria dinheiro para comprar o próprio almoço, sugeriu que dividissem o sanduíche.

Naquela mesma noite dividiram o jantar e na manhã seguinte o café da manhã. Ele achou que em algum momento tudo aquilo iria terminar. No entanto, três meses depois ela continuava se enfiando em sua cama, usando sua escova de dentes e pegando suas roupas emprestado. Então, num dia de sol no parque, ela estava sentada em seu colo com o teste de gravidez nas mãos, e tinha dado positivo.

Foi na mesma semana em que o jornal fechou. E mesmo quebrados e desempregados e sendo jovens demais para começar uma família, Conor se sentia abençoado. E daí que quando os vissem juntos ficassem se perguntando o que ele estava fazendo ao lado dela? Ele acordava ao seu lado todas as manhãs e isso era só o que importava.

— Você deve ter um bem grandão, hein, meu chapa! — Um cara gritou para eles certa vez quando passavam por um bar.

— Ei! — Jess gritou de volta. — Quando você descobriu que era vidente?

Jess colocou um jeans, mandou as crianças terminarem de jantar e sentou para finalizar seu texto para a revista *Looks*. Se o enviasse agora, poderia inventar para o Miles que havia tido um problema com a conexão discada da internet. De novo.

Era só um texto descritivo que saía em toda edição, uma desculpa para mencionar o nome dos anunciantes que tinham reservado anúncios de página inteira.

Se "você é o que você veste", seja doce e danadinha em um lindo sutiã Cocotte sem armação com estampa de margaridas com tanga fio dental combinando, à venda com exclusividade na Brown Thomas.

Lizzie fazia montinhos de sal em seu molho de tomate. Luke tinha abandonado seus nuggets de peixe e estava comendo cereais direto da caixa, que permanecia sobre a mesa desde o café da manhã.

— Não faça isso — Jess falou sem se dirigir a ninguém.

Reacenda o fogo dele com a provocante fragrância da Vela Paixão Persa da The Bedroom Store. Deixe que o aroma de jasmim, lírio-do-vale e baunilha o seduzam. Depois, deite-se e imagine As Mil e Uma Noites.

Ainda tinha de mencionar mais sete produtos, começando pelo brilho labial. A noite seria longa.

Conor selou o envelope, endereçou-o a "Douglas, Kemp & Troy", tirou a impressora da tomada e enfiou a cadeira de lado por baixo da escrivaninha para não atrapalhar a passagem. Sonhava em converter o sótão em um escritório, mas Jess estava certa. Mesmo que tivessem o dinheiro, o que não era o caso, seria uma loucura gastá-lo com melhorias na casa do proprietário. Ele deu uma ajeitada nas crianças, colocou casacos e botas neles e mandou que Luke voltasse à cozinha para buscar Jess.

— O papai tem uma coisa para te mostrar.

— Diz a ele para mostrar para outra pessoa. Eu não estou interessada e estou no meio de uma outra coisa.

— Vamos lá! — Conor chamou. — Vai levar só cinco minutos!

— Droga, eu não tenho cinco minutos, Conor. — Ela revirou os olhos e em seguida fechou o laptop, saindo para o corredor. — Por favor, não me diga que é alguma coisa melosa que tenha a ver com o Dia dos Namorados. Você sabe que detesto essas porcarias de datas comemorativas para vender cartões da Hallmark.

— A mamãe falou "droga" — Luke disse.

— Ela falou "merda" *três* vezes antes — Lizzie se vangloriou. — Você não ouviu.

Começou a chover. Jess podia ouvir a distância o som reconfortante da sirene que alertava sobre a neblina vindo do lado leste. Uma névoa fina borrava as bordas da paisagem composta de pequenos sobrados. Eles poderiam ter alugado uma casa muito maior no subúrbio, mas ela adorava morar perto do mar, mesmo que estivessem na parte mais cara da costa.

Os gêmeos corriam na frente, animados, pulando nas sombras um do outro sob as luzes amareladas da rua. Luke acendeu sua lanterna quando chegaram ao caminho de areia que levava ao mar. O chão estava coberto de latas, vidro quebrado e pacotes de salgadinhos. Jess praguejou ao pisar em uma camisinha usada.

— Bem, isto é muito romântico. — Ela segurou o braço de Conor. — Prometa que não vai me pedir em casamento na frente dos gêmeos. Nem pelas costas deles. Porque a resposta será "não". Você sabe o que acho daquela palavra que começa com C. A resposta vai ser sempre "não".

— Meu Deus! O que foi isso? — Conor parou, subitamente.

— O quê? — Seus olhos se arregalaram. Ela olhou para ele.

— Shhhhh! De novo! — Ele pôs a mão no peito. — O barulho do meu coração se despedaçando.

A maré estava baixa e a faixa de areia enorme e plana se mostrava vazia exceto por um bando de gaivotas que voavam, planavam e tornavam a pousar depois de passarem. Dublin se espalhava por uma longa faixa de luzes crescentes que se esticavam de Dun Laoghaire até Howth. Um enorme cargueiro, aceso como uma árvore de Natal, deixava o porto.

O muro descascado de uma piscina abandonada tornou-se visível bem à frente. Luke o iluminou com a lanterna e Lizzie anunciou:

— Tchan-tchan-tchan-tchan.

Jess cobriu a boca com a mão. Três "merdas" e um "droga" já tinham sido suficientes para a noite. O coração pintado com spray vermelho tinha pelo menos um metro de largura e quase o mesmo de altura. No centro havia um "J" meio torto em dourado.

— Eu fiz o "J" — Lizzie falou. — Papai me ajudou.

— E eu fiquei vigiando se a polícia não vinha — Luke anunciou orgulhoso.

— Conor, pensei que você fosse um educador. — Jess balançou a cabeça. — Não acredito que está transformando nossos filhos em vândalos. — Mas os cantos de sua boca se levantavam em um sorriso.

— Nós te amamos! Nós te amamos! — Luke e Lizzie pulavam como loucos e o facho de luz da lanterna dançava sobre o coração pintado acima deles.

— Bem, da próxima vez você pode simplesmente falar em vez de dilapidar bens públicos e...

— Quieta. — Conor riu. E para que ela não desobedecesse, ele a calou com um beijo.

Quem quer que cuidasse desse tipo de coisa decidira que holofotes fariam a iluminação, e o 365 estava aceso como um estádio de futebol. Enquanto caminhava em direção à mesa, Saffy via não apenas o rosto, mas os poros de todos que eram alguém em Dublin. Músicos, atores, modelos, jogadores de rúgbi, apresentadores de TV. Todos presentes e perfeitamente acompanhados.

O menu estava impresso em balões em formato de coração que balançavam perto do teto. Tudo em volta remetia a "peitos", "pernas", "ombros" e "quadris", que era o estilo de todas as mulheres, exceto de Saffy. Cabeças se viravam enquanto ela cruzava o grande salão branco até a mesa. Não teria atraído atenção maior se estivesse nua. Vestia seu terninho risca de giz que usava para trabalhar e carregava uma pasta.

Tinha levado até às 8 horas para terminar o resumo da Pluma Branca. Ir em casa para trocar de roupa estava fora de questão. Correra até a lavanderia para tentar pegar o vestido cor de creme. Havia luzes acesas, mas a porta já estava fechada e o homem lá dentro continuou abaixado atrás da arara quando ela bateu na janela. Ela não se importou. Estava triste demais com o que tinha acontecido em *A Estação* para ligar para a roupa.

Era ridículo levar para o lado pessoal o fato de seu namorado ter pedido outra mulher em casamento em rede nacional. Ela sabia que era ridículo. Mac era um personagem fictício. Mia era praticamente uma caricatura, pelo amor de Deus.

Mas, por algum motivo, ver Greg ajoelhado daquele jeito, falando aquelas coisas que ela vinha desejando ouvir há seis anos, tinha mexido com ela. *E se essa tivesse sido a única vez que vira Greg propor casamento?* uma vozinha interna ficava perguntando. *E se tivesse que assistir a Mac e Mia se casarem e tocarem suas vidas enquanto os dois, ela e Greg, permaneciam empacados no mesmo ponto?*

Ficou aliviada por Greg ainda não estar na mesa. Precisava se recompor antes que ele chegasse.

Uma garçonete se aproximou e informou-lhe que Greg havia ligado avisando que iria se atrasar. Ela abriu uma garrafa de champanhe e serviu-lhe uma taça. Saffy bebeu rapidamente e tomou outra em seguida. Já estava na metade da terceira quando o nó de tensão em seu estômago começou a se desfazer e ela começou a se sentir melhor. Até que começaram os soluços.

O primeiro foi tão alto que a mulher da mesa ao lado teve um sobressalto. Saffy olhou em volta como se não tivesse a menor ideia de quem tivesse soluçado. Quando sentiu o próximo se aproximando e subindo pela traqueia, remexeu em sua pasta e pegou o celular, fingindo que lia uma mensagem. Mas era difícil parecer convincente com os soluços que a dominavam como se ela fosse uma marionete.

— Ei, aqui não pode.

Um cara alto com uma cabeleira louro-avermelhada se debruçou sobre sua mesa. Seu sotaque dizia: Austrália. O cabelo e o bronzeado diziam: surfe. A jaqueta branca e a calça xadrez diziam: equipe da cozinha.

Saffy olhou para ele.

— Você está me pedindo para sair porque estou soluçando?

— Soluços são permitidos. Celulares é que não. Nada pessoal. É que seu tom de chamada com esse sapinho maluco pode estragar o clima romântico.

— Meu toque... é... hic... "sinos de vento"... e está no... hic... silencioso.

Ele pegou o celular dela e o desligou. Em seguida, puxou uma cadeira e sentou-se diante dela.

Ela olhou em volta. Será que o pessoal da cozinha tinha permissão para fazer isso?

— O que você está... hic... fazendo?

— Eu vou *hic* te ajudar.

Saffy ia abrindo a boca para dizer que não precisava de ajuda, porém outro acesso de soluços a impediu.

— Se você preferir continuar aqui sentada como um sapo coaxante, fique à vontade.

Ela balançou a cabeça, negando.

— Então vamos lá, chuchu. Vamos fazer umas respirações de ioga. Respire bem, bem fundo. Agora prenda a respiração por quarenta segundos.

Ela conseguiu conter um engasgo entre os soluços.

— Ótimo. Agora ponha a língua para fora e tampe os ouvidos com os dedos.

Ela estava sendo feita de palhaça. Era a única explicação para aquilo. Não viu ninguém filmando, mas devia haver uma câmera escondida por ali. Soltou a respiração, produzindo um barulho parecido com pipoca estourando na panela.

O cara da cozinha riu.

— Olha, aprendi essa técnica em um *ashram* na Índia. A probabilidade de dar certo é de oitenta por cento, mas você tem que fazer como eu falei. Vamos tentar de novo.

Saffy respirou fundo mais uma vez, enfiou os dedos nos ouvidos e esticou a língua para fora. O barulho de talheres sumiu e ela só ouvia o fluxo de sangue circulando e o coração batendo.

— Muito bem, garota. — Ele se inclinou e apertou com força a ponta do nariz dela.

Lágrimas começaram a saltar de seus olhos. Foram os quarenta segundos mais longos de sua vida, e quando tudo acabou os soluços tinham ido embora. Ela enxugou os olhos com um guardanapo.

— Obrigada, mas esse negócio de apertar o nariz era mesmo necessário?

— Eu podia ter beijado você em vez disso — ele retrucou, encolhendo os ombros. — A possibilidade de dar certo sobe para cem por cento.

Ela olhou para ele.

— Você está drogado?

Ele limpou a frente de seu uniforme.

— Que nada. Isso é açúcar de confeiteiro. E isso eu acho que é... — Ele chegou mais perto e deu uma olhada na parte da frente da blusa dela. — Café, certo? Você quer um pouco de água morna e vinagre para tirar essa mancha? Ou faz parte do *look* anti-Dia dos Namorados, de que aliás eu gosto? — Ele pegou a garrafa do balde de gelo e serviu-se de uma taça. — É uma coisa rara e bonita de se ver, uma mulher que não está nem aí para impressionar. Ainda mais hoje.

— Obrigada — Saffy disse com frieza. — Agora acho melhor você ir andando, primeiro porque eu tenho namorado, e segundo, você não devia estar na cozinha cortando cenouras à Julienne em vez de ficar dando em cima das clientes?

Ele riu.

— Desculpe, não estou rindo de você, mas com você.

— É mesmo? Pois eu não estou rindo.

— Estou vendo. Você parece meio mal-humorada. É por isso que ele se atrasa?

— Ele não se atrasa. Ele foi atrasado.

— Mas você está furiosa com ele, não está? Ele não te deu uma dúzia de rosas hoje, não é?

— Não. Quer dizer, sim, ele me deu flores. — Saffy tentou chamar o *maître*. Por que é que alguém não removia aquele cara dali? — Por favor, será que você poderia...

— Não dá. Regras da casa. Mulheres bonitas não podem permanecer sozinhas aqui. — Ele a olhou de cima a baixo. — Sentada sem ninguém, trajando roupas sociais reveladoras no Dia dos Namorados. É muito perturbador para os outros homens.

Ele encheu a taça novamente.

— Então, há quanto tempo você e esse seu "namorado" estão juntos?

Saffy começou a fitar o vazio. Talvez se o ignorasse ele fosse embora.

— Um ano? Dois? Cinco?

— Não é da sua conta.

— Então é mais do que cinco. — Ele se inclinou e pegou a mão de Saffy. — E ele ainda não colocou um anel aqui. Isso explica o mau humor. É como diz uma amiga minha, os relacionamentos são como tubarões, têm que estar sempre se movimentando senão morrem na água. Aliás meu nome é Doug. E o seu é...?

— Vou começar a gritar — ela falou — se você não largar a minha mão agora.

Ele encolheu os ombros e se levantou no mesmo instante em que se ouviu um burburinho pelo salão. Ela olhou por cima do ombro dele e viu Greg na porta. Ele vestia jeans escuros e uma camiseta branca justa com uma jaqueta de couro. Parecia um astro do cinema francês dos anos 1950.

Alguém começou a aplaudir e então se seguiu uma salva de palmas e algumas pessoas se levantavam para cumprimentá-lo enquanto ele se dirigia para a mesa.

— Parabéns, Gleeson — um homem meio embriagado falou. — Finalmente você está fazendo de Mia uma mulher de verdade!

Ouviram-se mais palmas e assobios.

— Obrigado, pessoal. É um trabalho duro, mas alguém tinha que fazê-lo! — Greg fez uma reverência, zombando. — Desculpe, gata, estou atrasado. — Ele segurava uma rosa já murcha embrulhada em plástico.

— Para mim? Obrigada! É linda! — Saffy exclamou com exagero para o cara da cozinha ouvir.

— O quê? Não, ganhei de uma fã. Ela seguiu meu táxi de bicicleta durante o caminho todo até o estúdio. Sério! — Ele entregou a rosa para o "cara da cozinha". — Você pode jogar fora para mim, amigo? — Pegou a garrafa de champanhe, que estava quase vazia. — E me traz mais uma. Oi. — Beijou Saffy e sentou. — Olhe só para você. Você está... — ele tocou na jaqueta do terninho dela.

— Como se tivesse vindo direto do trabalho? — ela completou. — Eu sei. Vim mesmo. Pensei em passar em casa e me trocar, mas não ia dar tempo.

— Você está gostosa.

— Mesmo?

— Está. Você está gostosa e quente, literalmente. Por que não tira a jaqueta?

— Não dá. Derramei café na camisa.

— Um dia daqueles?

— Hummm. — Ela não queria falar sobre o ataque de sua mãe na loja, nem da maratona de trabalho da Pluma Branca, nem dos soluços humilhantes, nem do australiano arrogante, nem do fato de Greg não ter se importado de avisá-la de que iria propor casamento em *A Estação*. Mas, acima de tudo, não queria falar sobre o jeito como ele havia se comportado há pouco, quando todos o cumprimentaram. Como se Mia fosse real e ela, a personagem.

Greg esticou o pescoço para ler o menu em forma de balão.

— Cara, estou faminto. O carrinho da comida era puro ataque cardíaco sobre rodas, então me resguardei um pouco. Bom...vou pedir escalopes, para começar. Depois, peço o frango... merda!

— Ai, meu Deus! Você é o Greg Gleeson. — Uma garota peituda em um microvestido roxo se debruçou sobre a mesa.

Por que elas sempre falavam assim, Saffy pensou, como se ele mesmo não soubesse quem era?

A garota balançava seu cabelo longo e piscava batendo os cílios, fingindo que estava nervosa, como elas sempre faziam.

— Espero não estar atrapalhando. Eu disse para o meu namorado que era você, só que ele não acreditou! Eu precisava vir e dizer para você que chorei por quase uma hora quando você propôs casamento à Mia hoje. Estou tão contente por vocês dois! E amo seu trabalho. E acho que você será o próximo Colin Farrell. E faria tudo por um autógrafo seu. — Ela agia como se Saffy fosse invisível. Elas sempre faziam isso também.

Greg ligou seu sorriso Mac Malone.

— Claro. Qual é o seu nome, gata?

— Ai, meu Deus! — Ela acrescentou um rebolado ao balanço do cabelo agora. — Sua voz é ainda mais sexy ao vivo do que na TV. É Madeline. Mas escreva Maddy. Ela se inclinava de um modo que seus peitos gigantescos roçavam as orelhas dele. — É Maddy com dois "Ds".

Mulheres tipo Maddy com dois "Ds" eram a razão pela qual Greg havia aparecido em nono lugar como o "Homem Mais Sexy do Ano" na *The Goss* e eleito o quinto homem mais desejado da Irlanda em uma pesquisa da *Weekend Trend*. E Saffy era aquela que normalmente lembrava a ele que deveria ser simpático com elas. Neste exato momento, porém, estava difícil lembrar-se disso.

— Obrigada! — Maddy com dois "Ds" pegou o guardanapo que

Greg tinha acabado de autografar e inclinou-se de novo para beijar seu rosto. — Pode ter certeza — Saffy a ouviu sussurrar — que eu faria *absolutamente tudo*.

— Você poderia nos deixar a sós agora? — Saffy disse em voz baixa. — Poderia voltar para sua própria mesa e dar em cima do seu próprio namorado?

Greg arregalou os olhos depois que ela saiu.

— Está tudo bem?

Não estava, entretanto aquele não era o momento e certamente não era o lugar para se falar daquilo. A regra número um de sair com alguém famoso era sempre parecer feliz em público.

Ela sacou um sorriso rápido.

— Só estou um pouco cansada. Vou ficar bem.

Greg estava, de fato, faminto. Raspou seu prato de escalopes e, em seguida, o dela. Depois comeu o filé de frango, o pato e os legumes. Saffy mal tocou na comida. Estava fazendo o melhor que podia, mas vê-lo sentado devorando tudo como se não houvesse nada errado a irritava. Não que ela tivesse dito a ele que havia algo errado, mas depois de seis anos, com certeza, ele já deveria saber.

Quando a segunda garrafa de champanhe estava quase no fim, um produtor de comerciais que sempre chamava Saffy de Sandy mandou-lhes outra com um bilhete dizendo "Parabéns, Mac". E Saffy teve que fingir que brindava quando o que gostaria era derramá-la toda na cabeça dele. Mas, depois de uma taça, ficou mais alegre.

O champanhe estava amenizando seu mau humor. Ela se sentia alegremente bêbada. Era capaz de assentir e ouvir parcialmente o que Greg dizia sobre um diretor independente que planejava uma refilmagem de *Depois do Vendaval* em animação e sobre um blogueiro que dizia ter visto o traseiro de Brad Pitt duas vezes em *Benjamim Button* e a fofoca de que a continuísta de *A Estação* era hermafrodita.

— ... um eletricista ouviu barulho de barbeador vindo de uma das divisórias do banheiro outro dia — ele contava agora. — Eu não teria acreditado, mas o cara gravou tudo no celular.

Um garçom veio retirar os pratos.

— Ei, em que está pensando? Você está muito quieta, gata. — Greg sorriu. — Você deve estar imaginando o que vou perguntar para você, não está?

Ela não estava, mas começou a imaginar agora.

O garçom reapareceu.

— Sobremesa?

Saffy balançou a cabeça.

— Ah, vamos Saffy, você tem que experimentar o suflê de abacaxi e maracujá. — Alguma coisa no jeito como ele falou e no modo como sorria para ela pareceu diferente. — É muito bom, se não provar, vai se arrepender.

Seu coração começou a bater forte. Tudo pareceu desacelerar. Ela prendeu a respiração. *Vai se arrepender*. Será que era o que estava imaginando?

— Está bem, eu vou. — Esconder um anel na sobremesa era *exatamente* o tipo de coisa que Greg faria. — Quero dizer, vou provar, não me arrepender.

Saffy cortou cirurgicamente seu suflê com a colher enquanto Greg detonava a bomba de chocolate e nozes e contava a ela uma longa história sobre uma lenda de Hollywood. Ela estava distraída demais para absorver qualquer coisa.

— ... numa entrevista coletiva na China, o celular de um jornalista toca e ele fica totalmente descontrolado...

Ela empurrava os pedaços de abacaxi para um lado enquanto empilhava as sementes de maracujá no outro.

— ... então o celular toca de novo e o cara vai até lá, pega o telefone e diz *Konnichiwa*. É alô em chinês.

Saffy achou que era japonês, mas na verdade aquilo não tinha a menor importância agora. Ela colocou uma colher de suflê na boca, alternando com goles de champanhe. A língua vasculhava a boca em busca de algum metal.

— E os jornalistas rolando de tanto rir, e ele diz no telefone "Aqui é o segundo ator mais bem pago do mundo. Tudo bem? Nós estamos no meio de uma entrevista coletiva. Em que posso ajudar?".

Não havia nada em sua boca além de ar.

— Greg, o que você ia me perguntar? — Não era Saffy falando. Normalmente, ela não era impaciente assim. A culpa era do champanhe e o champanhe não aguentava mais esperar.

Ele lambeu o chocolate da colher, sorriu e pôs o talher no prato. Em seguida, tateou o bolso da jaqueta de couro e tirou seu iPhone. Ela esperava ver uma caixa de joia, mas talvez ele tivesse tirado foto de uma aliança. Talvez ele tivesse tirado foto de vários anéis para que ela pudesse escolher um.

Ele abriu seu Gmail e começou a ler:

— *"Enviado do pátio do Chateau Marmont em Los Angeles"*.

Seria um discurso? Ou um poema talvez? A imaginação de Saffy, turbinada pelo champanhe, continuou a avançar procurando por palavras que rimassem com Los Angeles. *Andes? Estandes? Falanges?*

— *"Saindo da reunião com agente Gordon Driers. Quer que você faça teste para o papel principal de faroeste baseado na história de Elmore Leonard. Ator famoso foi cogitado, mas pulou fora por divergências criativas"*. — Ele olhou para ela com um ar de compreensão. — Pode ter sido Colin Farrell. Ou talvez Cillian Murphy.

Saffy estava confusa. Por que ele estava lendo um e-mail de trabalho? E como é que ele iria passar dessa parte para a parte do "quer casar comigo"?

— Ou — ele disse segurando o queixo, pensativo — também pode ter sido Rhys-Myers. Parece que esse cara tem um custo alto. — E voltou para o e-mail. — *"Teste de cena previsto para meados de maio. Driers banca avião e hospedagem no Chateau Marmont. Tenha um ótimo dia. Lauren"*. — Ele sorriu. — É isso, gata. Se eu pegar este papel, entrarei em Hollywood. Serei *mesmo* o próximo Colin Farrell.

Ela entendeu. Greg queria que ela fosse para Los Angeles e então eles iriam para Las Vegas e se casariam em uma daquelas capelinhas cafonas.

— Saffy. — Ele pegou na mão dela. — Eu não quero fazer isso sozinho.

Ela levou a outra mão à boca. Então era só isso.

— Você vem comigo? Eu pago sua passagem. Você vai precisar tirar uma semana ou dez dias de folga, mas pense sobre isso. Los Angeles, amor! Andar pelo Chateau. Mulholland Drive. Venice Beach. Já pesquisei esse Driers no Google. Ele é chapa de todo mundo. Vamos poder ir a festas com Penélope Cruz, Nicole Kidman e Tom Cruise. É claro que não todos juntos. — Ele percebeu a cara dela. — Qual é o problema?

— Não há problema nenhum... — Por favor, ela implorou ao champanhe. Por favor. Não. Diga. Nada.

Ele parecia confuso.

— É o que eu sempre quis. É Hollywood! Achei que fosse ficar contente.

— E eu pensei — o champanhe disse, antes que ela pudesse impedir — que você fosse me pedir em casamento.

— Pedir em casamento? — Ele ficou surpreso. Verdadeiramente surpreso. — Mas...

— Mas o quê?

Ela estava tendo o que Greg chamava de "experiência fora do corpo", flutuando acima da mesa, olhando o que acontecia lá embaixo, mas sem controle algum sobre o que o champanhe faria em seguida.

— Estamos juntos há mais tempo do que Mac e Mia, Greg. E somos pessoas de verdade. Por que isso seria algo tão absurdo?

— Saffy, controle-se, calma. E fale mais baixo. Você está fazendo uma cena. Olha, isso tudo é por causa daquele assunto de ter filhos? Porque é como eu sempre disse, não tenho certeza se algum dia vou querer isso. Eu mesmo ainda me sinto um criançao, e...

— Não é sobre ter filhos. Você sabe que não quero ter filhos. Mas eu quero ter uma família. Quero que sejamos uma família, eu e você. E já se passaram seis anos, Greg. E não estamos indo a lugar algum.

— Estamos indo para Los Angeles. — Ele sorriu. — Não estamos?

Ela o encarava. Ele estava com ar de brincadeira, mas falava sério.

— Não, não estamos. Não vou a lugar algum com você a não ser que queira dar o próximo passo.

O que o champanhe estava falando? E como ela podia fazer para que se calasse?

— Olha, você não pode jogar isso em cima de mim assim do nada, gata. — Ele balançava a cabeça. — Isso é assunto sério. Precisamos conversar melhor sobre isso e...

— Do nada? Faz *anos* que espero que você me peça em casamento, Greg, *anos e anos*. E me desculpe, mas não posso continuar assim, fingindo que isso não tem importância. — Era verdade, agora ela percebia. E sentiu um alívio ao dizer: — Relacionamentos são como tubarões: precisam continuar em movimento senão morrem.

Greg sorriu nervosamente e tentou segurar sua mão.

— Quem disse? Talvez sejam como os bichos-preguiça. Eles praticamente não se movem e podem viver até quase quarenta anos. Eu vi em um documentário no Discovery.

O casal na mesa ao lado parou de trocar colheradas da sobremesa para ouvir o que eles diziam. Uma mulher de vestido verde se esgueirou por trás de uma pilastra e começou a tirar fotos com o celular.

Saffy recolheu a mão.

— Desculpe, mas não sou uma *preguicha*. — O champanhe agora estava soltando fumaça, ou bolhas, ou o que quer que o deixasse irado. — Quer dizer, *bicho-preguicha*. Não quero chegar aos 40 *sholteira*. — Ela ia pegar sua taça, mas Greg foi mais rápido.

— Já chega — sussurrou, furioso. — E já chega para você também. Vamos embora. Vou levar você para casa. — Olhou em volta procurando um garçom.

— Não vou para casa com você! — Saffy disse para Greg e para as outras quinze pessoas que os escutavam. — Não vou a lugar algum a menos que você queira se casar comigo.

— Não distorça minhas palavras, Saffy. Eu nunca falei que não me casaria com você.

— Está bem. Casaria então? Sim ou não?

— Não. — Ele estava roxo de raiva. — Não vou fazer seu joguinho. — E fez um gesto de escrever no ar, pedindo a conta.

O resto do champanhe pareceu evaporar e o "não" atingiu Saffy como um tapa na cara. Subitamente, ela se sentiu exausta. O que tinha acabado de fazer? E agora, o que deveria fazer?

— Bem. — Ela se levantou e pegou sua pasta. — Pelo menos agora já sei o que esperar.

O problema agora era como se manter em pé. Tudo em volta girava loucamente, e ela sentia que tentava se equilibrar sobre um emaranhado de pernas, o que era impossível, pois ela só possuía duas. Precipitou-se para a porta de saída e, de alguma maneira, conseguiu alcançá-la sem perder nenhum dos sapatos.

Lá fora a chuva caía feito um açoite e as pessoas se refugiavam nas marquises ao longo da Rua Parliament, mas Saffy não se importava. Correu até a margem do rio na esperança de conseguir um táxi, mas todos passavam por ela já ocupados.

O ar estava frio, mas seu rosto fervia e seu coração batia no dobro da velocidade normal. O que acabara de acontecer?

Ela não se embriagava em público. Não fazia cenas. Queria dar meia-volta, retornar ao restaurante e fazer tudo diferente. Porém àquela altura seu cabelo já estava encharcado. E todo mundo a vira sair que nem um furacão. Não conseguiria encarar aquele corredor da vergonha ultrailuminado. Precisava ir para casa e ficar sóbria. Amanhã de manhã tudo estaria melhor. Um táxi parou para deixar um casal e ela se atirou dentro do veículo.

— Anime-se, moça — o motorista falou. — Não há de ser nada.

O problema era que, muito provavelmente, ele estava certo.

Capítulo 4

Pingos d'água caíam das sobrancelhas de Greg.

— Maldito Dia dos Namorados. — Ele passou chapinhando por Conor, deixando um rastro de poças pelo carpete.

Merda! Conor pensou. *Ele vai ver o livro!* O envelope endereçado a "Douglas, Kemp & Troy" estava sobre a escrivaninha debaixo da escada. Ele pegou uma toalha e jogou para Greg.

Enquanto Greg secava o cabelo, Conor correu para a cozinha e empurrou o envelope para debaixo da mesa. Greg o seguiu, jogando longe as botas encharcadas e acertando um balde cheio de Lego. Pecinhas brancas e vermelhas quicaram no chão.

— Cara, que bagunça.

Por um instante, Conor pensou que ele estava falando do caos em que se encontrava sua cozinha com aqueles móveis velhos e o revestimento do chão descascado, mas não.

— Primeiro, a Saffy me aparece no jantar de terninho de trabalho. Depois, fica completamente bêbada. E então me pede para casar com ela. Depois, vai embora que nem uma louca. E eu, claro, fico lá sentado sozinho como um idiota esperando trazerem a conta. E, para variar, não passava uma droga de táxi. Tive que vir a pé até aqui. — Olhou para baixo e viu as botas destruídas. — Olha só para isso. Trezentos euros em botas Prada jogados fora.

Conor estava confuso.

— A Saffy *pediu você em casamento*? E se foi isso mesmo, por que ela não está aqui?

— É isso que estou dizendo. — Greg tirou a jaqueta de couro, pendurou-a com cuidado nas costas da cadeira e então arrancou a camiseta e o jeans molhados.

— Tem certeza? — A imagem de Saffy bêbada e ajoelhando-se aos pés dele era completamente absurda. Ela era uma das pessoas mais reservadas que Conor conhecia.

— Tenho, claro. — Greg estava de cueca agora. — Mas tudo bem, se você não acredita é só perguntar para uma das 150 pessoas que estavam filmando tudo no celular.

— Mas onde ela está agora?

Greg secava a barriga tanquinho com o pano de prato.

— Não sei. Ela saiu que nem uma maluca. Deve ter ido para o apartamento, acho.

— Você acha? Você não deveria ligar para ter certeza? Se você mesmo disse que não encontrou táxis...

— Está de brincadeira? Não vou ligar até ela se acalmar. Nunca a vi daquele jeito. Cara, ela estava o próprio Anticristo. E também nem daria para telefonar. Meu telefone está encharcado. Acho até que estragou. — Tirou-o do bolso da jaqueta e o pôs no aquecedor. — Merda! Por isso que está tão gelado aqui. O aquecedor está desligado. Me empresta o seu roupão?

— O quê?

— Por favor, cara, não posso me dar ao luxo de pegar um resfriado e você ainda me deve aquela de quando convenci a Rachel Kennedy a ir àquele show no Slane Castle com você.

— Isso foi há quinze anos — disse Conor, passando o roupão para ele. — E foi você que acabou ficando com ela, lembra?

— Ah, sim — Greg assentiu com a cabeça. — Me lembro bem! Já contei para você que ela me achou no Facebook uns anos atrás e se ofereceu para...

— Já, já! — Conor disse. — Você já me falou. — Ele começou a se sentir ridículo por estar na cozinha de cuecas com outro homem.

Greg abriu a porta da geladeira.

— Me diga que tem outra coisa para beber aqui além de suco de laranja em caixinha, por favor.

— Leite?

Greg revirou os olhos.

— Como é que podemos ficar conversando a noite toda sem nada para beber?

— Não vamos ficar a noite inteira conversando — Conor disse. Jess já estava lá em cima na cama esperando por ele.

Greg suspirou.

— Está bem, eu desisto. Só me dá um edredom que vou me atirar no sofá-cama.

— Merda, é que as crianças o quebraram. Mas, se não tiver jeito, acho que Lizzie pode dormir conosco e você dorme com o Luke.

— Maravilha. Dia dos Namorados e vou dormir em um beliche. Que sexy, hein? Aliás, falando em sexy... — ele sorriu e apontou para o tórax de Conor. — Adorei seus peitinhos.

— O que ele está fazendo aqui? — Jess sentou-se na cama, os cabelos sobre os ombros nus. Tateou procurando o relógio no criado-mudo, derrubando-o e tombando uma pilha de jornais velhos e outra de conchas que eles haviam catado na praia. A camiseta favorita de Conor estava debaixo de tudo. Ele já a tinha dado como perdida.

— Eles tiveram uma briga. Ele diz que ela o pediu em casamento e ele recusou.

Jess tentou abrir a gaveta da mesinha de cabeceira, mas estava emperrada.

— Sei. Na imaginação dele. Ele está bêbado ou algo do tipo?

— Não. Mas diz que a Saffy estava. Ela fez a maior cena no restaurante e depois se mandou para casa.

— Saffy? Uma cena? Essa história está totalmente ao contrário. E, que eu saiba, só há *um* idiota nessa relação. É melhor eu ligar para ela.

Ela acendeu o abajur e procurou o telefone na bolsa.

— Meu Deus, já passa da uma. É melhor ligar de manhã. Mas se ela voltou para as Torres Trump, o que ele está fazendo aqui?

"Torres Trump" era como Jess havia apelidado o apartamento de Saffy e Greg. A sala de estar sozinha era só um pouco menor do que a casa inteira deles.

— Ele quer que ela se acalme primeiro. Só precisa de um lugar para ficar.

Jess resmungou.

— E qual o problema de ficar em um hotel?

— É Dia dos Namorados, Jess. Ele nunca iria conseguir um quarto.

— Está bem, tudo bem. Mas só se ele não for atrapalhar. Você estava no meio de alguma coisa. — Jess empurrou as cobertas. — Lembra?

Claro que ele lembrava. E mesmo que não lembrasse, vê-la nua teria refrescado sua memória.

— Jess, o único problema é que o sofá-cama está quebrado e tive que colocar Greg com o Luke. Isso quer dizer que não estamos sozinhos.

Lizzie apareceu na porta com seu pijama da Dora Aventureira. Piscava os olhos de sono. Não enxergava a um palmo de distância sem os óculos. Conor a pegou no colo, trazendo-a para a cama.

— Greg, o amigo do papai, está no meu quarto — ela disse bocejando — e ele falou que o Brendan é um "ratinho nojento".

Jess tirou os braços para fora das cobertas e colocou a filha para dentro, ajeitando a coberta em volta dela. Olhou para Conor de um jeito provocativo.

— É mesmo? É que os iguais se reconhecem.

Saffy acordou de ponta-cabeça na cama. A cabeça doía tanto que até os cabelos incomodavam. Estava de sutiã, calça comprida e um sapato. Sentiu alguma coisa grudada no rosto e por um momento terrível pensou que fosse uma ferida. Quando mexeu nela, o que saiu foi uma pétala de rosa. Um homem na cobertura do prédio em frente comia seu cereal enquanto assistia à televisão. Ele acenou com a colher.

Ela se atirou ao chão, achou o controle remoto e, com grande esforço, fechou as persianas e se arrastou de volta para a cama. Deitou-se com cuidado e ficou olhando para o lustre preto. Sempre pensava que se um dia aquilo caísse poderia facilmente matar uma pessoa. Desejou que acontecesse agora, pois assim não teria que lidar com aquela ressaca, nem com a dor de cabeça, nem com o que havia acontecido na noite anterior.

Cobriu os olhos com as mãos. Tinha mesmo pedido a Greg que casasse com ela? E ele havia dito "não"? Chamou por ele, primeiro em um sussurro hesitante, depois o mais alto que conseguiu sem causar um curto-circuito no cérebro, de tanta dor. Mas, pelo silêncio que reinava no apartamento, deduziu que ele não estava lá.

Sentou-se novamente e tateou em busca do celular. Eram 10h05. Não havia nenhum registro de chamada perdida. Nem mensagens novas. Ligou para Greg, com o coração na boca seca, sem saber o que diria quando ele atendesse. Mas caiu direto na caixa postal.

A chuva batia contra as janelas enormes. O dogue alemão do apartamento de baixo uivava para as gaivotas lá fora. A mulher do apartamento de cima estava ouvindo Abba e aspirando a casa, aos rodopios. Mas o silêncio de seu celular, o som de Greg não telefonando para ela, era o som mais alto de todos.

Greg estava sentado à mesa da cozinha comendo o último Danoninho. Luke ia ter um ataque, ele pensou. Era a única coisa que ele comia de manhã.

— Cara, quase matei aquele roedor ontem à noite — Greg resmungou. — Aquele troço não dorme nunca, não?

— É um hamster sírio. — Lizzie se aproximou. — Ele é noturno. E não é um troço. Ele tem nome. Se chama Brendan e...

— Se liga, quatrolha. — Ele bateu na cabeça dela com a caixa de cereal. — E vai dar um jeito nesse bafo antes que você cresça e tenha que beijar alguém.

Lizzie deu risada. Conor colocou uns pães na torradeira para Luke, duvidando que o menino os comesse. Sempre se surpreendia ao ver como as crianças gostavam de Greg, mesmo ele sendo tão estúpido. Talvez porque ele não os tratava como se fossem diferentes. "Ele não precisa", Jess comentara, quando contou a ela sua teoria. "Ele é praticamente da mesma idade mental."

Ela chegou à cozinha vestindo um roupão de banho bem velho e fino. O cabelo estava molhado.

— Se eu fosse você — Jess disse, inclinando-se e roubando-lhe o café —, eu não ficaria aí sentado perdendo tempo. Telefonaria para Saffy agora mesmo para pedir desculpas porque o que quer que tenha acontecido na noite passada foi, acredite em mim, culpa sua.

— E se eu fosse você — Greg sorriu, maldoso — não estaria vestido com esse roupão. Estaria tomando um bom banho de espuma e brincando com meu...

— Olha só para isso — falou Jess, balançando a cabeça. — É por isso que nunca, nenhuma mulher, especialmente uma esperta e bonita como a Saffy, pediria você em casamento. — Ela virou-se para Conor: — Por que você é amigo deste idiota mesmo?

Lizzie tampou os ouvidos de Greg com as mãos.

— Não ouça. Ela é sempre rabugenta de manhã.

Ele roubou um pedaço da torrada de Lizzie.

— Não se preocupe comigo, Lizzie. O que Jess fala entra por um ouvido e sai pelo outro.

— Conor? — A voz de Saffy estava trêmula. — Greg desapareceu. Estou ligando para ele há horas, mas o celular está desligado e ele nunca faz isso porque a agente dele pode chamar.

O fio do telefone ficou preso no corrimão. Conor quase teve que se acocorar para segurar o fone.

— Eu não me preocuparia, Saffy...

— Mas já estou preocupada. Nós fomos jantar ontem e... fomos embora separados e ele acabou não voltando para casa, ele nunca fez isso. Acho que pode ter acontecido alguma coisa.

— Não aconteceu nada com ele.

— Você acha que devo ligar para os hospitais? Quanto tempo é preciso esperar para que uma pessoa seja considerada desaparecida?

— Ele não está desaparecido, Saffy. Ele está aqui em casa, passou a noite aqui.

— Que bom! Ele está bem?

— Está. — Conor já sentia cãibras, por estar agachado. Tentou soltar o fio com a mão livre. — Tão bem quanto alguém que assistiu a dois episódios de *He-Man* e de *Mestres do Universo*.

— Ri o quê?

— He-Man. Príncipe de Etérnia. Defensor dos segredos do castelo de Greyskull. Você sabe, o desenho. — Conor percebeu que era informação demais para ela.

— Ele... ele está assistindo a um desenho? — Saffy havia imaginado Greg esfaqueado, largado morto depois de um assalto, ou vagando em uma sala escura procurando por sua alma. Nunca lhe ocorreria que estivesse assistindo a um programa infantil.

Tinha imaginado que seu corpo estivesse desidratado demais para produzir lágrimas, mas errara. Como ele podia ser tão insensível? Greg devia saber muito bem que ela ficaria morta de preocupação.

— Calma, está tudo bem — Conor disse, sem saber o que falar. Ele não tinha o menor jeito para essas coisas. Esse departamento era de Jess. — Shhhh, vai ficar tudo bem, fique calma.

Greg apareceu no corredor.

— Cara — ele disse —, aquela feiticeira é muito gostosa. Você já tinha visto aqueles shortinhos minúsculos? Não tinha desenhos assim quando eu era criança.

— É a Saffy — Conor falou, movendo só os lábios.

— Ela ainda está... — Ele rodou o dedo ao lado da orelha.

— Greg quer falar com você — Conor disse, esticando o fio para que pudesse passar para Greg. — Vou passar para ele.

— Não! — Saffy protestou quase sem voz. — Não. Não quero falar com ele. E não quero que ele volte para o apartamento. Você pode dizer isso a ele quando ele não estiver muito ocupado assistindo a desenhos? E você poderia pedir a Jess para vir aqui? Por favor. Obrigada, Conor. — Ela desligou.

Greg esticou a mão para pegar o telefone e comentou:

— Vocês devem ser os únicos no planeta que não têm um telefone sem fio.

Tudo no apartamento de Saffy e Greg era ou branco, ou caro, ou delicado, ou os três. Jess tinha arrepios só de pensar no estrago que Luke poderia fazer mesmo sem intenção. Mas ele havia tido um ataque depois que Greg comera seu último Danone e ela não tivera tempo de conversar com ele, então colocou-o na garupa da bicicleta, rezando para que Saffy compreendesse. Ela pedalava pela estrada da orla sob uma chuva cortante. Saffy provavelmente não iria entender. Pessoas que não têm filhos quase nunca entendem.

Jess conseguia rir agora, lembrando o piquenique que Greg e Saffy organizaram no aniversário de dois anos de Luke e Lizzie, embora na época não tivesse sido nada engraçado. A menos que seja engraçado andar carregando duas crianças pesadas e ainda a cesta de piquenique mais pesada do mundo pista acima até o topo do promontório de Howth.

A cesta, como foi revelado mais tarde, continha duas garrafas de champanhe, dois vidros de *confit* de pato, alguns queijos fedorentos e uma caixa de trufas de chocolate. Nada para as crianças comerem ou beberem. Nem mesmo água. Por sorte havia um pacote de gelo que começava a derreter e ela encontrou um pacote velho de bolachas no fundo de sua bolsa.

Ela ainda podia se lembrar da cara que Saffy fez quando Lizzie teve que usar o balde de gelo como penico. E o espanto em sua voz na vez em que Jess recusara as entradas para o show da Madonna.

— Você está falando sério? Vai jogar fora a chance de ver a mulher mais famosa do mundo para ficar em casa amassando cenouras e trocando fraldas?

— Madre Teresa é a mulher mais famosa do mundo — Jess tinha respondido. — Mas vou ter uma conversa com as crianças e pedir que elas comecem a fazer a parte delas também. É meio egoísta essa coisa de crianças que nunca colaboram nem trocam suas próprias fraldas nem fazem seu próprio purê de cenoura.

Era quase um milagre que Saffy e Jess fossem amigas de verdade e talvez isso nunca tivesse acontecido se não fosse por Conor e Greg. Mas Jess gostava disso. Aquela história de estar sempre com a melhor amiga havia passado longe dela durante a época de escola. Por alguma razão, as outras meninas tiveram sempre um pé atrás com relação a ser suas amigas, como se ela fosse lhes roubar os namorados.

Aos 20 anos, conhecer alguém com quem ela pudesse realmente conversar havia sido uma grata surpresa. Mesmo quando a maioria de suas conversas acabava em monólogos paralelos nosso quais ela tagarelava sobre truques para que as crianças não fizessem xixi na cama ou sobre tratamentos contra piolhos, e Saffy divagava sobre políticas de agências de publicidade e a carreira de Greg.

Saffy era meio certinha e agia como se a vida fosse um teste em que tentava desesperadamente passar, mas, no fundo, era uma das pessoas mais doces que Jess já conhecera. E se aquele idiota do Greg tivesse machucado um único fio de cabelo ou ventrículo de seu coração, ela daria uma de Tony Soprano e iria se ver com ele.

Luke se apoiou nas suas costas.

— Aonde estamos indo? — ele perguntou em seu ouvido. Sua voz ainda estava rouca da choradeira, mas dava para perceber que o pior já havia passado. — A chuva molhou minha cabeça e esqueci.

— Nós vamos dormir na Saffy e dar uma força para ela, OK? — Jess respondeu por cima do ombro.

— Está bem. Eu trouxe meu DVD e posso mostrar a ela minha verruga. Eu pensei que tinha sumido, mas não sumiu.

Ela precisou pedalar de pé para subir a colina de Irishtown. Adorava sentir os 21 quilos extras de seu filho fazendo seus músculos da perna trabalharem mais.

— A Saffy gosta de hamsters? — Luke perguntou quando subiam para o apartamento no elevador de espelho fumê.

— Não tenho certeza, mas provavelmente não... — Jess percebeu algo se movendo no bolso do casaco dele.

Você pode não ter uma vida perfeita com crianças, ela pensou, colocando Brendan na bolsa e fechando o zíper. Mas pode ter certeza absoluta de que não será nunca monótona.

Saffy vestia jeans bege e um suéter tom pastel, mas sua aparência, Jess pensou, era a de alguém que tivesse acabado de ser exumado.

— Eu trouxe Bob Esponja! — Luke passou por ela e disparou pelo imenso piso de madeira encerado nos seus tênis-patins. Colocou o DVD no aparelho, ligou a televisão, se jogou no sofá de couro branco e começou a saltar.

Jess seguiu Saffy até o quarto. As persianas brancas estavam abaixadas e escondiam as imensas janelas, que iam do chão ao teto. O carpete era branco. As paredes brancas eram nuas, exceto por uma gigantesca pintura em "*off-white*". Era como estar num episódio de *Guerra nas Estrelas*. A qualquer momento uma mulher apareceria em um robe esvoaçante e diria "Bem-vindos ao nosso planeta. Aqui não há guerras ou contendas. Tudo é harmonia".

Só que nem tudo era harmonia. Saffy subiu na cama vestida e estava encolhida, soluçando debaixo do edredom. Jess tirou os sapatos e subiu também.

— Está tudo bem — ela disse, mesmo sabendo que não estava. Em seis anos, só tinha visto Saffy chorar duas vezes. Uma vez quando prendera o dedo na porta do carro e outra quando assistiram todos juntos ao DVD de *Titanic*. Nunca a vira chorando de verdade.

— Pobrezinha. Conta para mim, o que aconteceu? — Ela acariciou as costas de Saffy. Seu suéter era inacreditavelmente macio. As roupas de Saffy sempre pareciam supersimples, mas, quando se via de perto, percebia-se que eram feitas de seda caríssima, ou de pele de estômago de bode. — Vamos lá, desabafa, põe tudo para fora.

Saffy respirou profundamente.

— Eu não sei direito o que aconteceu. Acho que alguma coisa meio que explodiu em mim quando o vi pedindo Mia em casamento em *A Estação*. Tentei não me deixar afetar. Eu sei que é só uma novela idiota. Eu sei disso. Mas então, quando Greg chegou ao restaurante e todo mundo começou a cumprimentá-lo pelo noivado, aquilo foi demais para mim.

— O quê? Quem é Mia? — Jess não assistia à novela *A Estação*.

— É uma personagem da série. Ela é horrível. Tem um cabelão vermelho e usa unhas postiças e silicone, só que por alguma razão ele acha normal pedi-la em casamento, não a mim.

— Vamos lá, Saffy — Jess disse com suavidade —, é só uma personagem. E o Greg não escreve o roteiro da *Estação*. Tenho certeza de que não foi ideia dele...

— Mas foi tão humilhante, Jess. E agora sou obrigada a ver o país inteiro cumprimentando-o enquanto ele se casa numa festa espetacular, e eu não. Pelo menos não enquanto estiver presa nesse relacionamento em que ele pode me trocar por outra a qualquer momento.

— Mas por que ele a deixaria? Ele ama você, sabe bem disso.

— Se ele me amasse teria vindo para casa na noite passada. — A voz de Saffy estava embargada. — Ele teria me ligado para me dizer onde estava em vez de ficar largado assistindo a desenhos enquanto eu pensava que ele estava à beira da morte. Por que ele está me tratando desse jeito? O que há de errado com ele?

Por onde Jess deveria começar? Greg era vaidoso, obcecado por si mesmo e ambicioso. Depilava o tórax, usava hidratante, gel nos cabelos e palavras como "meu" e "relaxa". Mas pelo visto ela era a única mulher na Irlanda que não o achava irresistível.

— Acho que o pedi em casamento. — Saffy cobriu o rosto com as mãos. — E acho que ele disse "não". Na verdade, o que ele disse quando eu, você sabe, meio que perguntei se ele queria, foi: "Não, não vou fazer esse seu joguinho". Você acha que isso na verdade foi um "não"?

— Acho que foi tudo um grande mal-entendido — falou Jess. — Tenho certeza de que foi.

— Mas você não viu a cara dele, Jess, quando eu falei. Ele ficou horrorizado.

Jess bem que gostaria de ter visto essa cara e lhe dado uma bela bofetada. Greg deveria dar graças aos céus ou ao que quer que ele adorasse (além de si mesmo) pelo fato de alguém querê-lo.

— Talvez você o tenha pegado de surpresa — ela disse, com mais tato.

— Depois de seis anos? Como assim, Jess. *Seis anos*.

— Eu e Conor estamos juntos há oito anos. E cada vez que ele vem falar de casamento eu tenho um ataque. Algumas pessoas têm dificuldade com essa coisa de instituição, Saffy.

Saffy já deveria saber que não ia chegar a lugar algum falando daquilo com Jess. Ela era a última pessoa do mundo que a entenderia. As mulheres não ficavam dando em cima de Conor diariamente.

Ela não tinha que pensar que, a curto prazo, estaria competindo com Kate Beckinsale ou Natalie Portman. E mesmo que estivesse, ela provavelmente ganharia. Quando se é bonita como Jess, não é preciso ficar insegura.

— Sabe, é possível — ela dizia agora — querer passar o resto de sua vida com alguém sem que seja preciso assinar nada.

— Mas por que eu desejaria passar o resto da minha vida com alguém que pudesse ir embora de uma hora para outra?

— Olha — disse Jess suavemente —, talvez isso tudo não tenha exatamente a ver com você e o Greg. Talvez tenha a ver com seus pais. Talvez você pense que as coisas teriam sido diferentes se eles tivessem se casado. Mas você não tem como saber disso. Se seu papai decidisse ir embora, ele teria ido embora de qualquer maneira. Uma certidão de casamento não teria feito diferença.

Seu *papai*. Pessoas que tinham "papais" de verdade falavam desse jeito. Elas não entendiam que você não nasce com um "papai". Você nasce com um pai. Ele se tornava seu papai depois de centenas de milhares de pequenos momentos. As histórias que contou na cama para você. As músicas que cantou no carro. As bexigas que ele estourou. A moedinha que a Fada do Dente deixou debaixo de seu travesseiro. As suas fotos que ele levava na carteira.

— Bem, aparentemente fez diferença, sim. — Ela fechou os olhos para não ter que olhar Jess. — Porque quando o meu *pai* nos deixou ele voltou para a *esposa* dele.

Luke apareceu na porta e veio até a cama arrastando seus tênis-patins pelo carpete.

— Olha, um pica-pau. — Ele apontou para uma gaivota pousada na grade da varanda atrás da janela. — Posso dar um pouco de batatinha frita para ele?

Jess pôs o dedo nos lábios e balançou a cabeça.

Luke piscou seus grandes olhos azuis solenemente. Ele parecia um anjo, ela pensou. Por que Saffy não abria os olhos e via que isso era o que importava?

Ficar de pé numa igreja ou cartório vestindo algo parecido com um grande merengue branco e repetindo um monte de baboseiras não tinham significado algum. Querer ter filhos juntos, permanecer juntos para educá-los, isso é o que importava no amor. O amor existia *para isso*.

— Ela está dormindo? — Luke cochichou, inclinando-se para olhar Saffy. — Posso dar uma batatinha frita para ela?

— Não, não estou dormindo. — Saffy abriu os olhos. O bafo dele cheirava a Cebola & Salsa e estava revirando seu estômago.

— Ela só está triste — falou Jess.

— Por que ela está triste?

— Bom, lembra que já expliquei para você que meninos e meninas são diferentes? — Jess limpou-lhe a boca com a manga do casaco. — Às vezes isso pode tornar as coisas bem difíceis.

— Meninos têm pênis — Luke explicou a Saffy. — Meninas têm china.

— Vagina, Luke — Jess corrigiu. — Mas essa é geralmente a causa dos problemas. — Ela deu um sorriso irônico para Saffy. — A verdade sai da boca das crianças...

Da boca das crianças sai o quê? Saffy queria berrar. Só mesmo baba e Pringles comidas pela metade.

— Ei cara! — Greg sacudiu a cabeça. — O que é isso?

— Macarrosicha. — Conor pôs a panela sobre a mesa. — Macarrão, salsicha, *ketchup*, uma colher de açúcar. O favorito de Lizzie.

Lizzie espiou. Um bafo de vapor embaçou seus óculos.

— Não gosto. Está se mexendo que nem minhoca.

Conor pôs uma colherada na própria boca para não brigar com a menina. Ela tinha bajulado Greg o dia todo. Ele ficara o dia todo largado no sofá lendo jornal e zapeando a TV e ela em volta, trazendo copinhos em formato de ovo com refresco de laranja e pratinhos de bolo de faz de conta e concordando com tudo o que ele falava. Aparentemente ela também achava que Sean Penn era supervalorizado, que a Dieta GI era uma baboseira e que Elizabeth Hurley até que estava bem para uma quase cinquentona.

— Ah, vamos lá, Lizzie, você adora isso — Conor tentou persuadi-la.

— Eu posso pedir comida japonesa para todos nós — Greg disse. — Qual você prefere, Lizzie, sushi ou sashimi?

Lizzie acariciava seu Unicórnio Arco-íris enquanto pensava.

— Acho que gosto dos dois.

Quando o pedido chegou, ele a encarregou de colocar o wasabi nos pratos. Ela o ouviu pacientemente explicar o que cada um era.

— Posso experimentar o de enguia crua, por favor? — pediu a

criança que só terminava seu nuggets de peixe se fosse adulada.

Entretanto, Conor não sabia por que estava tão surpreso. Seu melhor amigo sempre tinha esse efeito sobre as mulheres. Não fosse por isso, talvez eles nem tivessem se tornado amigos.

Conor sempre foi maior que as outras crianças, mas, no último ano do Fundamental I, o DNA dos Fahey entrou com tudo e ele cresceu 27 centímetros e engordou 13 quilos. Os garotos que eram seus amigos desde a Educação Infantil agora o chamavam de "Pé-Grande". Mas pelo menos ele ainda tinha amigos.

No Fundamental II ele já era diferente desde o começo. Não tivera a oportunidade de fazer amigos. Era mais alto que qualquer outro garoto da classe e não foi preciso ter muito Q.I. para mudar seu nome de "Fahey" para "Fofo". Ele poderia perfeitamente se defender, mas não gostava de brigas. Mantinha a cabeça baixa, fingia que gostava de ficar sozinho e assim teria permanecido não fosse por Greg.

Mesmo a distância, Conor podia ver que as coisas eram ainda piores para Greg. Ele era o garoto mais baixo da classe e o mais bonito de toda a escola. Na primeira semana, os garotos o chamaram de "Nanico". Mas na segunda, quando uma garota foi suspensa por escrever o nome dele 114 vezes na perna da carteira, eles passaram a chamá-lo de "Penico".

Quanto mais as garotas perseguiam Greg, mais os garotos implicavam com ele. Estavam sempre o encurralando ou colocando sua cabeça no vaso sanitário.

Uma tarde, quando Conor comia o lanche sozinho no bicicletário, Greg foi perseguido e empurrado para junto das bicicletas por um garoto chamado Johny Kelly. Kelly olhou em volta à procura de algo para atingir Greg e o que havia mais próximo era o sanduíche de atum de Conor. Ele o pegou e o esmagou na cara de Greg. Antes que pudesse se dar conta, Conor estava socando Kelly e um bando de garotos os rodeava torcendo e gritando. Tinha sido motivado tanto pelo ataque ao seu sanduíche quanto pelo ataque a Greg, mas, vinte anos depois, ainda eram amigos.

Greg era o que o pai de Conor costumava chamar de "cheio de si mesmo" e provavelmente era a pessoa menos autoconsciente do planeta. Mas Conor o adorava. Não havia como não gostar dele, pois Greg se tornava a pessoa mais adorável, mais encantadora e generosa da face da Terra quando queria.

Ele mimava as crianças no Natal e estava sempre convidando Conor e Jess para estreias e oferecendo ingressos para peças, shows e restaurantes que eles nunca teriam condições de frequentar. Oferecia-se para pagar a babá e, quando eles não aceitavam, aparecia com Saffy trazendo comidas exóticas ou vinhos caros. De vez em quando, aos domingos, iam almoçar em um pequeno restaurante italiano em Sandycove de que Jess gostava porque a comida era barata e os garçons brincavam com as crianças. Conor sabia que isso acontecia porque sempre que insistia em pagar a conta, Greg deixava uma gorjeta enorme para eles.

Nunca se esqueceria de uma vez em que pedira a Greg um empréstimo de 500 euros quando os gêmeos eram pequenos. Mesmo com seu salário da escola e os frilas ocasionais de Jess, era uma luta mensal pagar o aluguel e ele não fazia a menor ideia de como faria para comprar duas cadeiras de criança para carro e ainda encarar o Natal. Nada contou a Jess, pois ela já tinha muito com o que se preocupar.

Greg fez um cheque. Mas quando Conor foi depositar, pensou tratar-se de um erro. O valor escrito não era de 500 euros, mas de 5 mil.

— Não esquenta, cara — Greg falou quando Conor telefonou. — Estou fazendo uma grana boa com *A Estação*. E não quero de volta, OK? Somos amigos e é para isso que servem os amigos.

Conor olhava para ele agora, esparramado no sofá assistindo a *Jogos, Trapaças e Dois Canos Fumegantes* enquanto Lizzie tirava fotos dele com seu iPhone.

— Cara, que bosta — ele dizia para ela. — Seu pai e eu vamos ter uma ideia muito melhor para um filme de gângster. Ele vai escrever e eu vou fazer o papel principal e provavelmente a direção.

— Posso fazer parte também?

Greg encolheu os ombros.

— Se ficar bem bonita, sim. Se não, você pode produzi-lo.

Conor e Greg vinham se encontrando semana sim, semana não para trabalhar em um roteiro. Já haviam escrito algumas linhas no passado, mas ultimamente era só uma desculpa para tomar umas e outras e jogar sinuca. Não saía nada e nunca iria sair.

Conor se levantou para levar os pratos à cozinha. Greg ficaria louco se descobrisse que estava escrevendo um romance escondido dele. Porém as chances de que qualquer pessoa da Douglas, Kemp & Troy lesse sua carta eram tão remotas que muito provavelmente ele nunca viria a saber.

Conor carregou Lizzie para cima e a ajudou a tirar a roupa e colocar o pijama.

— O Greg é casado?

— Não, não é. Mas vai se casar com Saffy, você sabe.

— Posso casar com ele quando eu crescer?

Conor olhou para baixo e viu o rostinho preocupado da menina. Teve uma súbita visão da mulher em que ela se transformaria um dia e seu coração ficou apertado. Achou que não admitiria nunca que alguém a fizesse sofrer.

— Vamos falar sobre isso quando chegar a hora, está bem?

Quando tornou a descer, Greg falava ao telefone. Foi para a cozinha e fechou a porta para que ele tivesse mais privacidade.

Estava sentado à mesa quando Greg entrou para pegar uma cerveja.

— Como foi? Você e a Saffy já se entenderam?

Greg puxou o fecho da latinha.

— Não estava falando com a Saffy. Era a Lauren, minha agente, ligando de Los Angeles.

— Bem, eu acho que você deveria ligar logo para a Saffy — disse Conor. — Melhor agora do que depois, porque...

— Ela me disse para *não* ligar. — Greg pegou uma salsicha da panela que Conor havia deixado em cima do fogão e a comeu. — Lembra? E nem voltar para o apartamento. E foi exatamente isso que Lauren disse também.

— Tenho certeza de que ela disse aquilo da boca para fora, Greg.

Na verdade, Lauren tinha sido muito clara. "Casar-se a esta altura seria um haraquiri profissional", ela dissera. "Eu vendi você aqui como jovem, solteiro e sexy, Greg, e uma aliança de casamento a esta altura do campeonato não está inclusa no pacote."

Greg achava que haraquiri era algum ator falido ou qualquer coisa do tipo, mas não teve coragem de perguntar.

"Você acha que Angelina também não pressiona Brad?", Lauren perguntara. "Não acha que Gisele tentou isso com o Leonardo? Pensa que nenhuma mulher tentou envenenar aquele porco de estimação do George Clooney para arrastá-lo pelo corredor de uma igreja? Se você quiser mandar todo esse negócio de Hollywood para o beleléu, vá em frente. Case-se. Mas se não quiser, se quiser que eu coloque seu pé na passagem da porta, vai ter que ser duro com Saffy. Vá para um hotel. Teste-a. Deixe que ela implore para voltar e então é você quem vai ditar as regras."

— Greg — Conor disse, franzindo as sobrancelhas. — Se você não vai voltar para o apartamento, então o que pretende fazer?

— Não se preocupe, cara. Mais uma noite na central de roedores é o máximo que eu aguento. Vou deixar você em paz amanhã. Peça a Jess para pegar algumas coisas minhas lá no apartamento que eu vou para um hotel. Lauren disse que Saffy só precisa de uns dias para entender como as coisas são.

— Que coisas?

— Em primeiro lugar — Greg disse —, ela não pode nunca mais fazer uma cena em público como fez. Em segundo, esse negócio de casamento é uma questão de honra. Não estou dizendo que não vou casar com ela algum dia, mas terá que ser nos meus termos. Foi como Lauren colocou.

— Lauren é uma mulher de negócios, não uma psicoterapeuta. Ela não está interessada na sua felicidade, está interessada na comissão dela...

Greg amassou a lata de cerveja e a jogou dentro de um saco preto que usavam para colocar o lixo.

— Obrigado pela preocupação, mas já tomei uma decisão e não vou voltar atrás. Tenho que me concentrar na minha carreira. Hollywood só aparece uma vez na vida e não vou deixar que nada atrapalhe essa chance. Certo?

— Certo. — Conor retomou a correção do trabalho de um aluno do segundo ano que estava convencido de que o escritor mais importante da Irlanda se chamava "James Joys". Se Saffy não tivesse aparecido, Greg não teria nem mesmo uma carreira na qual se concentrar — ainda estaria morando naquele quartinho alugado em Ranelagh, fazendo testes para comerciais baratos, peças natalinas e saindo com um monte de desmioladas.

Talvez Greg não se lembrasse mais de como sua vida era vazia antes de conhecer Saffy. Talvez tivesse se esquecido de como ela fora boa para ele. E talvez pensasse que conseguir um papel em um filme fosse o melhor que poderia acontecer para ele.

Mas ele estava errado. O melhor já acontecera. E era Saffy. Assustava Conor ver seu amigo se atirando em um limbo como aquele e se arriscando a perdê-la. Ela era inteligente, bonita, carinhosa e o amava. Jesus! Ela devia realmente amá-lo muito para querer passar o resto da vida com ele. Conor o adorava, porém mais 24 horas era o máximo que poderia aguentar.

Saffy passou a maior parte do domingo na cama assistindo a *Grey's Anatomy* no laptop e fingindo que não estava chorando quando Jess e Luke passavam na ponta dos pés e jogavam Snap silenciosamente, o que incluía acenar com os braços e fazer uma dança quando se conseguia fazer um par.

Por volta das 5 horas, Conor ligou para pedir que Jess separasse e levasse algumas roupas de Greg. Quando Jess contou o que estava fazendo, Saffy se trancou no banheiro. Não suportaria assistir àquilo. Abriu todas as torneiras e o chuveiro, mas ainda conseguia ouvir Jess se movendo no closet lá fora.

Sentou-se na borda da banheira enquanto o banheiro se enchia de vapor. Quarenta e oito horas antes ela estava planejando uma noite romântica com Greg para o Dia dos Namorados. E até poucos minutos ainda pensava que, de alguma maneira, tudo voltaria a ficar bem. Que ele voltaria, eles conversariam e resolveriam tudo. Quando dissera que não queria que ele voltasse para o apartamento, não quisera dizer *indefinidamente*.

Era isso que ele queria? Ir embora por nada? Era assim que seis anos de sua vida iriam terminar? Não com uma batida de porta, mas com o ruído de gavetas se abrindo e fechando e um menino de seis anos cantando o tema "Bob Esponja Calça Quadrada".

Capítulo 5

Ainda estava escuro quando Jess ouviu Conor levantar. Ela estava contente de voltar para a própria cama. Não dormira bem na casa de Saffy. Nunca dormia bem quando Conor não estava.

— A boa notícia é que tem camisas limpas — ela disse, sonolenta. — A má notícia é que elas não estão passadas.

Ele debruçou-se sobre a cama e esfregou o nariz na orelha dela.

— Já estou vestido.

— Que pena — ela esticou-se —, porque senti sua falta.

Ele se afastou.

— Não me tente. Tenho que ir ou vamos chegar tarde na escola. Esqueci de dizer que Lizzie deve ter deixado Brendan escapar da gaiola de novo. Você pode verificar se ele foi se esconder atrás da geladeira? E pode postar meu manuscrito? Está na cozinha.

— Claro. — Jess voltou a se aconchegar para dormir mais cinco minutos.

— E nem pense em dar uma olhadinha. — Ele beijou seu ombro.

— Nem uma paginazinha?

— Não. Não até eu saber se vale a pena ser lido.

Quando Jess acordou, já eram quase 11 horas. Ela vestiu sua calça jeans e um agasalho de Conor e arrastou-se até a cozinha. Queria ter terminado seu artigo para a *Looks* no final de semana, mas havia passado a maior parte do tempo na casa de Saffy e não tivera oportunidade de trabalhar nele.

Conor havia deixado um envelope sobre uma cadeira com uma nota de 10 euros. Os pratos do café da manhã ainda estavam na mesa da cozinha. Ela os empurrou de lado e instalou seu laptop. Havia um e-mail de Miles dizendo que era melhor ela entregar o trabalho antes do meio-dia. "Senão...", ele finalizava.

Ela pegou uma xícara de café, encontrou suas anotações sob uma pilha de jornais e começou.

Faça de todo dia o feriado de Bloomsday com os botões de flores liofilizados da Wild Thing, na Rua Dame. Monte-os em fios para fazer delicadas guirlandas para decorar a cabeceira da cama.

Em algum lugar, James Joyce se revolvia no túmulo. Às cinco para o meio-dia, ela só tinha mais um para terminar. Mordiscou uma torrada com geleia e implorou à sua mente entorpecida que cooperasse. Alguma coisa começou a beliscar seu lábio e mover-se em sua boca. Parecia, e *era*, uma mosca.

Ela cuspiu tudo e deu um pulo, derrubando o bule de café e um vidro de geleia que se espatifou em mil pedacinhos grudentos pelo chão. Pegou o laptop e virou-o de ponta-cabeça. Algumas gotas de café pingaram nas teclas, mas nada pior parecia ter acontecido. Mas não podia dizer o mesmo do envelope de Conor. Ela pegou um pano de prato e conseguiu enxugar o café. A geleia foi mais difícil. Já tinha atraído alguns pelos de Brendan do chão da cozinha. Jess xingou enquanto tentava limpá-la. Ela não tinha tempo para isso. Faltavam — ah, nossa — faltavam exatamente dois minutos para seu prazo terminar. Ela jogou o envelope dentro da bolsa. Iria assim mesmo.

Conor tentou desligar-se do ruído de trinta adolescentes dando risadinhas para poder ouvir Graham Turvei assassinando seu poema preferido de Patrick Kavanagh.

— As bi... bicicletas andam d... de duas e três.

Meu Deus. Era doloroso.

— Não se apresse — Conor disse, gentil.

— Tem um... b... baile no ce... cel... celeiro de Billy Brennan hoje à noite.

O calor estava intenso, mas, se Conor tirasse seu suéter, a classe desviaria a atenção do gaguejar de Graham para suas axilas úmidas. Eles não estavam nem um pouco interessados em poesia. Só queriam se divertir uns com os outros. O engraçado era que o poema de Kavanagh falava justamente sobre isso, sobre *adolescentes se divertindo uns com os outros*. Mas Conor nunca conseguiria que eles ouvissem por tempo suficiente para explicar-lhes.

Graham Turvei gaguejou até o final, fechou seu livro e desmoronou na cadeira como se tivesse levado um tiro.

— Alguém pode dizer sobre o que Kavanagh escreveu neste poema? — Conor perguntou à classe.

Ninguém estava ouvindo. Ronan O'Keefe e Ciaran Gorman atiravam bolinhas de papel mastigado um no outro. Alan MacSorely desenhava uma vaca usando três sutiãs na capa de sua pasta. Lesley Duffy passava a língua por dentro da boca, aparentemente imitando um ato de sexo oral para Wayne Cross.

— As bicicletas andam de duas e três... — Conor teve que levantar a voz para se fazer ouvir. — O que isso sugere, Ronan?

— Que eles não tinham carros, sr. Fahey.

— Quietos, todos! — Conor leu suas anotações. — Que ninguém está sozinho, mas o poeta parece sugerir que ele está distante. Que ele não faz parte das coisas. Você concorda, Cross?

Wayne parou de olhar lascivamente para Lesley e virou a cabeça raspada na direção de Conor.

— Com corda? Sim, sr. Fofo. — Um sorriso forçado surgiu devagar em seu rosto carnudo.

O que fazer quando alguém zomba de você? Conor não sabia como reagir quando era criança e continuava não sabendo. As raízes de seu cabelo ferveram de vergonha, mas ele só conseguiu fingir que não tinha ouvido.

Greg recostou-se na grande cadeira de couro e fechou os olhos.

— Você soube do Damo, do BoyzRus? Corre um boato de que ele pode entrar no elenco! — Cathy, a chefe da maquiagem, debruçou-se para encará-lo. Sua respiração tinha odor de ovo. — Nossa, Greg! O que houve com sua pele?

Duas noites maldormidas em um beliche. Fora isso que acontecera com sua pele. Seguidas de outra noite em um hotel agitado ouvindo os ônibus passando a cada cinco minutos. Greg finalmente conseguira dormir depois de meia dúzia de miniaturas de vodca do frigobar, mas o álcool havia arruinado seus poros.

Ele se perguntava quanto tempo Saffy levaria até tirar essa ideia de casamento da cabeça para que ele pudesse voltar ao apartamento. Se demorasse mais alguns dias, ele poderia ter que fazer um *facelift* não cirúrgico.

Cathy começou aplicando um corretivo sob seus olhos com os dedos.

— Volte aqui depois de gravar a primeira cena — ela disse — que eu lhe farei aquela máscara de emergência com aveia e mel.

— Você poderia usar um pincel? — Greg disse, contraindo-se. — Seus dedos cheiram a bacon. E pode chupar uma bala de hortelã, ou algo assim? Seu hálito está me matando.

— É claro. — Cathy corou. — Só um minuto. Vou escovar os dentes e usar um antisséptico bucal. — Ela saiu de fininho.

Greg endireitou-se na cadeira. Os cabeleireiros o olhavam como se ele tivesse assassinado Bambi.

— Ah, por favor, qual é o problema? — Ele não precisava disso agora.

Tanya, a maquiadora júnior, aproximou-se. Era sósia de Kelly Osborne, só que pintava as pontas da franja de uma cor diferente a cada dia. Todos sabiam que ela tinha uma queda por Greg.

— Recoste-se — ela aqueceu um tubo de creme Elizabeth Arden 8 Horas com o secador de cabelo — e deixe-me reidratá-lo. — Ela ficaria muito bonita, Greg pensou, se perdesse alguns quilos. Ficou se perguntando se ela teria uma meia-calça sobressalente.

A Estação era gravada em um amplo e gelado armazém impossível de ser aquecido. A equipe usava gorros e agasalhos por baixo de jeans largos e jaquetas de inverno, mas Greg estava quase sempre molhado ou seminu, e frequentemente ambos. Os roteiristas aproveitavam todas as oportunidades para mostrar sua lendária barriga tanquinho.

Ele já fora hospitalizado com pleurite depois de 24 tomadas de uma cena no chuveiro comum onde Dan, um dos bombeiros, declarou sentir atração por Mac. Quase todo o episódio exigia que ele desse uma volta com o dorso nu. Ao elenco não era permitido usar roupas térmicas por baixo, então Greg começara a usar meias-calças sob o uniforme. Não podia ter dito a Conor que pedisse a Jess para pegar um par quando ela estava fazendo sua mala no apartamento. E se ele pedisse ao departamento de figurino, nunca superaria esse fato.

Já estava congelando, e ainda continuava vestido. Sua primeira cena era a segunda parte de uma briga com Frank, o chefe dos bombeiros, depois que ele descobre que Mac pediu a mão de Mia. Eles rolariam muito no chão molhado e sua jaqueta seria rasgada.

Tanya passava sangue falso com muita suavidade em seu rosto com os dedos. Ele abriu os olhos.

— Escute, você tem alguma meia-calça sobrando? — ele sussurrou.

— Não. Mas posso pedir ao figurino — Tanya sussurrou em resposta.

Greg balançou a cabeça.

Ela sorriu.

— Talvez eu tenha meias finas na bolsa.

— Você me empresta?

Ela olhou para ele timidamente através das pontas cor-de-rosa de sua franja.

— É claro que empresto. Você pode me pedir o que quiser.

O cartaz na porta de Ant dizia: "Agora estou ocupado. Posso ignorar você outra hora?".

Ant estava fora, mas Vicky debruçava-se sobre seu monitor vestindo algo que parecia uma camisola azul amarrotada. Ela usava esmalte cintilante de cor diferente em cada uma de suas unhas.

— Saffy, o que aconteceu com seus olhos? Você está bem?

Saffy tinha usado quase meio tubo de creme na tentativa de disfarçar o fato de ter chorado de modo intermitente nas últimas 60 horas. Mas obviamente não fora o suficiente. — Rinite alérgica.

Vicky balançou a cabeça.

— É mesmo? E você e Greg passaram o mais romântico final de semana de suas vidas?

Saffy grunhiu alguma coisa. Desde que ela não falasse sobre o que havia acontecido, podia fingir para si mesma que não acontecera.

— E quanto a você e Josh?

— Eu reservei aquele lindo restaurante marroquino para jantarmos no Dia dos Namorados, mas a Pequena Lindsay teve um ataque de asma e ele precisou cancelar.

Josh, o namorado de Vicky, era divorciado, e a "Pequena Lindsay" tinha 18 anos, mas Josh sempre tinha que socorrer a ex-esposa para resolver uma ou outra crise doméstica.

— Bom — Vicky disse suspirando —, suponho que nem todas podem ter o Sr. Perfeição Greg Gleeson, certo?

— Não. — Saffy mordeu o lábio e encarou os novos *layouts* da Avondale afixados na parede. — Não podem.

Desta vez, os cartazes eram bem concisos. Não se via Jesus em lugar algum. Ele fora substituído por fotos *kitsch* do tipo que se veem em caixas de chocolate: um gatinho fofinho dentro de uma cesta em formato de coração; lindos cãezinhos enrolados em novelos de lã cor-de-rosa, ao lado de frases vendendo queijo cheddar maturado e defumado.

— Ant está bolando alguns *spots* de rádio — disse Vicky. — Coisas bem bregas, como: "Você está usando seu limpador de janelas? Porque eu consigo me ver em suas calças". Pensamos que talvez você possa pedir ao Greg que faça a locução. Ele seria perfeito. Sei que não podemos pagar o cachê dele, mas talvez você consiga convencê-lo a...

Antes que Saffy precisasse explicar que aquela não era uma ideia muito boa, Ciara virou a cabeça para o outro lado da sala.

— O que é um faniquito?

— Acho que é um tipo de ataque histérico — disse Vicky.

— Eu achava que fosse isso mesmo. Você pode vir até a recepção, Saffy? Porque tem uma mulher lá com botas incríveis que diz que é sua mãe e acho que ela está tendo um faniquito.

A mãe de Saffy nunca havia estado na Komodo. Na verdade, até no apartamento deles só fora umas poucas vezes. Saffy nunca a encorajava porque, se o fizesse, ela nunca mais sairia de lá.

Jill andava de um lado para o outro de modo dramático diante das portas automáticas, que abriam e fechavam cada vez que ela passava. O que estava fazendo ali? Saffy a vira três dias antes e não planejava encontrá-la novamente antes do meio de março.

Dar com a mãe ali em seu trabalho, agora, provocou-lhe o mesmo sentimento de claustrofobia que experimentava na adolescência, quando Jill entrava em seu quarto, aninhava-se nos pés da cama, dizia "conte-me tudo" e Saffy, que sabia que devia falar de rapazes, paixonites e roupas, fingia não entender e contava sobre o dever de casa e as provas, porque a única coisa que ela realmente queria era pedir à sua mãe que fosse embora.

Jill parou de andar e deu-lhe um abraço rápido e forte.

— Sadbh, eu sinto muito. Eu me sinto horrível. — Ela não parecia nem um pouco horrível. Só tinha exagerado nas roupas. Seu cabelo estava envolto em uma espécie de rede e ela usava um casaco militar e botas pretas de couro para equitação. Só estava faltando o cavalo.

Saffy colocou a mão nas costas da mãe e começou a conduzi-la para a saída. Ela não conseguiria aguentar aquilo hoje.

— Olhe, eu não sei sobre o que a senhora quer falar, mãe, mas me desculpe, vai ter que esperar até depois porque estou no meio de uma apresentação agora.

Jill insistiu.

— Não consigo parar de pensar sobre aquela coisa terrível que eu disse para você na sexta-feira. — Tirou uma de suas luvas pretas de couro e secou um dos olhos com um lenço de papel. — Sobre você acordar quando tiver 50 anos, sozinha...

— Não tem importância. Já tinha esquecido.

— É tão típico de você se fazer de durona, mas não precisa agir assim. Sei que está arrasada. Estou aqui, se quiser conversar.

Que arrogância! O que sua mãe pensava ou dizia havia perdido o poder de devastar Saffy há muito tempo. Ela revirou os olhos.

— Não há nada para *conversarmos*.

Jill tirou um jornal da bolsa.

— Mas Sadbh, e quanto a isto?

Metade da primeira página do jornal estava ocupada com uma foto que fora tirada na estreia de um filme. Greg usava um smoking e fazia um sinal com os dedos como se atirasse para a câmera. Saffy estava de cabeça abaixada, como sempre fazia quando eles eram fotografados juntos, e usava um vestido de cetim verde que somente agora ela percebia que a deixava parecida com uma abobrinha.

O vestido era feio, mas a manchete era pior: GREG, ASTRO DAS TELENOVELAS, DISPENSADO NO DIA DOS NAMORADOS.

> "Na sexta-feira passada, o galã Mac Malone, de *A Estação*, pediu a mão da ruiva Mia. Mas logo depois, naquela mesma noite, no 365, restaurante exclusivo de Dublin, o curso do verdadeiro amor não correu tão fácil para Greg Gleeson e sua verdadeira namorada, Sadbh Martin.
>
> Enquanto o casal saboreava um jantar regado a champanhe de 70 euros por pessoa, uma briga tempestuosa ocorreu. O bombeiro bonitão da TV fez o que pôde para apagar o fogo, mas a srta. Martin deixou estupefatos os clientes do local quando saiu voando, deixando Gleeson terminar seu espumante sozinho.
>
> Uma fonte próxima ao casal revelou que Gleeson, que está cotado para interpretar o papel principal de uma película em Hollywood este ano, mudou-se da luxuosa cobertura do casal para uma suíte no suntuoso Hotel Davidson.
>
> Parece que um dos relacionamentos mais duradouros do *show business* acaba de ruir sob as chamas."

Saffy empurrou o jornal e, com o resto de força que estava guardando para atravessar o dia, impulsionou sua mãe pelas portas de vidro até a rua. Um homem tirava um bebê de sua cadeirinha no carro. Um entregador, inclinado sobre sua bicicleta na esquina, fumava um cigarro.

— Tenho que ir agora, mãe. — A voz de Saffy era firme, mas os cantos de sua boca tremiam. — E eu não quero que você me ligue nem que apareça em casa, está bem?

— Mas, Sadbh, eu quero ajudar. Posso me mudar para o seu apartamento por alguns dias. Ou sentar e conversar com o Greg...

— Eu não quero ajuda. Quero que você se afaste! — A voz de Saffy cresceu e se tornou um lamento gritado. O homem e o entregador se viraram para olhar. — Por que a senhora não consegue entender? Pelo menos uma vez na vida, por que a senhora não vai embora e me deixa em paz?

Ela virou-se e entrou correndo no edifício, atravessou a área da recepção e sumiu de vista por uma porta.

O homem e o bebê entraram no estacionamento. O entregador livrou-se do cigarro, montou na bicicleta e saiu pedalando na direção da Rua Kildare. Jill foi a única a permanecer no lugar. Ainda olhava fixamente para as portas de vidro, incapaz de se mexer, com o rosto vermelho, como se tivesse levado uma bofetada.

Tinham sido tão próximas quando Sadbh era pequena. Depois, quando ela fez 14 anos, foi surpreendida por um cartaz dizendo "afaste-se" na porta do quarto dela. E desde então vinha usando um cartaz invisível na testa.

Jill tentara ignorá-lo porque não era somente a mãe dela, era a única família que Sadbh possuía. Mas talvez já fosse hora de entender a mensagem. Sua filha nunca deixaria que ela voltasse a se aproximar.

— Obrigada por me receber. — Saffy sentou-se ao lado de Greg. Ele estava lindo, mas triste, ela achou, um pouco ansioso e abatido ao mesmo tempo. Por alguma razão, isso a fez se sentir melhor, porque talvez indicasse que ele sentira sua falta.

Eles ocuparam um banco nos Jardins de Iveagh. Greg esperava que estivesse limpo. Jess só havia lhe trazido duas calças jeans, e a outra se extraviara na lavanderia do hotel. Saffy queria encontrá-lo no jardim de St. Stephen, mas era um lugar muito público e ele não queria ser repreendido caso sua agente visse a fotografia.

Quando ligara para Lauren para dizer que Saffy havia mandado um torpedo, ela deu uma risada bem alta e o instruiu a deixar a coisa cozinhar por uns dois dias antes de responder.

— Greg — ela o advertira —, isso é uma negociação. Então, escute sua tia Lauren. Você tem que saber que provavelmente não vai conseguir o que quer logo de cara. Se você quer que ela volte correndo para você, tem que agir com indiferença. Escute o que ela tem a dizer. Ignore. Estabeleça suas condições. Vá embora. Confie em mim. Sempre funciona. Acha que consegue fazer isso?

Greg achava que conseguiria, mas não podia esperar mais alguns dias para fazê-lo. Havia respondido de volta para Saffy assim que Lauren desligara. Era bom vê-la. Ela parecia tão doce e séria em seu casaco azul-marinho, com o cabelo preso num rabo de cavalo. Ele queria pegá-la nos braços, mas conseguiu se segurar. Tinha que agir com indiferença.

— Olhe, eu sinto muito sobre o que aconteceu na sexta-feira — ela começou, nervosa. — Não deveria ter me descontrolado na frente de toda aquela gente.

— Não — disse Greg. Ele fixou o olhar na estátua de uma menina com o dorso nu ajoelhada diante da fonte e tentou parecer inflexível. Por que aquilo era considerado arte quando estava enfiado na grama, ele se perguntou, mas pornografia quando era mostrado na tela de televisão de seu quarto de hotel?

Saffy esperou para ver se ele pediria desculpas, mas Greg não pediu. A coisa não estava indo tão bem quanto tinha esperado. Talvez não fosse uma boa ideia. Contudo, depois de mais dois dias de silêncio, ela sentira que um deles tinha que quebrar o impasse. E deveria ser Greg. Ela havia ligado para ele depois de sair do restaurante. Agora era a vez de ele ligar. Mas importava de quem era a vez?

Ver o artigo no jornal com o fim do relacionamento soletrado em branco e preto fez com que ela percebesse que um deles tinha que salvar as coisas antes que piorassem, enquanto ainda havia tempo.

Jess estava certa. Devia ser só um mal-entendido. Ela repassara essa conversa uma centena de vezes na cabeça. Ele não tinha dito que não queria casar com ela. Bem, ele não havia usado exatamente essas palavras. Ele tinha dito *Não, não vou entrar nesse jogo*. Ela estava reagindo a algo que ele não havia dito.

Quando lhe mandara uma mensagem sugerindo o encontro, ele

respondera logo em seguida, o que era um bom sinal. E parecia realmente contente em vê-la; ela notara em seus olhos. Mas agora Greg não a encarava mais, preferindo olhar para as coisas em volta — árvores, estátuas, fontes.

— Greg, acho que nós dois reagimos de modo exagerado na sexta-feira, e sei que você não estava esperando que eu — ela tomou fôlego — falasse em casamento. É compreensível, porque nós nunca falamos nisso antes. Mas agora que já surgiu o assunto, não acha que é hora de falarmos?

Greg olhava fixamente para um cãozinho que fazia cocô sobre o cascalho.

— Hora de falarmos... ?

— É, é claro, de falarmos sobre isso. — Saffy olhou para ele, esperançosa. — Mas, sabe, também pode ser hora de *fazer*...

Greg repassou mentalmente as instruções de Lauren. Mostre-se indiferente. Ouça. Ignore. Estabeleça condições. Vá embora. Ele balançou a cabeça.

— Não.

Saffy ficou olhando para ele. Havia acabado de pedir que ele casasse com ela novamente? E ele simplesmente dissera "não"?

— Você tem que tirar essa coisa de casamento da cabeça, gata. Não posso aceitá-la de volta se não fizer isso.

Ele deu-lhe uma olhadela. O rosto de Saffy era sempre pálido, mas agora parecia totalmente branco.

— Você não pode me aceitar de volta? Você acha que é disso que estamos falando, Greg? Que *eu* estou pedindo para *você* me aceitar de volta?

— Acho que sim. — Ele fixou o olhar nas botas. Tinha trocado o par que estragara no Dia dos Namorados, mas preferia as velhas.

— Meu Deus, você está muito enganado. Estou é tentando salvar nosso relacionamento por *nós*. Por nós dois. Porque achei que era importante para *nós dois*. — Ela se levantou. — Estou cansada de tentar. Se você quiser tentar, sabe onde estou, mas para mim chega. — E foi embora.

Greg ficou lá, vendo-a se afastar. Exceto pelo fato de que era *ele* quem deveria ter ido embora, achou que tudo correra mais ou menos como planejado. Agora só precisava esperar que ela voltasse correndo.

Capítulo 6

Já se passara uma semana depois dos Jardins de Iveagh. Uma semana sem uma única mensagem ou telefonema de Greg. Uma semana desde que se incomodara em colocar as lentes de contato ou fazer exercícios, lavar um prato ou comer qualquer coisa que não tivesse gordura, chocolate, álcool ou (no caso do pavê da Marks & Spencer) todos os três. Nesse dia, no café da manhã, comera um ovo de chocolate recheado de creme e um pacote de salgadinhos sabor bacon defumado. O estranho era que tinha emagrecido cinco quilos.

Até onde lembrava, era a primeira vez que pesava menos que 57 quilos.

Na véspera, Vicky tinha tentado fazer com que ela comesse metade de seu sanduíche de tofu na cozinha durante o almoço.

— Você precisa comer algo que preste, Saffy. Está desaparecendo.

— Tudo tem seu lado bom. — Ciara olhava para ela de modo aprovador. — Acho que você está fantástica. Se continuar assim, vai virar uma magrela que nem a Keira Knightley.

Só que sem o rosto, o cabelo e as roupas de Keira Knightley, Saffy pensou, amarga.

— Tudo tem seu lado bom — Saffy ouviu Ant murmurar para Vicky —, exceto as nuvens em forma de cogumelo, que têm uma carga de irídio e estrôncio 90.

O fato é que não importava ficar esquelética se Greg nunca mais ia telefonar. Se só trabalhasse e depois voltasse para aquele apartamento vazio, bebesse vinho tinto e comesse pizza fria direto da embalagem. Ela era o tipo de pessoa que dobrava lençóis antes de colocá-los no cesto de roupa suja. Agora nem se dava ao trabalho de trocá-los.

O apartamento estava imundo. Suas roupas ficavam onde caíam. A pia da cozinha estava atulhada de pratos. Saffy tinha a sensação terrível de que alguma coisa estava morando na cozinha. Às vezes, no meio da noite, ouvia algo arranhando lá dentro.

Havia dispensado a faxineira. Tudo o que conseguia fazer era levantar, tomar banho e vestir-se todas as manhãs para fingir no trabalho que estava lidando bem com a situação, porém, sempre que voltava para casa, desmoronava. E se alguém a visse nesse estado — a faxineira, Jess, principalmente sua mãe — ela sabia que não conseguiria continuar fingindo. Desmoronaria permanentemente.

Não tivera essa intenção, mas havia pressionado a si mesma e a Greg além dos limites. Eles não podiam voltar ao que eram antes e não podiam seguir adiante a menos que ele se casasse com ela. E ele não se casaria. Deixara isso bem claro.

Teria que esquecê-lo. E como poderia esquecê-lo se ele estava em todo lugar? Ela não abria o Facebook nem olhava os tabloides para não ver a foto dele, mas não podia evitá-lo no apartamento. Seu fantasma permanecia em todos os cantos. Passando espuma de barbear, como em um comercial da Gilete, e dormindo no sofá banhado pela luz do sol, como em um comercial da Habitat, e andando só com a roupa de baixo, como em um comercial da Calvin Klein.

Ela tentava bloqueá-lo com vinho tinto e televisão. Na maior parte do tempo, nem se preocupava em mudar de canal. Ficava no sofá até estar cansada o bastante para ir para a cama. Via os piores programas noturnos... Não se importava com o que assistia, desde que tivesse certeza de que Greg não apareceria.

Saffy largou o casaco sobre a cadeira, jogou a embalagem de pizza sobre a mesa de café e foi direto à cozinha abrir uma garrafa de vinho. A caixa de pizza devia ter caído sobre o controle remoto, porque, quando voltou para a sala, estava passando *A Estação*, e o corpo seminu de Greg surgia de um chuveiro repleto de vapor na tela plana de 63 polegadas.

Ela tirou os óculos, cobriu os olhos e tentou encontrar o controle remoto sob a caixa de pizza pelo tato, mas não conseguiu resistir e separou um pouco os dedos para dar uma espiada em seus ombros largos, seus braços fortes e sua enorme... tatuagem de cobra. Meu Deus! Ela tirou a mão dos olhos. Quando Greg tinha feito aquela tatuagem?

A câmera afastou-se e abriu a tomada, o vapor se dissipou e ela percebeu que não era Greg. Era um sujeito alto e loiro; ela se lembrava vagamente dele, de uma banda ou algo assim. Ele começou a se enxugar com uma pequena toalha branca quando Mia entrou.

— Epa! — disse Mia fazendo beicinho com mais de um centímetro de brilho labial. — Eu estava procurando uma pessoa. Você deve ser o novato.

— Meu nome é Finn. — Ele sorriu e mediu-a de cima a baixo. — Eu também estava procurando uma pessoa. Mas acho que acabo de encontrar.

Saffy colocou um pouco de vinho numa taça e abriu a pizza. Já que a série estava passando, ela bem que poderia continuar assistindo. À ideia de ver Greg, mesmo que só por alguns segundos, era difícil resistir. A cena em que Mia e o novo sujeito entram em um convento em chamas para resgatar uma freira muito jovem e muito linda foi longa. Depois, veio um intervalo comercial. Em seguida, uma cena mais curta na qual Mia voltou correndo para o prédio a fim de salvar uma freira idosa e cega, e depois Finn a salvou de um cilindro de gás prestes a explodir, levando-a para fora até o caminhão onde, finalmente, estava Greg. Ele apontava sua mangueira para as chamas, mas seus olhos estavam fixos em Mia e Finn.

O coração de Saffy imergiu feito um avião em pane. Ele estava tão lindo, parecia tão íntimo e... incrivelmente bravo. A câmera deu um close. Seu queixo estava travado, uma pequena veia azul que ela nunca notara em sua têmpora pulsava de modo estranho e seus olhos eram de assassino. Se ele estivesse atuando, merecia um Oscar.

A sala de bilhar ficava em um porão na Rua Drury. Ainda tinha o mesmo cheiro que Greg lembrava de seus dias de faculdade: um ar abafado com odor de casaco molhado, cê-cê, cerveja velha e carpete úmido. Uma atendente ranzinza com muitos piercings no rosto largou o Bhagavad-Gita que estava lendo e serviu-lhe um chope.

Cinco minutos depois, Conor apareceu vestindo um suéter, calça larga cinzenta de lã e um capacete de ciclista. Todas as roupas dele, Greg pensou, deviam custar menos que as calças da AussieBum que ele acabara de comprar na Brown Thomas.

Havia torrado 3 mil euros em roupas novas, mas o que podia fazer? Vinha usando as mesmas coisas havia quase duas semanas e não poderia arriscar voltar ao apartamento e trombar com Saffy. Quando será que ela voltaria correndo como Lauren disse que faria?

Ele queria que ela viesse logo. Sentia saudade e morar no hotel era um inferno. Via muitos filmes pornôs, abusava do serviço de quarto e das castanhas de caju. Sua suíte era de luxo, mas não aguentava mais ter que ficar lá dentro. Toda vez que saía, havia mulheres dando em cima dele. Com Saffy para protegê-lo, as fãs ainda se controlavam; sem ela por perto... cara, elas ficavam loucas.

Na estreia de uma peça muito chata no Gate, ele fora perseguido por uma mulher que usava um vestido horroroso de pele de leopardo. Quando entrara em seu apartamento, encontrara calcinhas no bolso do casaco, e havia um número de celular escrito com batom. Ele teve que embrulhá-las na touca de banho e jogá-las no lixo lá de fora quando voltou a sair. Se não tivesse feito isso, algum empregado a encontraria no cesto de lixo da suíte e a venderia para algum tabloide.

Conor tirou os prendedores da calça e colocou sua mochila debaixo de um banquinho. Greg já pedira um chope para ele. Realmente não deveria beber. Vinha tentando levantar às 5h30 da manhã para escrever um pouco antes de ir para a escola. Jess achava que, quando enviasse as primeiras 30 mil palavras, ele relaxaria um pouco e esperaria a resposta do agente. Mas ela não tinha entendido. Talvez tivesse que enviá-las a dez agentes até obter uma resposta, se obtivesse. E não importava o que acontecesse, ele ia terminar esse livro porque tinha certeza de que nunca escreveria um roteiro junto com Greg.

Tirou seu *Manual do Roteiro*, de Syd Field, da mochila e colocou-o no bar, junto com o laptop, que ele sabia que não seria aberto. Conor havia parado de dar ideias há muito tempo. Greg simplesmente as refutava, e quando *ele* fazia alguma sugestão, sempre era a ideia de outra pessoa.

"Um cara rico e bonito que contrata uma prostituta e acaba se apaixonando por ela." (Ele já tinha se apaixonado, em *Uma Linda Mulher*.) "Um mafioso vai fazer terapia." (*A Máfia no Divã* e *Família Soprano*.) Ele ainda não sugerira "Um porco falante aprende a pastorear ovelhas e salva a fazenda", mas era somente uma questão de tempo.

Conor aguardou que Greg desse alguns autógrafos para duas garotas com uniforme da escola que se encontravam no bar. Pelo menos elas não eram da St. Peter's, então ele não precisaria denunciá-las.

Greg começou o jogo e encaçapou quatro bolas em seguida.

— Você não vai acreditar no que os meninos da escola fizeram hoje. — Conor passou giz na ponta do taco. — Eles passaram as rodas da minha bicicleta em cocô de cachorro. Devem ter levado a bicicleta até o parque, porque é proibido cachorro na área da escola.

— Talvez tenham levado o cocô até a bicicleta. — Greg encaçapou a branca.

Conor encaçapou três bolas e depois ficou em sinuca, atingindo uma bola de cor.

— Já que falamos de merda — Greg inclinou-se para suas duas tacadas —, eu também estou tendo que lidar com ela. Esse cretino do Damian Doyle estava escalado para participar de três episódios de *A Estação*, mas agora querem incluí-lo na próxima temporada. Você nunca deve ter ouvido falar dele.

— O Damo do BoyzRus? Tá brincando? *I'll Fly You To Forever* é o tom de chamada de metade dos celulares que eu confisco dos alunos. O cara é grande.

Grande, sim. Um metro e 90 de altura. Greg passara a semana inteira tentando evitar aparecer ao lado dele, caso alguém quisesse tirar uma foto. Mas que droga estava acontecendo na produção? Primeiro fizeram com que ele pedisse a mão de Mia. Agora isso parecia ter esfriado e aparecera uma nova subtrama que girava em torno desse marionete de carne que nem sabia interpretar.

Ele rodeou a mesa.

— Se ele afetar meu personagem de alguma maneira, eu caio fora. Dou um "hasta mañana, baby" à série toda.

— Quer dizer "hasta la vista" — disse Conor.

— Seja o que for. — As duas últimas bolas rolaram como um sonho. — Mas temos que nos apressar e escrever esse roteiro, cara, porque, quando eu estiver em Hollywood, vou ficar ao lado dos grandes. Martin Scorsese e Stanley Kubrick vão brigar por nosso roteiro.

Ele encaçapou a preta. Stanley Kubrick já tinha morrido, mas Conor não precisava informar a Greg. O que precisava dizer era que gostava de jogar bilhar de vez em quando, porém não tinha mais interesse em escrever roteiros. Precisava contar sobre o livro.

Mas não podia. Greg iria querer ver o que ele havia escrito até então e inventaria de transformar tudo em um roteiro. Iria querer transformar o pai solteiro num piloto de corrida ou num dublê de piloto ou num neurocirurgião. Conor passava mal só de pensar nisso.

Capítulo 7

Saffy chegava ao escritório todos os dias às 7 da manhã. E lá ficava até a hora do almoço. Era a última a sair. Às vezes, quando estava escrevendo um contrato, ajustando o cronograma de uma produção ou ainda trabalhando em alguma apresentação importante, conseguia esquecer Greg por um minuto inteiro. Na verdade, pensava nele quando Marsh colocou a cabeça de repente pela porta, mas fingiu ler um relatório sobre diferenças de gênero no uso de novas mídias.

— Que garota esperta!

Saffy achava esse comentário dúbio. Com Marsh, nunca se sabia. O fato era que a Avondale tinha gostado tanto da campanha de mídia impressa de Ant e Vicky que conseguiram mais 300 mil para um anúncio na televisão.

Marsh sorriu. Seus lábios estavam diferentes. Ou talvez fossem os dentes. Ou as bochechas. Ela estava usando shorts marrons superglamourosos feitos sob medida e um casaco masculino, e tinha os longos cabelos soltos. Era a única pessoa que Saffy conhecia que parecia envelhecer ao contrário.

— Simon pensou que ficaria arrasada depois daquele término de namoro desastroso, mas eu sabia que você se sairia bem, e estava certa. Você é que nem aquele coelhinho da Duracell. Vai seguindo em frente. Se, a esta altura do ano que vem, você estiver com o mesmo pique, poderá estar no meu lugar.

Saffy olhou para as botinhas Jimmy Choo que ela usava. Eram pelo menos dois números menores que o seu, mas tão lindas que dava vontade de experimentá-las.

Marsh pegou um documento da mesa, escaneou-o e tornou a colocá-lo no lugar.

— Você gostaria de esfregar isso na cara dele durante um longo e maravilhoso almoço para comemorar a conquista da Avondale?

Cliente e agência. Quinta-feira é bom para mim. Estou pensando naquele lugar novo, o 365.

Saffy foi pensando "qualquer", "lugar", "menos", "este", exatamente nessa ordem. A simples ideia de voltar àquele restaurante depois do que havia acontecido na noite do Dia dos Namorados era difícil até de colocar em palavras. Contudo forçou-se a dizer:

— Boa ideia.

Harry Burke, diretor de marketing da Avondale, era um figurão da indústria, sempre bronzeado de jogar golfe e, como Simon dizia, "de olho nas garotas". Ali, sua gerente de marketing, era calorosa, loira, de meia-idade, alcoólatra e tinha a risada mais escandalosa que Saffy conhecia. Ela já estava gargalhando muito antes de o vinho chegar.

— Santa cavalinha! — ela disse, apontando para a pintura de uma mulher nua carregando um peixe.

Saffy mordeu o lábio. Da última vez em que vira aquele quadro estivera sentada sob ele, esperando Greg chegar.

Vicky olhou para a pintura.

— Acho que deve ser uma sardinha. Ou uma garoupa bem magra.

— É um bacalhau velho! — Harry declarou. E todos, exceto Ant, fingiram que aquela era a coisa mais engraçada que já tinham ouvido. Aquele seria um almoço interminável.

Trouxeram champanhe, depois vinho, e depois mais vinho na sobremesa, e quando Ali pediu a segunda rodada de Bellinis, eles já eram os únicos no restaurante. Mike tinha dormido. Afrouxara o nó da gravata e tirara os sapatos. Ambas as meias apresentavam furos nos dedões. A mulher dele, Saffy pensou com uma ponta de inveja, com certeza parara de reparar nos furos. Casamento era isso. Amar alguém tanto e por tanto tempo que já nem mesmo se viam os furos das meias.

Marsh, em seu vestido Missoni, estava apoiada em Simon, como uma linda flor murcha.

— Já beijou alguém com tanta força — ela perguntou — que seus lábios sangraram?

Harry estava com o braço por trás da cadeira de Vicky e dizia a ela como se parecia com Kate Bush... — Belo par de pulmões — Saffy o ouviu dizer. — Ficam lindos em um collant.

Ali, a mais bêbada da mesa, conversava com Ant sobre pessoas mortas.

— Para onde elas vão? — ela indagou, fazendo um gesto com os braços. — O que fazem todos os dias?

Se Ant tinha alguma resposta, não dizia.

— As freiras na escola diziam que, quando alguém morre, podem zelar por você. — Ali fez um gesto como se colocasse binóculos e se virou para Ant. — Sempre me lembro disso. E, então, quando estou na privada ou tomando banho, penso em todas aquelas pessoas mortas me olhando — comentou, dando risada. — Minha avó, meu avô, meu tio Finbarr e agora papai e mamãe. — E seus olhos repentinamente encheram-se de lágrimas. — Não se é verdadeiramente um adulto — continuou, virando-se para Saffy — até que seus pais morram. Você pode ter 20, 50 ou 90 anos, no dia em que ambos se forem, nesse dia você se vê sozinha de verdade. Sua mamãe já morreu?

Saffy balançou a cabeça.

— Tem sorte. E seu papai?

Saffy hesitou. Ela nunca sabia o que dizer quando lhe perguntavam isso. Seu pai nunca mais tentara entrar em contato com sua mãe, fazia mais de trinta anos. Se não havia morrido, bem que poderia. Mas mesmo não o conhecendo e nada devendo a ele, e mesmo que fosse mais fácil falar que estava morto em vez de admitir que não fazia a menor ideia, nunca fora capaz de fazê-lo.

— Não tenho certeza... — começou, mas a própria Ali já havia esquecido a pergunta.

— Já sei! Vamos jogar nomes de estrelas pornôs! — Ela sorriu contente, para todos. — Vamos lá! Você pega o nome do primeiro brinquedo que teve quando era criança e junta com o nome da rua onde nasceu. Eu sou Fofolete Stillorgan. — Deu uma gargalhada e apontou um dedo vacilante para Ant. — O que você é?

Ant balbuciou alguma coisa para Vicky. Saffy ouviu algo como "suicida" ou "homicida".

Ela escapou para o toalete e se trancou em um dos cubículos. Abaixou o tampo do vaso sanitário e sentou-se, apoiando a cabeça nas mãos. Quanto mais tempo ficasse ali, menos teria que ficar lá, rodeada de lembranças daquela noite horrorosa com Greg.

Duvidou que seus avós ou o irmão de sua mãe ou mesmo seu pai quisessem se espremer naquele cubículo, mesmo que estivessem mortos. Não tinha certeza do que as pessoas faziam no além-túmulo, mas estava certa de que não ficariam em fila para vê-la usando o vaso sanitário.

Permaneceu por lá o quanto achou que podia e então levantou--se, lavou as mãos e molhou o rosto com água fria. Já havia bebido demais, mas não dava para *não* beber com clientes e também não era possível ir embora até que eles se levantassem ou caíssem. Desejou que uma das duas coisas acontecesse logo. Precisava ir para casa, para sua cama e dormir. O evento da Pluma Branca seria na manhã seguinte, às 7h30, em um campo no meio de Wicklow, e ela planejava acordar às 5 para repassar sua apresentação.

Havia, sim, alguém espiando Saffy quando ela saiu do toalete feminino, mas não era nenhum morto. Era o "cara da cozinha" daquela noite do Dia dos Namorados. Ele vestia um jeans rasgado e uma camiseta em vez do uniforme de cozinha, mas ainda exibia o mesmo sorriso convencido. Estendeu o braço na frente dela para que parasse.

— Tem tido soluços ultimamente?

— Obrigada por perguntar, mas não. Não tenho tido soluços. — Saffy olhou intencionalmente para o braço dele, que lhe barrava a passagem. Era um belo braço, bronzeado e musculoso, com uma daquelas pulseirinhas que as celebridades usavam no pulso.

— E então, quando vamos jantar juntos? — ele perguntou, sorrindo.

— Acho que meu namorado não gostaria nada disso.

— Boa resposta, chuchu, mas acontece que eu sei que seu "namorado" já era. Nós nos mantemos atualizados: "365, um restaurante exclusivo". Vamos lá, é só um jantar. O que você tem a perder?

— Que tal falarmos sobre o que *você* tem a perder? — ela retrucou. — Como seu emprego, por exemplo.

— Tem razão, não devemos dar em cima de clientes, mas acho que meu chefe abriria uma exceção neste caso. — E deixou-a passar.

Ali tinha mudado a brincadeira de nome de estrelas pornô para "beijar, transar ou casar".

— Eu *beicharia* você — ela murmurou, jogando um beijo para Saffy —, transaria com Ant e casaria com Simon.

— Ant é celibatário — Simon falou, rindo —, mas provavelmente não por escolha própria.

— Você pode transar comigo, se quiser — Harry ironizou.

— Já transei com você — Ali gargalhou. — Muitas vezes. Você não conta.

Marsh deu uma rápida olhada para Saffy. Aquele era o tipo de informação confidencial que poderia fazê-las perder uma conta. Vicky se apressou, tentando consertar.

— Eu beijaria você, Harry! — ela interrompeu. — E... e... eu... você, Mike. Mas só se sua mulher deixasse, claro. E eu casaria com... hum... Ant.

Harry pareceu ter ficado contente. Mike, horrorizado. Ant estava surpreso. Com sorte, ninguém se lembraria do que Ali dissera sobre Harry. Nem Harry, principalmente.

— Desculpe, senhora. — A francesa de ar chique, atrás do balcão, olhou friamente para Saffy. — Há um problema com seu cartão.

— Tem certeza?

— Já tentei duas vezes.

— Vou fazer um cheque, então. — Saffy procurou na bolsa.

— Não trabalhamos com cheques. Terei que falar com o dono. — Ela desapareceu para dentro da cozinha e retornou alguns momentos depois, com o "cara da cozinha".

— Algum problema? — ele perguntou.

— Estou esperando para falar com o dono do restaurante.

— Já está falando. — Ele cobriu as orelhas com as mãos. — Mas ele não está ouvindo porque é obrigado por lei a não aceitar cartões de crédito que apresentem problemas. Mais ainda. Ele tem de picar o cartão.

— *Você* é o dono daqui? *Você*? — Ela mal teve tempo de se sentir envergonhada pelo que dissera sobre ele perder o emprego. — Por favor, não faça isso, estou aqui com um cliente importante. — Marsh teria um ataque se houvesse algum problema com a conta. — Volto depois para pagar em dinheiro.

A mulher francesa voltou da cozinha com uma tesoura.

Saffy entrou em pânico.

— Olha, eu janto com você. Aqui está, meu telefone.

— Não quero seu telefone. O jantar tem de ser hoje. — Ele sorriu e pegou a tesoura. — Ou pico o cartão.

Capítulo 8

A placa da boate de strip-tease Stilettos entortou e começou a derreter. Uma bola de fogo foi cuspida no ar. Uma *stripper* colocou a cabeça para fora de uma janela no andar de cima e deu um grito. Damo Doyle saltou do caminhão de bombeiros e correu na direção do prédio. Um coro de gritos histéricos irrompeu da multidão de mulheres que assistiam à gravação.

— Corta! — Roisin, a diretora, virou-se para o primeiro assistente de direção. — Robert, estou vendo o mamilo esquerdo dela. Precisamos que ela vista um sutiã ou então temos que aumentar a fumaça. E você pode fazer essas fãs calarem a boca?

— Silêncio no *set*! — Robert berrou.

As mulheres gritaram em resposta.

— Damo! Damo! Damo!

Damo Doyle aproximou-se correndo.

— Roisin! Eu sinto muito. Vou resolver isso.

Greg ficou observando Damo atravessar a proteção que mantinha o público separado do *set*. A multidão parou de falar e começou a cantar *"Come on Damo, light my fire!"*

As meninas do figurino vieram correndo para envolver com cobertores meia dúzia de extras que usavam somente sapatos de *stripper* e calcinhas de renda. Roisin verificava o monitor. Era uma mulher baixinha e rija de trinta e poucos anos, e estreava na série. Se não fossem as tranças saindo de seu gorro de lã, pensou Greg, ela poderia se passar por um homem.

— Roisin, querida. — Ele passou o braço em seus ombros. — Vamos conversar.

— Não é uma boa hora, Greg. Preciso terminar esta cena antes do almoço ou vamos ter que fazer hora extra.

Greg concordou.

— É sobre isso que precisamos conversar. Este tal de Doyle,

Roisin. Ele está arruinando o desempenho de todo mundo. Como é que podemos trabalhar nessas condições?

Ela nem olhou para ele.

— Muito bem, Robert, vamos tentar a máquina de gelo seco à direita da janela e ver se resolve o problema do mamilo.

Greg tirou seu braço.

— Mas o que é que está acontecendo aqui, afinal? — resmungou. — Sou um ator profissional. Sou a pessoa mais bem paga deste programa. O que estou fazendo aqui recolhendo mangueiras enquanto esse "fumaça branca" faz todas as cenas de ação? — "Fumaça branca" era, no linguajar dos bombeiros, o apelido dado aos novatos, um termo que alguém caído ali de paraquedas, como Doyle, não saberia. — E o que vai acontecer com a história entre Mia e Mac? Por que ela esfriou?

Roisin virou-se e encarou-o.

— Eu não digo aos roteiristas o que eles têm que fazer, Greg. Eu digo aos atores o que têm que fazer. E estou pedindo que você volte para o seu lugar para que eu possa fazer meu trabalho.

— O seu trabalho? Se você estivesse fazendo o seu trabalho, teria terminado essa cena há uma hora.

Ela cruzou os braços.

— E o *seu* trabalho, Greg? Dê uma olhada em você mesmo no monitor, por favor. É por sua causa que estamos na tomada 22. Toda vez que está em cena com o Damo, você começa a ter contrações como se fosse o Anthony Perkins em *Psicose*.

Robert tentou, mas não conseguiu, controlar um sorriso de desdém e afastou-se.

— O meu personagem *tem* que estar bravo com o personagem dele. — Greg não queria gritar, mas acabou gritando. — Eu estou *interpretando*, sua vaca idiota.

— É mesmo, Greg? — Roisin disse baixinho. — E está interpretando *agora*?

O que quer que Doyle tivesse dito às garotas que gritavam deu certo. Elas ficaram quietas. Greg ficou posicionado por perto segurando a mangueira enquanto Damo corria para as chamas e retornava carregando a *stripper* nos braços. Depois, Greg recolheu uma grande extensão de mangueira enquanto o personagem de Damo, Finn, assassinava uma cena que fora escrita para ser sua.

EXTERIOR — FRENTE DA BOATE STILETTOS — DIA

FINN carrega JOSIE, uma *stripper*, para uma distância segura da boate em chamas. Ele a deita no chão. Outras *strippers* seminuas estão paradas, em choque, observando o incêndio. JOSIE levanta-se, tremendo, olhando para o prédio que queima. FINN tira a jaqueta do uniforme. Ele a coloca nos ombros dela.

FINN

Tome. Não pode ficar aqui quase sem roupas.

JOSIE olha para ele através da fumaça com os olhos semicerrados.

JOSIE (sarcasticamente)

Sou uma *stripper*, querido. Estar sem roupas é meu uniforme.

FINN (com voz rouca)

Bom, acho que no seu trabalho deve ser bem mais quente do que aqui fora.

JOSIE vira o rosto e olha para a boate em chamas.

JOSIE (rindo)

Agora é.

FINN (gentil)

Tudo bem estar assustada.

O riso de JOSIE se transforma em lágrimas e ela desaba. Abraça FINN, soluçando.

FINN (carinhoso)

Desabafe, querida. Não vou sair daqui.

Roisin fez tudo em uma só tomada, o que Greg sabia que era para cutucá-lo.

— Galera, eu só queria agradecer por serem tão pacientes com as fãs — Damo gritou para a equipe assim que a diretora pediu uma pausa para o almoço. — E comigo. Não sou novato só aqui na *Estação*. Sou um novato na arte de interpretar também, e sei que foi uma manhã bem frustrante para todos vocês.

A atriz que interpretava a *stripper* deu risada e olhou-o de modo sugestivo.

— Para mim, foi realmente *frustrante*!

Greg encheu o prato de carneiro assado e batatas e subiu para o andar superior do ônibus que servia de restaurante. Tinha a sensação de que todos o estavam evitando e sentiu-se aliviado. Mas, depois de dez minutos, Damo Doyle apareceu, dando um show ao ter que abaixar sua enorme cabeça loira para não bater no teto.

Alguém havia deixado o *Irish Times* dobrado na página de palavras cruzadas. Elas estavam todas preenchidas, exceto por uma. Greg abaixou a cabeça e ficou lá, fingindo estar distraído. "Sete inferior. Um número de dedos. Cinco letras."

— Olá! Posso me sentar com você? — Damo colocou sua bandeja na mesa de Greg.

Greg deu de ombros. Conseguira evitar falar com Damo toda a semana, mas sabia que em algum momento isso iria acontecer. Damo sentou-se e começou a comer sua salada, parando entre uma garfada e outra para olhar para ele, balançar a cabeça e rir.

— O que foi? — Greg indagou depois de um tempo.

— Não consigo acreditar que estou aqui sentado com Greg Gleeson. Cara, eu cresci vendo você! Mac Malone era meu maior herói!

Cresceu? O programa só estava no ar há seis anos.

— Eu adoro o seu trabalho, cara. Você foi uma grande inspiração para mim. — Os olhos de Damo eram quase violeta, de tão azuis. Ele devia estar usando lentes de contato, Greg supôs. Lentes de contato muito boas. E tinha feito alongamento de cílios. — Você já pensou em fazer cinema?

Greg recostou-se e ficou batendo com a esferográfica no jornal.

— Para falar a verdade, fui chamado para o papel principal de um filme de Elmore Leonard. Devo ter notícias a qualquer hora.

— Elmore Leonard! — Damo balançou a cabeça como um filhote de *golden retriever* saindo da água. — Esse cara sabe das coisas.

"Certo", Greg pensou. "O babaca não devia fazer a mínima ideia de quem era Elmore Leonard." Isso seria divertido.

— É baseado em um conto... não me lembro ao certo. Acho que é "A Mulher de Tonto"!

Damo quase engasgou com a vagem.

— Cara, eu adoro essa história!

— É? — disse Greg. "Está bem. Como se ele a tivesse lido. Como se ele soubesse ler!"

— Mas acho que já fizeram um curta baseado nela. Eu não vi, mas sei que concorreu ao Oscar.

— É mesmo? — Greg franziu a testa.

— Cara, "A Mulher de Tonto" é incrível! A parte em que o marido a rejeita quando ela volta com as tatuagens indígenas no rosto? Aquilo é tão incrível que até me fez escrever uma música. — Damo fechou os olhos e começou a cantar:

Nas entrelinhas, eu li a amargura
Eu vi os sinais
De sua tristeza,
Ooh,
Mulher de Tonto, por isso me apaixonei.

Uma chuva de aplausos veio do andar de baixo. Alguém gritou "mais!".

— Parece que Colin Farrell estava muito interessado, mas não deu certo — Greg disse antes que Damo pudesse agradecer. — O cara realmente estourou depois de *Ballykissangel.*

Damo balançou a cabeça, concordando.

— Não peguei essa série. Mas o cara virou uma lenda.

Greg também concordou.

— É. Devo encontrar com ele quando for para Los Angeles, em maio.

— Olha só! O BoyzRus vai fazer uma turnê nos Estados Unidos em maio. Eu, você e o Farrell podíamos nos encontrar.

O Farrell? Quem esse fantoche estava pensando que era? Greg baixou os olhos para as palavras cruzadas.

— O Colin é muito ocupado.

— Acho que ele não anda farreando muito. Ouvi dizer que virou amigo do Bill.

— Bill Clinton? — Não havia ocorrido a Greg que ele pudesse sair com os Clinton em Hollywood. A coisa estava melhorando ainda mais.

Damo riu.

— "Amigo do Bill" é um apelido para o sujeito que está frequentando os Alcoólatras Anônimos. De qualquer maneira, muito trabalho e pouca diversão... — Ele se levantou, colocou o prato na bandeja e olhou para as palavras cruzadas de Greg. — Sete inferior? Um número de dedos? Cinco letras? É "geada"!

— Acho que não.

— Um número de dedos? Geada. Os dedos ficam dormentes, entendeu?

Greg nunca havia telefonado para GOD. Glen O'Donnell era o produtor executivo de *A Estação*, mas todos o chamavam de "God", e não era só por causa das iniciais. GOD, deus em inglês, era o todo-poderoso. O destino de todos estava em suas mãos.

— Glen, como vai? Aqui é o Greg.

— Que Greg?

— Greg Gleeson. Glen, estou ligando para você diretamente porque estou um pouco preocupado com *A Estação* e gostaria de conversar.

— *Preocupado*? — GOD falou de um jeito que parecia que ele dissera "hemorroidas".

— Glen, você obviamente não está ciente do efeito prejudicial que Damo Doyle está provocando na nossa escala de gravação.

— Em primeiro lugar — GOD retrucou —, estou ciente de *tudo*. Em segundo, você obviamente não está ciente, Greg, do efeito que o sr. Doyle está tendo na nossa audiência.

A voz de Greg começou a vacilar.

— Olhe, o que eu quero dizer é que vamos fazer horas extras novamente pelo terceiro dia consecutivo, o que deve estar custando...

— O que eu quero dizer, Greg, é que desde que o sr. Doyle entrou na série, há duas semanas, nossos índices de audiência ultrapassaram a marca de meio milhão pela primeira vez na vida.

Greg engoliu tão em seco que achou que ia se engasgar com seu pomo de adão. Eram 50 mil a mais do que o episódio em que Mac fora para a UTI.

— Existe alguma outra *preocupação* que queira compartilhar comigo, Greg? — GOD perguntou. — Antes de voltar para o *set* e fazer o seu *trabalho*?

O peito de Greg dava pulos. Ele pensou que teria um ataque cardíaco. Leu seus diálogos para a próxima cena novamente. Não podia acreditar. Seu personagem, Mac, devia confrontar o personagem de Damo, Finn, e alertá-lo para ficar longe de Mia. Não tinha certeza absoluta, mas a nítida sensação era de que o triângulo amoroso de *A Estação* continuaria, mas com Finn em seu lugar.

Quem você pensa que é? Mac devia gritar para Finn. *Você não pode simplesmente chegar e pegar o que é meu.*

Aquilo era alguma piada? Os roteiristas *sabiam* como ele estava assustado? Eles estavam tentando bagunçar a cabeça dele? Estavam todos envolvidos? Estavam todos rindo dele pelas costas? O que deveria fazer? Não podia ligar para Lauren. Eram só 6 da manhã em Los Angeles. Conor devia estar na escola. Ele devia manter-se longe de Saffy, aguentar até o fim. Mas que se danasse. Tinha que falar com ela. Saffy saberia o que fazer. Iria ajudá-lo a se recuperar dessa fase ruim. Ela sempre fazia isso.

Tentou o celular dela, mas estava desligado. Depois, ligou na Komodo. Não queria que Ciara, a recepcionista, o reconhecesse, então disfarçou a voz. Fez uma voz mais velha, com um sotaque de Cork, ou talvez fosse de Kerry. Eles lhe pareciam todos iguais.

— Ela saiu para o almoço — disse Ciara. — Todos saíram para almoçar. Greg, você está bem? Você está falando como um jamaicano, sei lá, meio desengonçado.

O roteiro dizia que Mac e Finn deviam confrontar-se diante da boate em cinzas. Mas isso não era tão fácil como parecia no papel. Quando Greg tentasse encarar Damo, ele acabaria olhando para suas costelas.

Roisin pediu um intervalo de quinze minutos e, depois de uma longa e sussurrada conversa com Robert, saiu de trás da câmera.

— Gente, estou tendo um problema para colocar vocês dois no mesmo quadro — ela disse baixinho.

— Deixe ele sentado — Greg sussurrou.

Roisin olhou para a rua bloqueada onde estavam gravando.

— Sentado onde, exatamente?

— E se trouxermos um carro para a cena? — Damo disse bem alto. — Posso me debruçar sobre ele; isso resolveria o problema da altura.

— Não podemos introduzir um carro por causa da continuidade. — Roisin evitava olhar nos olhos de Greg. — Me desculpem. Deveríamos ter previsto que haveria problemas para enquadrar vocês dois em primeiro plano. E vocês terão um monte de cenas juntos no futuro, então vou preparar uns sapatos altos para você, Greg, mas vão demorar uns dias, então já falei com o figurino e eles prepararam uma solução rápida.

Como se fosse sua deixa, a garota do figurino chegou, arfando, com um par de sapatos.

— Você está brincando comigo. — Greg olhou os sapatos femininos de salto alto e voltou a encarar Roisin.

— É o que temos no momento, Greg. — Ela mordeu o lábio. — São do seu número. Não vão estar em quadro, prometo.

Alguém da equipe fez *fiu-fiu*.

— Sei que não é o ideal. E só temos dez minutos ou vamos perder a luz. Por favor... — Roisin colocou a mão no braço dele. — Por favor.

Greg afastou-a.

— Tire suas mãos de mim, sua sapatona venenosa — gritou. O *set* ficou totalmente em silêncio. — Você não pregaria essa peça no Colin Farrell. — Intimidar Roisin era fácil. Ela era pelo menos seis centímetros mais baixa do que ele.

— Ele tem um metro e noventa — Roisin disse baixinho. — Eu não precisaria fazer isso.

— Ele deve ter quase dois, eu acho — Damo interferiu.

Greg virou-se para ele.

— Ninguém perguntou! Vá se danar! — Ele andou por entre a equipe, os extras e as fãs. — Danem-se todos vocês — gritou.

Em seguida, afastou-se. Passou pelo gerador e pelo carro-restaurante. Quando ultrapassou a barreira, ouviu um aplauso animado. Uma mulher com jaqueta de inverno cor-de-rosa tirou uma caneta e um pedaço de papel para ele autografar, mas Greg continuou andando e, enquanto andava, segurou a respiração e esperou alguém gritar "corta!", mas ninguém gritou.

O trato era entrada, prato principal, sobremesa e não mais de quatro horas, mas Saffy já desejava ter barganhado com Doug, o "cara da cozinha", apenas três horas. Tinha pensado que ficariam somente no 365, mas ele levou-a à Rua Dawson.

— Onde eu gostaria mesmo de levá-la para a entrada — ele disse —, é o Vertigo, no topo do Banyan Tree, em Bangcoc. Escalopes com avelãs crocantes e manteiga de coentro. Uma vista de parar o coração. — Ele riu. — Presumindo que você tenha um.

— Espero que você seja melhor surfando do que é flertando. — Saffy revirou os olhos. — Porque, se não for, vai fazer algum tubarão muito feliz.

Mas Doug mantinha-se impenetrável.

— O prato principal teria que ser no Tetsuya, em Sidney. Frango *spatchcock* com *foie gras* e raiz de bardana...

Eles passaram diante da loja da Sony na Rua Grafton. Ele continuou tagarelando, mas Saffy parou de ouvir. Estava olhando para Greg. O rosto dele aparecia em todas as telas da vitrine. Uma locutora com expressão severa e uma cabeleira preta que parecia um capacete falava seriamente para a câmera. Greg podia estar morto, pensou Saffy. Ele podia ter morrido em algum acidente trágico e ela seria a última pessoa a saber.

Esperava sentir-se triste, porém só se sentia confusa e entorpecida. Era culpa dele que estivesse indo jantar com esse idiota. Eles tinham um cartão de crédito em conjunto. Tinha certeza de que o motivo de ter sido recusado era Greg haver estourado o limite. Não fosse isso, ela estaria em casa agora assistindo ao noticiário e saberia se ele estava morto ou não.

Ela voltou a sintonizar a Doug FM.

— ... sobremesa — ele dizia. — Decisões, decisões! Muito bem, meu dinheiro vai para o Los Caracoles, em Barcelona. A melhor *crema catalana* do planeta. Depois de uma refeição como aquela, você estaria comendo na minha mão. — O final de toda sentença tinha o tom ligeiramente mais alto, então até as afirmações soavam como perguntas. — Tomendo dã binha bão?

— Por favor, me diga que você não fala de boca cheia — disse Saffy.

— Depende do que ela está cheia. — Ele abriu-lhe aquele sorriso petulante mais uma vez. Saffy deu-se conta de que aquelas poderiam ser as horas mais longas de sua vida.

O La Boheme ficava em uma rua secundária perto do Trinity College. A placa na rua dizia "fechado". Saffy já havia ido lá para um encontro com Ciaran, o cara dos pés palmados. Naquela ocasião, o lugar estava à luz de velas e cheio de cantos escuros; na luz do dia, parecia sujo e velho. O carpete estava gasto. As cortinas de veludo, cheias de pó. As mesas, sem a toalha engomada, eram somente círculos cheios de dentes.

Três garçons usando camisa jogavam cartas num canto junto ao piano. Doug indicou a Saffy uma mesa perto da janela e foi falar com eles, conversando em um francês que, ela tinha que admitir, era impressionante. Ele voltou com uma grande tigela, uma faquinha, uma pimenta, um limão e uma garrafa de vinho branco.

— Sem vinho. — Saffy levantou a mão. — Vou tomar água. — Ela não sabia o quanto havia tomado no almoço, mas sabia que fora o suficiente.

Doug foi até um tanque de peixes ao lado da janela, enrolou a manga do casaco, meteu a mão lá dentro e tateou debaixo de uma lagosta de aparência trágica. Tirou um punhado de ostras e levou-as, gotejantes, até a mesa.

Cortou a pimenta e tirou as sementes, rolou o limão na mesa e abriu um buraco nele. Depois, abriu uma ostra, espremeu um pouco de suco para dentro dela, jogou algumas sementes de pimenta e entregou a Saffy.

Se ele achava que ela iria desempenhar algum tipo de cena erótica comendo ostras, era bom que repensasse. Ela agarrou-a e jogou-a garganta abaixo. Era carnuda, úmida, salgada e extremamente picante. Não havia nenhuma água, e ela teve que engolir a taça de vinho que ele lhe passou.

— Muscadet. — Doug tomou um gole direto da garrafa. — Tecnicamente, um vinho para sobremesa. Bombástico com crustáceos.

Ela não tinha ideia do que ele queria dizer com "bombástico", mas o gosto era bom. Pegou uma segunda ostra e tentou alcançar a faca.

Ele riu.

— Vamos abri-las.

"Você tem três novas mensagens."

"Oi, Greg, aqui é Paul Dunn, do *Irish Mail*. Soube que houve um problema no programa agora há pouco. Vamos publicar uma reportagem no jornal de amanhã. Gostaríamos de ouvir seu lado da história. Me ligue."

"Olá, Greg, querido, é a Greta, da Modelos Venom. Só queria lembrar você da nossa festa de quinto aniversário no POD hoje à noite. Você está na lista VIP. Vai ser muito divertido. Não perca! Tchaaau!"

Por favor. Greg rasgou a embalagem de papel que envolvia a garrafa de Jack Daniels com a unha do polegar. *Por favor,* que a última mensagem seja de Saffy. *Por favor.* Ele estava ligando sem parar, mas o telefone dela ainda estava desligado.

"Greg! Você está bem? Por favor, me ligue e avise. Estou tão preocupada com você! Aqui está um caos. Está todo mundo em choque. Eu tenho que falar com você. Ah, é a Tanya Casey, da maquiagem."

Ele serviu um pouco de JD no copo. Pegara a garrafa quando voltava para o hotel. Não precisava de nenhum camareiro vendendo uma história intitulada "Greg Gleeson Afoga as Mágoas" para algum abutre como Paul Dunn. O que ele precisava era ficar bêbado. Muito, muito, muito bêbado. Mas primeiro, tinha que descobrir o que acontecera depois que saíra do *set*.

— Ah, meu Deus! Greg! — Tanya tinha que gritar por causa do barulho ao fundo. — Tudo bem eu ligar para você? Peguei seu número na ordem do dia de Roisin.

Tudo bem, nada. Mas não era uma boa hora para lembrar disso.

— Você disse que precisava falar comigo? — ele perguntou de modo rude.

— Greg, aqui está uma loucura total. A gravação foi cancelada. A equipe e o elenco estão aqui no Gravedigger's, em Glasnevin, e está todo mundo bebendo muito e os boatos estão correndo. Você não acredita no que estão dizendo...

Ele tentou manter o tom de voz neutro.

— Experimente.

— O quê? Não consigo ouvir... está muito barulhento aqui. Por que você não me diz onde está e irei encontrá-lo?

O sotaque de Doug estava começando a ferir o ouvido de Saffy e o ego dele parecia feito de Teflon. Ele achava as críticas dela engraçadas. Era cansativo. E ela estava tão cansada que mal podia ficar de pé quando finalmente saíram do La Boheme. Ele pegou em seu braço e a conduziu por quatro quadras até uma espelunca que vendia hambúrgueres chamada Nick's.

O lugar estava apinhado de adolescentes e um grupo de ingleses que faziam uma despedida de solteiro. Doug pediu dois *cheeseburguers*, uma garrafa de água e dois copos descartáveis.

— Não como hambúrgueres e não estou com fome. — Saffy desabou sobre uma cadeira de plástico amarela e colocou os cotovelos na mesa de fórmica. Os ladrilhos brancos e pretos do piso entravam e saíam de foco, como uma ilusão de ótica sob seus pés. Talvez fosse uma boa ideia comer alguma coisa.

Doug tirou algo do casaco, fez alguma coisa debaixo da mesa e depois passou-lhe um copo descartável com vinho.

— Casa Santos Lima, Touris, 2002. Não grite, ou todo mundo vai querer um pouco. Saúde! — Ele pegou seu hambúrguer. — Qual foi a melhor refeição que você já comeu?

Ela experimentou um pouco do hambúrguer. A carne estava queimada. As cebolas, grudentas e doces. O queijo, farelento. Estava bom. Era incrível, na verdade.

— Não sei. Um jantar no Farrington, provavelmente, quando ele tinha duas estrelas do Michelin.

— O que você comeu?

Ela tentou lembrar o nome dos pratos, mas não conseguiu.

— Umas lasquinhas de alguma coisa com pequenas bolinhas de outras coisas. Não sei. Estava bom.

— Você vai lembrar desta refeição pelo resto da vida. — Doug lambeu os dedos. — Você vai se lembrar dela quando estiver babando em sua poltrona no asilo de velhos.

Ela revirou os olhos e deu outra pequena mordida no sanduíche.

— Se isso demorar muito mais, acho que irei direto para o asilo.

Doug riu.

— Sua vez de me fazer uma pergunta.

— Já sei o que você vai me dizer mesmo — Saffy resmungou —, então vamos em frente. Qual foi a melhor refeição de sua vida?

— 2002. Eu estava indo de carona de Amsterdã para Tarifa, para surfar. Todo o meu dinheiro tinha sido roubado em Hamburgo. Acabei trabalhando em uma fábrica de picles. Gastei meus últimos dólares no acampamento e passei uma semana comendo só pepino em conserva. Quando recebi meu pagamento, fui até o mercado de peixe e comprei dois quilos de camarão-pistola, uns limões, um pouco de alho, uma garrafa de Riesling e uma frigideira. Fritei os camarões na manteiga em um fogareiro de *camping*. Comi-os com as mãos.

Saffy engoliu o último pedaço de seu hambúrguer. Não resistiu à vontade de confrontá-lo. Mais uma vez.

— Mas você não tinha comprado manteiga.

— É, eu sei. — Ele sorriu. — Mas na barraca ao lado havia uma sueca. Ela tinha bastante.

Capítulo 9

Tanya parecia que tinha assaltado o figurino para *strippers*. Vestia um minúsculo casaquinho preto brilhante por cima de um vestido vermelho brilhante mais minúsculo ainda. Suas meias de renda branca acompanhavam um par de altíssimos saltos vermelhos. Ela parou na porta, segurando uma lancheira da Hello Kitty que usava como bolsa.

— Meu Deus! Este lugar é muito demais! Deve custar supercaro!

E custava. Mesmo sem café da manhã, a suíte estava custando a Greg 500 euros a diária. Juntando o frigobar, refeições, estacionamento, a despesa era de 50 mil por semana. Ele não fazia a menor ideia de quanto mais o cartão de crédito iria aguentar.

— Oooh! Tem aparelho de som! — Ela olhou para Greg como se ele próprio o tivesse acabado de inventar. — E tem DVD e uma microgeladeirinha fofa. Será que tem vinho e tudo mais?

Tinha. A 20 euros a rolha. Greg não pensara em oferecer nada para beber, mas ela ficou olhando para ele, esperançosa, por debaixo da franja de pontas azuis. Ele abriu o frigobar.

Ela deu uma corridinha para espiar o banheiro.

— Ai, meu Deus! Você tem roupões tipo macios e enormes — ela soltou um guincho — amarrados com *fitas*! E pilhas de garrafinhas da Aveda superchiques! Eu amo a Aveda.

— Pode ficar com elas. — Greg serviu-lhe uma taça de vinho. Só uma taça e logo ela iria embora. Quinze minutos no máximo.

Foi preciso mais duas minigarrafas de Sauvignon Blanc e vários milhares de interrupções e comentários inúteis para conseguir que Tanya contasse a história toda. Depois que Greg saíra, Roisin tinha caído em prantos e Damo a levara ao vestiário para consolá-la. Robert informou que os trabalhos estavam encerrados, mas a equipe ficou ofendida e se recusou a ir embora até que houvesse um replanejamento das filmagens.

Os figurantes não queriam se trocar porque ele não queria pagar o dia inteiro. Os fãs de Damo ficaram revoltados porque não tinham ganhado os autógrafos prometidos. Então, Damo reapareceu e anunciou que estava pagando uma rodada no Gravedigger's e que todos estavam convidados, então houve uma debandada para o bar.

— Você tinha mencionado alguns boatos? — Greg tentou parecer casual.

Tanya assentiu.

— Bem, Susan, quando estava no camarim, disse que GOD vai, tipo, demitir Roisin. E você sabe a Eleanor, a que todo mundo pensa que é, tipo, hermafrodita, mas não é. Bem, eu fiz a maquiagem dela para o casamento da irmã. Ela me contou que tem ovários policísticos e é por isso que tem pelos no rosto e...

Greg precisou sentar em cima das próprias mãos para não agarrá-la e sacudi-la.

— Enfim, ela diz que o que aconteceu a você foi, tipo, dispensa destrutiva e, como a equipe pertence ao mesmo sindicato que você, vão ter que fazer piquete no *set* de filmagem.

— OK. — Isto era bom. Isto era muito bom.

Os olhos redondos de Tanya, com cílios postiços que lembravam teias de aranha, encheram-se de lágrimas.

— Mas Robert disse a Melissa, do restaurante, que contou a Fran, do cabeleireiro, que a empresa da produção convocou uma reunião de emergência com os roteiristas para, tipo, acabar com você.

— *Acabar comigo*?

— Bem, não com você, com Mac Malone.

Greg tomou um gole de uísque. A cabeça doía, como se o que tinha acabado de ouvir fosse grande demais para caber dentro de seu cérebro.

— Eles não podem acabar com Mac Malone. Mac *é A Estação.*

— Foi tipo assim como eu disse. — O nariz de Tanya começou a escorrer, acompanhando a máscara de cílios. Ela o limpou no manto de veludo bege pintado a mão e olhou para ele, penalizada, como se ele fosse uma ovelha com a pata presa no portão.

— Eu falei, tipo, "de jeito nenhum". Eu não poderia continuar se, tipo, Mac não estivesse na *Estação.* Sei que parece bobagem, mas eu amo o Mac. Ele é a única pessoa pura e perfeita do mundo. Tipo, ele não merece morrer.

E quanto ao aspecto legal? Greg imaginou. Será que havia algo no contrato sobre isso? Estava começando a sentir uma dor de cabeça monstruosa. Tinha que fazer com que Tanya fosse embora para poder digerir aquilo tudo. Mas como se livraria dela? Ele se lembrou da festa da agência de modelos no POD. Ele a levaria lá, se perderia dela e então voltaria para tentar falar com Lauren, em Los Angeles.

— A festa da Venom é, tipo, a festa do ano! Ai, meu Deus! — Tanya parou de chorar e olhou fixo para ele. — Merda! — Ela abriu de estalo sua bolsa da Hello Kitty e se olhou em um espelho de bolso em formato de boca. — Olhe para mim! Não posso entrar num lugar cheio de modelos assim, desse jeito! — E começou a procurar dentro de sua bolsa de maquiagem.

Greg decidiu que ia pedir ao táxi para deixá-los na entrada dos fundos para não haver o risco de serem fotografados juntos. Pescou um cubo de gelo dentro do copo e pressionou-o contra a testa.

— Aah? Está doendo? Vem, vou fazer uma massagem no seu couro cabeludo.

— Não! — Ele se levantou. — É só uma dor de cabeça. A gente pega um paracetamol no caminho.

Ela revirou dentro de outra bolsinha da Hello Kitty combinando.

— Tenho uma coisa aqui que vai livrá-lo disso.

Ele engoliu os comprimidos que ela lhe deu com um gole de uísque e se controlou para não perguntar se ela tinha alguma coisa que o livrasse dela.

Antes de ser descoberto no anúncio do Ice Bar na televisão, Greg sempre fora duro demais para consumir drogas. Depois que estreou em *A Estação,* ofereciam-lhe praticamente tudo, de graça. Mas maconha o deixava com larica e ele precisava cuidar de sua barriga tanquinho. Cocaína, nem pensar, porque a última coisa de que ele precisava era de um septo nasal dividido. E todo o resto lhe parecia pesado demais. Além disso, ele era tido como um modelo para as crianças.

Ele não sabia o que Tanya havia lhe dado, mas estava se perguntando se era um analgésico. Um jato de calor lhe subiu pela espinha, foi até a cabeça e bateu na volta em seu estômago. Deixou-

-lhe com uma sensação de gotejamento no couro cabeludo, e ele sentia como se seus cílios estivessem estalando. Pensou por um momento que iria ficar doente e então se deu conta de que não se importava. Ficar doente seria bom. Talvez fosse até divertido.

— O que eram aqueles comprimidos? — Ele tocou no braço de Tanya. Seu casaquinho brilhante estava escorregadio, macio e molhado. Ele queria acariciá-lo com o rosto. — O que foi que eu tomei?

— *Ecstasy*. — A voz dela era adorável. Alta, clara, doce. Ele não tinha reparado nisso antes. Era linda.

Tudo, ele reparou, olhando ao redor, era bonito. Seu copo de uísque tinha um reflexo dourado que flutuava. Uma orquídea no vaso ao lado da cama parecia tão apetitosa que ele se perguntou qual seria o gosto dela. Havia minúsculos pontos de luz girando ao redor do abajur do criado-mudo.

Levantou-se. Seus joelhos pareciam ter sido projetados pela Porsche. Ele se virou para contar isso a Tanya e, de repente, viu-se no espelho. Parou e se encarou. Nossa. Ele era bonito. Como é que ninguém ainda lhe dissera como ele era incrivelmente bonito? O mero fato de se admirar fez com que se sentisse alegre.

Doug era um daqueles australianos que tratavam o mundo como um imenso parque de diversões. Ele já havia estado em todos os lugares e feito praticamente tudo. Instrutor de mergulho em um resort na Malásia? Sim. Um ano cozinhando em um café de rua em Bagdá? Sim. *Chef* da turnê de uma banda feminina de punk japonesa? Sim. Então, aparentemente, um belo dia acordara de manhã e decidira abrir um restaurante em Dublin.

— Então, qual era o nome dela? — Saffy estava começando a gostar do Nick's. A cadeira de plástico amarela era realmente confortável; ela se sentia agradavelmente relaxada e satisfeita. Terminara seu hambúrguer. As quatro horas já estavam chegando ao fim. Breve, muito em breve, ela poderia ir para casa e dormir.

Doug pegou o copo de papel que ela usava e serviu-a do que ainda restava de vinho.

— O nome de quem?

— Estou sentindo cheiro de mulher aqui. Miss Suécia. Miss Tailândia. Miss Japão. Tenho certeza de que você não decidiu vir para Dublin a troco de nada. Deve ter uma Miss Irlanda nessa história.

Doug encolheu os ombros.

— O nome dela é Connie Stokes.

— Uau! — Connie Stokes fora *de fato* a Miss Irlanda dois anos atrás. — E?

Ele franziu a testa e olhou a embalagem de isopor do hambúrguer vazia.

— E talvez *você* possa me dizer alguma coisa. Por que é que você pode dizer sem rodeios a uma mulher que a ama, mas que não está pronto para se casar e ter filhos e ela diz que tudo bem, e então vem o Natal e ela te olha com cara de chiclete meio mascado quando não encontra um anel debaixo da tal árvore?

Será que fora assim que ela olhara para Greg? Com cara de chiclete meio mascado? O que quer que fosse cara de chiclete amassado.

— Ela me deu um ultimato. E falou um monte de bobagens sobre tubarões que precisam se movimentar. Então foi o que eu fiz. Um movimento para fora.

— Bem, mas alguém se casou com ela. Saiu em todos os jornais.

— Pois é. Connie achou um homem para ela. Foi à caça. Laçou-o. Pegou o cara de jeito. Uhu! — Doug bateu seu copo contra o dela, brindando. — Tim-tim! — ele disse. — Aos felizes para sempre idiotas. E falando em sempre, espero que você tenha reservado um espacinho para o legendário suflê de laranja com sangue e chocolate amargo de Doug Lee.

— Ah, desculpe. — Saffy sacudiu a cabeça. — Vou ficar por aqui. Você disse jantar. Jantamos. Estou acabada. Preciso estar de pé em seis horas.

— Nós combinamos entrada, prato principal e sobremesa. Combinado é combinado. Minha casa é perto, ali na esquina.

Ela olhou o relógio. Estava meio manchado nas bordas. Tudo ficava meio manchado com o passar tempo. As lajotas do piso branco e preto pareciam pulsar. E, de repente, ela se deu conta de que estava muito, muito bêbada.

— Você tem exatos *cinquenca e gois* minutos — ela falou. — Quer dizer, cinquenta e dois minutos e então vou embora daqui. Quer dizer, de lá, onde eu estiver.

Era quinta-feira à noite, mas o Bar Temple estava bombando. Só se falava em recessão, mas multidões de pessoas perambulavam pelas calçadas em frente aos bares, conversando e rindo, fumando e paquerando até não poder mais. Em uma praça, um andarilho assassinava "Galway Girl" com seu acordeom. Um cara com *dreadlock* no cabelo fazia tatuagem de hena na barriga de um homem bêbado de terno. Duas mulheres com chifrinhos de plástico desenhavam com batom um jogo de amarelinha na calçada. Quem eram aquelas pessoas? Saffy se perguntava. Certamente algumas delas teriam que acordar cedo para trabalhar! A não ser o andarilho, que provavelmente poderia dormir até mais tarde.

O apartamento de Doug ficava no terceiro andar da Rua Curved. A sala de estar era uma mistura esquizofrênica de *Elle Decoração* e *Férias em Família*. Havia um sofá de veludo vermelho, um tapete de zebra e uma pintura a óleo imensa e sem moldura que retratava um homem nu com um salmão

— Autorretrato — ele disse. — Horrível, não é? Eu deveria insistir mais nas coisas físicas. — Com um gesto de cabeça, indicou os remos, a prancha de surfe, a pilha de pesos de musculação e a *moutain bike* com os pneus sujos de barro apoiados contra a parede de tijolo aparente.

Ele sacou uma garrafa de Armagnac, serviu-a e foi até a cozinha, sem parar de falar.

— Engole tudo. De acordo com os cardeais do século 14 do rótulo, cura "hepatite, gota, gangrena e revigora um membro paralisado se usado em massagem". — Ele riu. — Não que eu tenha tentado!

Saffy passou com cuidado sobre um haltere e empurrou para o lado do sofá uma roupa de neoprene para poder se sentar. Sua cabeça latejava. Colocou o copo no chão, encostou a cabeça e fechou os olhos por um minuto.

Quando tornou a abri-los já era dia e não se achava mais no sofá. Estava em uma cama, Doug dormia a seu lado e tudo cheirava a chocolate e laranja.

— Ei, já sei! Vamos andar, tipo sem sapato sobre veludo! — As pontas azuis da franja de Tanya faziam um reflexo azul-claro. Greg desejou ter uma câmera. Ou tintas. Queria muito pintá-la.

Ela tirou os sapatos e as meias soquete e esticou o manto no chão, pisando sobre ele e mexendo os dedos do pé. Eles pareciam freiras pequeninas e gorduchas com carinhas de unha. Greg deu risada.

— Noooossa, você precisa experimentar isso. É, tipo, melhor que sexo.

Ele se inclinou para tirar as meias também, mas uma tontura deliciosa o arrebatou, fazendo com que ele caísse de joelhos. Tombou de costas e lá ficou, olhando as batatas da perna de Tanya. Brancas e roliças. Mais adiante, avistava uma faixa vermelha do seu vestido. E mais além, distinguia de relance os fundilhos de babados brancos. E, de repente, já não se sentia mais tão alegre.

Alanis Morissette estava na TV naquele filme de Kevin Smith em que ela fazia papel de Deus. Greg adorava esse filme. Queria aumentar o volume, mas seus braços e pernas estavam amarrados à cama com os cintos do roupão. Tanya, de roupa íntima, acocorava-se de quatro por cima dele, com um cubo de gelo entre os dentes. Ela o esfregava nas coxas dele, o que era meio bizarro, mas ao mesmo tempo incrível.

De repente "SexyBack", de Justin Timberlake, começou a tocar. Tanya se debruçou e alcançou o iPhone no criado-mudo. Colocou-o no viva-voz e voltou para o cubo de gelo.

— Greg, você está ai? Por que eu estou no viva-voz? — Era Lauren.

Ela não perguntou como ele estava, mas Greg disse assim mesmo.

— Estou lindo, Lauren; lindo. E você também.

A agente dele tinha uns sessenta e poucos anos, uma tireoide hiperativa, cabelos brancos e ralos, estava acima do peso e se vestia com roupas tipo saco. Mas ela era bonita. Todos eram bonitos.

— Você perdeu a droga da cabeça, Greg? Como se atreve a ligar para GOD diretamente. Como você ousa largar tudo no *set* e fazer a produtora perder meio dia de gravação?

Greg se lembrava vagamente de ter se irritado com *A Estação*, mas era difícil sentir qualquer coisa além de prazer agora que a cabeça de Tanya começava a ir para cima e para baixo.

— Ei, Lauren, relaxa. Tá tudo bem.

— Não está nada bem, seu idiotinha. Se qualquer um aqui em Los Angeles descobrir o que aconteceu, sua chance de pegar o papel de Elmore Leonard é zero. Acabei de passar meia hora no telefone com GOD convencendo-o a não chamar Harvey Weinstein e colocar você de novo na lista.

GOD, isso era muito louco, porque Alanis Morissette estava na TV neste exato instante, em um terno branco de cetim, no papel de Deus. E ela cantava aquela música incrível sobre Deus. Cara, aquela música era incrível. Greg deveria regravá-la. Lauren deveria arrumar para ele um contrato de gravação. Ele tentava se lembrar da letra.

— Nosso próximo problema é Roisin — Lauren continuou. — Ela está ameaçando processar você por expô-la no ambiente de trabalho. Se a mídia tiver acesso a isso, é melhor você deixar a barba crescer e encontrar uma cruz, Greg, porque você vai ser crucificado. Portanto, quero você no *set* de filmagem bem mansinho quando ela chegar lá amanhã de manhã. Quero que você puxe o saco dela, a trate como se ela fosse Kylie Minogue vestindo aqueles shortinhos dourados. Você está me ouvindo? E não ligue para GOD novamente porque...

— Como é a letra daquela música sobre Deus? — Greg interrompeu. — Aquela em que ele está em um ônibus e...

— Não faço a menor ideia. Mas...

Mas estava difícil ouvir Lauren porque Tanya começara a cantar a música de Alanis. A voz dela estava um pouco abafada por causa do gelo, e era meio monótona, mas Greg estava ficando todo arrepiado só de ouvi-la cantar. Lauren devia contratar essa garota. Eles poderiam gravar um dueto. Como Robbie Williams e Nicole Kidman. Mas muito melhor.

— Greg? — sua agente gritava. — Greg! Você precisa me ouvir!

— Shhh! Você é que tem que ouvir. — Greg se juntou a Tanya e cantaram juntos o refrão.

Capítulo 10

O taxista mantinha o aquecimento no máximo e a janela abaixada. Lufadas de ar gelado açoitavam o rosto de Saffy, e suas coxas nuas contra o banco de courino suavam e grudavam. Ela não tinha conseguido encontrar o casaco quando arrastara suas roupas pelo corredor do apartamento de Doug. Mas não era só isso que havia perdido.

Ela havia perdido sete horas inteiras. Num instante, afundava no sofá de veludo vermelho enquanto Doug tagarelava sobre gota e cancro. No instante seguinte, acordava nua na cama dele, ainda com suas lentes de contato, e dava de cara com suas costas largas e bronzeadas. Não fazia a mínima ideia do que havia acontecido entre uma coisa e outra.

Sua cabeça martelava e uma onda de náusea lhe percorreu o estômago quando ela fez as contas. Sete horas. Eram 420 minutos. Eram... Ela buscou seu telefone para multiplicar 420 por 50. O celular estava sem bateria. Devia ter acabado durante a noite. Mas não era preciso ter uma calculadora para saber que eram *milhares e milhares* de segundos. Ela colocou as costas da mão contra a boca e apertou com tanta força que seus dentes superiores começaram a cortar a parte interna do lábio. Podia ter acontecido qualquer coisa. *Qualquer coisa*. A única pessoa que poderia dizer-lhe o que *realmente* havia acontecido era Doug. E ele era a última pessoa na terra a quem ela queria perguntar.

A ideia era transformar a apresentação da Pluma Branca em uma experiência que Dermot Nervoso nunca mais esquecesse. Ele viria para uma reunião durante o café da manhã na Komodo e seria sequestrado por Marsh e levado de limusine para um campo em Wicklow. Depois que Saffy sugerisse o "Protetor Alado", um modelo masculino vestido de anjo o levaria para voar em um balão movido a ar quente que havia sido personalizado com o logo da Pluma Branca e o novo slogan: "Os anjos estão em todo lugar".

A ideia tinha sido de Saffy e parecera boa naquele momento. Mas era um momento em que ela nem poderia pensar que chegaria uma hora atrasada, com cara de ressaca e vestida de modo horroroso: sem casaco e com sapatos adequados.

Vicky, Dermot Nervoso, Marsh e o fotógrafo estavam protegidos da garoa dentro da limusine, bebendo champanhe em copos de isopor. Enquanto Saffy cruzava o campo cheio de estrume de vaca, com seus saltos altos entrando no chão encharcado, Marsh, que tivera a sensatez de calçar plataformas de cortiça Prada, veio correndo falar com ela.

— Onde você se meteu? — Ela deu um beijinho duro no rosto de Saffy, mas tal demonstração de afetividade era puramente para que Dermot Nervoso visse, e o beijinho, na verdade, doeu. — Está fedendo a bebida e com cara horrível. Estou telefonando para você desde as 6h15. Por que não atendeu o telefone?

Ela pegou no braço de Saffy e marchou na direção da limusine. Ela estava sorrindo, mas sua voz, não.

— Só consegui impedir Dermot de ir embora porque disse que seu pai teve um ataque cardíaco!

Para a surpresa da própria Saffy, lágrimas rolaram de seus olhos, como se o que Marsh acabara de dizer pudesse ser verdade.

— Mas o meu pai está... quero dizer... eu não tenho um pai de verdade.

Os dedos de Marsh penetraram seu braço de modo doído.

— Bom, é melhor arranjar um rapidinho. E é melhor que ele esteja no hospital do coração sendo preparado para uma cirurgia de ponte de safena tripla ou você ficará sem emprego também.

O nariz de Dermot Nervoso se contraía em espasmos e sua boca fez um beicinho em forma de um "O" de preocupação que parecia o traseiro de um gato.

— Dermot, me desculpe pelo atraso. — Saffy esticou a mão para cumprimentá-lo. — Eu acabo de vir do... — Marsh encarou-a — ... hospital. Passei a noite lá, com meu... meu... — Ela deveria dizer "pai" ou "papai"? O que pareceria mais convincente?

Antes que precisasse escolher, Dermot Nervoso abriu os braços e envolveu-a em um grande abraço. Ela enfiou a cabeça em sua capa de chuva bege.

Ele a balançava e dava tapinhas em suas costas, como se ela fosse um nenê e ele a ninasse.

— Eu sei. Eu sei. Passei por isso com meu pai há alguns meses. Está tudo bem. Pode chorar, se quiser.

E o mais engraçado era que ela queria chorar. Embora o ataque cardíaco fosse só uma história inventada por Marsh, quando pensou em perder o pai que nunca tivera, teve vontade de se jogar no esterco e até cansar.

Saffy havia ensaiado a apresentação da Pluma Branca tantas vezes que ela praticamente saiu sozinha. O fato de ainda estar ligeiramente bêbada provavelmente ajudou. Ela agradeceu Dermot Nervoso por ser tão paciente e por dar à Komodo uma oportunidade de sugerir uma nova ideia antes que ele retirasse a conta. Em seguida, repassou alguns números que envolviam os gatos da concorrência. Exceto por um pequeno escorregão na palavra "Golias", quando ela comparava a marca aos seus concorrentes gigantes, tudo saiu de sua boca de modo intacto.

— Você deve estar pensando que vamos pedir que dobre seu orçamento — ela disse. E ela sabia, pelo modo como o nariz de Dermot Nervoso se mexia, que tinha acertado. — Bem, nós não vamos. A realidade é que você não tem os recursos para investir mais do que a concorrência. É o trabalho de sua agência, *nosso* trabalho, ajudá-lo a superar o pensamento deles. E como fazemos isso?

Marsh assistia com atenção, balbuciando as palavras como uma mãe exigente em uma peça escolar.

— Tomando o benefício-chave, a proteção com asas, e usando-o para criar uma personalidade para a marca que seu público-alvo achará irresistível. Um Anjo Pluma Branca. Um protetor alado que estará ao lado de cada mulher sempre que ela precisar dele. — Quando ela chegou ao raciocínio criativo, Vicky levantou cartazes com lindas fotografias em preto e branco de anjos masculinos. Dermot Nervoso franzia a testa e mordia a borda de seu copo de isopor com ansiedade, mas ele parecia, senão exatamente um coelhinho feliz, pelo menos um coelhinho interessado. — Mesmo nos dias de hoje, toda mulher quer acreditar em anjos — Saffy arrematou. — E agora ela pode. Porque com a Pluma Branca, mesmo que nem sempre os vejamos, os anjos estão em todo lugar!

Enquanto Dermot Nervoso estava distraído com a apresentação, o balão de ar quente fora inflado no campo ao lado. A esta altura, um modelo masculino vestido de anjo Pluma Branca deveria aparecer e conduzir Dermot Nervoso até lá. Mas não havia nenhum anjo à vista.

Ele estava agachado atrás de um arbusto com um Marlboro Light entre os dedos trêmulos. Uma peruca loira encaracolada escondia seu rosto lindo e rechonchudo. Dois sacos de lixo envolviam suas enormes asas brancas e uma tanga pendia frouxamente de seus pneus da cintura, claramente bronzeados artificialmente.

— Não vou subir naquela coisa. — Ele voltou os olhos para o balão, que assomava de modo imperioso por trás de algumas árvores. — Não podem me forçar.

Mas Saffy precisava forçá-lo. Ela já tinha pisado na bola de manhã. Não podia se dar ao luxo de errar novamente. A agência precisava de uma fotografia de Dermot Nervoso, de Marsh e do anjo dentro do balão para a *Marketing Weekly*. Uma foto de publicidade ligaria a Pluma Branca com a Komodo e a campanha do anjo, desse modo ficaria mais difícil que Dermot Nervoso não comprasse a ideia.

— Qual é seu nome? — ela perguntou ao anjo.

— Geraldo — ele respondeu.

— É um nome lindo — ela disse de modo gentil. — É espanhol?

O lábio inferior dele tremia.

— É *mi* nome de modelo. *Mi* nome real é Patsy.

Saffy havia comprado um CD de auto-hipnose para Greg porque ele precisava fazer uma cena na qual Mac resgatava um cão que se afogava, e ele tinha medo de cães e de água. Tentou se lembrar das instruções.

— Muito bem, Patsy. Você gostaria de aprender uma simples técnica de meditação para superar seu medo?

Ele fez um sinal negativo com a cabeça.

— Não vou tomar medicação.

— Você não precisa fazer nada. Só tem que fechar os olhos e imaginar que está em seu lugar favorito.

— O Shopping Center Dundrum?

Saffy franziu a testa.

— Hum... quem sabe um lugar ao ar livre, como uma floresta ou uma praia deserta.

Ele espremeu os olhos bem forte.

— O quintal de *mi mama*.

— Perfeito. Imagine que você está no quintal de sua mama. O dia está lindo. Você ouve os passarinhos cantando. Uma brisa esvoaça seu cabelo. Você sente o sol quente na pele. Está se sentindo cada vez mais relaxado.

Patsy suspirou e seu rosto ficou mais leve.

— Agora, deixe a mente viajar por seu corpo como um riacho suave até encontrar seu medo. Ele pode estar em sua cabeça ou em seu coração. Imagine que ele é líquido. De que cor ele é?

— Castanho — disse Patsy. — Não, espere, é verde Nilo.

— Quero que imagine o riacho de sua mente desbloqueando e dissolvendo seu medo para que ele flua livremente por seu corpo, saindo pela sola de seus pés...

— E eu quero que você imagine — Marsh apareceu por trás dela —, que está dormindo na rua. Porque, se você não subir naquele balão agora, seu merdinha alado, vou providenciar pessoalmente que nunca mais arranje trabalho nesta cidade.

Os olhos de Patsy se arregalaram.

— Pare de história — Marsh silvou — e suba no balão.

Como ficou provado, os anjos não estão em todo lugar. Pelo menos, não na floresta de Wicklow. O motorista da limusine tinha expressão abatida, cabelos longos engordurados e grisalhos. Seria perfeito se Saffy precisasse de um dublê para o anjo da morte. Glen, o fotógrafo, tinha rosto redondo e, se lhe tirassem os óculos, poderia ser que ele parecesse um querubim, mas ele não poderia subir e descer do balão vestido de anjo para tirar as fotos. Então só restava a equipe da empresa de balões. Um deles parecia o Meatlof e o outro era uma mulher de macacão que lembrava uma versão loira de Lara Croft.

Saffy reparou que Dermot Nervoso olhava no relógio. E depois, atrás dele, falando no celular, ela avistou seu anjo. Parecia na faixa dos trinta e tantos anos, o que era um pouco demais. Mas os anjos não eram imortais? Ele tinha cabelo castanho, mas poderiam colocar a peruca. Era alto, com mais ou menos um metro e noventa, e parecia em muito boa forma. Havia uma grande chance de ele ficar bem sem roupas. Desde que não tivesse nenhuma tatuagem, tudo bem. Saffy respirou fundo e caminhou decidida na direção dele. De salto alto, mais claudicava do que um "caminhava decidida", mas ela fez o possível.

— Oi! Meu nome é Saffy.

Ele colocou o celular no bolso da jaqueta.

— Joe.

— Muito bem, Joe, você gostaria de ganhar 500 euros em dinheiro, por meia hora do seu tempo? — Ela tentou dar um largo sorriso, mas desistiu, com medo de seu hálito de ressaca vazar por entre os dentes.

Ele era moreno demais para ser angélico de verdade, com sobrancelhas cerradas e barba por fazer. E seu nariz era ligeiramente torto. Mas não importava. Nada disso importava. Só importava persuadi-lo a fazer o trabalho. Era sua última esperança.

— Acontece que eu preciso de um anjo para subir no balão com minha chefe e meu cliente, e o anjo que eu contratei teve um ataque de pânico e estou precisando de um substituto. Fornecemos as asas e a tanguinha.

Ele cruzou os braços e olhou para ela com um sorriso enigmático, como se tentasse identificar de que espécie ela era.

— Asas e *o quê*?

— Uma tanguinha. Para cobrir o seu... — Saffy não estava usando casaco. Um minuto atrás, estava gelando, mas agora começava a se sentir sufocada. — Seu, você sabe — ela disse baixinho —, sua virilha.

O sorriso ficou mais largo.

— Minha virilha?

— Seiscentos euros. É o máximo que posso pagar. Vamos lá! São 30 euros por minuto!

— Na verdade, são 20. Mas receio que terei que recusar. — Ele se virou e foi embora.

— Por favor! — Ela lhe puxou a manga da jaqueta de couro. — Você é perfeito. Para o trabalho, eu quero dizer.

— Ora, ora. — O sotaque dele tinha algo de norte-americano. — Fico lisonjeado mesmo, e gostaria de ajudá-la, Sally, mas a resposta ainda é não.

Ela queria dar-lhe um tapa na cara, mas seus saltos haviam afundado completamente na lama e ela não sabia se conseguiria alcançá-lo. Antes que pudesse tentar, Vicky chegou correndo pelo campo.

— Saffy! Vamos conseguir. Patsy disse que subirá no balão com Dermot, mas só se você for no lugar de Marsh. Ele acha que você é alguma terapeuta da Nova Era.

Saffy virou-se para Joe.

— Ora, ora — ela imitou o sotaque dele, sarcástica. — Parece que não preciso mesmo da sua ajuda!

— Só para voar com o balão — ele respondeu. — Eu sou o piloto.

O queimador fez um ruído enorme sobre sua cabeça quando o tecido começou a inflar. O cheiro do combustível entrou pela garganta de Saffy. Seus intestinos deram algumas voltas rápidas e se esticaram feito uma serpente que desperta. Com Dermot Nervoso, o piloto, Patsy e suas enormes asas que a envolviam, a cesta de vime que rangia parecia horrivelmente cheia.

— Não consigo — ela choramingou. — Por favor, vocês precisam me deixar sair. — Mas ninguém a escutou, com todo o barulho do queimador, e depois ficou tarde demais. O balão parecia não estar se movendo, mas o chão se afastava abaixo deles. Dermot Nervoso não parecia nervoso, parecia deslumbrado. — O que nos impulsiona? — ele gritou. — Não sinto nenhum vento.

— É porque estamos nos movendo com ele. — O piloto estava lidando com alguns controles.

— Eu já voei de helicóptero. — Dermot Nervoso inclinou-se para dar uma boa olhada para baixo. — Mas isso aqui é diferente. É como se fosse um sonho, não é?

— É um *male-dito* pesadelo. — Patsy começou a atirar punhados de penas pela beira do cesto e a murmurar por entre os dentes: — Estou no quintal de mama. Estou no quintal de mama.

A boca de Saffy, ressecada desde que ela acordara, se encheu de saliva. Sua nuca pinicava. Ela agarrou a borda de vime do cesto e fechou os olhos.

Ela sentiu a mão de alguém na lombar e uma voz que falava perto de seu ouvido. Era o piloto.

— Sally! Abra os olhos e foque no horizonte, ou você vai...

Ela abriu os olhos, mas não conseguiu achar o horizonte. Ficou olhando para as botas amarelas dele.

— ... enjoada.

Greg estava deitado nu na banheira. Estava vazia, mas ele não conseguia gerenciar todas aquelas coisas complicadas que se devem fazer com as torneiras e a água. Encontrava-se ocupado demais morrendo.

— Ô de casa! — Tanya entrou, nua, exceto pelos sapatos vermelhos. Ela bocejou, beijou-lhe os lábios com energia, empoleirou-se no vaso sanitário e começou a fazer xixi. — Sua cabecinha tá doendo de novo? Você está muito pálido. Quer que eu faça sua maquiagem antes de ir para o estúdio?

— Eu naummm vou... — Greg não conseguia encontrar palavras inteiras. Não palavras que ele reconhecesse. Tentou organizar os pedacinhos que conseguia encontrar para fazer sentido: — ... au shtudio.

— Mas você tem que ir. Você tem que bajular Roisin. Sua agente falou, lembra? E você tem que ir para impedir que eles acabem com o Mac.

Ele tentou balançar a cabeça, mas doía demais. Doía muito, muito, muito.

— Els naumm pód mata... ele.

— Você, tipo, tem certeza? — Tanya limpou-se e levantou-se. Foi até a pia, mas não lavou as mãos. Em vez disso, abriu um pote do hidratante Creme De La Mer de Greg e começou a espalhar pequenas gotinhas em volta dos olhos.

— Porque, tipo, eu li em algum lugar que um personagem de novela tem três vezes mais chance de morte violenta do que uma pessoa real.

— Sels matarem el, ódiência cai.

Tanya inclinou-se, colocou a tampa no ralo da banheira e ligou a torneira.

— Você se lembra de *Corrie*, quando o tal do Richard matou a Maxine? Acho que tipo uns zilhões de pessoas assistiram. — Ela tirou os sapatos e começou a subir em cima dele. — Mas, se você quiser dizer que está doente, eu posso, tipo, fazer isso também.

Saffy copiou Marsh no e-mail para a revista *Marketing*. A mensagem continha uma foto do balão e legenda com 31 palavras que ela levara, em seu estado de ressaca, mais de uma hora para redigir.

"Dermot Clancy, Diretor de Marketing da Pluma Branca, e Saffy Martin, da Komodo Publicidade, no ar junto com um amigo de asas para discutir uma nova campanha da marca que pode estar pronta para decolar."

Não era uma foto maravilhosa, mas o logo redesenhado da Pluma Branca e o novo *slogan* estavam visíveis, Patsy exibia ar razoavelmente angélico e ela não parecia tão verde. Dermot Nervoso era um riso só. Ele havia adorado cada momento de sua viagem de balão. Talvez tivesse adorado menos se soubesse o que havia no chão do cesto de vime, mas ninguém, exceto o piloto, tinha visto Saffy vomitar.

Ela não tinha vomitado muito, só metade de uma xícara de café de uma coisa marrom com flocos alaranjados. Mas mesmo assim. Uma onda de vergonha tomou conta dela. Ela nunca havia feito *nada* parecido antes.

Desde que tinha se separado de Greg, sua vida se transformara em um desastre e as últimas 24 horas, então, tinham sido o ponto alto. Beber vinho em uma espelunca. Apagar. Dormir com um estranho. Vomitar nos pés de alguém. O que estava acontecendo com ela? E quando iria parar?

Conor ficara acordado até as 3 da manhã vasculhando a casa à procura de Brendan. O bichinho não dava as caras há algum tempo, e isso não era bom. Ele deveria estar em casa agora verificando atrás da geladeira e dando uma última olhada no sótão, e, mesmo na ausência de um corpo, organizando um funeral de hamster, e não sentado no bar do Hotel Davidson bebendo um café com leite de 3,5 euros. Não queria vir, mas Jess vira o artigo no jornal e achara que Greg poderia fazer algo terrível.

O GRANDE MAC DEVE ARDER EM CHAMAS

Fontes da produção de *A Estação*, a série preferida do país, confirmaram hoje que Greg Gleeson a deixou em caráter definitivo. Gleeson debandou depois de uma discussão com a diretora Roisin Foley ontem, durante a qual ele a acusou de ser gay. Os fãs de Mac Malone que contam com sua volta perderam a esperança esta manhã quando foi anunciada a notícia de que o bombeiro bonitão deve ter uma morte heroica tentando salvar um bebê prematuro de um incêndio na maternidade de um hospital. Gleeson, que estava na série desde o começo, não foi encontrado para comentar a notícia.

A foto mostrava Greg como Mac, com ar mal-humorado e rude. Ele estava de peito nu, mas, inexplicavelmente, ainda usava seu capacete de bombeiro e carregava uma mangueira.

O verdadeiro Greg parecia a morte em pessoa, Conor pensou. A morte com dentes perfeitos, cabelos lindos e roupas caras ainda era a morte.

— Eu li sobre *A Estação* — começou com cuidado. — É pra valer?

— Para mim pode ser pra valer que não estou nem aí. — Greg enfiava um talo de aipo em seu *Bloody Mary.* Quando Tanya finalmente saíra do quarto no dia anterior, ele tinha caído na cama e dormido durante dezesseis horas. Seu corpo ainda se sentia envenenado quando acordara, mas pelo menos sua mente estava mais clara. *A Estação* já era. Ele tinha estragado tudo. Não podia mudar o passado, mas não iria estragar o futuro.

— Escute, Conor, preciso dar um anel para Saffy.

— Que bom ouvir isso. Essa história já está durando demais. A semana inteira eu queria te dizer para você telefonar para ela, mas você disse que...

Greg deu um gemido.

— Não é um anel, Conor. É *o* anel. Uma pedra? *Capisce*? Vou pedir que ela case comigo.

O rosto de Conor abriu-se num sorriso.

— O quê? Que ótimo! — Ele deu um pulo e começou a chacoalhar a mão de Greg de um jeito que Greg teve receio de ficar com danos permanentes. Depois, Conor voltou a sentar-se. Ainda sorria, mas parecia que ia chorar.

— Meu Deus, Gleeson! Estou me sentindo muito emocionado. Você realmente me deixou preocupado durante essas semanas. Achei que você tinha acreditado naquela baboseira que a sua agente estava falando sobre Hollywood. O que o fez mudar de ideia?

Greg estava tão abalado pelos dois últimos dias que quase disse a verdade, que era que desde que Saffy fora embora do 365 ele se sentia como se alguém tivesse jogado sua vida em um liquidificador e apertado a tecla "ligar". Ele a queria de volta. Queria que tudo voltasse a ser como era antes do Dia dos Namorados. E se tinha que casar com ela para que isso acontecesse, ele o faria.

Encolheu os ombros no que esperava parecer uma expressão de indiferença.

— Dane-se a Lauren. A gente tem que escolher as próprias batalhas. Não é nada muito difícil. Se isso deixa a Saffy feliz, então eu topo.

— Quando vai fazer a proposta?

— Amanhã. Mas estou com um problema, cara. Estourei o limite do meu cartão. Me devem dois meses de pagamento de *A Estação*, que não acho que eles vão se apressar em pagar. E estou com vergonha. Detonei todas as minhas economias no Mercedes.

O SLK que Greg quase nunca dirigia, Conor pensou. O carro estava estacionado na garagem do subsolo de seu apartamento há meses porque Greg receava que, se saísse com ele, alguém poderia roubá-lo.

— E então... — Greg coçou os olhos com a ponta dos dedos. Ele tinha a aparência de quem não dormia há dias. — Você vai ter que bancar o dinheiro para o anel.

Conor riu.

— O que tem de engraçado nisso? — Greg disse, fazendo careta.

— Bom, como deve ter notado, não tenho grana sobrando.

— Mas você tem cartão de crédito, certo?

Eles tinham. Jess o chamava de "cartão da crise". Só o usavam quando realmente precisavam. Como na vez em que ele precisara fazer um tratamento de canal de última hora ou no Natal em que eles tiveram que trocar a máquina de lavar depois que Luke decidiu lavar o peru.

— É para emergências, Greg.

— Esta é uma emergência.

— Não creio que a Jess vá encarar dessa maneira.

— Bom, então não conte a ela.

Conor balançou a cabeça.

— Sinto muito. Gostaria muito de ajudar, mas não posso.

Greg encarou-o de modo soturno.

— Cara, não acredito que você vai me forçar a te lembrar disso, mas eu te dei 5 mil quando você ficou encrencado há alguns anos.

Conor corou.

— Eu queria devolver, mas você não deixou. Você disse...

— Eu disse que não queria de volta. E era sério. E não quero. Eu só quero pegar um empréstimo por algumas semanas. Eu devolvo o dinheiro antes de chegar a fatura, palavra de escoteiro.

— Mas você disse que estava duro.

— É. Mas vou vender o Mercedes. — Greg não tinha pensado nisso até agora, mas era uma ideia genial. Ele estava duro mesmo. Ganhava 15 mil por mês na série, mas não sabia para onde ia todo esse dinheiro.

— Eu já ofereci para a loja onde comprei — ele mentiu. — Eles querem me dar 40 mil, o que é um assalto. Mas não vão me pagar até trocarem de nome e eu preciso desse anel hoje mesmo.

— Hoje? Mas não estou entendendo.

— Que parte de "hoje" — a voz grave de Greg subiu meia oitava e tremia de um modo como Conor nunca vira antes — você não entendeu?

Saffy sonhou com o pai. Não seu verdadeiro pai, porque não tinha ideia da aparência dele. No sonho, havia somente uma pessoa com o rosto desfocado, amarrada a uma maca num hospital, mas ela sabia que era ele e sabia que ele tivera um ataque cardíaco e morrera.

Joe, o piloto do balão, tentava ressuscitar seu coração com aquelas placas usadas no *Grey's Anatomy*, mas não dava certo.

— Continue tentando! — Saffy dizia repetidas vezes. — Não quero perdê-lo! Por favor, continue tentando!

Joe afastou-se e balançou a cabeça, e Dermot Nervoso disse "Já chega!", e Patsy, o anjo da Pluma Branca, olhou no relógio e avisou: "Hora da morte: oito da manhã".

Quando acordou, seu rosto estava molhado de lágrimas. Causa da morte: tentativa da filha afastada de ganhar uma conta de publicidade. Ela havia feito muitas coisas terríveis nas últimas semanas, mas não precisava de um sonho para saber que mentir para Dermot Nervoso, fingindo que seu pai estava morrendo, fora a pior.

Não conseguiu voltar a dormir. Ficou deitada de costas encarando o enorme candelabro, contando em voz alta todas as coisas que tinha perdido desde o Dia dos Namorados. Tinha perdido o controle em público. Tinha perdido Greg. Tinha perdido sua autoestima e deixado seu apartamento virar uma bagunça; tinha perdido seu casaco e sete horas de sua vida no apartamento de Doug. Quase perdera o emprego naquele campo em Wicklow. Depois, tinha perdido sua dignidade no balão. Sempre tivera somente uma ligação bem frágil com o pai, mas de alguma forma até isso conseguira perder.

Alguma coisa estava andando pela cozinha novamente. Devia ser um rato, e isso fez com que ela caísse em si. Precisava limpar o apartamento. Precisava limpar sua vida. Já era hora.

Saffy colocou em um saco os mocassins Gucci de Greg, seus tênis Nike, seus tênis All Star, suas jaquetas de couro Armani, o smoking Dior, os ternos Paul Smith, suas camisas Prada, as cuecas Calvin Klein, os jeans Diesel. Embalou os óculos de sol Police, a loção de barba Creed, o tratamento de pele Erno Laszlo, o passaporte, o cortador de unha, fita dental, travesseiro de espuma para a memória, aparelho dental.

A parte mais difícil era livrar-se das fotografias emolduradas em que estavam juntos. Ela teve que controlar as lágrimas enquanto empacotava suas toalhas. Encaixotou seus *blockbusters* e os livros sobre artes cênicas e a imensa coleção de DVDs. Desconectou o Xbox e o PlayStation e embrulhou-os em plástico-bolha. Tirou a escultura em gesso de um traseiro de mulher que ele havia comprado para o banheiro. Era um traseiro muito bonito. Muito mais bonito do que o dela, na verdade, e seria um alívio fazer xixi sem sentir que tinha que competir com aquilo.

Arrastou todas as caixas e sacolas para o escritório, depois atacou suas próprias roupas, fazendo pilhas para lavar e secar. Tirou a roupa de cama e colocou a primeira carga na máquina. Passou aspirador, esfregou, passou pano, e, quando terminou, podia jantar no chão, se quisesse. Só que ela não tinha nada para jantar. Tinha uma pizza antiga na geladeira e encontrou um pacote de bolachas cobertas de chocolate em uma prateleira, mas jogou-as fora. Ela já se cansara daquilo.

Sentou-se à mesa para checar a pilha de cartas lacradas que se amontoavam ali. Encontrou a última fatura de seu cartão de crédito. Greg havia gasto quase 15 mil nas últimas semanas. As transações eram como um roteiro da vida que ele levava sem ela.

Ela limpou sua poupança e cancelou o cartão. Ele poderia reembolsá-la quando vendessem o apartamento. Ou não. Ela não se importava. O que ele faria era problema dele. Ela tinha que começar a cuidar de si mesma.

Foi ao supermercado e fez compras pela primeira vez em semanas, voltou para casa, fez um cozido de feijão branco, passou condicionador no cabelo, cobriu-o com um saco plástico e passou uma máscara facial. Depois, colocou seu aparelho para branquear os dentes e tirou seu colchonete de ioga. Estava na posição do cão de cabeça para baixo quando o telefone tocou.

— Anô? — ela disse. O som saiu estranho por causa do aparelho dental.

— Olá, chuchu. — Era um homem com sotaque australiano.

— Deshculpe. — Ela tentou ao máximo parecer uma gravação. — Téffy dão pod atenter no momento. Tor tator, teixe uma menshagem detois do bipe. — Desligou.

O telefone tocou novamente. Doug era o tipo de homem que adorava uma perseguição. Ela tirou o aparelho dos dentes e limpou a boca na manga. Seus dentes estavam com um gosto horrível.

— O que você quer? — perguntou friamente.

— Parabéns por sair de fininho sem nem dizer tchauzinho. Nem até logo.

— Não falo tchauzinho e não vou ver você novamente. Não vou vê-lo nunca mais. Adeus.

Ainda estava com o telefone na mão quando ele tocou novamente.

— Qual é o seu problema? — ela disse antes que ele pudesse falar. — Será que não entra nessa sua cabecinha australiana que não estou interessada?

— Saffy? — Era *aquela* voz.

— Greg!

— Com quem estava falando?

— Eu só estava... só estava falando com o rádio. Era aquele anúncio detestável do Harvey Norman.

— Bom, então desligue o rádio. E abra a porta, por favor.

Às vezes, depois de quatro ou cinco taças de vinho, Saffy imaginara ver Greg novamente. O que não havia imaginado era que ela estaria engessada numa máscara de lama magnética do mar Morto, com um saco plástico na cabeça e — pela expressão no rosto de Greg — ele também não imaginara. Ele olhou para ela de onde estava agachado no chão do corredor.

— Amor! O que houve com o seu rosto? Você está doente?

Ele havia planejado fazer o pedido quando ela abrisse a porta, mas este era um momento do qual os dois lembrariam pelo resto de suas vidas. Não pareceu justo fazê-lo com ela daquele jeito.

— É uma máscara facial. — Saffy tirou o saco plástico da cabeça e esfregou o rosto com as costas da mão. Flocos de lama verde caíram sobre seus ombros e pareciam a caspa do Shrek. Ela tentou limpá-los. — O que você estava fazendo no chão? — Ela havia acabado de limpá-lo de sua vida. O que ele estava fazendo ali afinal?

— Eu deixei minhas chaves. — Greg colocou o anel de noivado de volta no bolso e levantou-se. — E o que vim fazer aqui é levá-la para jantar. Não! — Ele deve ter visto a cara dela. — Não aceito receber um não como resposta. Temos que conversar.

Saffy achou que ele parecia exausto. Mas, mesmo com manchas roxas debaixo dos olhos, Greg era tão lindo que ela sentiu uma pontada de saudade em seu coração. Ele estava usando uma camisa azul-claro, jeans pretos e uma jaqueta de camurça preta que ela não conhecia. Ele tentou abraçá-la, mas ela afastou-se.

— Você não pode me pagar um jantar. Acabo de pagar nosso cartão de crédito. Você me deve 15 mil euros.

Greg entrou no apartamento e fechou a porta. O lugar parecia estranhamente vazio, como um *show-room* ou o cenário de um filme. Onde estavam as coisas dele? Seus livros sobre métodos de interpretação? A ilustração de Jack Nicholson feita por Ronnie Wood? A fotografia emoldurada em que ele recebia um prêmio das mãos de Gabriel Byrne?

Ele aproximou-se e pegou as mãos de Saffy, puxando-a para si.

— Não é só isso que eu lhe devo. — Ele tomou o queixo dela nas mãos, de modo que ficassem cara a cara. — Eu lhe devo desculpas.

Ele não fazia a barba há alguns dias e seu cabelo estava mais comprido. Sorria de maneira carinhosa e compreensiva. Parecia um pouco com Jesus, um Jesus incrivelmente sexy e vestido com roupas caras. O cheiro dele era tão familiar, tão bom, que Saffy quase cedeu, mas resistiu e não se deixou levar.

Ela se afastou.

— Greg, você não pode deixar de telefonar duas semanas e depois voltar como se nada tivesse acontecido.

— Aconteceu algo. Eu senti sua falta. — Ele puxou-a de volta e enfiou o rosto em seu pescoço. — Percebi que não posso viver sem... *merda*! — Ele deu um pulo para trás e limpou a boca com as costas da mão. — O que é essa coisa no seu cabelo?

— É um condicionador de proteína — disse Saffy. — Cuidado para não deixar entrar nos olhos.

Saffy tomou um banho, secou o cabelo, colocou seu jeans mais surrado, um suéter e botas pretas de saltos bem altos. Greg ia odiar, mas ela não ligou. Iria jantar com ele. Greg lhe devia isso. E teriam oportunidade de conversar sobre como vender o apartamento. Mas se ele achava que ela iria ficar se preocupando em fazer com que ele parecesse mais alto do que ela, ele podia esquecer.

Quando voltou para a sala, pensou em desistir do jantar. O olho direito de Greg havia inchado, parecia uma bola de pingue-pongue. Ela pediu que ele ficasse debaixo da luz para poder olhar melhor.

— Está horrível. Talvez você deva voltar para o hotel e chamar um médico. Venha dar uma espiada.

Ele se observou no espelho. Nossa! O que era aquilo? Mal conseguia enxergar. Deveria ir ao hospital imediatamente, mas não poderia pedir a mão de Saffy no pronto-socorro. E voltar para o Davison, nem pensar. A ideia de mais uma noite no hotel, mais uma noite sem ela, estava simplesmente fora de questão.

Então, ele apelou para seu Mac Malone interior.

— Não se preocupe comigo, gata — disse em voz áspera. — Estou bem.

A Rua Grand Canal estava em obras, e metade da pista estava destruída. Saffy continuou tropeçando em suas botas ridiculamente altas, mas se recusou a pegar o braço de Greg quando ele ofereceu.

— Para onde estamos indo, Greg? E eu não estou falando *da vida*, certo? Estou falando deste momento, e quanto mais vamos andar?

Ele havia planejado o que dizer e ensaiado até a fala ficar perfeita.

— De volta no tempo, gata. De volta ao 365. Vou levar você de volta para onde as coisas começaram a dar errado e vamos começar tudo de novo.

Saffy parou.

— Não! — Se fossem ao 365, poderiam dar de cara com Doug. — Quero dizer, não, não estou vestida para ir lá. Vamos só tomar um café ou uma bebida.

Greg ficou aliviado. Ele havia conseguido tirar mais uns 200 de Conor depois que pagara o anel, mas só sobraram 150. O suficiente para jantar, mas não para jantar com champanhe.

— Sabe de uma coisa? Vamos para casa. — Ele sorriu para Saffy daquele seu jeito de Jesus. Um Jesus que tinha saído no soco com Herodes ou Judas.

— Casa? Como assim, casa? Como podemos ir para *casa*? Nós nem moramos mais juntos.

Greg verificou se havia algum xixi de cachorro na calçada e agachou, apoiando-se em um joelho. Depois, estendeu a mão. Em sua mão, em uma caixa de couro vermelho havia o solitário de platina e diamante que ele tinha conseguido encontrar pelo limite de 10 mil do cartão de crédito de Conor.

— Saffy, quer casar comigo?

Capítulo 11

— Parabéns! Isto é, que notícia incrível! — Conor tentou parecer surpreso.

— Você não sabia? — Saffy riu. — Ele percebeu que o tinham posto no viva-voz. — Greg não contou para você? Isso não é muito a cara dele. Ele não consegue guardar segredos.

Greg entrou na conversa.

— Ei! Não fale assim do seu noivo. Desculpe não ter contado, Conor. Tive que esconder o jogo até ter certeza de que ela diria "sim".

Eram mentirinhas bobas, mas que deixavam Conor meio desconfortável.

— Espera aí, a Jess chegou aqui. — Ele passou o telefone para ela. — Saffy e Greg vão se casar.

— O quê? — Ela fingiu desmaiar e no último segundo sentou-se na escada ao lado dele. — Como vocês são rápidos!— comentou. — Ontem mesmo os jornais diziam que vocês tinham se tornado "estranhos para sempre". Quando foi que isso aconteceu?

— Umas duas horas atrás. — A voz de Saffy até guinchava de entusiasmo. Parecia que ela tinha respirado gás hélio. — Não é o máximo?

— É, sim! — Jess tirou um Homem-Aranha de plástico sobre o qual tinha sentado e fez um "o que isso está fazendo aqui?" para Conor. — É simplesmente o máximo. E para quando vocês estão planejando?

— Provavelmente não até o fim do ano que vem, mas queríamos que vocês participassem de tudo, esse negócio de padrinho, madrinha...

— Viu só? Agora você vai ser meu padrinho — Greg disse. Ouviram-se risadinhas e vários estalos molhados, o que Jess deduziu serem beijos.

— Eca! — E passou o telefone para Conor.

— Então está decidido? — ele disse. — Na saúde e na doença?

— É isso aí, cara — disse Greg. — Na riqueza e no inferno!

— Está bem, para quem vamos ligar agora? — Greg sorria e brindava sua taça de champanhe com a dela. Saffy nunca o tinha visto tão feliz nem tão bonito, principalmente de perfil, quando não aparecia seu olho inchado. — Que tal sua mãe?

A mãe dela provavelmente ainda estaria chateada depois daquela cena que havia acontecido do lado de fora da agência no outro dia. Mas no instante em que soubesse da novidade entraria em cena e não a largaria mais. Saffy não ia aguentar isso, não agora.

Ela sacudiu a cabeça.

— Vamos ligar para a sua família primeiro.

Saffy ficou acordada depois que Greg caiu no sono. Seu corpo formigava de adrenalina; os pensamentos oscilavam entre entusiasmo, descrédito e alívio. Ficou girando o anel no dedo para um lado e para o outro, procurando apreender no escuro o tamanho e o formato da joia, tentando absorver o que aquilo significava. Tudo acontecera tão rápido. No intervalo de tempo em que seis palavras foram ditas, fora selado o resto de suas vidas. Há apenas algumas horas ela finalmente desistira de Greg, mas agora começavam tudo novamente.

Uma lágrima percorreu seu rosto, pingando no cabelo. Viver sem Greg fora um pesadelo. Ela não conseguia ser ela mesma. Sentia-se desmotivada em todos os sentidos imagináveis e inimagináveis. Mas agora o pesadelo terminara. Greg estava de volta e não iria mais a lugar algum. Ela tocou o ombro dele. Ele murmurou qualquer coisa sobre Deus estar em um ônibus.

Ela saiu da cama em silêncio e foi até a janela. Ainda estava escuro lá fora. A Rua Grand Canal se mostrava deserta, exceto por um táxi aguardando sob as luzes. Dublin ainda permanecia adormecida, e ela devia voltar para a cama. Sorriu ao ver seu reflexo na janela. Acabara de começar o seu "felizes para sempre" e não queria perder um único segundo desta nova fase.

Saffy queria contar a novidade primeiro para Vicky, mas Ciara era capaz de perceber um anel de noivado a léguas de distância. Ela o detectou assim que Saffy pisou na recepção.

— Mas isto é um Big Mac ou o quê? — perguntou, sorrindo. — Aposto que você não ganhou isso comprando batata frita no Mc Donald's.

— É grande demais? — O diamante era gigantesco, muito maior do que Saffy teria escolhido, muito saliente e se enroscava em tudo.

— Bem, eu sei o que Marsh diria. — Ciara levantou um dedo afetado e fez uma demonstração perfeita da chefe de ambas. "Quando se trata de diamantes, o tamanho nunca é..." — Foi interrompida pelo telefone. — Komodo, pois não?

Ciara prometera não contar a ninguém, mas quando Saffy chegou ao escritório, Marsh já tinha mandado e-mails para todo mundo convocando uma pequena comemoração na sala de reuniões às 9 horas. Saffy ficou comovida e aliviada. Marsh vinha ignorando-a desde a apresentação da Pluma Branca. Talvez aquilo fosse sinal de que seria perdoada.

Marsh ainda não soubera do acontecido no balão. Se soubesse, a teria demitido no ato. Mas ela nunca descobriria. Ninguém sabia, exceto Saffy e o piloto. Céus, ela vomitara nas *botas* dele. Precisava entrar em contato com o relações públicas da empresa e pegar o número dele para ligar e se desculpar, comprar sapatos novos ou algo assim.

Havia uma bandeja com taças de champanhe e outra com croissants de amêndoas na sala de reuniões, mas ninguém tocou em nada até que Marsh chegasse. A notícia já tinha se espalhado e todos cumprimentaram Saffy, exceto Ant, que jogava forca em seu iPhone. Até Simon parecia sinceramente feliz. Falava a todo momento "Muito bem!", como se ela tivesse passado em uma prova, o que a deixava com vontade de lhe dar uns tapas. Vicky deu-lhe um longo abraço, que acabou se prolongando porque o anel enroscou em seu cardigã de lã angorá.

Marsh chegou às 9 em ponto. Vestia uma blusa de cetim preta com um laço na gola, o jeans mais apertado que Saffy já vira e seus já famosos saltos de 12 centímetros. Ela sempre conseguia deixar as outras mulheres com a sensação de estarem malvestidas ou bem-vestidas demais para a ocasião. Sua pele era imaculada. Os braços, firmes e bronzeados. E o cabelo estava sempre preso naqueles coques desestruturados que precisavam de mil grampos e meia hora para deixá-los daquele jeito.

A que horas as pessoas precisavam levantar de manhã para ficar assim? Saffy imaginava. O quanto tinham que malhar? Quantas *Vogues* e *Tatlers* e *Grazias* tinham que consumir? E quando arranjavam tempo para tudo aquilo?

— Mike — Marsh estalou os dedos para o gerente de mídia —, você está babando!

Mike não tinha conseguido resistir aos croissants. Ele corou e molhou a pontinha do dedo para tirar algumas migalhas da gravata laranja de lã e colocá-las na língua.

— Ciara, volte para a recepção. Alguém tem que atender os telefonemas.

Ciara revirou os olhos e saiu, resmungando alguma coisa baixinho.

Marsh balançou a cabeça.

— Essa garota é sempre irritante assim ou ela está se esforçando mais hoje? — Pegou uma taça de champanhe e todos correram para fazer o mesmo. — Este é um dia muito especial — disse sorrindo —, e gostaria de fazer um brinde... — todas as cabeças se voltaram para Saffy — para Dermot Clancy, que me despertou do meu sono de bela adormecida hoje para dizer que adorou a ideia do "Anjos Em Todo Lugar". — As cabeças viraram de volta para Marsh. — A Komodo continua com a Pluma Branca.

Mike soltou um gritinho.

Marsh levantou a mão.

— Não quero discutir o fiasco que quase arruinou a apresentação de sexta-feira e não preciso dar nomes aos bois, pois o responsável sabe. É melhor que isso não se repita. — Saffy fitava o chão. — Porque se alguém nesta sala fizer alguma coisa que estrague isso — Marsh olhou diretamente para Saffy —, vai ser apresentado à porta de saída e instruído a usá-la!

— Muito bem, Saffy! — Vicky disse bem alto. — A ideia do anjo foi toda sua. — Até Ant mostrou um sorriso na sua cara de bebê amuado, apesar de poder ser mero sinal de indigestão.

— Marsh, posso só ser proativo aqui? — Simon falou. — A Pluma Branca deve ir ao ar em julho, e não sei se você já ficou sabendo, mas Saffy acaba de ficar noiva. Estou pensando que talvez ela precise de um tempo para organizar o casamento. Então só quero deixar claro que estou me colocando à disposição para lidar com o atendimento aos nossos clientes.

Ele ficara sabendo da vitória da apresentação. Era por isso que tinha ficado tão satisfeito com a notícia de que estava noiva. Saffy descobrira um jeito de segurar o contrato da Pluma Branca, e agora ele estava tentando pegá-lo para si. Colocar-se à disposição? Ele podia é sair de campo, isso sim!

— É muito atencioso da sua parte, Simon — ela disse, com a voz doce —, mas não estamos pensando em nos casar tão cedo. E tenho todos os recursos de que necessito para lidar com isso sozinha, obrigada.

Marsh abaixou a taça de champanhe.

— É melhor que tenha mesmo.

Lauren derramou melado em um prato com bacon e *waffles*.

— Meu Deus — ela gemeu, enquanto espetava um pedaço de *waffle* com o melado derramando pela boca —, é um alívio imenso estar de volta a uma cidade onde se pode comer decentemente sem que alguém denuncie você à patrulha da dieta saudável.

Como de costume, vestia um terno preto velho e blusa. O cabelo estava preso em um coque que já se desfazia à altura da nuca. As aparências realmente podiam enganar, Greg pensou. Lauren era a agente mais poderosa da Irlanda. Se havia alguém que pudesse colocá-lo em Hollywood, era ela. Mas primeiro ele teria que rastejar.

Lauren geralmente o levava para jantar no Chapter One ou no Thornton, de maneira que oferecer um café da manhã era um rebaixamento sério, mesmo que fosse no The Clarence. Greg ficou até feliz que ela quisesse vê-lo depois daquela história da Alanis Morissette e depois que ele fora contra todas as orientações dela e propusera casamento a Saffy.

Quando lhe mandara um e-mail contando sobre o noivado, esperara por uma resposta decepcionada. Mas ela respondeu logo em seguida para dizer que estaria de volta de Los Angeles na terça-feira às 7 de manhã e queria vê-lo assim que saísse do aeroporto. Ele ainda esperava uma bronca, mas não parecia ser isso que ia acontecer.

— É perfeito — ela falava, com a boca cheia de bacon. — Totalmente perfeito. Um lindo e glamouroso casamento de celebridade é exatamente do que precisamos para distrair a mídia do seu episódio psicótico no *A Estação*.

Greg ficou assentindo com a cabeça enquanto misturava mel em seu iogurte. Saffy havia ensaiado esse encontro com ele. Ele, é claro, não lhe contara sobre o episódio da Alanis Morissette, nem sobre o pedaço em que Lauren lhe dissera para aguardar que ela voltaria correndo para ele, mas mencionara o telefonema para GOD e o fato de ter que pedir desculpas a Roisin. Saffy decidira que o melhor a fazer seria falar pouco e concordar muito.

— Pensei aqui com os meu botões — Lauren disse, como se estivesse lendo a mente dele —, e mesmo que você se arrastasse aos pés de GOD, não tem como voltar para *A Estação*. Roisin é sobrinha dele. Maldito nepotismo!

Greg assentiu um pouco mais com a cabeça e tentou não olhar a gota de melado que caiu em uma das verrugas e começou a escorrer pelo queixo duplo dela, em direção ao decote.

— Isso aí tem gordura? — Lauren perguntou, apontando o garfo para a salada dele.

Ele concordou com a cabeça.

— Meu Deus! Será que tenho que ficar lembrando que você tem metade da altura de Liam Neeson? Alguns quilinhos aparecem muito mais quando se tem 1,70m. Não torne meu trabalho mais difícil do que já é, OK?

Greg teve que segurar a língua. Ele tinha 1,73 m, era três centímetros mais alto que Robert Downey Junior e Sylvester Stallone. Cinco centímetros mais alto que Elijah Wood e...

— Colin Farrell — Lauren raspou uma poça de melado do prato com um pedaço de *waffle,* colocando-o na boca — pode pegar o papel.

— Como assim? — Greg estava confuso. — Que papel?

— Está tendo um ataque de Alzheimer precoce? O filme de Elmore Leonard. Não está confirmado, mas corre por aí que, se eles optarem por Maggie Gyllenhaal ou Cate Blanchett no papel feminino principal, um grande ator irlandês volta a ser cotado.

Greg engoliu seco.

— Mas você disse que ele tinha caído fora. Ele não pode, de repente...

— Se for Colin Farrell, Greg, ele pode fazer o que bem entende.

Greg passou a mão pelos cabelos. Não era possível que isso estivesse acontecendo. Antes, ele apenas queria o papel, mas agora que *A Estação* tinha acabado, precisava dele. Era sua única esperança.

Lauren revirou os olhos.

— Vamos, pare de puxar os cabelos. Vamos ver tudo isso como a metade do copo cheia, OK? Ele pode ser um astro, mas já mudou de ideia uma vez. O que quer dizer que pode mudar de novo. — Ela arrotou.

Greg olhou humildemente para Bono, que tomava café da manhã sozinho em uma mesa próxima. A pálpebra do olho inchado pulsava e ele presumiu que parecia estar piscando, porque Bono franziu a testa e desviou o olhar para outro lado.

— De qualquer jeito — Lauren arrotou novamente —, um atraso vai me dar alguns meses para agitar esse casamento, e assim podemos arrumar algo melhor para você.

— Mas o que devo fazer? — Greg sentia-se tonto e a cabeça flutuava. Imaginou se estava tendo um ataque de pânico. — Não posso ficar sentado sem fazer nada.

— Você não vai ficar sem fazer nada. — Ela limpou as mãos na toalha de mesa e as colocou no bolso da jaqueta. — Você estará planejando o casamento do ano. Um lugar estonteante. Montes de celebridades. Quanto mais cedo, melhor. Junho, no máximo. Já consegui para você uma matéria sobre o noivado na revista *ZIP*. Eles vão tirar umas fotos amanhã. E dê um jeito nesse olho antes que eles cheguem, está bem? Quase acabou com meu café da manhã.

— Olhe, Lauren. — Greg tentou não demonstrar o pânico que sentia. — Estou meio ruim de grana. *A Estação* não depositou meu salário e estava pensando se deveria processá-los.

— É uma ótima ideia — Lauren pegou um palito e começou a usá-lo nos dentes —, se você nunca mais quiser fazer nem TV nem cinema. Olha, se segura um pouco que vou ver se arrumo para você uma participação em alguma novela inglesa. Acho que estão procurando alguém para interpretar um estuprador na *Emmerdale*.

Um estuprador? Greg queria estrangulá-la. Mas se lembrou do conselho de Saffy e concordou novamente, balançando a cabeça.

— Relaxa, Greg. Você parece que está sentado em cima de um vibrador. O elenco do filme ainda não está definido. Talvez ainda mude. E, se mudar, espero que você não esteja em lua de mel em Bornéu ou nas Maldivas, OK? Vá para o México ou Caribe. Qualquer lugar onde haja um voo direto para Los Angeles.

— Bem pensado — ele disse, tentando sorrir. — É para isso que pago você, certo?

Lauren pôs o palito no prato.

— Neste exato momento, você está me pagando dez por cento de algo que não existe. Sendo assim, o café da manhã fica por sua conta. Agora preciso ir dar um alô para o Bono.

As paredes eram revestidas de seda azul-clara e havia uma tigela com lírios no aparador de mármore branco. Havia um relógio de pé, um castiçal de cristal e uma mesa de centro antiga com revistas em cima. Era tudo muito *Casa e Jardim*, exceto pelo cheiro de antisséptico e pelas pessoas esperando sentadas nas cadeiras antigas de espaldar alto.

Jill conferiu sua imagem em um espelho de moldura dourada. Estava usando um vestido envelope cor-de-rosa que comprara dez anos antes; ainda servia perfeitamente. A recepcionista tinha acabado de elogiá-la. Sua pele estava luminosa. Sua postura estava fabulosa. Não havia nada de errado com ela.

Escolheu um lugar para sentar. Parecia ser a única pessoa dali que havia vindo sozinha. Ela não dissera nada a Len sobre aquela consulta. Ele viria correndo e chegaria com seu cesto de bicicleta cheio de remédios fitoterápicos e panfletos sobre terapeutas de reiki e dietas ayurvédicas. Ela pensou em contar para Sadbh, mas não se falavam desde aquele dia em que a filha disparara de volta para o escritório e a deixara plantada no meio da rua.

Marcar um almoço ou jantar com Sadbh sempre era um imprevisto, mas ela nunca a tratara daquela maneira. De início, ficara arrasada, porém à medida que foi refletindo, percebeu que talvez não devesse levar aquilo para o lado pessoal.

Sadbh estava em choque, era óbvio. Jill não poderia culpá-la por ter reagido daquele jeito. Sabia o que significava ter alguém que ia embora levando junto o seu futuro. Ela própria já experimentara a sensação de acordar de manhã e perceber que nada mais seria igual. A dor física, cada vez que via um casal. A vergonha de ter uma crise de choro quando menos esperava, em um parque cheio de gente, na cadeira do dentista ou na fila do supermercado.

Fizera de tudo para impedir que o mesmo acontecesse à sua filha. Dissera a ela, de centenas maneiras diferentes, que a não ser que estivesse casada com um homem, ele podia fazer tudo o que quisesse. Mas, é claro, Saffy não ouvira.

Jill poderia matar Greg por desperdiçar seis anos da vida de Sadbh, mas na verdade não havia como culpá-lo. Sua filha deixara uma porta aberta. Tudo o que ele fizera fora sair por ela.

Partia seu coração saber o que sua filha estava passando sem permitir ser ajudada. Era algo que ela queria enfrentar sozinha. Havia deixado bem claro que precisava de tempo para curar suas feridas. E, se tempo era do que ela necessitava, era o que Jill lhe daria.

Pegou uma *Vogue* e começou a folhear as páginas lustrosas. Todas as modelos eram tão jovens! No tempo em que começara, a ideia era parecer uma mulher, não uma garotinha.

Esperava o ônibus escolar em Bristol quando alguém havia lhe tocado o braço.

— Você é modelo? — Era um homem de aparência comum, de meia-idade e vestindo terno.

— Como assim? — Jill era tão indiferente à própria aparência que, honestamente, não entendeu o que ele queria dizer.

Todos na fila do ônibus riram, incluindo o homem. O cartão que ele lhe deu trazia a silhueta do que deveria ser uma gazela, mas que mais parecia um Labrador com chifres. Umas letras espiraladas em rosa diziam "Agência de Modelos Gazelas".

Mas Jill acabou reconhecendo o verdadeiro significado daquilo. Uma passagem para Londres, Paris, Nova York e Tóquio. Para todos os lugares que ela nunca veria se continuasse estudando para ser professora ou enfermeira de consultório odontológico, como queriam seus pais.

Ela não lhes contou sobre o cartão. Eles eram adventistas do sétimo dia, e sua mãe jamais usara qualquer joia que não fosse a aliança. Minissaias e maquiagem eram proibidas. Seu pai desligava a televisão quando *Top of The Pops* começava a passar. Dançar não era aprovado e músicas que expressassem sentimentos triviais ou tolos não eram permitidas. Ela sabia, sem que fosse preciso perguntar, que "modelo" era apenas outra palavra para "prostituta".

A mulher da Gazelas não se animou muito. Precisava ver algumas fotos para decidir se ficaria com Jill. Conseguir dinheiro para pagar um fotógrafo estava fora de questão, mas ela conhecia uma pessoa que tinha uma câmera boa, Rob Reilly, que era casado com a melhor amiga de sua mãe, Marie. Seus pais toleravam Rob, mas ela sabia que na verdade não o aprovavam — fosse por ele ser irlandês, ou pelo fato de ser cabeleireiro, ou ainda porque, apesar de ter a idade de seu pai, vestia-se "como um hippie", de jeans e casaco afegão.

Da próxima vez que foram à casa dele, Jill deu um jeito de conversarem a sós. Mostrou-lhe o cartão e perguntou se ele tiraria algumas fotos dela. E esse foi seu primeiro erro.

Rob combinou de tirar as fotos no salão onde trabalhava. Jill sentiu-se uma criminosa ao dizer que ia à biblioteca e por usar o dinheiro do lanche para pegar o ônibus e atravessar a cidade de Bristol. Estava nervosa, mas uma das cabeleireiras auxiliares ficou até mais tarde para fazer seu cabelo e maquiagem e ajudou-a a superar a vergonha, brincando com Jill enquanto Rob ia batendo as fotos.

Depois, quando voltou até lá para pegar as cópias, sentiu-se envergonhada mais uma vez. A mulher nas fotos não era a mesma que aparecia no espelho quando ela se olhava. Era uma bela estranha com uma cabeleira loira, um rosto em formato de coração e um sorriso provocante.

Rob colocou as fotos em um envelope pardo e as entregou apressadamente. Jill reparou que ele também estava envergonhado, como se as fotos revelassem tanto sobre ele quanto sobre ela. Ele não quis aceitar as 10 libras que ela trouxera para pagar pelo filme.

— Ah, esquece — ele disse. — Não foi nada.

Dali em diante, ela permanecia lá em cima em seu quarto quando ele vinha visitar seus pais com Marie. Mas pensava nele o tempo todo, e, quando alguém tirava uma foto sua, sempre imaginava que era Rob.

Jill era baixa demais para desfilar, mas tinha o visual perfeito dos anos 1970. Conseguiu um trabalho estável para catálogos de moda por intermédio da Gazelas e falsificava atestados para se ausentar da escola e fazer as fotos.

Nada contava às amigas e escondia o dinheiro que recebia no bolso de um casaco no fundo de seu guarda-roupa. Nunca descontou nenhum cheque. Não fazia aquilo por dinheiro. Fazia para escapar.

Ela adorava deixar a atmosfera sufocante da casa de seus pais para se tornar, mesmo que por algumas horas, a brilhante e confiante criatura que emergia para a câmera. Nunca lhe ocorrera que sua mãe e seu pai veriam as fotos. Catálogos não entravam em sua casa e não parecia provável ser chamada para fazer fotos para a Bíblia.

Seis meses depois, ela telefonou para a Gazelas, como de costume, e foi avisada de que tinha sido escolhida para fazer uma capa de revista. Seu coração deu um pulo e depois gelou. Sua mãe não lia *Women's Weekly*, mas isso não a impedia de ver a revista exposta em uma banca de jornais.

Jill decidiu que a única pessoa com quem ela poderia falar sobre isso era Rob, e esse foi seu segundo erro. Disse a si mesma que só queria um conselho, mas comprou um vestido florido e sandálias de salto anabela. Trocou o uniforme no banheiro da escola e passou um tempão aplicando delineador e máscara de cílios, como tinha aprendido observando os maquiadores. Esperou do outro lado da rua em frente ao salão de Rob até que todos tivessem ido embora. Então, atravessou a rua, entrou no salão e cometeu o terceiro erro.

Jill pegou outra revista de dentro do arranjo em forma de leque disposto sobre a mesa de centro. As modelos da revista *ZIP* eram mais velhas. Estrelas de cinema da mesma idade de Jill apareciam em anúncios de cremes anti-idade e condicionadores. Todas pareciam ter sido corrigidas e disfarçadas e, nenhuma, Jill pensou com satisfação, era melhor do que ela. Passou os olhos por uma reportagem sobre um leitor e seus *shih-tzus*, e então virou a página e deu de cara com uma foto de Sadbh.

A fotografia que tinha ilustrado o término do namoro era mais velha, mas ao lado havia outra mais recente. Nela, Greg estava carregando sua filha desajeitadamente nos braços como se ela fosse uma peça de roupa retirada da lavanderia. Ele estava bonito como sempre, mas havia algo esquisito em um dos olhos.

E talvez fosse porque acabara de pensar nele, o que raramente acontecia, mas Sadbh era a cara de Rob. Ela se parecia tanto com ele que pegou Jill de surpresa. A filha tinha a pele muito branca, como a dele, e também a boca larga e os olhos castanhos a distância, mas verdes de perto. Mas foi o que viu no dedo de Sadbh que mais deixou Jill surpresa.

GREG, EX-ASTRO DE NOVELA, MARCA CASAMENTO COM NAMORADA TÍMIDA

Na sexta-feira, espectadores em lágrimas assistirão a uma carinhosa despedida do atraente bombeiro Mac Malone, que vai morrer no meio das labaredas em um hospital, após salvar um bebê prematuro cego. Mas o ator Greg Gleeson nunca esteve tão feliz.

Sair da novela favorita da Irlanda permitiu-lhe fazer uma coisa que ele admitiu que já deveria ter feito há muito tempo — propor casamento à sua namorada de longa data, Sadbh Martin.

Ao abrir as portas de sua cobertura finamente decorada em Charlotte Quay, o astro e sua amada falaram abertamente sobre os eletrizantes detalhes de seu noivado relâmpago e dos planos de Gleeson para o futuro.

Ao olhar para o casal de enamorados, é difícil acreditar que há apenas algumas semanas espalharam-se rumores de que o relacionamento estava nas últimas.

— Terminamos no Dia dos Namorados — admite Greg. — Achei que não estava pronto para me comprometer. Mas Saffy foi muito compreensiva.

— Eu disse a ele que não estava pressionando — Sadbh nos conta em sua voz doce, ostentando um sorriso tímido e um deslumbrante solitário de 2 quilates com lapidação princesa.

Gleeson mudou-se do apartamento e tirou algumas semanas para refletir.

— Percebi que meu relacionamento não era o problema — Gleeson nos conta em sua já famosa voz rouca. — O problema era que eu já tinha dado tudo o que podia em "A Estação" e precisava seguir adiante.

Assim que tomou a decisão de deixar a novela, todo o resto se encaixou.

— Saí da gravação e disse à minha agente: "Estou pronto para Hollywood. Que venha com tudo!". Então, chamei Saffy para um romântico passeio na chuva, e o resto vocês já sabem.

Havia mais quatro páginas de fotos e texto, mas Jill não conseguiu olhar para nenhuma. Havia passado as últimas semanas preocupada com a filha. Torcendo para que ela já tivesse superado a tristeza em seu coração. E todo aquele tempo, Sadbh estivera comemorando seu noivado.

Sentiu uma dor súbita e aguda, como uma contração. Desistira de tanta coisa por sua filha. Desistira de *tudo*: de sua casa, de sua família, de sua carreira de modelo. Mudara-se para outro país. Construíra uma nova vida e se encaixara nela. Ser mãe solteira era difícil, solitário e sem reconhecimento, mas ela havia dado o melhor de si. Nunca mais permitira outro homem se aproximar para que não as magoasse como fizera Rob ao partir. E era assim que era recompensada — ficar sabendo da vida de sua filha pelas páginas de jornais e revistas.

A recepcionista veio até a porta.

— Lynn Corbett para o dr. Kenny? — Uma mulher magra e esquálida levantou-se com dificuldade, amparada por uma mulher mais jovem e um homem mais velho.

Ela atravessou a sala, dolorosa e vagarosamente, com o homem ajudando-a a se equilibrar e a mulher a seu lado sussurrando-lhe palavras de encorajamento:

— Isso, mamãe, está ótimo. Estamos quase lá.

Lynn Corbett tinha provavelmente a mesma idade de Jill, embora parecesse dez ou quinze anos mais velha. Mas ao olhar para ela, Jill sentiu tanta inveja que teve que virar o rosto. Tudo que *ela* fizera, cada passo que *ela* dera, fora sozinha, sem ninguém para ajudar.

Capítulo 12

Jess estava na cozinha trabalhando no laptop quando Conor voltou da escola. Faltava um botão em seu casaco. Ele se inclinou e colocou a mão no decote dela.

— Detesto esses babaquinhas — ele disse. — Quero dizer, os alunos, não seus peitos. — Ele a beijou no alto da cabeça. Ela usava uma de suas meias para prender o cabelo. Metade do rabo de cavalo já tinha escapado e ela parecia um anjo da Renascença.

Jess continuou digitando.

— Você poderia tomar conta dos gêmeos? Tenho prazo para entregar isto e já está estourando.

"Hora de jogar fora seus fios dentais", ele leu por sobre os ombros dela, *"e arrasar com os shorts sexy da Figleaves."*

Ele detestava que ela tivesse que escrever esses textos de anúncios tão sem qualidade. Ela estava se tornando uma brilhante escritora quando o jornal fechou. Mas era preciso ter muita lábia para conseguir trabalhos *freelance* decentes, e Jess era honesta demais para a necessária puxação de saco.

Ele preparou feijão com torrada para Luke e Lizzie e colocou-os no banho. Os dois ainda gostavam de tomar banho juntos, mas qualquer hora, ele sabia que isso iria acabar. Logo eles começariam a se distanciar um do outro e dele também. Ele se pegou fazendo as coisas apressadamente para conseguir ter meia hora livre para trabalhar no seu livro, e então se deteve. Haveria apenas um número finito de vezes em que os gêmeos bateriam boca para ver quem ficava ao lado da torneira e quem aguentava ficar mais tempo debaixo d'água e o infernizariam para que ele fizesse moicano na cabeça deles com espuma de xampu. Conor queria aproveitar o máximo que podia.

Depois, ajudou-os a vestir os pijamas e deixou-os na sala fazendo cartazes para o "Hamster Desaparecido". Eles tinham certeza de que alguém reconheceria Brendan e o traria de volta. O hamster de

Lizzie mais parecia uma salsicha de cachorro-quente e o de Luke usava óculos escuros e andava de skate. Conor achou que devia ser uma *long board*.

Lavou a louça e limpou tudo em volta de Jess, guardando a bagunça e levantando os cotovelos dela para poder passar um pano na mesa. Estava colocando uma pilha de correspondência sem importância no lixo quando encontrou uma carta entre um panfleto de supermercado e outro de uma academia do bairro. Estava endereçada a ele.

Douglas, Kemp & Troy
Agência Literária
Rua Winner, 11
Londres W1D

Prezado Conor,

Como você mencionou em sua carta, não é nossa política na Douglas, Kemp & Troy aceitar manuscritos sem que tenham sido solicitados. Você não é o primeiro aspirante a escritor a ignorar esta regra.

Ao longo dos anos recebemos manuscritos em gaiolas de pássaro, em caixas de violino, embrulhados em folhas de bananeira e, em uma ocasião, entregues em mãos por um homem fantasiado de galinha. Sua estratégia, porém, foi única.

Colocar a primeira parte de um romance sobre o caos da vida com crianças em um envelope coberto de geleia e algo que parecia pelo de hamster de verdade grudado chamou a atenção de minha assistente, Juniper, mãe de Sam (4) e dona de dois porquinhos-da-índia cujos nomes esqueci.

Juniper decidiu dar uma lida em Dobra ou Desiste. *Quando acabou de ler todas as páginas que você mandou, ela as passou para mim, e embora eu não queira deixá-lo muito esperançoso, gostei bastante.*

Entretanto, gostaria de ler mais do livro antes de decidir se mostro ao editor.

Conor sentiu-se meio estranho, como se o piso estivesse se movendo e ele pudesse cair.

Você menciona em sua carta que tem mais 60 mil palavras para escrever antes de terminar seu livro. Poderia contatar Juniper pelo telefone ou por e-mail e avisá-la quando tiver mais capítulos disponíveis para nos mostrar?

Lembranças a você e a Brendan,

Becky Kemp

Ele se sentou e passou a carta para Jess. Ela a leu rapidamente.

— Merda! Esqueci de falar para você, seu livro ficou todo sujo das coisas do café da manhã. Tentei limpar antes de mandar. Desculpe!

— Não tem problema! — Ele queria rir e chorar, mas não sabia o que fazer primeiro. — Se não fosse pela geleia, teria ido direto para a pilha dos manuscritos rejeitados e eles nunca o teriam lido. Você é demais!

— Não, você é que é! Muito bem! Agora posso ler o que já escreveu até agora?

Conor sacudiu a cabeça. Ele não se importava com o que um estranho pensaria, mas queria que Jess amasse.

— Bobo! Você não costumava fazer segredo para mim! — Ela deu um pulo, correu até a geladeira e começou a procurar lá dentro. — Temos que comemorar. Acho que ainda tem uma vodca antiga aqui, em algum lugar.

Conor fitava a carta.

— Nunca pensei que teria uma chance como esta. Não quero nem pensar, mas um contrato para um livro mudaria tudo, Jess.

— Ei! — Ela deu um tapinha com a mão gelada e apontou para o chão rachado, os armários descascados e a mesa meio bamba. — Não quero mudar! Eu *gosto* de tudo!

— Vem cá. — Ele a puxou para o colo. — Esquece a vodca. Conheço uma maneira bem melhor de comemorar.

Saffy verificou a sala de estar. Perfeita. Todas as coisas de Greg estavam de volta onde ficavam antes de ela as mandar embora, a não ser pela escultura de uma bunda. Tinha dito a ele que aquilo a deixava insegura, então ele a beijara, afirmando que a dela era bem mais bonita e jogara a escultura no lixo.

Ela pegou seu copo, levou até a cozinha e o pôs na máquina de lavar pratos. Então, limpou as marcas de dedo com um papel toalha e o jogou no lixo. O apartamento tinha sido limpo novamente. Haveria uma nova sessão de fotos naquela manhã. Ela esperava que fosse a última. Queria que o mundo se retirasse para poder ter seu noivo para si.

Seu noivo estava sentado no sofá da cozinha, com o laptop. Ela beijou sua cabeça.

— Greg, estou ficando um pouco preocupada. Liguei para minha mãe cinco vezes esta semana, deixei mensagens, mas ela não telefonou de volta.

— Talvez ela esteja fora.

— Talvez. — Mas uma viagem era geralmente uma desculpa que Jill usava para se intrometer e telefonar para perguntar se deveria levar um biquíni ou um maiô, para reclamar sobre como os voos desidratavam sua pele e para lembrar Saffy que, se Kevin Costner morresse enquanto ela estivesse fora, que não fosse cremado. Kevin Costner era seu gato. Sua mãe sempre dera nome de estrelas de cinema a seus gatos. Mel Gibson e Michael Douglas foram enterrados em seu pequeno jardim, debaixo das roseiras.

Saffy suspirou.

— Vou tentar novamente mais tarde. Não quero contar que estamos noivos pela secretária eletrônica. Acho que ela vai querer nos encontrar para comemorar. Estava pensando em chamá-la para almoçar, junto com o Len.

Greg levantou uma sobrancelha.

— Podemos dedetizá-lo primeiro? Qualquer coisa pode viver debaixo daquela barba, amor. — Ele abriu um e-mail, leu-o rapidamente e sorriu, irônico. — Mas não acho que você deva esperar muito. Acho que deve ligar agora mesmo e perguntar se ela estará livre no dia 13 de maio.

— Por quê?

— Porque é quando vamos nos casar. — Ele virou o laptop para que ela pudesse ver. — E será aqui.

Greg estava quase entrando em pânico à procura do lugar certo. Lauren deixara bem claro que o casamento tinha que ser no verão, mas todos os lugares que ele tentava já estavam com as reservas esgotadas. Woodglen era o último de sua lista preferencial, e ele não estava muito esperançoso. Mas tinham acabado de mandar um e-mail dizendo que havia uma vaga para 13 de maio. Ao que tudo indicava, algumas pessoas tinham superstição de se casar em uma sexta-feira treze.

Woodglen era incrível. Tinha um lago em formato de coração. Fora eleito um dos "10 lugares mais românticos das Ilhas Britânicas" pela *Condé Nast*. Havia uma igrejinha simpática a 800 metros dali. Por ele, Greg não faria toda aquela cerimônia envolvendo Deus, mas nesse caso abrira uma exceção. Uma igreja daria fotos muito melhores do que um cartório. A luz era bem melhor.

Porém o melhor de Woodglen era que nunca tinha sido usado para um casamento de celebridade. Posh e Beck haviam usado Lutrellstown. No Castelo Leslie acontecera a cerimônia daqueles chatos do Paul e da Heather, e pelo menos um dos Corrs tinha usado o Castelo Dromoland. Quantos Corrs existiam? Greg tentava se lembrar, enquanto se virava para beijar Saffy. Será que ainda valeria a pena convidá-los?

Saffy fez os cálculos durante o beijo. O dia 13 de maio estava a menos de oito semanas. Porém, quanto mais pensava, mais percebia que fazia sentido. Junho e julho seriam os meses da finalização da produção da Pluma Branca. E, se Greg pegasse o filme de Elmore Leonard, poderia passar meses gravando nos Estados Unidos.

Ela não queria esperar mais um ano para se casar. O único problema era que tinha dado uma de orgulhosa com Marsh e dito que não precisava da ajuda de Simon. Isso significava que teria de trabalhar dez horas por dia e mal teria tempo de organizar a cerimônia do casamento. Mas Greg já tinha pensado em tudo.

— Gata, eu não tenho nada para fazer. Só fico aqui sentado, batucando os dedos. Já encontrei o local da cerimônia. Posso planejar tudo. Olha, é só uma grande festa. Certo?

Ela ficou pasmada.

— Tem certeza? Você faria isso? É muito trabalho.

— Claro que tenho certeza, gata. — Ele sorriu. — Tudo o que você tem a fazer é aparecer em um lindo vestido branco e dizer "sim".

— Está acontecendo tudo tão rápido — Saffy contava à mãe. Elas estavam sentadas no andar de cima da Bewley's tomando um café. Jill dissera que estava sem tempo para almoçar. — Mas o Greg fica dizendo que um casamento é só uma grande festa.

— Ele está certo — Jill concordou, com um pequeno sorriso. — Não sei por que tanto alvoroço.

Saffy tomou um gole do *cappuccino* escaldante. Alvoroço? Será que sua mãe fizera um transplante de personalidade? Ela parecera satisfeita ao telefone quando Saffy finalmente conseguira falar com ela e contara a novidade. E aquilo era estranho.

Depois de seis anos de dicas e olhares sugerindo que Saffy não estava ficando mais nova, não era para Jill ficar apenas "satisfeita". Era para ela ficar extasiada. Era para ela ficar imaginando temas de cor, rascunhando nomes de estilistas, recortando artigos de oxigenação facial e design de sobrancelhas e manicures francesas. E Saffy deveria ficar tentando afastá-la com um chicote.

Em vez disso tudo, viu-se tagarelando para preencher o silêncio enquanto Jill olhava distraída pela janela e para as pessoas que passavam pela Rua Grafton.

— Mãe, você ainda está chateada por causa daquele dia em que me procurou na Komodo? — Saffy finalmente perguntou. — Me desculpe se fui um pouco fria, mas eu estava em um momento difícil e...

Jill sacudiu a cabeça.

— Não, está tudo bem, sério. Esqueça isso. Eu já esqueci. Estou só um pouco distraída. O trabalho tem sido uma loucura nos últimos dias.

Saffy tentou, mas não conseguiu imaginar uma explosão de vendas de cadeiras Luís XIV na pacata loja de antiguidades da Rua Francis onde a mãe trabalhava.

— Está bem, vou pedir a conta, assim você pode voltar. — Ela acenou para a garçonete. Não sabia o que a mãe estava pretendendo, mas não lhe daria o gostinho de fazer o jogo dela.

— Vamos até o hotel dar uma olhada neste sábado — disse friamente. — Se você conseguir um tempo para ir, será bem-vinda.

Sua mãe se levantou.

— Vou ver o que posso fazer.

— Pessoal, esperem até ver esse lugar. — Greg virou-se e sorriu para Conor e Jess. — Estou falando, é um espetáculo.

— Greg! — Saffy agarrou sua perna. Ele se virou e pisou no freio, desviando por questão de segundos de um grupo de vacas que seguia próximo a eles na estradinha estreita.

Greg agarrou a mão de Saffy e ficou mostrando seu anel pela janela.

— Ei, garotas! Tem alguma fã da Beyoncé aí? — Ele começou a cantar *"All the Single Ladies"*. Estava completamente fora de tom.

— É um "espetáculo" mesmo, Greg — Saffy disse, balançando a cabeça. — E as vacas não conhecem Beyoncé. Elas são vacas.

— Biologia nunca foi o forte dele — Conor disse, rindo.

— Nem a música — afirmou Jess —, pelo que parece.

Jess e Saffy foram conhecer o jardim murado. Conor e Greg seguiram a gerente do Woodglen pela escadaria de mármore e por um corredor banhado pela luz do sol. A mulher tinha uma bunda incrivelmente arrebitada e, de alguns ângulos, parecia ter engolido uma brochura e talvez até um website também.

— Os andares superiores do hotel são um oásis de tranquilidade. Os que buscam um clima romântico e de privacidade o encontrarão em apartamentos suntuosos, luxuosamente equipados, com uma vista para magníficas colinas verdejantes que proporcionam uma paisagem sem paralelos de beleza natural.

Ela ia trotando à frente, contorcendo as ancas dentro de uma saia cor-de-rosa justíssima, mostrando-lhes a vista sem paralelos de sua própria beleza natural, mas Greg não estava interessado nisso. Tanya fora a primeira mulher com quem ele permitira acontecer alguma coisa e vejam só no que dera. Ela ainda lhe mandava mensagens de texto. Se continuasse assim, acabaria tendo que mudar de número.

Conor nem reparou. Estava muito ocupado olhando tudo à sua volta. Os assentos estofados de veludo junto às janelas, o piso de pedra polida e brilhante com tapetes de seda desbotados. Sempre quisera levar Jess a um lugar desses. Não tinha o hábito de apostar na loteria, mas ao inalar aquele caro aroma de rosas e o cheiro doce de lenha, pensou que talvez devesse começar a tentar.

A gerente abriu uma porta decorada.

— Esta é a joia da coroa de Woodglen. Nossa suíte nupcial serenamente privada e sensualmente elegante, a quintessência personificada de um romance contemporâneo. — Ela deu um passo atrás e deixou-os entrar.

Cortinas finas esvoaçavam à frente da janela semiaberta. Um tapete em tons pastel trazia um poema de W. B. Yeats bordado.

Em frente à cama com dossel encontrava-se uma banheira de pés, grande o suficiente para dois.

Conor imaginou tomar banho naquela banheira, fazer amor com Jess e depois levá-la para dormir naquela cama branca enorme e, ao acordar, recomeçar tudo.

— Nada mal — disse Greg — para 400 euros a diária.

A menção ao dinheiro fez Conor acordar de seus devaneios. Detestava ter de falar naquilo, mas, se Jess descobrisse que Greg tinha usado o cartão de crédito deles para comprar o anel de Saffy, ela nunca mais faria amor com ele.

— Olhe, Greg, falando em dinheiro, sei que ainda devo 5 mil a você daquela vez lá atrás, mas...

— Aquilo foi um presente, cara. Não quero mais ouvir você falar disso.

— Está bem, mas eu queria saber se o cara da concessionária não te deu nenhuma previsão de quando vai dar a grana do carro, porque eu realmente preciso devolver aqueles 10 mil que você gastou no anel para a minha conta do cartão de crédito.

— A concessionária só vai me pagar quando conseguir vender o carro. — Ele desejava que fosse vendido logo. Precisava devolver a Saffy os 15 mil que lhe devia e pagar a sua parte do casamento, a hipoteca e ainda devolver a parte de Conor. Alguma hora precisaria pegar uma calculadora para fazer as contas.

— Está certo. — Conor sentiu um enjoo ao pensar no que aconteceria se Jess abrisse a próxima fatura do Visa, mas o que ele podia fazer? Simplesmente teria que dar um jeito de interceptá-la antes que ela a visse.

O telefone de Greg bipou e ele se virou para checar a mensagem. Era mais uma.

> Ao receber essa mensagem você deve enviá-la para uma pessoa que você detesta, para uma que você ama e para uma com a qual queira fazer sexo. Adivinhe por qual motivo mandei para você. Tbird J

— O salão Magnólia é de uma elegância eterna, com capacidade para receber até 250 convidados sentados. — A gerente andava fazendo barulho com os saltos no chão de madeira polida brilhante.

— É, sem dúvida alguma, o lugar mais charmoso e de maior prestígio de toda a Irlanda.

— Não é um pouco grande para nós? — Saffy cochichou para Greg enquanto andavam todos atrás dela feito um rebanho. — Pensei que queríamos algo mais íntimo.

— Você não tem tempo para isso, amor. — Greg ajeitou o cabelo dela por trás da orelha. — É por isso que está deixando tudo por minha conta. Sem interferências, é o que combinamos, lembra?

Ele estava certo, ela não tinha tempo de pensar, e haviam feito um trato. Ela teria que se segurar e deixar que ele continuasse. Mas 250 convidados? Será que conheciam 250 pessoas? E quanto isso iria custar? Ela ficava tonta só de pensar.

Deixou os outros ouvindo a gerente discorrer sobre vinhos e escapou por entre as portas francesas. O céu tinha aberto, como se estivesse só esperando por ela. Ficou ali na varanda, olhando os pavões que ciscavam perto da fonte do chafariz. Em seis semanas, estaria lá fora no gramado, em um vestido de noiva. Era até difícil acreditar.

— Meu Deus, aquela mulher fala pela Irlanda toda. — Conor a seguira até a varanda. — Você está bem?

— Estou sim, só estou... não sei, Conor. Fico pensando se não estamos exagerando.

— Imagine! — ele falou. — Isto aqui é incrível! E você vai poder fazer isso uma vez só. Você pode oferecer pão, circo — ele disse, mostrando os jardins —, pavões, topiaria em formato de peças de xadrez e um chafariz que parece ter sido projetado por um parente distante de Bernini. Provavelmente um dos O'Berninis de Roscommon.

Saffy riu.

— Ah, e Les Clos Chablis 2002 — Conor disse com reverência —, que é *muito mais* do que um vinho.

— É mesmo?

— É um marco de excelência pelo qual todos os outros Grand Cru Chablis são medidos. Foi o que a mulher disse.

— Ela quer que nossos convidados bebam um marco?

— Acho que, quando se tem uma bunda como aquela, deve ser difícil não exibi-la....

Conor sempre a animava. Ela ficava surpresa quando via as pessoas falando que Jess era boa demais para ele. Ele era um cara muito legal. Afetuoso, gentil, forte e tranquilo. Mas, observando-o com mais atenção, reparou que ele não parecia tão tranquilo como de costume.

— Está tudo bem, Conor?

— O quê? Sim, está, é que estou supercansado. Tenho acordado quase de madrugada para escrever um pouco antes da escola. Tem um agente em Londres que talvez se interesse pelo meu livro e preciso enviar a próxima parte para ele em meados de maio.

— Isso é ótimo!

— Diga isso para a Jess. Ela fala que sou louco e é bem provável que esteja certa, mas preciso fazer o melhor que posso. Quando eu tiver 60 anos e estiver diante de uma turma de bagunceiros cibernéticos falando-lhes sobre as obras completas de Lady Gaga, quero poder olhar para trás e pensar: pelo menos eu tentei.

— Quando poderemos lê-lo?

— Só quando eu terminar. Não mostrei nem mesmo para a Jess. Só quero que esteja tudo certo, sabe? — Ele olhou a chuva. — Mas eu deveria pelo menos falar para o Greg que estou escrevendo um livro. Talvez eu conte depois que ele conseguir o filme.

Saffy suspirou.

— Ele vai conseguir, não vai, Conor? Ele quer tanto pegar esse papel que não sei como vai reagir se não conseguir.

— Ora, vamos. Ele é Greg Gleeson, ele sempre consegue o que quer.

— Muito bem, pessoal — Greg disse, voltando pelas portas de mola que davam para a cozinha do hotel. — Já tenho as opções finais para o menu, estamos quase lá.

Os outros sentavam-se em torno da mesa ao lado da janela. Jess já estava perdendo a vontade de viver. Eles estavam em Woodglen há quatro horas e parecia a eternidade. Tinha conseguido ficar quieta enquanto aquela gerentezinha irritante falava sem parar. Mas quanto mais precisaria aguentar?

Greg começou a ler as opções:

— Entradas: escolha entre *creme brulée* de abobrinha, manjericão e parmesão ou ostras assadas sobre brioche com *velouté* de frutos do mar. Prato principais: lombo de atum marinado...

— Peixes não têm pernas. — Conor cobriu os ouvidos com as mãos. — Você tem que ter pernas para ter um lombo.

— O que é um *velouté?* — Jess perguntou com um grunhido.

— Desculpe, Greg — Saffy falou com suavidade —, sei que eu disse que não iria interferir, mas frutos do mar, de jeito nenhum. — Aquilo lhe trazia à mente a noite que passara com Doug. E essa era a última coisa de que ela queria se lembrar no dia de seu casamento.

Conor e Jess seguiram Saffy e Greg até o estacionamento.

— Meu Deus! Pensei que aquela gerentezinha ia enfiar a língua na garganta do Greg — Jess sacudiu a cabeça. — Você viu o jeito como ela ficou se oferecendo para ele?

Conor pegou a mão dela.

— Arrã. Este lugar é lindo, você não acha?

Jess protegeu os olhos da luz do sol e olhou para o prédio.

— É, acho que sim. Mas por que precisam disto tudo?

— É o grande dia deles. — Conor encolheu os ombros.

Jess tirou a mão. — Dias não são grandes, Conor. Guerras é que são. A dívida dos países em desenvolvimento é grande. A única coisa grande em um casamento como este é a conta.

— Desculpe, mas acho que é legal, só isso.

— Você acha isso legal? — ela disse com sarcasmo. — *Legal*? Você acha que é legal gastar uma fortuna em uma festa de casamento em meio a uma recessão? Você acha que é legal que nossa sociedade de valores consumistas tenha transformado o amor e o compromisso em uma indústria multibilionária dirigida a idiotas que não sabem de nada?

Conor enfiou as mãos no bolso.

— Bem, não existe a menor probabilidade de atacarem você, não é, Jess? Aqui só há uma pessoa que quer se casar, portanto isto me torna um idiota. Certo?

Ela virou rapidamente o rosto, como se tivesse levado um tapa. Gotas de suor escorriam de seu pescoço. O que estava acontecendo? Qual era o problema dele?

— Nossa, Jess, me desculpe! — Ele colocou os braços em volta dela e a trouxe mais perto, beijando seu cabelo. — Não sei o que deu em mim. Sou um *velouté* de frutos do mar.

Saffy subia as escadas correndo para a reunião de trabalhos em andamento quando o telefone tocou novamente.

— A... lô! — O anel toda hora prendia em seu cabelo, e na véspera ela tivera que colar fita adesiva em volta dele para poder digitar os e-mails.

Era Greg.

— Amor, estive olhando novamente a minha foto nas revistas e acho que meu olho está muito esquisito.

A maquiadora não tinha vindo para a última (por favor, Saffy pensou, espero que tenha sido a última) entrevista e sessão de fotos sobre o noivado. Saffy fizera o melhor que pudera com seu corretivo para disfarçar o pequeno inchaço em volta do olho direito de Greg, mas ele tinha razão, estava meio esbugalhado.

— Você está lindo. Todo mundo aqui comentou como você está bonito.

Niguém comentara. Todos passaram correndo por ela para a sala de reuniões para ter direito aos *muffins* de amora da Queen of Tarts. Nunca tinha um número suficiente para todos. Era o truque inventado por Marsh para que as pessoas chegassem na hora da reunião semanal de trabalhos em andamento. Quem chegasse atrasado ficava vendo os outros se deliciarem com os bolinhos.

— Verdade? — Greg perguntou. — Quem?

— Bem, Vicky, Ciara — Saffy mentiu — e... — ela avistou Ant saindo da sala, o que era ruim. Ela precisava dele na reunião. — Ant! — chamou num sussurro. Ele nem se virou.

— Ant disse que eu estava lindo? — Greg indagou, duvidando.

— Bem... não... ele não disse isso exatamente...

— Bem, então o que ele falou? O cara é esquisitão, mas é um diretor de arte, então respeito a opinião dele.

Marsh fez um gesto para que ela se apressasse, através da janela da sala de reuniões. Ela tinha tido um ataque quando Saffy pedira uma licença de alguns dias para o casamento e a lua de mel. Saffy teve que prometer compensar as 80 horas que iria perder antes de sair de licença.

— Humm... ele disse a Vicky, que depois me contou que você estava... — Saffy tentava pensar no que a cabeça careca, redonda e pequena de Ant pensaria — ... que você parecia uma autêntico astro *photoshopado*.

— Mas as fotos não têm Photoshop — Greg disse, aparentando satisfação.

— Eu sei — Saffy disse. — Foi o que eu disse a ele. Te amo, Greg. Preciso ir.

As semanas voavam a uma velocidade que deixaria Saffy com medo se ela tivesse a chance de desacelerar e sentir algo além de cansaço. Ela mal podia acreditar que já era começo de abril. Estava cumprindo o prometido a Marsh e trabalhava além do horário todos os dias e na maioria dos fins de semana, mas ainda assim tinha que levar o laptop para casa e passar as noites trabalhando para dar conta dos e-mails, ler os relatórios e fazer as apresentações no Power Point.

Sentia-se mal por não poder passar mais tempo com Greg, mas ao mesmo tempo ele estava sendo supercompreensivo. Ele parecia feliz em pedir sushi ou comida tailandesa para jantar em casa, assistir a DVDs ou organizar as coisas do casamento. Ele organizara tudo em planilhas. Várias delas. Ela não podia olhar, porém às vezes dava uma espiada por cima do ombro dele e via que parecia uma verdadeira operação militar. Estava impressionada de ver como ele estava trabalhando.

Havia listas de convidados e listas de verificação para a organização das mesas e as leituras da igreja e *links* das fotos de referência para os floristas, além de locações para os fotógrafos e para a gravação em vídeos. Havia também uma espécie de lista de chamada com números de contato de jornalistas, joalheiros, *chefs*, quartetos de cordas e motoristas de limusines. Havia uma lista de músicas para o DJ e um diagrama interativo da distribuição de lugares. Ele tinha lhe pedido que enviasse sua lista de endereços há algumas semanas e depois apareceu com os convites de casamento — simples, mas de muito bom gosto —, que mostrou antes de enviar. Uma vez, acordou-a às 4 da manhã para lhe contar que decidira mudar aquela coisa de presente de casamento e pedir aos convidados que fizessem uma doação a um santuário de jegues, mas se recusou a informar os detalhes.

— Tudo o que você tem a fazer — ele repetia toda vez — é aparecer... — e ela sabia o resto: ... *em um vestido branco e dizer "sim"*.

— OK. — Ciara balançava a cabeça, incrédula. — Agora já estou pensando seriamente em chamar a guarda nupcial. Você vai se casar em cinco semanas e ainda não fez nenhum tratamento estético?

— Olha a pele dela — Vicky disse. — É perfeita. Ela não tem nem cravos. Saffy não precisa de tratamento facial. Vamos passar para o próximo tópico. "Sua dieta pré-nupcial consiste em a) comida crua e ioga diária; b) dieta livre de carboidratos e malhação três vezes por semana, ou c) clareamento dental, sessões teste de penteado e spa semanal."

Saffy despejou as migalhas do salgadinho na palma da mão e foi lambendo-as na ponta dos dedos. Ela deveria estar revisando o planejamento complicadíssimo da NoQ, a loja em Cork. Deveria ter ficado em sua mesa. No instante em que pisou na cozinha, Vicky e Ciara a pegaram e forçaram-na a fazer aquele teste de casamento idiota que já começava a deixá-la em pânico. Agora elas a encaravam, esperando por uma resposta.

— Dieta pré-nupcial? Humm. Ainda não comecei a fazer, mas quando fizer será B. Ou talvez A.

Vicky pareceu preocupada, mas marcou a resposta mesmo assim.

— Certo. Pergunta cinco. "A lingerie que você vai usar sob o vestido é: a) sexy e extravagante; b) prática e firme, ou c) simples e elegante".

Saffy se levantou.

— Tem opção D? Não existente?

— Você vai sem nada?— Ciara estava impressionada. — Tinha quase certeza de que você usaria uma daquelas cintas modeladoras de corpo inteiro.

— Não. É claro que eu não vou sem nada. — Saffy espremeu um pouco de sabonete líquido nas mãos sob a torneira para tirar o cheiro de salgadinho. Aquele cheiro de Cebola & Queijo já estava começando a se tornar sua fragrância habitual. Nem se lembrava mais da última vez em que seu almoço não houvesse saído de uma embalagem de alumínio. — Mas é que ainda não tenho a lingerie. Preciso ver o vestido primeiro.

Ela nem precisou se virar para ver a expressão de horror das duas. Sabia que isso era ruim, e só o fato de dizer aquilo em voz alta a deixava histérica. Mas como ia comprar um vestido se ficava das 7 da manhã às 8 da noite em sua mesa? Dava para comprar os ingredientes para se preparar um banquete inteiro no meio da madrugada, mas ainda não tinham inventado uma loja de vestidos de noiva 24 horas.

Capítulo 13

Greg havia pegado no sono no sofá enquanto jogava *Ilha dos Mortos* no Xbox. Matar zumbis devia ser engraçado se você fosse um contador, um supervisor de produção, ou algo assim, mas se você estava acostumado a interpretar Mac Malone dia sim, dia não, era um saco.

Os incêndios de *A Estação* eram reais e Greg costumava sentir uma injeção de adrenalina incrível toda vez que apagava um. Ele ainda não acreditava que nunca mais vestiria o uniforme de Mac e faria aquilo novamente.

Não tinha conseguido assistir ao episódio em que fora aniquilado. Ver uma coisa assim podia mexer com a cabeça. Porém ele não conseguia evitar a estranha sensação causada por tudo ter acabado.

As pessoas deixavam maços de flores e velas na entrada de seu prédio desde a noite em que o episódio foi ao ar, e os fãs o abordavam na rua chorando, ou, até pior, agindo como se estivessem surpresos que *ele* ainda estivesse vivo. Isso o deixava muito assustado.

E, além de tudo isso, tinha que lidar com o grande buraco que Mac Malone deixara em *sua* vida. Sentia falta de decorar as falas e ser maquiado. Sentia falta de trabalhar todos os dias e ter que evitar os carboidratos. Sentia falta até de ter que programar seu despertador para as 5 da manhã para estar no estúdio às 6. Estava cansado de ficar sem fazer nada.

Tinha falado sério ao dizer a Saffy que cuidaria da organização do casamento, mas a verdade era que Vivienne, a gerente de Woodglen, havia assumido tudo. Ele lhe dera a lista de convidados, mas ela estava organizando praticamente todo o resto. Enviava-lhe planilhas de atualização a cada dois dias, e ele só precisava aprovar suas escolhas.

— Esta é sua primeira cerimônia de casamento, não é, Sr. Gleeson? — ela indagara quando ele a chamou para uma reunião. Ele admitiu que sim.

— Bem, é a minha tricentésima trigésima terceira. E é provavelmente o maior evento nupcial que irei organizar. Minha carreira depende dele e quero que absolutamente tudo esteja perfeito. O senhor já tomou a decisão mais importante e estou certa de que tem coisas melhores para fazer com o seu tempo do que escolher toalhas de mesa e facas de bolo. Então, por que não deixa tudo em minhas capazes mãos?

Ele, na verdade, não tinha coisas melhores para fazer, mas não quis dizer isso. E a carreira *dele* também dependia daquele evento. Então resolveu deixá-la fazer tudo.

Decidiu perambular pela cozinha, deu uma olhada na geladeira e comeu um pouco de húmus direto de um vidro, usando o dedo. Voltou para o escritório, tirou seus pesos e em seguida voltou a guardá-los. Deitou-se no tapete de lã de lhama que havia na sala e vasculhou sua coleção de DVDs, mas não havia nada que quisesse ver. A verdade era que a maior parte do que estava sendo feito em Hollywood agora era lixo.

Desejou que Conor não estivesse na escola para que eles pudessem sentar e concatenar ideias para o roteiro. Mas, para ser sincero, as ideias de Conor eram bem meia-boca. Sempre envolviam muita realidade. As pessoas não precisavam pagar nove euros para assistir a 90 minutos de vida real. Elas podiam simplesmente ficar na porta do cinema observando o que acontecia em volta na rua.

Ele sentou-se e pegou o laptop. Não precisava de Conor. Podia fazer aquilo sozinho.

"ZUMBIS", digitou, "invadem Dublin. UM BOMBEIRO HEROICO salva o dia." Brilhante. Deveria ter começado a escrever sozinho há anos.

"ADOLESCENTES são perseguidos por ASSASSINO SURREAL..."

Seu telefone avisou que chegara uma mensagem. Era outro torpedo de Tanya. Já era o terceiro do dia, com uma foto fora de foco de seus peitos e a legenda: "Tamanho grande. Viu o que está perdendo? X Tbird".

Havia mostrado alguns dos torpedos para Conor quando foram comprar seus ternos na Brown Thomas. Tiveram uma hora para matar porque o dele teve que ser apertado e o de Conor alargado. Depois de três chopes, Greg deixou escapar sobre a noite no Davison, o que foi bom porque estava precisando desabafar com alguém.

Mas depois teve que ouvir Conor martelar em seu ouvido dizendo que ele tinha que contar para Saffy.

Contar? Ele tinha enlouquecido? Contar para Saffy seria um ato egoísta. Cortaria o coração dela. Ela poderia até duvidar de casamento. Ele tinha conseguido cortar o mal pela raiz e prometeu a Conor que deletaria todas as mensagens. Todas, exceto uma em que ela estava usando aquele pequeno... droga! Estava se distraindo.

Ele pegou seu laptop e começou a digitar. "NINFOMANÍACA fica obcecada por um LINDO ATOR."

Nada disso. Ele deletou. Era muito assustador.

Conor desligou o despertador e ficou com os olhos abertos, sentindo as pernas quentes e macias de Jess junto às suas. Aproximou um pouco o queixo para poder inspirar o doce perfume de seu sono. Depois, forçou-se a sentar na cama, abrindo os olhos com os dedos para impedir que voltassem a se fechar.

Teve uma ereção. Essa não era uma boa hora. Ele ficara em sua escrivaninha improvisada até à 1 da manhã e Jess já estava dormindo quando ele viera para a cama. Nesse momento, ele daria tudo para acordá-la e fazer amor sonolento.

Mas aí é que estava o problema. Se conseguisse levar seus planos adiante, se conseguisse terminar o livro e entregá-lo a Becky Kemp, havia uma possibilidade, só uma possibilidade, de que ele fosse publicado e que pudesse, em algum momento, deixar de lecionar para ganhar a vida escrevendo. Ele não teria que se arrastar para fora da cama às 5 da manhã. Teria o tempo e a energia para fazer sexo com Jess todas as manhãs em que tivesse vontade. E ele teria vontade.

Ele sentou-se em sua cambaleante cadeira giratória dando golinhos escaldantes de um café forte e desejando que seu cérebro funcionasse. Deveria ser mais fácil escrever agora, com alguém interessado no livro, especialmente alguém de uma editora decente como a Douglas, Kemp & Troy, mas, por algum motivo, não era.

Sentia como se Becky Kemp estivesse sempre inspecionando o que ele escrevia. Havia verificado o perfil dela no site da editora. As fotos em preto e branco mostravam uma patricinha séria de trinta e poucos anos, cabelo comprido e óculos. Recriminou-se por ter olhado, porque agora via, em cada frase que escrevia, os olhos críticos dela e isso o estava atrasando.

Havia feito a bobagem de dizer à assistente, Juniper, que terminaria as próximas 30 mil palavras de *Dobra ou Desiste* até a terceira semana de maio. Já eram meados de abril e ainda se achava bem longe dessa meta. Havia dobrado e triplicado as horas que investia nesse trabalho, mas parecia não fazer diferença.

Andava distraído na escola, e os garotos já haviam percebido e passavam dos limites. No dia anterior, enquanto ele escrevia um poema de E. E. Cummings na lousa, alguém desenhara um pênis em sua mochila com marcador preto e assinara "já cumeu". Não havia razão para reportar o fato ao sr. Quigley, o diretor. Manter a disciplina na classe era *sua* função. Aí, quem teria problemas seria ele.

E, ainda por cima, havia Greg. Desejava não ter ido tomar um drinque com Greg depois da prova de ternos. Se não tivesse ido, não teria visto aquelas mensagens da maquiadora de *A Estação*. E não saberia que Greg tinha dormido com ela.

O que deveria fazer com essa informação? Saffy era sua amiga; ele realmente achava que ela tinha o direito de ficar sabendo do acontecido. Contudo, Greg era seu amigo também, e o tinha feito prometer que não contaria a ninguém, muito menos a Jess.

De alguma maneira, sentia-se aliviado. Jess andava muito nervosa ultimamente, o que era compreensível. Ela odiava que ele acordasse tão cedo para trabalhar e ficasse até tão tarde. E ela não o havia perdoado por pegar no sono no cinema no sétimo aniversário dos gêmeos, embora Luke e Lizzie tivessem achado hilário. Eles ficaram imitando seu ronco durante todo o aniversário e ele entrara na brincadeira, fingindo cair no sono para mantê-los entretidos, mas Jess não dera nem um sorrisinho. Conor detestava deixá-la triste, mas isso o deixava ainda mais determinado a dar duro para melhorar de vida. Se o livro fosse publicado, se realmente fosse para as livrarias, ela saberia que tudo tinha valido a pena. Quem sabe ela até se orgulhasse dele.

Dermot Nervoso fazia jus ao seu apelido. Até o momento, ele havia rejeitado seis roteiros de TV feitos por Ant e Vicky. A caixa de entrada de Saffy estava permanentemente pululando com e-mails irritantes de Marsh, e não era difícil ver que as mensagens de Ant na porta eram dirigidas a ela, coisas como: "A resposta é: tudo culpa sua". "Agora, qual é a pergunta?" E: "Como posso sentir sua falta se você não some nunca?"

Até Vicky, que era sempre tão compreensiva com refazer propostas, estava começando a olhar para Saffy de modo estranho.

— Espero que consiga vender este aqui — ela disse quando Saffy apareceu à porta para pegar o último roteiro e *storyboard* antes de ir a outra reunião com Dermot —, porque já comprei para o Ant todas as balas de hortelã que um homem consegue comer e concordei em arrumar a minha metade do escritório. Eu poderia oferecer sexo, mas nós duas sabemos que ele recusaria. Estou esgotando minhas táticas para fazer com que ele continue trabalhando nisso.

Saffy esperava que ela conseguisse convencê-lo a aceitar o roteiro. E esperava que pudesse fazer isso em menos de uma hora. Tinha conseguido tirar três horas para o almoço. Só dava tempo de visitar um único ateliê de noivas, mas marcara hora no melhor lugar de Dublin, e sairia de lá com um vestido. Porque, se não saísse, não haveria casamento.

Jess podia pensar em várias coisas horríveis que preferiria fazer do que escolher um vestido para festa de casamento. Comer o "macarrosicha" de Conor, por exemplo. Coletar aranhas para a apresentação de Lizzie. Procurar piolhos no cabelo de Luke. Limpar a gaiola de Brendan. Limpá-la e colocá-la no sótão. Porque a esta altura parecia que Brendan, como diria Greg, já tinha ido desta para melhor.

Ela passou um pano úmido para tirar uma mancha incrustada na frente de um vestido de jérsei preto que usara em um enterro há alguns anos. A mancha não queria sair, mas precisava usar alguma coisa apresentável, por causa de Saffy, então tinha que ser aquele mesmo.

Estava abrindo a porta da frente para sair quando o telefone tocou. Era Miles, o editor da *Looks*.

— Jess, querida. — Miles não era gay nem sofisticado, mas fingia ser ambos. — Você tem alguma coisa especial para fazer esta tarde? Porque estou pensando em ir até aí para te dar uns tapas.

— Ótimo. Vou colocar a chaleira para ferver — Jess disse com prazer. Levar tapas de alguém parecia mais tentador do que passar duas horas vendo vestidos de noiva com Saffy.

— Estou olhando para a cópia da seção *Summer Splash* que você fez. Só pode ser piada. Você não escreveu nada, nada sobre o Chanel Hydramax, e eles vão anunciar em página dupla. Você escreveu errado o nome daquele adorável casal francês da Divine Cupcakes, e é *assim* que você sugere convencer nossas leitoras a visitar o Salão de Depilação das Gatinhas Brasileiras? — A voz dele, já alterada, aumentou mais uma oitava. — "Eu grito. Você grita. Todas nós gritamos. Gritamos tão alto quando nos depilamos para vestir um biquíni! No Salão das Gatinhas Brasileiras, não tem dor, não tem gritos. Chicotes de cera quente arrancam os pelos pela raiz. Por 65 euros a sessão, você pode sair sem pelinhos no corpo inteirinho."

— Está bem, vou reescrever, Miles — Jess suspirou. Ele podia ser um chato, mas era seu único cliente de verdade e o que lhe pagava cobria algumas contas.

— Vai reescrever, sim. E quero isso na minha mesa em uma hora. Nem mais um segundo. Porque não estou de bom humor.

Jess praguejou em silêncio. Saffy já devia estar a caminho da loja a essa hora.

— Vou fazer, Miles, mas não consigo em uma hora. Posso entregar em quatro horas.

— Se esse é seu melhor prazo — Miles desdenhou —, nem se dê ao trabalho. E, por falar em trabalho, pode começar a procurar outro.

— O quê?

— Está despedida, querida.

Saffy estava atrasada, então Jess teve que encarar o Ateliê Blossom Bridal sozinha. Ela se aninhou em um sofá escorregadio de cetim branco e dourado e serviu-se de uma taça de champanhe de um balde cheio de gelo e plumas. Estava precisando. Suas mãos tremiam. Miles tivera um de seus ataques de fúria, só isso. Ele voltaria atrás. Ele sempre voltava.

A boa notícia é que Saffy havia persuadido Dermot Nervoso a seguir adiante com o novo roteiro do Anjo. Os clientes iriam adorar, e Marsh ficaria contente porque ele alocara mais 10 mil euros para os grupos de foco.

A má notícia é que tinha levado duas horas. E Marsh havia mandado um torpedo avisando que ela deveria comparecer a uma reunião às 3 horas na Avondale. O que lhe deixava 90 minutos para escolher um vestido de noiva.

— Me desculpe pelo atraso. — Ela deu um beijo em Jess. — Você está linda. Adorei o vestido. Isso é champanhe? — Ela serviu-se de uma taça. — Algum sinal da minha mãe?

Jess ignorou o ar de desaprovação de uma assistente apressada, que vestia um uniforme rosa-bebê, e estendeu sua taça também. Precisava de mais uma bebida depois do que acabara de acontecer.

— Parece que ela não vem.

Saffy pegou o celular e verificou se havia alguma mensagem.

— Eu simplesmente não entendo, Jess. Tentei envolvê-la, mas ela não ficou interessada. Ela não apareceu em Woodglen. Nós convidamos ela e Len para almoçar no fim de semana passado e ela cancelou um dia antes. E agora essa!

Ela mostrou o telefone para que Jess pudesse ler: SINTO MUITO. NÃO POSSO COMPARECER. MUITO CANSADA. BOA SORTE COM O VESTIDO.

Balançou a cabeça, incrédula.

— Que coisa! Isso não é normal. Eu só a vi uma vez desde que ficamos noivos. O que está acontecendo com ela?

— Eu estava pensando nisso. — Jess tirou uma pena de sua taça. — Talvez ela esteja achando toda essa história de casamento muito difícil.

— Como assim? Foi o que ela sempre quis.

— É, eu sei. Mas tenho certeza de que o Greg vai convidar um monte de Gleesons, e Jill não vê a família dela desde que você nasceu. Vão ser só ela e o Len. Ela provavelmente nunca pensou nisso antes.

Jess tinha razão. Sua mãe havia lhe dado uma lista de meia dúzia de convidados para o casamento, mas ninguém era da família. Jill nunca tinha visto seus pais nem seu irmão depois que se mudara para Dublin. Saffy estava tão acostumada com o fato de serem somente as duas que não lhe parecia estranho, mas era.

— E talvez o fato de você estar finalmente se casando a faça sentir-se mal — Jess continuou —, porque ela nunca se casou. A propósito, por que ela não se casou? Jill ainda é jovem e aposto que teve muitas oportunidades.

Saffy acomodou-se no sofazinho desconfortável. Nem se lembrava da última vez que sentara com uma taça de vinho na mão e tivera uma conversa agradável. Era bom. Ela recostou-se para pegar a garrafa de champanhe.

— Não sei. Sempre pensei nisso...

A assistente precipitou-se a tirar a garrafa de champanhe do alcance delas.

— Qual das senhoritas é Sally Martin? — indagou.

Amanda Wakely. Vera Wang. Maria Grachvogel. Elas sentariam e chorariam se pudessem ver Saffy nos vestidos que criaram. Todos a deixavam como um bolo atropelado por um carro. Seu cabelo encrespava-se com a estática e seu anel ficava enganchando nas delicadas rendas e tules.

— Segure isso aqui — ela tirou o anel e entregou-o a Jess — ou vou ter que empenhá-lo para pagar o estrago. — Ela entrou na sala de provas.

Jess colocou o anel no dedo. Era realmente pavoroso, pensou. Parecia um pedaço de bolo de Natal. E devia ter custado uma fortuna.

Saffy passou um vestido por cima da cortina.

— Nem vou experimentar este aqui. Não vou gastar 5 mil em um vestido. Até o Greg acharia um exagero.

Cinco mil? Jess não queria nem tocá-lo. Colocou-o nas costas de uma cadeira imediatamente e fez à cortina a pergunta que não tinha coragem de fazer na cara de Saffy:

— Quanto vai custar o casamento?

— Ainda não sei. Mas tive que pegar 20 mil emprestado até agora, e Greg vai vender o carro por trinta e alguma coisa. Acho que não vai sobrar muito. Mas é um investimento na carreira de Greg. Se você está no *show business*, a festa tem que ser de arromba.

Jess engoliu seco. Cinquenta. Mil. Euros. Era obsceno. Era o aluguel de cinco anos. Greg e Saffy tinham perdido a noção. Por que ela era a única que percebia isso? Conor só dera de ombros quando tocara no assunto.

Desde aquela carta da editora de Londres, Conor andava estranho, meio apreensivo e distante. Ela o ouvira falando ao telefone com algum assistente da agência em Londres. Parecia alguém que ela não conhecia.

Ele havia se comprometido a escrever mais um bom pedaço do livro. Jess não queria jogar água fria, mas não havia garantia de que o contratassem. Ele poderia estar fazendo tudo aquilo para nada. E estava se ocupando com o livro em todas as horas do dia e da noite, o que significava que ela raramente o via.

Eles não faziam sexo há quase uma semana. E na noite anterior ele perguntara se poderia mudar sua escrivaninha e o computador para o quarto. Dissera que estava achando difícil concentrar-se no corredor porque o lugar estava muito atulhado e porque as crianças brincavam de Snap na escada e o perturbavam.

"Luke e Lizzie *perturbam* você?", ela perguntara, provocando. "Me desculpe... mas quem é você? E o que você fez com o Conor?"

E ele deve ter percebido, em algum nível, o quanto estava sendo insensato, porque mudou de assunto e voltou a escrever no corredor.

Saffy saiu do provador com um vestido de Catherine Walker.

— O que acha?

O que Jess achava, num terrível momento romântico à la Julia Roberts, era que ia chorar. O vestido nada mais era do que um longo e simétrico tubo de seda esvoaçante, mas deslizava sobre os quadris de Saffy, firmava-se em sua cintura fina e ressaltava a cor clara das maçãs de seu rosto e o verde de seus olhos. Sua aparência era pálida, delicada e absolutamente linda.

— Vire-se.

Saffy deu uma volta e Jess soltou seu rabo de cavalo, deixando os cabelos caírem sobre os ombros nus em ondas suaves.

— Você sabe o quanto eu odeio essa baboseira de casamento — disse Jess. — Mas este é o vestido.

Saffy olhou-se no espelho.

— Será que não dá azar escolher o vestido de casamento em 45 minutos?

— Não se você passar os próximos quarenta e cinco minutos comendo um sanduíche de salmão e tomando uma Guinness no Neary's.

— E que tal um véu? — Saffy perguntou.

— Você é uma virgem italiana de 17 anos? — Jess perguntou.

Saffy riu.

— Muito bem. Nada de véu. Mas você vai precisar de um vestido de madrinha...

Era o que Jess temia.

— Por favor, não faça isso comigo, Saffy. O Greg já deu para o Conor umas roupas horrorosas para Luke e Lizzie vestirem. Não me faça usar um vestido de tafetá cor de pêssego. Eu lhe imploro.

— Está bem. Mas você vai me prometer que usará um vestido de verdade e sapatos de salto alto e que você os comprará na Primark e me deixará pagar por eles.

— Prometo.

— E que vai arrumar o cabelo, fazer maquiagem e...

Jess empurrou-a de volta para o provador.

— Não force a barra. — Ela virou-se para a garota do caixa. — Minha amiga vai levar este vestido...

A moça enfiou sua extensão de cabelo atrás da orelha e piscou agitadamente os cílios postiços.

— Você quer dizer que ela vai *encomendar* este vestido.

— Não. Eu disse que ela vai *levá-lo*.

— É uma amostra. Não está à venda. Tem que ser encomendado. — A moça batia as unhas postiças no balcão de vidro.

— Quanto tempo vai demorar se ela encomendar um agora?

— Três meses. No mínimo. — Ela tentou pegar o vestido, mas Jess não largava dele. Ela ia embora daquele inferno das noivas e levaria o vestido junto.

— Ela precisa do vestido em *três* semanas — disse Jess.

— Eu sinto muito — a menina disse, dando de ombros —, mas nós também precisamos dele. Não podemos fazer nenhuma encomenda se não tivermos uma amostra na loja.

— Não poderia abrir uma exceção?

— Receio que não.

— Nem se a noiva for a futura sra. *Greg Gleeson*?

— Não tenho tempo para essa história de sapato. Vou encomendar um par de sandálias Gina on-line. — Saffy tentou parar um táxi. — Sei que vão servir e não ficarei mais alta do que o Greg, então... não! Não! Não! Não!

Ela jogou a sacola do vestido nos braços de Jess e saiu correndo para a rua, onde quase foi atropelada por um motoboy. Ele deu uma guinada para não atingi-la e foi embora xingando.

— Saffy! — Jess não conseguia correr atrás dela. Não com a sacola do vestido.

— Saffy! — Um homem alto e bronzeado com cabelo loiro desgrenhado também gritava o nome dela.

Saffy desapareceu na esquina do outro lado da rua.

— Mas que droga! Onde é o incêndio? — o sujeito disse a Jess. Ele era australiano.

Jess balançou a cabeça.

— Não sei.

— Meu nome é Doug. — Ele estendeu uma mão bronzeada e enorme, cheia de pequenas cicatrizes brancas espalhadas e uma daquelas pulseiras idiotas da Cabala. Ela apertou-a.

— Me chamo Jess. — Ela o conhecia? Era alguém do escritório de Saffy?

Ele deu um sorriso longo e preguiçoso.

— Saffy e eu passamos a noite juntos há algumas semanas. *Obviamente,* ela não deve ter gostado muito, ou não estaria tão disposta a se matar para me evitar. E *obviamente* hoje não é o meu dia porque estou vendo que você já é comprometida.

— O quê? — Jess ficou confusa. *Saffy tinha dormido com esse cara?*

Doug entendeu mal. Ele apontou para o anel de Saffy, que Jess ainda usava no dedo. — Dois — ele apontou para a sacola com o vestido de noiva — mais dois são quatro. Quando é o grande dia?

Jess bufou.

— Nunca — ela começou. Depois, conteve-se. Não aprovava que Saffy tivesse passado a noite com um australiano qualquer, mas não precisava contar seus planos a ele.

— ... nunca pensei que eu faria isso, mas será em três semanas.

— Bom, então diga ao seu noivo que ele é um camarada de sorte. E você pode me fazer um favor? Quando falar com Saffy novamente, diga a ela que Dublin é uma cidade pequena. Qualquer dia eu a encontro.

Saffy estava sentada no bar do Neary's. Tinha pedido dois sanduíches de salmão e dois copos de Guinness e já havia bebido quase tudo.

— Me desculpe por sumir daquele jeito. Aquele era o David — ela disse. — Ele é um pesadelo de cliente e estou tentando evitá-lo porque...

— O nome dele é *Doug.* — Jess jogou a sacola do vestido em um banquinho e encarou-a. — E ele disse que dormiu com você.

Saffy colocou as mãos na cabeça.

— Não é exatamente isso, Jess. Ele ameaçou picar meu cartão de crédito em um almoço de negócios e me chantageou para ir comer com ele. E me arrastou por Dublin inteira, me fez comer ostras e sanduíches e me deixou completamente irada. E depois me forçou a entrar naquele apartamento horrível dele em Temple Bay para comer um suflê e depois, eu não sei mais de nada...

— Você não sabe o quê?

Saffy balançou a cabeça.

— Eu não sei o que aconteceu — ela sussurrou. — Não consigo lembrar.

Jess olhou-a de modo firme.

— Você apagou! E passou a noite com um homem! Saffy! Você está prestes a se casar.

— Aconteceu quando o Greg e eu estávamos separados. E eu não sei o que *realmente* aconteceu. Num minuto ele estava fazendo o suflê e no minuto seguinte eu acordei na cama dele. Eu sei que *comi* o suflê porque... — Ela teve um *flashback* repentino das botas do piloto do balão salpicadas de manchas laranja e marrom. — Bom, não importa como sei. Mas o resto é um branco total. Olhe, eu meio que perdi o prumo quando Greg se mudou. Mas estou bem, sinceramente. Eu só não quero falar nisso. Não me force, está bem?

— Mas...

— Por favor. — Saffy começou a chorar.

Jess queria sacudi-la, mas em vez disso tirou um lenço de papel e entregou-lhe, dizendo que enxugasse o nariz. É isso que se faz quando se tem filhos. É isso que se faz quando outras pessoas saem e ficam bêbadas, comem suflês e ostras e dormem com completos estranhos. Cuida-se das pessoas.

Saffy tentava ter pensamentos sexuais, mas outros estavam atrapalhando. Ideias nada sexuais sobre o que aconteceria se encontrasse Doug quando estivesse com Greg. E se tinha se lembrado de enviar os roteiros da Avondale para serem registrados. E como iria conseguir sair do escritório no dia seguinte para tingir as sobrancelhas sem Marsh, que via *tudo*, perceber que ela as pintara. E por que Greg havia de repente ficado tão atlético na cama.

O sexo com ele sempre fora bom. Ela sempre se esforçava para que fosse. Greg gostava de ficar deitado e deixar que ela assumisse o controle, mas, desde que tinham reatado, ele começara a se envolver mais. Não era ruim, mas ele parecia estar em movimento contínuo. Agora a virara de costas, espetando o cotovelo de modo breve, mas dolorido, na região do fígado e depois ajoelhando em sua mão direita no que parecia ser uma tentativa de ficar em cima do seu rosto.

Ela queria agradá-lo, de verdade, mas estava exausta e tinha que acordar dentro de seis horas.

— Hum, Greg, o que você quer fazer?

Ele sorriu para ela de modo malicioso.

— O que você quiser, gata. Quer me amarrar?

Ele parecia muito sexy, como em um pôster da Athena, exceto pelo fato de ela estar acima de seu nariz. Ele prendeu os braços dela por baixo, brincando.

— E seu eu a amarrar? Ou... — Ele esticou o braço e pegou seu celular. — Podemos tirar umas fotos sexies um do outro.

Fotos. Nossa! Não. Nada de fotos. Não quando você não dorme direito há um mês. Ela contorceu-se e conseguiu se livrar.

— Nós poderíamos fazer isso outra hora? No final de semana, talvez. Eu sinto muito. É que estou muito cansada e não consigo me mexer. Podíamos fazer algo menos arriscado, se quiser.

Ele rolou para o lado e saiu da cama.

— Greg, me desculpe. Não queria estragar o clima. É que estão me pressionando muito no trabalho. Temos o resto de nossas vidas para fazer sexo de arrepiar. E faremos, eu prometo.

Ele inclinou-se e afagou seu cabelo.

— Relaxa, gata. É claro que sim.

Ele vestiu seu robe e foi para o banheiro. Saffy sentou-se na cama e ligou o abajur. Tinha magoado os sentimentos dele. Encontraria uma forma de compensá-lo quando não estivesse tão mortalmente cansada. Abriu seu laptop para verificar se tinha enviado a agenda da Avondale, mas não era o dela, era o de Greg. E, quando ele voltou, ela estava sentada na cama lendo a planilha com os convidados dele.

— Greg, estou vendo que você convidou... o Bono para o nosso casamento.

— É. — Greg pegou o laptop e o fechou. — Ele ainda não confirmou, mas acho que vai comparecer.

Ele tinha convidado todas as personalidades irlandesas, incluindo todo o elenco de *A Estação* e aquele cretino do Damo

Doyle. O sujeito era um lobo em pele de cordeiro, mas, se este tinha que ser o casamento do ano, Greg precisava de todas as celebridades que pudesse arranjar. Até o momento, só metade dos convidados tinham confirmado. Mas ainda faltavam duas semanas. Ele esperaria mais alguns dias e então pediria a Vivienne que telefonasse para as pessoas pedindo a confirmação.

— Greg, eu sei que encontrei Bono algumas vezes, mas não posso dizer que o *conheço* de verdade — Saffy disse com cuidado. — Nem Andrea Corr, Cillian Murphy ou Colm Meaney.

Greg fisgou seu celular do bolso do robe e colocou-o na cabeceira. Desde quando ele levava o celular para o banheiro? Saffy ficou pensando.

— É claro que você conhece Colm Meaney — ele disse. — Você o viu em *Deep Space Nine*, não viu?

Jess pulou como se tivesse sido eletrocutada e bateu com o pé na cabeceira da cama, machucando o dedão.

— Ai! O que foi isso?

Conor levantou a cabeça.

— Eu só estava lambendo a parte de trás do seu joelho. Achei que você ia gostar.

— Eu gosto, mas não quando você usa os dentes.

— Desculpe. — Ele se arrastou até a ponta da cama onde ela estava.

Ela passou a mão na coxa dele.

— Ei, volta para lá. Ainda não terminamos, não é? — Aparentemente, tinham terminado. Afastou-se para não ter que ver a confusão e a mágoa no rosto dela.

O que estava acontecendo com eles? Era como se tivessem esquecido os passos de uma dança que haviam praticado mil vezes, e isso era estranho e constrangedor. Parte dele queria tentar novamente, mas achou melhor não correr o risco.

— Me desculpe. Posso só abraçar você? — Colocou o braço em volta dela. Podia sentir-lhe o corpo rígido de tensão.

— É claro. — Jess ficou deitada de costas olhando fixamente para a familiar rachadura no teto acima da cama. Lembrava as asas de um anjo, mas estava acostumada a vê-la embriagada pela oxitocina depois de um delicioso orgasmo. Agora, sob a luz fria da frustração sexual, aquilo parecia mais uma metáfora do relacionamento deles.

Não era a primeira vez que Conor se sentia cansado. Que os dois se sentiam cansados. Eles não dormiram bem nos primeiros dois anos depois que os gêmeos nasceram, mas o sexo era ótimo. O sexo sempre fora ótimo.

Mas não se pode fazer sexo com uma pessoa que não está presente. Jess não conseguia se conectar com ele, por mais que tentasse. Já fazia dias que não conversavam direito. Ela teve um pensamento assustador. Se ele agora, quando ainda nem tinha um contrato, era assim, como seria se o livro fosse publicado?

Sempre estivera tão certa com relação a ele. Nunca havia pensado na possibilidade de perdê-lo para outra mulher. Mas agora começava a pensar que já o estava perdendo, junto com a vida que ela amava, para um *livro*. Isso a assustava. Esse livro, que ela nem tinha permissão de ler, já lhe roubava Conor por muitas horas todos os dias. Contudo, se ele conseguisse o que queria, se o romance fosse publicado, isso o levaria para mais longe. Para Londres. Para conhecer novas pessoas que a fariam sentir-se desconfortável. Para festas em que ela nunca se sentiria bem.

Conor afagou suas costas.

— O que está passando por essa adorável cabecinha, Jess? Vamos lá, sei que tem alguma coisa que você não quer me dizer. Você tem estado uma pilha de nervos a semana toda. O que é?

Havia tantas coisas que ela não lhe dissera. Ela respirou fundo e escolheu a mais fácil.

— Muito bem — ela disse, na defensiva. — Bom, para começar, Miles surtou e me despediu.

Conor apertou-a.

— Miles é um idiota. Sabe de uma coisa? Ele lhe fez um favor. É uma oportunidade para você marcar algumas reuniões com o *Irish Times* e o *Indo* e pegar matérias regulares, ou até uma coluna... Você é boa demais para ficar escrevendo aquelas porcarias de anúncios.

— Eu sei. — Ele podia sentir que ela começava a relaxar. — Tem razão. E tem mais uma coisa, Conor. — Talvez ela ficasse menos incomodada, calculou, se contasse a mais alguém. — Saffy me mataria se soubesse que eu contei, mas ela traiu o Greg.

Conor afastou-se para poder ver seu rosto.

— Tá brincando?

— Nós estávamos escolhendo o vestido dela, o vestido de casamento, e cruzamos com um sujeito na rua.

— Que sujeito?

— Doug alguma coisa. Australiano. Arrogante. Ela dormiu com ele uma noite enquanto Greg estava morando no hotel.

— Jess. — Conor balançou a cabeça. — Que zona.

— Você não tem ideia. Ela apagou, Conor! Ela não se lembra de nada.

— Não foi isso que eu quis dizer. — Ele havia jurado a Greg que não contaria a Jess sobre a maquiadora, mas agora tinha que contar. — A zona é que... o Greg também dormiu com alguém.

Os olhos de Jess se arregalaram.

— O quê?

— Foi uma garota de 19 anos que trabalha na *Estação*. Ela tem mandado mensagens de sexo para ele.

Jess lançou-lhe um olhar inquisidor.

— É, *sexting*. Você sabe, textos pornográficos. Todos os jovens estão fazendo isso. Ele me mostrou alguns.

— Como eram?

— Fotos do corpo dela com mensagens sexuais, sabe?

Jess não sabia, mas sabia que não gostava da ideia de Conor olhar fotos de uma garota de 19 anos nua.

— Está tudo errado, Jess.

— Eu sei.

Por alguma razão, Conor sentiu-se mais próximo dela do que se sentia há semanas. Ele afagou seu cabelo.

— Eu me sinto um pouco sujo sabendo de tudo isso, e eles, não.

Ela sorriu para ele e correu o dedo por seu ombro, chegando até seu mamilo.

— Se sente? Muito sujo?

— Falo sério. Acha que devemos fazer alguma coisa?

Ela torceu o corpo para que ele pudesse enfiar a perna entre as suas.

— Nós estamos fazendo alguma coisa — ela murmurou em seu pescoço. — Isso é alguma coisa, não é?

Capítulo 14

Greg saíra para fazer algo misterioso acerca das alianças de casamento e Saffy deveria ficar trabalhando em seus e-mails. Porém, em vez disso, foi espiar as planilhas do casamento no laptop dele. Tudo parecia sob controle até os mínimos detalhes. Ele também contratara um cabeleireiro e um maquiador, o que era bastante prudente, pois nenhuma noiva precisaria tanto deles quanto ela. Sua aparência refletia o que sentia. Estava totalmente esgotada.

Um arquivo com o texto para a cerimônia na igreja estava aberto e ela pôde ler:

> O meu amado é como uma gazela; é como um filhote de corço.
> O meu querido está ali, do lado de fora da nossa casa.
> Ele está olhando para dentro, pelas janelas; está me espiando pelas frades.

Nenhum dos dois era nem de longe parecido com gazelas, e, além do mais, ela tinha certeza de que ele queria dizer "grades", e não "frades", mas tinha combinado de não interferir.

Fechou o laptop. Tinha alguns detalhes para resolver. Precisava de alguma coisa velha, alguma coisa nova, alguma coisa emprestada e alguma coisa azul.

Seu vestido era novo. Tinha uma safira no colar de prata que dava conta da parte azul. Pegaria um grampo ou alguma outra coisa emprestada de Jess. Faltava alguma coisa velha. Se seu pai ainda estivesse vivo, estaria com 73 anos agora. Poderia ser a coisa velha, não?

Sentir falta de um pai era algo que ela pensava já ter superado, mas aquela lacuna estava sempre ali, um espaço que nada poderia preencher. Na maioria das vezes não passava de uma dor difusa com a qual havia aprendido a conviver, mas, quando ia a casamentos, se transformava em uma faca afiada na hora em que o pai da noiva batia com o talher na taça e falava "eu gostaria de dizer algumas poucas palavras sobre minha linda filha..."

Sem que percebesse, Saffy decorara todos os discursos de casamento de pais de noivas. Teve aquele do pai que listara o nome de todos os bichinhos de pelúcia que sua filha tivera. Teve o do pai que levantava a filha de 4 anos todas as noites para que ela pudesse tocar com os dedos os quatro cantos do teto de seu quarto antes de dormir. Teve aquele que lembrou o dia em que andava pela Rua Grafton com a filha de 15 anos e, ao ver as cabeças se virando para vê-la, percebeu que sua menininha havia crescido. Teve também aquele que deixou todos boquiabertos quando anunciou, em meio ao salão cheio de convidados, que "Fiona não é minha filha" e, após uma pausa de 60 segundos, continuou... "é minha melhor amiga".

Os pais tímidos, os que falavam baixo e gaguejavam, eram os que mais tocavam Saffy. Aqueles cuja voz embargava, que seguravam os papéis do discurso com as mãos trêmulas e lutavam contra as lágrimas quando declaravam que o noivo era o homem mais feliz do mundo.

A porta se abriu. Era o homem mais feliz do mundo.

— Ei! Ainda trabalhando? Só falta um dia — Greg disse sorrindo.

— É! — Ela sorriu de volta. O dia seguinte seria seu último de trabalho. Na quinta-feira ela iria a Woodglen com Jess e o casamento era na sexta. Não houvera tempo de organizar uma despedida de solteira, mas não tinha problema. Ela sempre detestara essas festas.

Greg segurou-a pelas mãos, colocando-a sobre seus pés e a conduziu até o sofá, onde deitaram, se olhando. Veria aquele rosto pelo resto de sua vida e sabia que nunca se cansaria dele. Era quase uma pena que não fossem ter filhos. Parecia um crime contra a genética não passar a ninguém aqueles olhos, aquela boca e aquelas maçãs do rosto.

— Tenho uma surpresa, gata — Greg disse, carinhoso. — Reservei um jantar para nós no Halo amanhã à noite. Não tivemos mais chance de sair por causa do seu trabalho. Pensei que poderíamos ter um momento sozinhos antes de começar a loucura toda.

O coração dela bateu forte.

— Precisa mesmo começar, Greg? Será que não podemos fugir e fazer isso em um cartório? Ou na praia, em Antígua? Não precisamos de centenas de pessoas. Podemos fazer nossos juramentos sem ninguém à nossa volta.

Ele acariciou seu cabelo.

— Amor, se é isso o que você quer, é só falar.

Ele estava tão sexy, tão gentil e parecendo tão... queimado de sol. Ela o cheirou. Havia um leve aroma de coco por trás do cheiro da sua loção pós-barba. Imaginou se ele passara um spray bronzeador.

— Vamos lá, Saffy, saia de cima do muro. — Marsh revirou os olhos. — Já estamos ficando com a bunda cheia de areia e cimento só de ver você sentada nele.

Saffy adiara a decisão sobre quem seria o diretor dos anúncios de TV da Avondale até o penúltimo dia. Havia duas opções. Ela prometera a Ant e a Vicky que lutaria por um jovem diretor inglês que eles tinham descoberto. Ele conseguira um tratamento incrível no material e obviamente estava interessado. O cara irlandês era bem mais barato, mas seu estilo era antiquado e batido e ela sabia, só de conversarem, que ele não captara o conceito brega.

Mas havia uma diferença de 50 mil no preço, e não seria fácil convencer Marsh.

— Bem, consegui que o inglês abaixasse o preço o máximo que pude — ela começou com cuidado —, mas sei que ele irá apresentar uma produção de altíssima qualidade. E não é só uma propaganda para a Avondale. É uma propaganda para a Komodo também. Com o diretor certo, esta ideia vai arrebatar prêmios, com toda certeza.

— Sim, mas a que preço? — O cabelo de Simon estava irritantemente espetado de gel e a gravata dele tinha o mesmo tom de azul dos seus olhos. Tudo em Simon era irritante, principalmente o fato de que ele assumiria a conta da Avondale enquanto ela estivesse em lua de mel.

— Bem... convertendo as libras, o preço seria 239.876.71 euros — disse Mike, achando que aquilo fora uma pergunta. — Mas isto sem os impostos...

— Cesta! — Simon imitou o gesto de enterrar a bola no cesto de basquete. — O irlandês sai por 189 mil euros. Se ficarmos com ele poderíamos somar os 50 à nossa margem de lucro.

— Vamos deixar isso interessante. — Marsh cruzou as pernas, mostrando alguns centímetros de uma coxa firme e bronzeada por baixo da borda de seu vestido *nude* Stella McCartney. — Vamos colocar um pouco de tempero nisso. Vamos dizer que, se ficarmos com a produção irlandesa e nosso querido Simon aqui der o couro para que eles entreguem uma produção de alta qualidade, então todos nesta mesa podem ganhar um bônus de 15 mil.

Mike e Simon olharam para Saffy. Ela olhou os dois orçamentos na mesa à sua frente, mas o que via era o valor que gastaria em sua lua de mel em Antígua. Greg enviara uma mensagem mais cedo perguntando se ela poderia fazer o pagamento até a hora do almoço. Dava 4.960 euros.

O pôster na porta do escritório dizia: "Jesus te ama, mas não vai te respeitar na manhã seguinte".

Vicky estava on-line, olhando fotos de Veneza.

— Você vai para a Itália? — Saffy perguntou.

— Não, eu só estava — fechou o navegador — ... pesquisando uma coisa.

— Diga a verdade. — Ant enfiou o lápis no seu apontador Alessi. — Diga que estava dando uma espiada no hotel para onde seu namoradinho vai levar a *esposa*.

Vicky se virou.

— Cala a boca, Ant! Josh vai levar a Pequena Lindsay para Veneza no aniversário dela, e a ex-mulher só está indo por causa da asma de Lindsay. É muito úmido em Veneza. Eles vão ficar em quartos separados.

— Está bem, então. — Ant testou a ponta do lápis no dedo indicador, deixando uma marca cinza. Pareceu machucar. Saffy respirou fundo. Não havia um modo fácil de dizer aquilo.

— Pessoal, escutem, receio ter más notícias. Acabei de sair de uma reunião sobre o comercial de TV da Avondale e a minha recomendação não foi suficiente. Parece que o diretor irlandês vai mesmo fazer a propaganda. Eu saio amanhã, mas Simon vai marcar uma reunião com a produtora na quinta-feira.

Um rubor percorreu o alto da cabeça raspada de Ant e desceu por seus pequenos olhos nervosos até o queixo pontudo. Continuou descendo pelo pescoço e desapareceu por baixo de sua camiseta preta Bansky. Ele deixou escapar um rosnado de dor e atirou o apontador no chão. Lascas de lápis apontados se espalharam pelo carpete. Saffy nunca vira nada no chão no lado de Ant que não fossem seus sapatos. Foi quase um choque.

Ele abriu a gaveta e derrubou uma bandeja de clipes, depois agarrou um punhado de prendedores e atirou-os na parede.

— Ant! Acalme-se! — Vicky disse, num suspiro. — Não é o fim do mundo. O diretor inglês era incrível. Mas tenho certeza de que podemos fazer algo muito bom também com o outro cara. Só vamos ter que dar uma de babá. E logo teremos a produção de TV da Pluma Branca e vamos conseguir alguém realmente bom para esse, não é, Saffy?

— Claro.

Ant pegou seu cesto de lixo. Estava vazio, exceto por uma caixa de Tic Tac. Ele a tirou, colocou-a cuidadosamente em cima de sua mesa e esmagou-a com o punho fechado.

— É melhor você ir — Vicky sussurrou.

— Me desculpe — Saffy disse —, me sinto péssima.

— Está tudo bem — Vicky disse apertando seu braço. — Não é culpa sua. Sabemos que você fez tudo o que pôde.

Saffy imaginava que seu último dia de trabalho seria mais fácil e tinha planejado uma escapada para fazer o cabelo antes do almoço e encaixar uma sessão de duas horas de tratamentos estéticos.

Porém, no último minuto, Marsh a arrastara para a apresentação de uma agência para um cliente novo e ela tivera que cancelar o cabeleireiro. Greg havia contratado cabeleireiro e maquiador para o dia do casamento. Só restava pedir a eles que fizessem o possível com suas pontas duplas.

A apresentação se prolongou até a hora do almoço, e ela ainda teve que passar no agente de viagens a caminho do salão e acabou quarenta minutos atrasada para seu tratamento pré-nupcial.

Ansiava pelo momento de deitar e relaxar por algumas horas. Se houvesse música new age e velas aromáticas, planejava tirar um cochilo. Estava tão cansada que dormiria até durante a sessão de depilação.

A esteticista estava sentada na recepção mascando um chiclete e folheando uma revista. Revirou os olhos quando Saffy se desculpou pelo atraso.

A sala de tratamento era fria. Tinha um cheiro de Cup Noodles que vinha da cozinha ao lado, onde as outras funcionárias almoçavam.

— Bem, eu... tenho que voltar ao escritório em uma hora e pouco — Saffy disse —, então acho que temos que fazer tudo meio rápido.

— Posso fazer a mão, meia perna e virilha — a mulher entregou-lhe uma toalha minúscula —, ou posso fazer a sobrancelha, tintura dos cílios e pé.

— Vou me casar em dois dias — Saffy gaguejou —, então preciso de tudo.

A esteticista bufou.

— Bem, você deveria ter pensado nisso antes de se atrasar. Então, quer que eu aqueça a cera ou não?

Greg caprichou ao se aprontar para o jantar com Saffy. Escolheu uma camisa Prada branca nova, um paletó de veludo preto Paul Smith, jeans preto *skinny* e All-Star preto para aquele toque rock'n roll. Olhou-se demoradamente no espelho.

Não malhava desde que deixara *A Estação,* mas sua barriga tanquinho não parecia haver sofrido e o inchaço em seu olho finalmente se fora. De modo geral, pensou, Saffy estava adquirindo um excelente pacote.

Estava contente por não ter nenhum tipo de despedida de solteiro. Sair para um jantar romântico com Saffy era muito mais sua cara. Além de Conor, não possuía muitos amigos. Os homens se sentiam ameaçados por ele, sempre fora assim. E, neste momento, sentia-se feliz por estar sentado em sua cama, colocando abotoaduras Chanel antigas, e não ajoelhado, pedindo que um bando de garotas enlouquecidas não rasgassem suas roupas e o perseguissem.

Saffy desligou o computador. Escrevera relatórios de contato detalhados sobre cada trabalho pelos quais era responsável. Mandara listas com instruções a Vicky, Simon e Mike. Configurara uma mensagem automática de e-mail dizendo que estaria de volta em 30 de maio.

Era tarde demais para voltar ao apartamento e se trocar, mas ela trouxera um vestido Reiss creme para usar no jantar com Greg. Fechou as persianas e trocou os sapatos. Apagou a luz e fechou a porta. Ficou em pé sorrindo por alguns instantes. Da próxima vez em que a abrisse, seria a sra. Gleeson.

De repente, todas as luzes se acenderam e ouviu-se uma exclamação em coro logo acima dela.

— Surpresa!

Debruçadas sobre a grade do mezanino, jogando pétalas de rosa sobre sua cabeça, estavam Marsh, Vicky, Ciara, as meninas da contabilidade, suas clientes mulheres, Jess e sua *mãe*. Ela ficou tão surpresa que algumas pétalas de rosa caíram dentro de sua boca.

A sala de reuniões fora transformada em uma sala de jantar particular. Havia velas e vasos com rosas brancas por todos os lados. Todas as peças foram customizadas com fotos de Saffy quando era bebê, criança e adolescente.

Vicky devia ter feito isso, Saffy logo percebeu, e devia ter pedido a sua mãe os originais. Ela tentou olhar para a mãe, mas dois garçons, despidos até a cintura, inclinaram-se sobre ela. Um oferecia-lhe taças de champanhe. O outro segurava uma bandeja de canapés eróticos. Saffy pegou o menos escandaloso, um que parecia uma bunda pequena e assustadoramente realista.

Marsh, que vestia um tubinho Gucci decotadíssimo, sorria para Saffy.

— Dê uma boa olhada *nisto aqui* — ela colocou o braço em volta de um dos garçons e deu uma beliscada no mamilo dele. — É disto que você vai abrir mão quando prometer amar, respeitar e obedecer.

Toda a população de Dublin parecia se acotovelar dentro do bar Fitzmaurice, e todos estavam olhando para Greg. Ele desejou que Saffy chegasse logo. Já haviam pedido para tirar fotos com ele duas vezes, já dera três autógrafos e umas garotas bêbadas na mesa atrás da dele não paravam de cantar músicas com tema de fogo. *"Smoke On The Water", "Ring of Fire", "Great Balls of Fire", "This Fire"...* ele já estava começando a se irritar.

— Onde você está, amor? — ele perguntou quando Saffy ligou. — Já estou no segundo martíni. E está uma porcaria. Nunca seremos considerados um país de primeiro mundo enquanto continuarem a preparar coquetéis de terceiro mundo.

— Greg, não poderei ir.

— São ruins, mas também não é assim. Acho que deve ter alguma coisa a ver com o gelo. — Com um aceno, mandou embora uma mulher dentuça de cabelo vermelho que estava gargalhando para ele. — Pedi um Bellini para você. É praticamente impossível estragar um Bellini.

— Quero dizer que não vou poder jantar com você. Não vai dar. Marsh organizou um jantar surpresa como despedida de solteira para mim aqui na agência. Todo mundo está aqui: as garotas do escritório, Jess, minhas clientes, minha *mãe*!

— Bem, fique por meia hora então. Reservei uma mesa para às oito, mas tenho certeza de que seguram. Paul Dunn, do *Mail*, virá para tirar umas fotos. Peguei as alianças na joalheria para mostrar a você e...

— Desculpe — ela sussurrou. Ele podia ouvir os gritinhos e risadas ao fundo. — Me desculpe, por favor, mas não vou conseguir sair.

Greg sentiu-se tenso, como se tivesse levado um soco no peito. Saffy vinha trabalhando todos os dias até tarde desde que lhe propusera casamento. Inclusive nos fins de semana. Ele mal a via, e, quando isso acontecia, ela quase não conseguia manter os olhos abertos. Ele nunca cobrou nada. Só estava pedindo uma noite. Mas bastou outra coisa aparecer e ela o deixava de lado.

— Escute, Greg, eu amo você. Amo demais. Daria tudo para estar com você agora. Mas, se eu for embora, Marsh vai ter um treco. Ela caprichou nisto aqui. Contratou serviço de bufê, garçons seminus, fonte de chocolate...

— O quê? Espera um pouco. Como assim, seminus? — Greg interrompeu. — Que parte está nua?

Ele colocou o telefone de volta no bolso. A mulher de cabelo vermelho o interpelou.

— Desculpe, mas você não é Mac Malone? Antes de ele morrer? — Ele balançou a cabeça, cansado. Há apenas alguns meses era Mac Malone, o quinto Homem Mais Desejado da Irlanda. Agora era aquele que fora mandado embora de *A Estação*, o fracassado que quase fora para Hollywood, o deprimido cuja noiva o trocara por garçons seminus...

Seu telefone vibrou. Devia ser Saffy. Ela devia ter mudado de ideia. Mas não, não era ela. Era um MMS. Uma foto de costas de um bonitão de paletó de veludo preto sentado no balcão de um bar com a cabeça entre as mãos.

Estou vendo vc. Vc está me vendo?

Era estranho, Saffy pensava, ver pessoas de setores diferentes de sua vida conversando juntas. Jess mostrava para Ciara fotos de Luke e Lizzie. Vicky contava à sua mãe sobre as alergias da Pequena

Lindsay. Jill usava um vestido de estampa geométrica preta e branca que a deixava um pouco apagada. Saffy tentara fazer com que a mãe ficasse perto dela, mas Jill sempre se desvencilhava e agora estavam sentadas em lados opostos da mesa.

Marsh estava rodeada de clientes que a fitavam como faziam todas as mulheres que tinham a chance de vê-la de perto. Ela parecia tão irretocável que as pessoas ficavam olhando para ver se encontravam alguma falha, uma ruga, uma bolsa sob os olhos, algum fio de cabelo fora do lugar ou, melhor ainda, no lugar errado. Mas não havia nada. Saffy jamais vira nada.

Ela contava a história de sua vida. Saffy a ouvira diversas vezes. Como ela fora para a América com um *green card* e 120 libras, dois biquínis e um conjunto de bobes térmicos e voltara com dez anos de experiência na Avenida Madison, um divórcio e dinheiro suficiente para montar uma agência.

— Depois que me livrei daquele ninho de cobras que é Wall Street — ela contava —, deixei meu cabelo crescer um pouco e me mudei para um loft na parte leste da cidade. Digamos que eu era como a Samantha de *Sex and the City* antes mesmo de existir *Sex and the City*.

— Você nunca quis filhos? — Lucy, uma das garotas da NoQ, perguntou.

— Filhos e sexo não combinam.

Jess entrou na conversa.

— Com licença! Combinam, sim! Tenho gêmeos e minha vida sexual vai muito bem, obrigada.

Marsh apertou os olhos.

— Mesmo? Diga uma coisa, você teve cesariana ou parto normal?

— Tive uma cesariana de emergência. O que isso tem a ver?

— Pelo que meus amigos homens dizem — Marsh deu uma risada —, tudo.

Jess não estava achando graça.

— Você tem ideia do quanto isso é machista?

— Você tem ideia do que acontece com a sua periquita quando faz passar três quilos e meio por ela? — Marsh revidou.

— Minha o quê? — Jess teve que falar mais alto por causa das gargalhadas de Ali.

— Tudo muda depois que se tem um bebê — disse a mãe de Saffy, meio melancólica. — Tudo muda e nada volta a ser como antes.

Era um templo. Não havia outra palavra para aquilo. Era como se tivesse saído de *A Bruxa de Blair*. Greg engoliu em seco. Sua saliva tinha um gosto agudo de produtos químicos ou o que quer que Tanya lhe dera para cheirar.

Sentou-se na beirada da cama, fechou os olhos e a escutou andando no andar de baixo onde fora procurar limão, sal e copos. Abriu-os de novo e olhou o quarto e as luzinhas dispostas ao longo da lareira. Olhou o cone de tráfego pintado de cor-de-rosa em cima do guarda--roupa. A cama com a colcha cor-de-rosa e a pilha de almofadas de pelúcia lilás. Olhou de novo para aquele quartinho, com a esperança de ter sido apenas imaginação, mas não era. Era mesmo um templo.

A parede estava coberta por uma colagem confusa de imagens de seu rosto e recortes seus. Fotografias de Mac Malone de uniforme, fotos de Greg retiradas de revistas, polaroides da continuidade de *A Estação* e pedaços das falas de Mac.

Se você cair, estarei lá para segurar você e *Para Sempre é apenas outra expressão para Amanhã* e *A última coisa da qual você deve desistir são seus sonhos.*

As miniaturas de garrafas da Aveda que ela trouxera do hotel Davison estavam dispostas organizadamente sobre uma prateleira, juntamente com dois distintivos do uniforme de Mac e um frasco de Silver Mountain Water, a loção pós-barba favorita de Greg. Aquilo dava medo. Aquela garota era meio doida.

Ele sabia muito bem que sair com Tanya não fora boa ideia, mas tinha ficado com raiva de ter sido dispensado por Saffy. E tinha passado tempo demais dentro de casa nas últimas semanas. Passar outra noite olhando as paredes seria insuportável.

Eles tinham bebido meia dúzia de martínis no Fitzmaurice, depois Tanya o levara ao estacionamento, onde cheiraram alguma coisa no teto de um Nissan Micra. Então ela disse que tinha uma garrafa de tequila em casa. Ainda eram 11 horas e Saffy não voltaria tão cedo. Algumas doses pareciam boa ideia.

Mas agora que ele vira aquele templo não parecia mais uma boa ideia. De repente, aquilo tudo lhe pareceu uma péssima ideia. Pegou seu paletó, que tinha atirado em um canto, e desceu as escadas sorrateiramente. A TV estava na sala. Ele esperou uma cena mais barulhenta com aplausos e então abriu a porta da frente, fechando-a cuidadosamente atrás de si.

Ali, da Avondale, tentava dar um nó no cabo de uma cereja com a língua. As garotas da NoQ faziam a torcida.

Marsh molhou um morango na fonte de chocolate e, enquanto esperava endurecer, virou-se para Saffy:

— Você tem certeza de que não está cometendo um erro?

— Tenho, sim — Saffy disse sorrindo.

— Eu não me casaria novamente nem que me pagassem. — Marsh comia os morangos delicadamente. — A não ser que estivéssemos falando de cifras de sete números. Tenho minha carreira. Tenho minha liberdade. Tenho um garotão jovem e gostoso que vem correndo para mim em um estalar de dedos, mas não tenho que vê-lo cortando as unhas do pé ou comendo cereal de manhã.

Ciara estava convencida de que Marsh vinha tendo um caso com Simon. E, se isso fosse verdade, era uma má notícia para Saffy, pois com certeza Simon não perderia a oportunidade de passar a perna nela.

— Depois que se casar você perceberá que casamento é como uma cidade sitiada. — Marsh lambia o chocolate dos dedos. — Os que estão fora querem entrar e os que estão dentro querem sair.

— Humm. — Saffy tentava fazer com que sua mãe a olhasse, mas Jill continuava fingindo que não a via. Saffy teria que encostá-la num canto e perguntar o que estava acontecendo. Ela não deixaria que aquele comportamento infantil estragasse seu casamento.

— Mas — Marsh disse — espero que dê certo para você. Espero mesmo. E espero que você volte de Antígua relaxada, renovada e pronta para se atualizar com Simon. Ele vai ficar na liderança por duas semanas.

Ela se espreguiçou languidamente e olhou para Ali, que se debatia com a décima cereja.

— Traga uma dessas para mim, por favor — pediu, piscando para o garçom.

Quando ele a atendeu, Marsh colocou a fruta dentro da boca, movimentou-a em várias direções por meio minuto e então retirou-a pelo cabo, revelando um nó perfeito.

— Isto é algo que não ensinam a você em Harvard — comentou com um sorriso cheio de *glamour*.

Marsh deu de presente a Saffy uma palmatória de couro cor-de-rosa. As garotas da NoQ deram-lhe um livro de receitas indianas chamado *Coma Sutra*. Ali deu-lhe *lingerie* comestível. Ciara presenteou-a com um kit de pintura corporal de chocolate. Vicky deu-lhe um livro de poemas de amor de W. B. Yeats. Jess, que nunca havia ido a uma despedida de solteira e não sabia que tinha que levar um presente, deu-lhe um olhar irônico e fez um brinde com a taça. Sua mãe foi embora antes que Saffy pudesse falar com ela, mas deixou um presente com um dos garçons. Saffy abriu-o, nervosa. Ficava nervosa só de pensar na mãe solta numa loja de artigos eróticos.

Era um porta-retratos de prata pequeno com a foto de um homem usando um casaco afegão e jeans, com um cigarro aceso nas mãos. Ele era alto e tinha cabelo preto e liso na altura dos ombros e olhava para a câmera com um meio sorriso e um olhar inquisitivo. Uma sobrancelha ligeiramente mais levantada do que a outra. Saffy conhecia aquele olhar. Imaginava que era o mesmo que aparecia agora em seu rosto.

Capítulo 15

As pessoas diziam que o dia do casamento era o mais feliz da vida. E, ao entrar na banheira da suíte nupcial, Saffy pensou que deviam ter razão. Ela sentia-se maravilhosa, o coração leve, a mente clara. Mal podia esperar para olhar nos olhos de Greg e dizer "sim".

Ele ficara em Dublin e ela fora de carro com Jess e os gêmeos na noite anterior. Luke e Lizzie jogaram "Sentinela" o caminho inteiro, mas de um jeito totalmente estranho, em que se podia dizer palavras como "ar" e "vento" e até "coisa". Ela dissera a Jess que estava com dor de cabeça e pedira o jantar na suíte. Depois, dormira por dez horas seguidas na imensa cama com dossel.

Agora, descansava na água morna e perfumada de limão e grapefruit enquanto apreciava a luz do sol que batia no carpete próximo à janela semiaberta.

A manhã estava tranquila e dourada. Uma garota com uma cesta de vime colhia flores no jardim murado. O chafariz resplandecia. O gramado refletia o brilho do orvalho. O dia seria perfeito.

Jess já colocara o singelo vestido azul que comprara no dia anterior. Daisy, a cabeleireira, deixara seu cabelo secar em ondas naturais. Depois estragara tudo borrifando uma lata e meia de spray sobre ele. Agora, entrelaçava pequenas florzinhas azuis na tiara.

— Preciso mesmo usar isso? — Jess reclamou. — Estou me sentindo Alice na porcaria do País das Maravilhas.

Saffy estava sentada em frente ao espelho vestindo robe e com bobes de velcro imensos nos cabelos. Troy, o maquiador, preparava sua pele. Ele lançou-lhe um olhar enquanto falava com Jess.

— Ah, para com isso! Você está fabulosa e sabe muito bem disso.

Os gêmeos irromperam porta adentro. Lizzie estava com um vestido de primeira comunhão comprado em um brechó. A renda branca se mostrava encardida e a bainha desmanchava. Luke vestia calças de pijama. Sua barriga estava manchada de alguma coisa vermelha e grudenta que Jess torceu para que fosse geleia.

— Relaxe — ela disse quando viu a cara de Saffy. — Só vou colocar as roupas deles pouco antes da cerimônia.

— Tem uma galinha naquele balde? — Luke correu e começou a puxar as plumas decorativas para fora do balde de champanhe. Lizzie cruzou os braços e franziu a testa para Saffy por cima das lentes grossas. Seu cabelo emoldurava a cabeça como uma auréola escura e espetada.

— Ela está bonita, não está? — perguntou Troy. Se a menina concordava, não disse. — Qual é o problema dela? — ele perguntou, aplicando blush nas bochechas de Saffy.

— Amor não correspondido — Jess disse. — Ela tem uma queda pelo noivo.

— Posso entrar? — A mãe de Saffy passou direto por ela em direção ao balde de champanhe. Encheu o copo e andou distraidamente até a janela. Depois, como se tivesse esquecido, voltou e deu uma beliscadinha na bochecha de Saffy.

— Não quero estragar sua maquiagem. — E afastou-se quando Saffy ia se levantar para um abraço.

Ela rejeitara o visual tradicional de mãe da noiva e optara por um estilo totalmente Jackie O. Vestia um terninho preto e creme e tinha os cabelos louros penteados para trás com uma faixa larga, também creme. Usava óculos escuros. Dentro do quarto. Era como se quisesse chamar a atenção, um ar de "olhe para mim" que deixou Saffy irritada.

Sua mãe ficou vagando pelo quarto sem parar, pegando uma coisa aqui, colocando ali. Saffy a viu tocando o porta-retratos de prata de seu pai na penteadeira e, por um momento, sentiu-se culpada por não ter pensado em trazer uma foto dela também. Depois, afastou aquele sentimento. Sua mãe sempre lhe dissera que não tinha nenhuma foto de seu pai. E agora, trinta anos depois, achara uma. Saffy não sabia se ficava contente ou chateada. Ainda estava aborrecida por Jill não ter se interessado em participar dos preparativos para o casamento e agora, quando finalmente decidira aparecer, queria ser o centro das atenções. Porém as coisas não ficariam assim. Não hoje. Este é o *meu* dia, ela pensou. Hoje o centro das atenções não é ela, sou eu.

— Você recebeu minha mensagem pedindo para você dizer ao Len para vir de terno, mamãe? — Saffy perguntou. Greg estava preocupado que ele aparecesse de jardineira e sandálias de couro.

— Len não virá — Jill respondeu, levantando os óculos. Seus olhos estavam vermelhos e borrados de rímel. Ela começou a chorar. — Nós terminamos.

Troy veio correndo com um lenço de papel. Jess encheu a taça dela e a fez sentar na beirada da cama. De repente, Saffy sentiu um grande cansaço. Ela estava errada. O centro era Jill. Era sempre Jill.

— Ora, vamos, mamãe. A fila anda. — Isso parecia algo que Greg diria.

— Não estou chorando por causa de Len. Estou chorando porque estou com alguma coisa no seio.

Saffy olhou para o peito da mãe, meio que esperando ver uma mancha ou uma marca de ferro de passar. Algo simples e corriqueiro. Algo que sairia com Vanish.

— É só um carocinho — Jill disse, picotando o lenço de papel. — Descobri um há algumas semanas e fui a um especialista, então fizeram uma biópsia e deu que era benigno. Só que agora apareceu outro. Eu ia voltar lá, mas achei melhor deixar para depois do casamento caso... caso... você sabe...

Saffy a encarou. Era por isso que Jill estava tão soturna. Por isso a vinha evitando. Por isso não se envolvera nos preparativos.

— Mas por que não me contou, mamãe?

— Não queria estragar seu grande dia.

Conor viu o rosto de Greg quase se desmanchar de suor quando ele deu um gole no chá.

— Talvez seja melhor você ir ao médico.

Já haviam parado em um posto de gasolina e em um bar para Greg vomitar. O motorista da limusine, Derek, dissera que chá de hortelã faria bem para seu estômago, então agora estavam em um café na Rua Baggot.

— Não tem problema, cara — Greg murmurou. — Vou ficar bem.

Mas era um problema, sim. Era exatamente o tipo de coisa que acontecia no dia de uma prova de matemática da segunda série. Conor mexeu-se desconfortavelmente dentro do smoking Dolce & Gabbana de três botões enquanto tentava resolver o problema.

Um homem vomitando precisa viajar para a igreja onde será seu casamento. A igreja fica a 48 quilômetros. O casamento é em duas horas e 53 minutos. O homem precisa ir ao banheiro a cada quinze minutos. Se o motorista parar a cada dez minutos para o homem ir ao banheiro, em quanto tempo o homem chegará ao casamento?

Greg se afundou no assento de couro esperando o espasmo passar. O lugar estava cheio de aposentados comendo ovos mexidos e lendo jornal. A última coisa que ele queria era ser reconhecido por um daqueles velhinhos. Mas, pelo que vira no espelho do banheiro, isso era bastante improvável. Sua pele estava meio cinza e tinha o aspecto de uma esponja. O cabelo tinha grudado na cabeça de tanto suor. Seus olhos se mostravam vermelhos e injetados. Mal reconhecia a si mesmo.

O que tinha acontecido? Ele estava bem quando voltara da casa de Tanya na noite de anteontem. Saffy ainda estava na despedida de solteira. Ele bebeu uma vodca para neutralizar o que quer que Tanya lhe dera para cheirar e foi direto para a cama.

Nessa noite sonhou que estava pelado em um estacionamento subterrâneo com sua agente, Lauren. "Você vai ser grande", ela sussurrava sedutoramente. "Você vai ser maior do que Bono." Ele estava começando a explicar que já era maior que Bono e Larry Mullen, mas ela o encostou contra uma parede cheia de teias de aranha e começou a se esfregar nele. Estranhamente, estava tão excitante que ele acordou e antes que se desse conta tinha rolado para cima de Saffy e estavam fazendo sexo. Sexo incrivelmente bom, aliás.

Sentira-se um pouco estranho na manhã seguinte, mas pensou que logo passaria. Saffy estava superatenciosa depois de tê-lo trocado pela festa de despedida de solteira e passaram uma tarde agradável preparando as malas para a lua de mel. Ela ia passar a noite em Woodglen, e, depois que ela foi embora, ele ficou assistindo a *Kill Bill* e tomando umas cervejas. A ressaca começou devagar, mas foi crescendo com uma força que faria a Uma Thurman parecer a boboca da Mary Poppins.

Passara a noite inteira no banheiro, agarrado ao vaso sanitário. Pensava que já não restava mais nada em seu estômago, mas há apenas alguns minutos, no banheiro masculino do bar O'Brien, produzira uma perfeita massa não digerida misturada à bile amarela brilhante. E não comia massa há *dois dias*.

Pegou um pedaço de torrada. Se conseguisse manter alguma coisa dentro do estômago é porque estava bem. Tudo o que precisava fazer era aguentar mais algumas horas, casar, colocar a aliança no dedo de Saffy e então ele poderia...

— Merda! — Ele colocou a torrada no prato e apalpou os bolsos. — Temos que voltar ao apartamento.

— O quê? — Conor o encarava. O que dera nele?

— As alianças, cara. Esqueci as alianças. Estão em uma caixa azul no bolso de dentro da minha jaqueta de veludo preto. Só vai levar um minuto.

Levou 25. Conor revirou os bolsos de todas as jaquetas do closet, olhou em todas as gavetas, olhou embaixo da cama e até enfiou a mão pela parte de trás do sofá.

Derek polia o capô do Jaguar com uma flanela quando ele voltou. Ele balançou a cabeça e apontou para seu relógio.

— Está vendo só? Isto é o que acontece quando se marca o casamento para uma sexta-feira treze.

Greg estava deitado em posição fetal no assento de trás com uma toalha úmida estendida na testa.

Conor entrou ao seu lado.

— Não encontrei.

Greg grunhiu.

— Olha, não faz mal, Greg. Pegaremos algumas emprestadas na igreja.

— Não! Acabei de me lembrar de uma coisa. Acho que sei onde estão. — Greg teve um terrível lampejo de memória. Ele tinha tirado sua jaqueta na casa de Tanya e a atirara no chão. As alianças da Tiffany, no valor de dois mil e quinhentos euros e lapidadas à mão em platina, estariam em algum lugar no quarto dela. Precisava pegá-las de volta.

Greg ditou um torpedo para Tanya pedindo seu endereço e dizendo que precisava vê-la por cinco minutos. Conor a enviou. Sentaram em silêncio e, depois de alguns minutos, ela respondeu.

— Trinta anos... — Derek falava com ele mesmo, atravessando o semáforo da Trinity College — oitocentos e quarenta e sete casamentos, e nunca cheguei atrasado em nenhum.

Greg fechou os olhos e se apoiou em Conor, que se segurava no encosto de cabeça enquanto eles disparavam a toda pelas margens do rio, virando bruscamente à esquerda e se dirigiram, estourando o limite de velocidade, para Liberties.

A limusine subiu na guia em frente a uma casa de tijolos na Rua Cork, e Conor ajudou Greg a sair.

Algumas crianças brincavam na esquina.

— Ei, é o Mac — um deles gritou para Greg. — Era para você estar morto.

Greg esperava que Tanya abrisse a porta, mas em vez disso deu de cara com um homem forte de seus 50 anos que vestia jeans.

— Desculpe, estava procurando pela Tanya — Greg gaguejou — Sou...

— Sei muito bem quem é você — o homem falou. — Sou o pai de Tanya.

A pequena sala estava apinhada de gente. Tanya vestia um pijama da Hello Kitty que combinava com suas franjas pintadas de roxo, e estava sentada no sofá, em prantos, enquanto outra jovem vestindo um pijama igual, mas amarelo, a confortava.

O outro sofá estava ocupado por uma senhora na casa dos 70 anos e que vestia um casaco de moletom cuja estampa mostrava um gatinho usando uma coroa brilhante e por um garoto magro, alto, de cabelo preto, e maquiado como Marylin Manson, comendo Kentucky Fried Chicken.

— Desculpe, Greg — Tanya choramingou. — Meu pai quis saber por que você estava ligando, aí fiquei nervosa e acabei contando, tipo, tudo para ele.

Greg engoliu algo que esperava ser só pânico. Meu Deus! O que ela queria dizer com *tudo*?

O pai de Tanya sentou pesadamente na única cadeira livre. Indicou com os olhos uma mesinha de centro meio bamba e Greg e Conor apoiaram-se nela.

— Esta é minha irmã, Kerry — Tanya disse, fungando — e estes são minha avó e meu irmão, Eoghan — ela disse, pegando o casaco deles. — Você está bonito. Parece até que está indo para um casamento.

Greg improvisou um sorriso.

— Meu amigo Conor aqui vai se casar esta tarde e eu sou o padrinho, então é minha obrigação fazer com que ele chegue à igreja na hora.

O quê? Conor olhou para Greg. Por que ele estava dizendo que *ele* estava se casando? Tinha enlouquecido?

A avó de Tanya sorriu para Greg.

— Ai, eu adoro casamentos — ela disse. — Eles trazem à tona sentimentos bons em todo mundo, não é?

Em todo mundo menos no pai de Tanya.

— Tanya nos contou que *você* também vai se casar. — Ele olhou para os punhos e depois para o rosto de Greg, como se estivesse comparando as medidas. — Ela disse que está em todas as revistas. É verdade?

— Bem, eu... é... — Os lábios de Greg se moviam, mas as palavras pareciam presas na garganta. Forçou seu cérebro dolorido a raciocinar. — Eu estava... envolvido com uma pessoa, certo? Mas terminamos há poucos dias. É por isso que eu estava no The Clarence na outra noite. Afogando as mágoas.

Tanya sorriu, mas o pai dela não pareceu satisfeito.

— Se você estava envolvido com uma pessoa, por que foi atrás da Taninha?

— Eu não diria que estava "atrás" dela.

— Como prefere chamar — o pai de Tanya cruzou os braços enormes — o fato de atrair minha filha para um maldito hotel, passar a noite com ela e depois lhe dar o fora?

Todos fitavam Greg com expectativa, exceto Tanya, que abaixou a cabeça acanhadamente e olhou para o chão.

— Isso não é jeito de tratar uma garota inocente — a avó de Tanya disse após um longo silêncio. — Justiça seja feita.

Inocente? Tanya era uma ninfomaníaca drogada. Greg cogitou mostrar as mensagens que ela mandara em seu celular, mas tinha deletado todas. Todas exceto uma, e não poderia mostrar justo aquela para a avó dela.

— Não me entenda mal, cara, mas não acho que Tanya seja inocente merda nenhuma.

O irmão largou a asa de frango que estava comendo e limpou a boca na manga do casaco de moletom.

— Fale mais um palavrão na frente da minha avó — ele disse com a voz surpreendentemente mais grossa — e te arrebento as pernas.

O pai de Tanya balançou a cabeça.

— Deixe que eu cuido disto, filho. Quantos anos você tem, Greg? Trinta e três? Trinta e quatro?

Greg assentiu com a cabeça. Devia estar um caco mesmo. Ele tinha trinta e cinco, mas geralmente não davam mais que vinte e oito para ele.

— São quinze anos a mais que minha filha. Quando você estava tomando sua primeira cerveja, minha filha ainda chupava chupeta. Você votou antes que ela tirasse as fraldas. Terminou a escola antes mesmo de ela começar.

Nisso ele tinha razão, Conor pensou. Na verdade, nisso e em outras coisas.

Tanya recomeçou a fungar.

— Papai, já falei para você que a idade, tipo, não importa para mim — ela choramingou. — Quando se ama alguém, a idade, tipo, não é importante.

— É verdade, papai — a irmã concordou. — Veja Michael Douglas e Catherine Zeta-Jones.

Greg ficou pálido de repente. Cobriu a boca com a mão e disparou escada acima para o banheiro.

— Sou um homem justo — o pai de Tanya disse para Conor —, mas ninguém, e não importa se é famoso ou não, leva vantagem em cima da minha filha e depois dá o fora.

O irmão estalou o pescoço e os dedos cheios de anéis e sugou os dentes, fazendo barulho, mas não tão alto a ponto de impedir que se ouvisse Greg no banheiro do andar de cima.

Greg abriu a porta do banheiro. Conor ficou impressionado ao ver como aquele se parecia com seu próprio banheiro: toalhas úmidas pelo chão, a bagunça dos xampus derrubados um por cima do outro e tubos de pasta de dente no peitoril da janela, o aparelho de barbear cor-de-rosa com um resto de espuma ao lado da pia.

Greg abaixou o tampo do vaso e sentou sobre ele. Estava enjoado, mas parecia determinado.

— Temos que dar um jeito de sair daqui — ele sussurrou. — Você tem que me ajudar.

— Por quê? Você acabou de mentir para aquele cara sobre quem ia se casar. E mentiu para mim também. Disse que estava deletando todas as mensagens dessa garota e agora me diz que esteve aqui na casa dela dois dias antes do seu *casamento*? O que você estava fazendo, Greg?

— Nada! Juro pela minha vida! Estive aqui por dez minutos.

Olhe... — ele tirou algo do bolso. — Peguei as alianças — disse, mostrando uma pequena caixa azul da Tiffany. — Consegui ir até o quarto de Tanya e a encontrei debaixo de uma cadeira. Mas você tem que me ajudar a sair daqui antes que aquele Marylin Manson me pique em pedacinhos.

— Ah, é? E como você imagina que vou fazer isso?

— Interpretando — disse Greg com convicção. — É só acompanhar o que digo.

Greg mandou Conor chamar Tanya e ela apareceu no corredor com a irmã. As duas estavam sorridentes.

— Seu amigo me disse que você, tipo, quer que eu vá no casamento dele com você?

— Isso mesmo — Greg disse. — É por isso que vim aqui. Queria que você fosse o meu par.

Era uma estratégia arriscada, mas, se Conor fizesse a parte dele direito e Tanya caísse, estavam fora dali.

— Mas... você... tem... que... se... aprontar... em... cinco... minutos — Conor disse, de modo abafado — porque... já... estamos... muito... atrasados.

A irmã caiu na gargalhada.

— Cinco minutos? Tanya levaria, tipo, cinco *horas* para se maquiar e decidir o que vestir. E ainda teríamos que tingir a franja para combinar.

Tanya sorriu esperançosa.

— Não dá nem para, tipo, me trocar em cinco minutos. Só se eu for para a festa depois.

— Não vai ter festa — Greg se apressou em dizer.

— Ah, nesse caso — ela disse, virando-se para Conor —, é muito gentil me convidar. Espero que seu casamento seja, tipo, tudo de bom. E obrigada por ter vindo. — Ela colocou os braços em volta de Greg. — Fiquei, tipo, superassustada depois que você desapareceu naquela noite. Achei que estávamos nos divertindo.

— Desculpe. — Greg afagou o cabelo dela em um gesto automático. Cheirava a tutti-frutti, um cheiro doce tão ruim que ele teve que respirar pela boca. — Tenho andado muito desnorteado depois que Mac saiu. Tenho feito um monte de merda ultimamente. Acho que estou com síndrome de choque pós-dramático.

— O quê? — Ela piscou para ele. — Ah, síndrome de choque pós-*traumático*. Que nem o Frank, no episódio em que ele não conseguiu salvar as estudantes.

Greg assentiu com a cabeça.

— Olha, eu te ligo, está bem? Podemos sair para tomar alguma coisa ou ir dançar.

Ela concordou, balançando a cabeça.

— Diga para a sua família que mandei um abraço.

— OK! — Ela inclinou o rosto para dar um beijo e colocou a língua na boca dele. Ele teve um espasmo, mas precisava agir como se tivesse sentimentos por ela. E retribuiu o beijo.

Somente quando Tanya fechou a porta é que perceberam que o irmão dela estava na rua esperando por eles.

— Vi as fotos que você tirou da minha irmã no celular dela — ele disse a Greg — e só queria te dar isso aqui. — E deu-lhe um soco forte no olho ruim.

Greg estava deitado no banco de trás com um pacote de milho congelado sobre o olho. A loja de conveniência não tinha ervilhas.

Conor respirou fundo.

— Você vai ter que adiar o casamento.

— E os repórteres, as equipes de TV? — Greg disse. — Eles têm outros eventos. Não vão ficar esperando horas.

— Não estou falando de horas — Conor disse, calmamente. — Estou falando indefinidamente. Você precisa ser sincero com a Saffy e contar o que aconteceu com essa garota. — Pensou que também Saffy precisava ser sincera com Greg e contar sobre sua aventura de uma noite. Não deviam se casar com toda essa sujeira embaixo do tapete.

— Cara, você deve estar brincando. Aquela maluca da Tanya já fez estrago o suficiente. Ela me seguiu, me drogou e quase me deixou hospitalizado. Não vou deixar que ela destrua o dia mais importante da vida de Saffy. Esqueça.

Conor encolheu os ombros.

— Bem, não vou deixar você ir adiante com isso a menos que conte tudo a ela. E se você não o fizer, eu o farei.

Greg fitou-o com o olho que não estava debaixo do pacote de milho.

— Você não faria isso!

Conor olhou-o de volta.

— Vamos ver.

Saffy olhou seu reflexo na janela cintilante do Rolls Royce. Não iria chorar. Levara duas horas para sua maquiagem ficar pronta.

Jess tirou as duas últimas flores do cabelo.

— Saffy, tente não ficar tão chateada com isso. É só um caroço pequeno e provavelmente é benigno. Ela disse que o último era.

— Mas ela esperou seis semanas para fazer a biópsia, Jess, seis semanas. Seis semanas podem significar a diferença entre a vida e... — ela engoliu a última palavra.

— Não estou entendendo. — Lizzie puxou a barra do vestido de Saffy com os dedinhos grudentos. — Um caroço de quê?

A data e o lugar da cerimônia eram para ser segredo, mas é óbvio que alguns fãs de Greg descobriram e estavam esperando na igreja. Começaram a gritar quando viram o Rolls Royce e Saffy deixou o problema de Jill para mais tarde. Era o dia de seu casamento. Finalmente estava acontecendo. Era para ser o dia mais feliz de sua vida.

O motorista saiu, mas, quando ia dar a volta para abrir a porta para ela, um rapaz alto, louro e bonito veio correndo pelo caminho ladeado por árvores decoradas com fitas. Era Damo Doyle, Saffy percebeu. O cara do BoyzRus. Estava falando com o motorista.

Jess abaixou o vidro.

— O que está acontecendo?

— Senhoras — Damo disse, com um sorriso superbranco, para dentro da janela. Ele vestia um smoking branco com camisa e gravata brancas. Lizzie tirou o cinto de segurança e se aproximou para olhar melhor.

Ele ajeitou o cabelo.

— Escutem, o noivo ainda não chegou. Então pedi ao camarada aqui para levá-las para um giro turístico pela cidade e voltar daqui a dez minutos.

— Greg não está aqui? — Saffy perguntou. — Era para ele estar aqui há 45 minutos.

— Ele está atrasado. — Jess segurou a mão de Saffy, apertando-a. — É só isso. Greg sempre atrasa.

— Você me dá um autógrafo? — Lizzie pediu a Damo.

— Só se me der o telefone dela. — Damo sorriu para Jess.

— 087 9812767 — Lizzie disse sem pestanejar.

O Rolls partiu e foi percorrendo a cidade. Passaram por um Beagle correndo pela calçada, uma mulher de andador, um homem em cima de uma escada limpando janelas e uns vinte bares. Em um deles, havia um relógio. Marcava três e meia.

— Aconteceu alguma coisa — a voz de Saffy se esganiçou de pânico. — Estou com um mau pressentimento. Liga para o Conor!

— Você sabe que nunca trago meu celular — Jess disse. — Você trouxe o seu?

Ela tateou o vestido de noiva.

— O que você acha? — E olhou para fora da janela, mordendo o lábio.

— Precisamos do seu celular emprestado — Jess disse ao motorista.

Ele olhou-a mal-humorado pelo espelho retrovisor.

— É ligação local?

— Não — Jess respondeu. — Vou ligar para o serviço de hora certa na Argentina.

— Escute, meu bem, não precisa falar desse jeito comigo. Se esse casamento não for adiante, eu já vou sair perdendo. Não quero ter mais nenhum custo extra a essa altura do campeonato...

— O que você quer dizer com "não for adiante"?

— Me dê seu telefone! — Jess gritou. — Agora!

O telefone de Conor estava desligado. Mas isso não queria dizer muita coisa. Ele sempre se esquecia de carregar a bateria.

— Qual é o número do Greg?

— Não sei! Está na discagem rápida em todos os meus telefones. É 087 alguma coisa...

O motorista desacelerou quando passavam pela igreja novamente. Damo estava dando autógrafos. Ele sacudiu a cabeleira loira e fez sinal com o polegar para baixo, então o Rolls tornou a acelerar. A mulher de andador já havia ido embora. O Beagle fazia xixi na escada do limpador de janelas. O relógio no bar marcava quatro horas.

— Talvez tenha havido um problema na estrada — Saffy disse, baixinho —, um acidente de carro.

Você levou um fora, uma vozinha má falava dentro de sua cabeça. *Foi largada no altar e o país inteiro está assistindo e é isso que você merece porque apagou e passou a noite com um estranho.* Mas Greg não sabia sobre Doug, a não ser que...

Virou-se e olhou para Jess.

— Jess, você contou a Conor que passei a noite com o cara australiano?

— O quê? Não! — Jess mentiu. Mas sentiu que seu rosto pegava fogo.

Saffy a encarou.

— Ai, meu Deus. Você contou, sim. Como pôde?

Jess assentiu, envergonhada.

— Mas ele *nunca* contaria a Greg. Ele sabe guardar um segredo. — Outra mentira. Conor contara a *ela* que Greg tivera um caso, não contara?

Saffy mordeu o polegar com tanta força que lágrimas brotaram de seus olhos. Não importava se chorasse agora. Não importava se estragasse sua maquiagem. Greg não viria. Não se casaria com ela.

— Você poderia dar meia-volta, por favor? — pediu ao motorista. — Leve-me de volta a Dublin, por favor.

— Vou precisar que você assine algo — o motorista falou — para garantir que vou receber pelo...

Lizzie começou a lamuriar.

— Eu quero o papai! — Sua voz foi aumentando de volume até se tornar um guincho. — Pa... pai!

— Shhhh! — Jess dizia.

— Papai! — Lizzie apontava para fora da janela. — Papai! — E lá estavam Conor e Greg, em frente à igreja.

Jess e Lizzie saíram do Rolls e Greg entrou nele.

— Por favor, dirija um pouco pela cidade por dez minutos? — ele pediu ao motorista.

— Meu Deus do céu! — O rapaz pôs o pé no acelerador. — De novo, não...

Ouviu-se um rumor na multidão e, desta vez, os fotógrafos correram para tirar fotos pela janela, se empurrando para conseguir o melhor ângulo.

— Você não pode me ver de vestido antes do casamento — Saffy balbuciou. — Dá azar. — Ela nunca vira Greg tão desolado. O rosto dele estava sem cor. Os olhos estavam vermelhos como se estivesse chorando. Ela fizera isso. Era culpa dela.

— Não vou olhar para você — ele disse, virando a cabeça para a janela. Não queria mesmo ver a cara dela quando lhe contasse sobre Tanya.

— Minha mãe talvez esteja com um câncer, Greg. Ela achou um caroço no seio há algumas semanas. Era para ela fazer uma biópsia, mas ela cancelou.

— Ah, Saffy... Sinto muito — A mãe de Greg já havia morrido, mas ele ainda tinha pai e dois irmãos. Ele os veria pela primeira vez no ano dentro de alguns instantes. Não gostava muito deles, mas pelo menos estavam lá em algum lugar. Tudo o que Saffy tinha era Jill. Ele segurou forte sua mão. — Escute, precisamos conversar. Talvez precisemos cancelar o casamento...

Não! Saffy não poderia deixar que ele fizesse isso. Simplesmente não poderia.

— Não! Escute você! Sei que está arrasado, Greg. Eu também estou. Mas o que aconteceu não importa. Não muda o que sinto por você. Não somos perfeitos. Ambos iremos cometer erros. O importante é que possamos perdoar um ao outro, não é?

Ele se virou e piscou, incrédulo. Ela sabia! Então, caiu a ficha. Conor devia ter contado a Jess, que então contara a Saffy. Mas ela não estava zangada. Estava pálida, e o olhava como se nunca o tivesse amado tanto. Ela sabia do que acontecera. E o perdoava.

— Tem certeza que essa coisa... — Não, não era específico o suficiente. Ele engoliu seco e disse a palavra. — Esse casinho não mudou o que você sente por mim? — Saffy apertou a mão dele com tanta força que ele quase gemeu. — Não foi um caso, Greg. Foi só uma noite. Não teve significado algum.

— E você ainda quer se casar comigo?

— Sim. — Saffy arfava e falava ao mesmo tempo em que via a ponta da igreja através das árvores. — Eu quero.

Capítulo 16

Meu Deus, Greg pensou, enquanto o padre discorria sobre Deus ter feito a mulher a partir da costela ou qualquer coisa assim, *foi por pouco*! Jesus sorria provocantemente para ele do alto do vitral atrás do altar. Estava em pé sobre uma esfera de cobras com uma roupa marrom, equilibrando um bebê gorducho em uma das mãos. Se uma pessoa comum tentasse fazer aquilo, chamariam logo a polícia.

O corpo de Saffy se ajoelhou e levantou, suas mãos acenderam velas, sua voz ditou as respostas, mas sua mente rodopiava como uma borboleta hiperativa. Será que Greg levaria aquilo adiante? Será que a tinha mesmo perdoado? Ainda dava tempo de ele ir embora. E, então, não mais. Quase 200 pessoas estavam de pé aplaudindo, então Greg a pegou e deu-lhe um beijo hollywoodiano. Ela se viu meio anestesiada caminhando pela ala central da igreja com seu marido e depois recebendo uma chuva de confete do lado de fora.

Deixou-se beijar e abraçar por uma fila interminável de pessoas que não conhecia e por algumas poucas que conhecia, e depois estavam de volta ao Rolls Royce enquanto o fotógrafo saía do banco do passageiro.

Pararam para tirar fotos em cima de uma pequena ponte, à beira de um lago e foram novamente deixados em Woodglen, onde posaram para fotos em grupo: dentro do hotel, no gramado em frente ao chafariz, no jardim, no jardim murado, no jardim de rosas. Enquanto os convidados bebiam 60 garrafas de champanhe e comiam 1.500 canapés, Saffy e Greg posavam com Jill, depois com Jess e Conor, com a família de Greg, com celebridades e sozinhos.

Saffy sentia-se aliviada de não haver tempo para conversarem. Estavam muito ocupados seguindo as instruções do fotógrafo. Beijaram-se apaixonadamente e Greg a carregou através de um caminho onde havia um arco de pedras, em posições variadas, incluindo uma bem desconfortável simulando um resgate de bombeiro. Tornaram a fazer tudo novamente para a equipe de vídeo, para as equipes de

TV e depois para os fotógrafos da imprensa. Em seguida, Greg concordou em responder a algumas perguntas aos jornalistas.

Sim, era o dia mais feliz de sua vida. *Não*, não sentia falta do papel de Mac Malone. E *desculpe*, não podia confirmar nem negar se iria fazer um teste em Los Angeles durante sua lua de mel.

Saffy permaneceu ao lado dele sorrindo tanto que pensou que desenvolveria uma lesão por movimentos repetitivos nas bochechas.

— O que aconteceu com seu olho, Greg? — um dos jornalistas perguntou quando já ia terminando. Havia mesmo, agora Saffy percebia, uma ligeira sombra arroxeada no alto da bochecha dele...

— É tudo culpa da minha mulher — ele disse, sorrindo e dando uma rápida apertada na mão dela. — O que eu posso fazer? Ela é um verdadeiro nocaute.

Greg ainda estava tão enjoado que não conseguia nem beber água. O olho começava a ficar mais roxo. Colm Meaney nunca aparecia. Assim como os Corrs, GOD, Bono, Cilian Murphy e Johny Logan. Lauren mandara uma mensagem avisando que não conseguiria comparecer. O elenco de *A Estação* o estava ignorando. O idiota do Damo Doyle tentava roubar a cena. E tinha um pedaço de alguma coisa nojenta na parte da frente de sua camisa D&G.

Porém, ele pensou, ao olhar para o mar de mesas e cabeças comendo cordeiro à primavera e lombo de atum, poderia ter sido pior. Ele poderia não estar lá.

Havia matado um leão naquele dia. Tanya fora um momento difícil. Quase arruinara tudo, mas agora estava a salvo. Saffy soubera do que acontecera e o queria assim mesmo. Qualquer outra mulher o teria largado no altar como um idiota. Conor estava certo. Saffy valia ouro. Ele já deveria ter se casado com ela há muito tempo.

Colocou o braço em volta dela. Ela sorriu e o beijou. Seu hálito estava com cheiro de peixe e sentiu o estômago revirar, e mesmo assim a beijou de volta. Isso provava o quanto a amava naquele momento.

Saffy deixou-se levar pelo seu primeiro beijo oficial de casada. Seu coração ficou tão leve e grande que pensou que explodiria e atravessaria seu corpete La Perla e o vestido. Ela pensara seriamente que depois que Greg ficasse sabendo sobre Doug, ele a largaria no altar. Mas pelo visto tinha subestimado o homem incrível que era, ela pensou, testando a palavra em sua cabeça, o seu *marido*.

Sou a mulher mais sortuda do mundo, disse para ele com os olhos. *Sim*, responderam os olhos dele, *você é*.

Se descobrisse que Conor a tinha traído, Jess pensou, mataria a si mesma e depois a ele. Apesar de que o mais sensato fosse fazer aquilo na ordem inversa. De qualquer maneira, mataria os dois. Mas Saffy e Greg agiam como se isso não importasse. Passaram o dia trocando olhares apaixonados. Ela simplesmente não conseguia entender.

Conor tampouco. Ainda não engolira aquela cena na casa de Tanya. O irmão dela era um doido varrido, mas o pai tinha razão: Greg tirara vantagem da filha dele e estava tirando vantagem de Saffy também. Mas Tanya acreditara nas mentiras dele e Saffy o perdoara. Greg estava escapando ileso mais uma vez, como sempre acontecia.

Vicky estava em frente ao espelho limpando o batom vermelho vibrante dos dentes com um pedaço de papel higiênico. Usava um vestido *vintage* da mesma cor em chiffon, com a barra puída.

— Ah, Saffy, você está tão linda! — ela exclamou, enrolando as palavras. — Está parecendo a Branca de Neve interpretada pela Nigella Lawson.

— Sei. Só se Nigella vestisse sutiã 34 — Saffy riu.

Vicky foi para cima de Saffy, deu-lhe um abraço desajeitado e depois sentou-se na beirada da bancada da pia.

— Olhe para mim. Estou bêbada e falando palavrão, e você está tranquila, bonita e serena. Como sempre. Dê uma volta. — Ela acenou com uma taça de champanhe e Saffy deu uma volta, obedientemente.

— Como está a mesa com o pessoal da Komodo? — Saffy perguntou. — Desculpe por não ter conseguido ainda ir cumprimentar todos. Mal estou conseguindo respirar. Estão todos se divertindo?

— Bem, Ant trouxe uma mulher *horrorosa*. E olha que eu sei que sou velha, mas ela deve ter uns 100 anos. E cada vez que ele tenta falar comigo, ela interrompe — ela disse, acendendo um cigarro.

— Tem alarme antifumaça — Saffy disse, apontando para o teto.

Vicky deu o cigarro para ela, tirou uma camisinha da bolsa, abriu-a com os dentes, subiu na pia e colocou-a em volta do alarme.

— É melhor eu dar um uso para isso — disse, suspirando. E desceu da pia.

— Simon está tão ocupado olhando por baixo do vestido de Marsh que mal fala com o par dele, e olha que ela é linda! Ela tem um salão de depilação e estava me contando sobre os homens que vão até lá para fazer a "Adeus, Macaco" incluindo sabe quem? O Mike!

Saffy tentava imaginar o diretor de mídia da Komodo com meias de motivo natalino, depilando a bunda, mas interrompeu o próprio pensamento. Não combinava.

— Marsh não trouxe ninguém, não está usando calcinha, está tratando o par de Mike supermal e... — Vicky deu um sorriso triste — ... Josh não veio. Teve que levar a Pequena Lindsay para fazer *test-drive* em um cavalo.

— Ah, Vicky, sinto muito — Saffy disse.

— Acho que deve ser assim que os pais tratam suas filhas, não?

— Acho que sim — Saffy respondeu. Mas como poderia saber?

Greg a esperava no corredor, junto às portas duplas que davam para o salão de dança.

— Ei, sra. Gleeson — ele a chamou. — Estava procurando você. Pensei que ia perder nossa primeira dança.

Ele envolveu-a nos braços. Era a primeira vez que ficavam sozinhos desde a conversa dentro do carro, e Saffy sentia-se meio temerosa, mas estava tudo bem. Tudo ia ficar bem.

— Estou tão contente por termos feito tudo isso — ele disse com doçura.

— Eu também. — Ela sabia que Greg provavelmente iria querer saber detalhes sobre o que acontecera com Doug, mas pelo menos não era mais segredo. Era uma nova página na vida deles. Recomeçariam tudo novamente.

— Obrigado — Greg disse em seu ouvido. — Obrigado por ser tão compreensiva em relação à Tanya.

— Que Tanya? — Saffy murmurou.

— Tanya é o nome da garota do *A Estação*, você sabe, com quem tive um casinho.

Através das portas, Saffy podia ouvir a voz do DJ:

— Senhoras e senhores, com vocês, a noiva e o noivo em sua primeira dança!

— Que casinho?

Segunda Parte

Capítulo 17

Saffy estava deitada sob uma palmeira em uma praia do Caribe. Um coco aterrissou com um baque seco em sua espreguiçadeira de praia. Ela virou a cabeça e sentiu fibras espinhosas contra a bochecha. O coco começou a pressionar seu rosto, e, quando ela abriu as pálpebras, olhava diretamente para o traseiro de Kevin Costner.

Ela empurrou-o para fora da cama e ele ficou onde caiu, formando um montinho peludo, encarando-a e ronronando. Ela tornou a fechar os olhos e enterrou a cara no travesseiro, tentando forçar-se a entrar novamente no sonho.

Eu estou deitada em uma praia de areias alvíssimas, disse a si mesma. *Em um segundo, vou levantar e caminhar por uma floresta tropical para voltar à vila nupcial do Hotel Amerkand e me enfiar na piscina particular com o Greg e...*

Não adiantou. Ela não estava em Antígua. Estava em seu antigo quarto na casa da mãe. Um sol fraquinho, bem irlandês, se esforçava para atravessar as cortinas cor-de-rosa que sua mãe havia lhe escolhido quando Saffy tinha 11 anos de idade.

Virou-se de lado e ficou encarando um pôster das Ninfeias de Monet, tão desbotado que todos os azuis e lavandas já tinham se transformado em tons de cinza. Lágrimas escorriam por seu rosto até os lacinhos da camisola que ela pegara emprestada de sua mãe.

Vindo do andar de baixo, ela conseguia ouvir o tilintar de pratos e as vozes sibilantes de duas mulheres no rádio falando sobre histerectomia.

Alguém bateu na porta e Jill entrou, vestida com um quimono japonês de cor escarlate. Ela colocou uma bandeja na mesinha de cabeceira e deu um puxão brusco em uma ponta do edredom, como se estivesse inflando um colete salva-vidas.

— Acorde e sinta o cheirinho de um café semidescafeinado — ela disse, enérgica. — O mundo parece melhor depois de uma boa xícara de café.

Tudo o que sua mãe dissera desde o casamento parecia saído de um para-choque de caminhão. Saffy virou as costas para o prato de ovos mexidos melequentos e a torrada queimada que estavam na bandeja.

— Por favor, mamãe, será que você pode ir embora e levar o gato junto?

— Sadbh, já se passaram dois dias. Você não pode ficar aí só remoendo tudo. Não é saudável.

Entretanto, na verdade, ela podia, sim. Ficar lá deitada remoendo tudo sem parar era só o que conseguia fazer.

Não tinha ideia de como havia conseguido, mas entrara no salão de baile e dançara a primeira música com Greg. Eles rodopiaram em câmera lenta no centro de um enorme círculo de convidados que balançavam e sorriam ao som de *"Too Good To Be True"*, na versão de Lauryn Hill.

Essa sempre fora a música *deles*. Mas naquele momento a letra dizia uma verdade terrível. "Muito bom para ser verdade." Greg realmente era bom demais para ser verdadeiro. Contudo, ela conseguira parar de olhá-lo. Estavam casados há apenas sete horas e ela não queria vê-lo nunca mais.

Quando a música terminou e todos começaram a aplaudir e a gritar, ela saiu de fininho do salão, subiu as escadas até a suíte nupcial e trancou-se no banheiro.

Ficou encolhida no chão de lajotas, chorando. Sua maquiagem derretia em gotas pegajosas que desciam pelo pescoço e iam parar em seu vestido de seda. Fios de seu penteado caíam e grudavam em suas bochechas molhadas.

Qual delas era Tanya? A continuísta magrela que jogava o cabelo para trás a toda hora? A atriz americana que interpretava a psiquiatra que tratara a insônia de Mac? A editora de roteiro que tinha uma risada maligna?

Ela as imaginava na cama com Greg, uma por uma, depois todas juntas, sedenta de dor, como se pudesse haver um ponto em que se sentisse tão mal que não conseguiria sofrer mais nada.

Depois de algum tempo, sob o som de seus próprios lamentos, ouviu Greg batendo na porta do banheiro.

— Saffy, me deixe entrar, por favor; me deixe explicar.

Ela cobriu os ouvidos com os dedos. Uma ou outra palavra abafada era ouvida ocasionalmente:

— Desculpe... por favor... ninfo... amor.

Ela levantou-se, cambaleante, com os dedos ainda nos ouvidos.

Greg ainda estava falando. "Traseiro...", ela conseguiu entender mesmo tapando os ouvidos. "Coração... por favor... terrível... desculpe."

Foi se arrastando até o espelho. Seu cabelo estava todo emaranhado e molhado e seu vestido, completamente amarrotado. Em um lado do rosto, a marca do piso parecia uma cicatriz. Seu rímel se dissolvera, virando fios de tinta de uma estranha tatuagem tribal.

Quando tirou os dedos dos ouvidos para ligar a torneira, ele estava no meio de uma sentença:

— ... não porque eu não amava você. Foi porque eu estava tão sozinho sem você. De uma maneira estranha, amor, o fato de eu ter dormido com ela prova o quanto eu amo você... — Ela pretendia lavar o rosto antes de abrir a porta, mas fechou a torneira. Ela queria que Greg a visse daquele jeito. Queria que ele visse o que havia feito com ela.

Ele estava esparramado em uma poltrona de veludo cor de framboesa, segurando uma garrafa de champanhe contra o peito. De smoking, com a gravata afrouxada, parecia o anúncio de algum produto caro. Até mesmo o ferimento debaixo do olho era atraente, algo que o departamento de arte poderia acrescentar para torná-lo um pouco mais rude.

— Quantos anos ela tem, Greg? — Saffy indagou numa voz sem expressão. — Como ela é? Quantas vezes?

Ele tentou segurar o braço dela.

— Você tem que acreditar. Não significou nada para mim. Significou menos do que nada. Eu juro.

— Responda. — Ela passou por ele e dirigiu-se ao armário de bagagens, tirando a mala que havia feito para a lua de mel. Abriu-a e encontrou uma calça jeans e uma camiseta.

Greg cobriu o rosto com as mãos.

— Dezenove, eu acho. Kelly Osborne. E só aconteceu uma vez, amor. Só uma vez. Foi no Davison, depois que nos separamos. Eu estava completamente pirado. Pode perguntar para a Lauren.

— Você contou para a Lauren? Você contou à sua agente que dormiu com alguém e não contou para mim? — Ela deu um puxão e tirou o vestido de noiva amarrotado pela cabeça. Atirou-o no chão e se despiu do corpete de renda e das estúpidas meias com cinta-liga.

— Quem mais, Greg? Quem mais sabe?

— Conor. E Jess, eu acho. E só. Foi um erro. Um erro. Que não acontecerá nunca mais, eu juro!

Jess sabia e nada lhe dissera. Saffy não sabia quanto mais conseguiria ouvir. Ela começou a arrastar suas roupas.

— Saffy, me escute, por favor. Eu nem sabia o que estava fazendo; eu estava completamente fora de mim.

Como ela também estava, Saffy pensou, quando acabou indo parar na cama de Doug. Greg devia ter notado que sua expressão se suavizou. Ele largou a garrafa de champanhe e aproximou-se devagar, pelo lado, como se ela fosse uma bomba prestes a explodir ou um cavalo muito nervoso.

— Aquela garota é destrambelhada, amor. Eu deveria ter percebido pela lagartixa. Ela me deu um desses comprimidos para dor de cabeça, mas na verdade era ecstasy. Depois, ela praticamente me violentou. Ela tem um santuário para mim no quarto dela, com fotos e velas e toda aquela porcaria de vodu.

Saffy enchia uma sacola de praia com roupas cuidadosamente dobradas. Ela congelou.

— Como você sabe?

— Como eu sei que ela praticamente me estuprou? Bom, eu tenho uma vaga lembrança de que ela me amarrou na cama com...

— Não, Greg. Como você sabe que ela tem um santuário para você no quarto dela, se isso aconteceu somente uma vez no Davison?

Greg engoliu seco.

— Eu fui até a casa dela uma vez. Bem, duas vezes, contando hoje de manhã, mas nós só transamos uma vez. Eu juro!

— Hoje de manhã? Você esteve com ela na manhã de seu casamento?

Ela colocou a sacola de praia no ombro.

— Você é inacreditável, sabia? Você é simplesmente inacreditável.

— Aonde você vai? — Greg disse, arrasado. — Você não pode sair e me deixar aqui com quase 200 convidados! — E quatro jornalistas, ele pensou. E um era da *OK!* — Venha para Antígua comigo. Nós podemos resolver isso tudo, amor. Sei que podemos. É como você disse hoje de tarde. Não somos perfeitos. Vamos cometer mais erros. Só o que interessa é que podemos perdoar um ao outro.

Ela balançou a cabeça.

— Acabou, Greg.

— Mas e a lua de mel?

— Leve a Tanya com você. E, se ela estiver ocupada, estou certa de que poderá arranjar alguma outra adolescente para lhe fazer companhia.

A imensa porta de madeira bateu atrás dela. Saffy desceu a escada de serviço com o coração martelando tão forte que chegou a pensar que fossem os passos de Greg atrás dela.

Alguns convidados estavam fumando nos degraus de mármore na frente do hotel. A música que vinha do salão de baile era *"Baby I Love You"*, dos Ramones. Saffy ouviu alguém cantar junto. Parecia Vicky.

Ela passou por eles sem ser percebida e deu uma corridinha até o lugar onde seu carro estava estacionado. Jess deveria levá-lo para Dublin no dia seguinte, então a chave se encontrava na ignição. Foi somente perto de Dun Laoghaire, com lágrimas ainda correndo pelo rosto, que ela se lembrou de que a chave do apartamento havia ficado no hotel. Mas não podia voltar. Ela nunca voltaria.

— Como vão as coisas aí embaixo, carinha? — Greg inclinou-se sobre a borda líquida da piscina particular e derramou um pouco de rum com abacaxi sobre o piso de mármore. A formiga, que devia ter uns três centímetros de comprimento, virou-se na direção do pequeno lago de álcool, farejou o ar com suas antenas, hesitou durante alguns segundos e em seguida jogou-se de cabeça. Era seu terceiro coquetel e ela estava um tanto cambaleante com suas seis pernas.

Greg balançou o copo.

— Saúde, formiguinha. — Será, ele imaginou, confuso, que as formigas têm orelhas? Esse era o tipo de coisa que Saffy deveria saber. Ela era uma daquelas pessoas incríveis que conheciam quase todos os assuntos. Ele suspirou, recostou-se e ficou olhando para o céu.

As constelações de cabeça para baixo começavam a desaparecer, e o horizonte por trás da linha de coqueiros lentamente se iluminava. Dublin estava a nove horas de distância. Ele ficou imaginando o que ela estaria fazendo agora. Queria telefonar para ela. Queria telefonar a toda hora, mas tinha medo. E se ela realmente desejava o que dissera em Woodglen? E se estivesse tudo acabado de verdade?

Ele esvaziou o copo. Mas que bobagem. É claro que não tinha

acabado. Eles estavam casados. Ninguém termina um relacionamento na noite do casamento. Exceto Britney Spears, é óbvio. Até Eddie Murphy tinha conseguido ficar casado por duas semanas.

Ele ainda não fazia ideia da razão pela qual Saffy tinha surtado daquele jeito. Já repassara várias vezes tudo aquilo em sua cabeça. Ela fora tão compreensiva quando ele contara sobre esse casinho no Rolls. Ele lhe dera a opção de cancelar o casamento e ela recusara. Depois, quando lhe perguntou se ela tinha certeza de que queria continuar, ela praticamente pulou em seus braços.

Então, por que ela teve aquele ataque na suíte nupcial? Talvez tivesse demorado algumas horas para cair em si. Ou talvez ela tivesse algum problema hormonal como o que Mia, de *A Estação*, tivera em 2006.

Ele estendeu a mão e agarrou a garrafa de rum, servindo-se de mais um copo, lembrando de espirrar um pouco no piso para a formiga. Nem se deu ao trabalho de pegar o suco de abacaxi. Estava muito longe.

Mia acabou tendo uma gravidez ectópica. Talvez Saffy estivesse grávida. Isso certamente explicaria as mudanças de humor. Ou talvez fosse o pior caso de TPM do mundo.

Fosse o que fosse, esperava que tivesse passado quando ele voltasse. E esperava que nenhum jornal descobrisse que ela não viera para a lua de mel com ele, porque Lauren ficaria possessa se isso acontecesse. Estava tão paranoico que nem saía da vila, para não correr riscos. Era solitário ficar ali, noite após noite, embebedando-se na companhia de uma formiga — talvez nem fosse a mesma toda noite. Era difícil distinguir uma da outra. Elas eram todas iguais.

Ele inclinou-se para olhar.

— E aí, cara, pronto para a saideira? — A formiga saiu cambaleando da poça pegajosa de rum, com a cabeça abaixada. Uma brisa cálida e perfumada fez farfalhar o sapé do teto da vila. Pela porta aberta, Greg podia ver a enorme cama branca com dossel coberta de pétalas de rosas. Talvez, Greg pensou, seja hora de eles dois irem dormir.

Saffy estava na cozinha, embrulhada em um lençol encardido, comendo arroz doce direto da tigela com um garfo quando Jill entrou, usando um casaco estilo marinheiro e sandálias combinando.

— Oi, mãe — ela resmungou. — Eu ia levar isso lá para cima.

Sua mãe lançou-lhe um olhar penalizado. Ela era o tipo de pessoa que montava uma bandeja para tomar um cafezinho na sala.

— Está bem. Eu como aqui mesmo, se você quiser. Pronto, vou colocar em um pratinho. — Saffy e seu lençol viraram-se para abrir o armário.

— Você tem que se vestir — disse Jill.

— Não tenho, não. — Saffy raspou a gororoba com o garfo. — Não me peça isso. Não me force, por favor.

— Você tem que se vestir — Jill disse com voz trêmula —, porque preciso que vá comigo ao hospital. Eu chamei um táxi, mas ele não veio. Eu tomei um Valium, então não posso dirigir.

Saffy virou-se.

— Ai, meu Deus! Sua biópsia! Por que não me lembrou?

A mãe tinha colocado sua calça jeans e a camiseta para lavar, e Saffy só tinha as roupas leves de verão que havia posto na mala para a lua de mel. Colocou um vestido da Ghost e encontrou uns chinelos dourados que achou que usaria em alguma praia do Caribe. Ela se viu de relance no espelho quando foi apanhar as chaves do carro: seu cabelo estava oleoso, seus braços e pernas praticamente sem cor e os óculos de aro escuro não combinavam com o traje vaporoso de verão. Ela estava ridícula.

Porém, quando saiu de casa, havia calor de verdade no sol, e o ar estava carregado com o perfume das lilases e de grama cortada. Em quatro dias desde o casamento, a estação havia mudado. Era verão.

Recolheu a capota do Audi e sentiu-se aliviada porque o ruído intenso do tráfego não permitiu que conversassem. Não sabia o que falar com a mãe.

A radiógrafa posicionou o seio de sua mãe contra uma placa de vidro abaixo de uma enorme câmera. Ela manobrou a placa de baixo na direção do seio para comprimi-lo. Era horrível, pensou Saffy. Como um tipo de tortura medieval.

— Está frio, não? — a radiógrafa perguntou com gentileza. — Mas a senhora já passou por isso antes. Vai terminar antes que a senhora perceba. A propósito, adorei seu casaco. Onde o comprou?

— É da M e S. — Jill retesava o lábio inferior, mas sua voz tremia. — Da Coleção Autografada de Primavera.

A última vez que Saffy vira Jill sem roupa fora dez anos antes, quando tiraram férias de quinze dias em Tenerife. Uma das amigas de sua mãe sugerira a viagem em cima da hora e Jill chantageou Saffy emocionalmente para ir junto.

Ela passara as duas semanas inteiras vestida dos pés à cabeça, sentada na sombra, ouvindo o Jagged Little Pill em seu mini-CD player e fingindo que não conhecia Jill, que desfilava pela área da piscina e atraía olhares de admiração com seus biquínis coloridos e chapéus combinando.

Jill estava com quarenta e poucos anos na época, mas tinha o corpo de uma mulher de 30. Agora, seus seios, ainda cheios e firmes por baixo das roupas, vergavam contra o tórax esquelético, e seu estômago formava uma bolsa sobre a cintura da saia vermelha. Era terrível vê-la exposta daquela maneira.

Ficou contente quando a radiógrafa pediu que permanecesse atrás da cortina de vidro e desligou as luzes. Ela ficou no escuro com o casaco, a blusa e o sutiã de sua mãe no braço, ouvindo o barulho da máquina e o leve arfar de Jill quando ela soltou a respiração entre uma radiografia e outra.

Ela olhou por cima do perfil bicudo do dr. Kenny para a mancha oscilante cinza e preta do seio de sua mãe na tela do computador. O médico devia ter seus 60 anos, com cabelos daquele tom de cinza que as revistas femininas chamam de “distinto”. Usava gravata-borboleta amarela, um terno muito caro e muita loção Silver Mountain Water, da Creed. Era a loção pós-barba favorita de Greg, e fez Saffy sentir saudade não dele, mas de si própria. Da pessoa simples e descomplicada que era há alguns meses. Antes do desastre da separação, da decepção do casamento e da ameaça do tumor de sua mãe. Sua antiga vida era como um país estrangeiro agora, e, por mais que ela quisesse visitá-lo, nunca o faria.

— A anomalia que analisamos há algumas semanas era benigna — o dr. Kenny disse enquanto Jill era preparada pela enfermeira —, e este deve ser mais um falso alarme. Não há com o que se preocupar, mas ela deveria ter vindo assim que percebeu o caroço. Nós só vamos inserir uma agulha e retirar algumas células. Ela pode sentir algum desconforto depois do procedimento. É irmã dela?

Pela primeira vez, esse erro não perturbou Saffy.

— Sou filha dela.

— Então pode ficar por perto nos próximos dias depois que ela voltar para casa?

Ela fez que sim.

— Estou morando com ela no momento, mas é temporário. — Assim que Greg voltasse ao país, ela havia decidido pedir que ele mudasse do apartamento para que ela pudesse voltar a morar lá e depois colocá-lo à venda.

— Vamos lidar com um dia de cada vez — disse o dr. Kenny —, está bem?

Conor agachou-se nas escadas e colocou uma toalha sobre a impressora para abafar o ruído de seus tremores artríticos enquanto ela cuspia as próximas 30 mil palavras de seu livro.

Ainda tinha que corrigir o rascunho. Poderia fazer isso entre uma aula e outra, e depois ficando acordado até tarde para enviá-las por e-mail para a assistente de Becky Kemp pela manhã. Mas estava pronto. De alguma maneira, apesar do desastre da festa de casamento de Greg e Saffy, do balde de água fria que era a reprovação de Jess e do buraco sem fundo de sua própria dívida, ele havia conseguido.

Ficara acordado a noite inteira e estava muito agitado para voltar para a cama. Queria marcar aquele momento de alguma maneira, mas Jess e os gêmeos dormiam pesadamente e era cedo demais para acordá-los. Ele pegou um agasalho, encontrou seu tênis e, fechando a porta sem fazer ruído algum, saiu para a rua silenciosa. Ainda não amanhecera e havia poucos automóveis na rua. Foi até a praia e caminhou por algum tempo, balançando os braços para aliviar o nó nos ombros causado pela noite passada ao teclado.

A manhã seria linda. Havia uma pequena nuvem com o formato de Howth sobre Howth e, conforme o céu clareava, a fumaça das torres listradas da usina de força mudavam de cinza para dourado.

Ele cortou pela Torre Martello para voltar pela Rua Strand, e, quando se deparou com o posto de gasolina, veio-lhe à mente a maneira perfeita de comemorar. O posto ainda tinha as luzes acesas e as portas estavam trancadas.

— Eu queria um charuto — ele disse ao sonolento russo detrás da janela de serviço — e uma caixa de fósforos.

O sujeito pegou as duas coisas.

— Tem nenê?

— Não. — Conor enfiou uma nota de cinco euros na bandeja de metal. — Só terminei de escrever uma boa parte do meu romance.

— Tolstói! — O sujeito deu um largo sorriso, apontando o charuto para Conor. — Dostoiévski! Stephen King!

Quando Conor saiu da sala de professores, Graham Turvey se contorcia no chão diante da entrada do laboratório de ciências. O nariz e o queixo estavam cheios de sangue e ele grunhia coisas para si mesmo. Conor largou sua mochila no parapeito da janela e ajudou o menino a se levantar. Ele verificou o corredor.

— O que aconteceu, Graham?

— Nada. — Um fio vermelho gotejava de seu nariz. — Eu... caí. Só isso. — Ele enxugou-o na manga de seu macacão.

Conor procurou um lenço no bolso de trás, mas é claro que não tinha nenhum.

— O sr. Fofo está se masturbando! — alguém gritou no corredor.

— Vamos. Se me disser quem fez isso — Conor colocou seu braço em volta do ombro de Turvey —, poderei tomar uma providência.

Graham encolheu-se e retirou o braço, mas os meninos haviam percebido e começaram a fazer uma algazarra.

— É o Turkey e o Fofo em *Brokeback Mountain* — Conor ouviu alguém dizer —, a continuação.

Saffy não queria falar do casamento e sua mãe não queria falar sobre os exames. E, de alguma maneira, elas conseguiram evitar-se quase totalmente nos dias que se seguiram, o que era um grande feito para uma casinha geminada de dois dormitórios.

Dr. Kenny havia dito a Jill que descansasse, mas ela disse que se sentia bem. Tinha levantado cedo e fora trabalhar na loja. Depois, viera para casa, preparara alguma coisa para comer e fora para a cama, no andar superior, com uma bandeja.

Saffy dormia durante o dia e levantava de noite para assistir à televisão, tentando se anestesiar com reprises de *Friends, Frasier*, módulos da Universidade Aberta e horas e horas de *Big Brother* ao vivo.

Sua mãe deixava pratos de comida na geladeira e ela os comia em horários estranhos, ou os passava para Kevin Costner. Uma vez, por volta das 3 da manhã, ela estava parada, de pé na cozinha às escuras comendo uma coxa de frango quando Jill desceu para abrir a porta para o gato. Em seguida saiu da cozinha, apagando novamente a luz, e Saffy sentiu uma onda de gratidão. Pela primeira vez, que se lembrasse, sua mãe não estava tentando se intrometer ou interferir. Ela estava simplesmente deixando-a ser quem era.

Jill vestia um animado conjunto de verão cor de creme com bolsa e sapatos combinando, como se tivesse parado para pegar o resultado dos exames a caminho de uma festa ao ar livre ou das corridas. Saffy aninhou-se ao lado dela em uma cadeira antiga do consultório do dr. Kenny, no segundo andar, enquanto ele olhava os resultados na pasta.

— A biópsia revelou que existe um carcinoma lobular invasivo de grau 1. O que se resume a... — o médico fez uma pausa — ... escolha. — Ele estava usando outra gravata-borboleta, desta vez preta com pintas vermelhas. — A senhora pode optar por uma lumpectomia ou uma mastectomia. — Ele fez com que as duas opções parecessem uma questão de preferência. Como peixe ou frango, com ou sem gás, preto ou branco.

— De qualquer forma, prosseguiremos com a quimioterapia e, possivelmente, a radioterapia. Devo dizer que, se decidir manter seu seio, existe uma probabilidade de doze por cento de o câncer voltar.

Saffy temia olhar para a mãe. Tentou pegar na mão dela, mas Jill estava agarrada à sua bolsa como se esta fosse uma boia de salvação.

— Há mulheres que dizem "Doze por cento de risco é muito. Prefiro remover meu seio". Outras dizem "Tenho oitenta e oito por cento de probabilidade de que o câncer não volte. Vou manter meu seio. Se o câncer voltar, depois eu o removerei". A média de sobrevivência é a mesma. — O dr. Kenny clicou sua caneta Mont Blanc. — Então, a questão é escolher o que lhe for mais confortável. Seja qual for sua preferência, gostaria de operar o mais cedo possível. Tenho um cancelamento na segunda-feira.

Espere um pouco. Confortável. Saffy apertou o braço da cadeira. *Preferência*. Essas eram palavras estranhas de se usar quando se falava de cortar uma parte de outra pessoa. Prendeu a respiração. Uma mosca varejeira se pendurava no vidro da janela. Alguém do consultório ao lado falava ao telefone. Lá fora, para além dos gramados sinuosos do campo de golfe, dois aviões deixavam rastros num céu de perfeito azul.

Após alguns instantes, Jill levantou-se e disse baixinho:

— Eu gostaria de removê-lo. — Depois, caminhou com incerteza pelo tapete dourado que levava até a porta. Saffy levantou-se para segui-la, mas o dr. Kenny a chamou. — Dê-lhe um minuto. É difícil assimilar.

Ele empurrou uma caixa de Kleenex pela mesa e em seguida olhou pela janela e ficou observando dois golfistas de roupas pastel que cruzavam o verde iluminado pelo sol.

— Eu tenho uma pergunta — ela disse.

O dr. Kenny deu um suspiro.

— Naturalmente. Pode ser hereditário. Pode ter sido causado pela alimentação, pelo álcool, por anticoncepcionais, pela água que ela bebia ou pela tintura que usava para pintar o cabelo. Existem estudos que apoiam essas teorias e vários outros fatores como possíveis causas. Mas a razão pela qual sua mãe tem câncer de mama — ele fechou a pasta —, nós simplesmente não sabemos.

Saffy mandou Jill para a cama, preparou uma bandeja e fez um pote de chá verde. Tinha lido em algum lugar que chá verde prevenia câncer, embora tivesse consciência de que apertar o saquinho com a colher e ver a água mudar de cor não ia alterar muita coisa.

Jill estava no banheiro de sua suíte. Fazia anos que Saffy não entrava no quarto dela, que tinha decoração nova. O carpete fora retirado e o piso de madeira estava polido e encerado. Havia um tapete de seda cor-de-rosa desbotado. Os guarda-roupas com portas deslizantes haviam sido substituídos por um armário francês. A cama estava coberta com montes de travesseiros de veludo e havia velas perfumadas sobre a cômoda. Não era um dormitório. Era o que os tabloides chamariam de "ninho de amor".

Jill nunca gostara muito de mulheres. A mãe tinha conhecidas, não amigas, mas Saffy sempre se lembrava de ver um namorado por perto. Eles nunca passavam a noite quando ela ainda morava lá. Na verdade, quase nunca os via. Sabia deles por um buquê de cravos em um vaso na mesa da cozinha, uma voz grave ao telefone, um carro que rondava a casa enquanto Jill acomodava Saffy no sofá junto com a babá. Ao apoiar a bandeja, Saffy se perguntou por onde andaria Len. Por onde andariam todos os sapos agora que Jill precisava deles?

— Estou no banho — Jill avisou de dentro do banheiro. Sua voz foi abafada pelo barulho da água. Ela estava chorando, Saffy percebeu, e não queria ser ouvida. — Você poderia ir ao supermercado? Não temos nada para o jantar.

— Claro — disse Saffy. Ela ficou parada ao lado da porta por um instante. — Não demoro.

Ela empurrava o carrinho do supermercado como uma zumbi, enchendo-o com as comidas mais saudáveis que podia encontrar, qualquer coisa que vagamente se lembrasse de conter um antioxidante, qualquer coisa verde. Suas mãos tremiam ao colocar as sacolas no carro.

A caminho de casa, parou num *pub* em Dundrum. Estava vazio, exceto pelo atendente e dois velhos que assistiam a *How to Look Good Naked* na televisão. Ela sentou-se no bar e tomou dois conhaques duplos, que achou ser o que se devia fazer depois de um choque. Depois, foi até o banheiro, trancou-se no cubículo, ajoelhou no desbotado piso de linóleo verde com cheiro de urina e devolveu cada gota do que bebera.

Um grupo de crianças estava reunido ao lado do bicicletário. Conor olhou para elas e viu o aplique desgastado de Lesley Duffy e a cabeça raspada de Wayne Cross.

— E aí, sr. F? — disse Wayne, acenando. Sua outra mão estava atrás das costas. O cheiro de fumaça de cigarro chegou por cima de seu ombro.

— Apague isso, Cross — disse Conor —, ou terei que denunciá-lo.

Ele estava abrindo o cadeado de sua bicicleta quando ouviu a voz de Leslie.

— "Nós dois rimos" — ela declamou com voz cantada, como se estivesse lendo alguma coisa — "e depois Susan me disse que eu sou engraçado."

Conor gelou. O texto parecia familiar. Ele se virou e viu que Lesley estava lendo uma folha impressa de sulfite.

— "Depois eu disse: 'Engraçado de rir ou engraçado de esquisito?" — ela continuou. — "Susan olha nos meus olhos. 'Engraçado de engraçado, porque já faz três horas que estamos aqui e você ainda não me beijou...'"

Ela estava lendo o rascunho de seu livro. Era a cena em que Dan, o personagem principal, sai com Susan, uma moça de seu escritório. A parte em que eles estão flertando no restaurante antes de irem para a casa dela e...

Conor tinha imprimido uma cópia para corrigi-la antes de enviá-la para Becky e pensava que a deixara em algum lugar de sua casa. Agora se dava conta de que devia tê-la colocado no chão no dia em que ajudara Turvey no corredor e depois se esquecera de pegá-la.

Wayne Cross agarrou a página e prosseguiu a leitura, tropeçando nas palavras.

— "Susan inclina-se para frente e sorri. Ela não está usando sutiã e eu tentei não olhar para o contorno de seus mamilos aparecendo através do vestido." Isso é safadeza, sr. Fofo. Muita safadeza.

Wayne apertou a ponta do cigarro contra a ponta da página e uma pequena labareda apareceu. Lesley atirou um punhado de páginas no ar. Uma rajada de vento as apanhou, levando-as para o campo de futebol.

Houve uma explosão de riso e um coro de vaias quando Conor tirou sua bicicleta do suporte e afastou-se, cabisbaixo.

— Sua mãe já saiu da recuperação — a enfermeira disse a Saffy. — Ela acaba de tomar uma injeção de morfina e está um pouco grogue. Mas está indo bem. Ela está na cama perto da janela.

A cortina em torno da cama estava fechada, e, quando Saffy a abriu, sua mãe tentou sentar-se, mas voltou a deitar, com os olhos vasculhando o pequeno cubículo.

— Onde está minha filha? Pode chamar minha filha?

Saffy não se lembrava da última vez que tinha visto sua mãe sem maquiagem. Ela estava horrível.

— Estou aqui. — Saffy largou as flores e apoiou sua mãe em alguns travesseiros extras. Ela sentou-se cuidadosamente no pé da cama. — Como está se sentindo?

— Dolorida — gemeu Jill. — Onde está Rob? Ele viu o bebê?

Rob? Será que se referia ao seu pai? Será que estava pensando que acabara de ter um filho, e não que havia feito uma mastectomia?

— A senhora está no hospital, mamãe — Saffy disse docemente. — A senhora acaba de fazer uma mastectomia, lembra?

Jill olhou para ela de modo vazio.

Saffy pegou em sua mão.

— Mamãe! Sou eu, Sadbh!

— Rob quer dar o nome de Sadbh à nenê — Jill suspirou —,

mas acho que é complicado de dizer. — Seus olhos se anuviaram e fecharam. Ela começou a ressonar levemente.

Uma enfermeira espiou pela abertura da cortina. Ela viu a expressão de Saffy.

— Não se preocupe. Essa confusão é completamente natural. Ela vai voltar a si logo, logo.

Saffy engoliu em seco.

— Devo ir embora? Quero dizer, eu atrapalho se ficar aqui?

A enfermeira aproximou-se e alisou os lençóis.

— De modo algum. Faz uma diferença enorme ter alguém aqui. As pessoas que não têm ninguém para cuidar delas demoram mais para se recuperar. Eu presencio isso todo dia.

Mais tarde, deitada em sua desconfortável cama de solteiro e ouvindo Kevin Costner miar e arranhar a porta, Saffy ficou remoendo essas palavras.

Até aquele dia, a operação de Jill parecera o final de um processo. No entanto era somente o começo. Sua mãe demoraria semanas para se recuperar da mastectomia e depois haveria a quimioterapia, talvez até a radioterapia.

Greg chegaria de Antígua dentro de uma semana, e ela deveria voltar para a Komodo. E havia decidido que retornaria para o apartamento, mas não podia ir embora e deixar sua mãe se virar sozinha depois que saísse do hospital. Não era uma simples opção; ela teria que ficar em casa por umas duas semanas, no mínimo. De alguma maneira, teria que se desdobrar entre o trabalho, Jill e — ela admitiu pensar nisso pela primeira vez — um divórcio.

Ela se levantou, abriu a porta para o gato entrar e acabou caindo no sono com os braços em volta de Kevin Costner.

Saffy tirara as velas perfumadas, a linda bandeja marroquina de joias e o vaso de flores, e agora a elegante mesa de cabeceira de sua mãe estava coberta de medicamentos. Frascos de comprimidos. Receitas. Lenços de papel. Gaze. Lenços umedecidos. Desinfetante. Jill estava apoiada nos travesseiros, meio adormecida, com um termômetro pendurado nos lábios feito um cigarro apagado.

Saffy abriu as instruções e encontrou a parte sobre esvaziar o dreno.

Verifique se tem todos os itens necessários. Luvas limpas de borracha. Recipiente de coleta limpo para medir a drenagem. Vasilha com água quente, sabonete, paninho e toalha de mão. Um caderno para anotar a quantidade de fluídos e informações.

Uma ponta do tubo de drenagem serpenteava por baixo da roupa de Jill. A outra ponta estava presa a um bulbo de borracha do tamanho de um limão. Saffy vestiu as únicas luvas de borracha que conseguira encontrar na cozinha, rosa-choque com bordas de pele de leopardo.

Desprenda o dreno da roupa do paciente.

Ela desprendeu o tubo da parte de cima do pijama de sua mãe. Ela havia parado na Dunne's para comprar o pijama a caminho do hospital. Jill tinha uma gaveta de camisolas provocantes, mas nenhuma era abotoada na frente.

— Pode doer um pouco, mamãe. Vou fazer bem devagar, está bem?

Agora Jill observava com os olhos azuis bem abertos e meio distantes.

Retire a tampa do tubo de drenagem. Vire o bulbo para baixo a fim de drenar o conteúdo.

Saffy segurou a respiração enquanto o fluido gotejava para dentro do recipiente de coleta. Ela apertou o tubo bem forte para retirar todo o ar e colocou a tampa de volta.

Anote a quantidade, a cor e o odor do fluido.

A princípio, tudo parecera razoavelmente fácil de fazer. Quando Saffy chegara ao hospital na noite anterior, sua mãe estava vestida e pronta para partir. Usava até batom, embora ele parecesse estar mais em seus dentes. Jill estava grogue, porém Saffy conseguiu colocá-la e tirá-la do carro, ajudá-la a subir as escadas e deitá-la na cama sem problemas.

O que ela não tinha previsto, mas algo para que o dr. Kenny havia alertado, era o cansaço. Não o de Jill, que pelo menos tinha um motivo, mas o seu. Depois de acomodar a mãe, desceu as escadas, jogou fora a gaze e lavou o recipiente e o tubo para desinfetá-los. Ordenou aos próprios pés que a levassem até a geladeira para pegar o frango e começar a fazer uma sopa para o jantar, mas eles não ouviram. Eles voltaram para cima, entraram em seu quarto e foram para a cama. Ela suspirou e deitou, só por dez minutos.

Saffy sonhou que tinha atropelado um cisne. Ela permaneceu no carro, com medo de dar a volta e olhar o pássaro. Ele estava ferido no meio da rua, gemendo de um modo rouco e assustador. Ela acordou e sentiu-se aliviada. Em seguida, sentiu um arrepio. Por que estava escuro? E se o cisne não era real, por que ainda o ouvia?

Jill estava quase fora da cama quando Saffy chegou.

— Não consigo respirar. Tem alguma coisa em cima de mim. Por favor, tire! Por favor. — Ela começou a gritar.

— Mamãe, está tudo bem. — Saffy soltou seu braço e tentou acomodá-la novamente. Mas não estava tudo bem. Seu pijama estava molhado de suor. Seus olhos estavam desfocados e nervosos. Saffy procurou o telefone do hospital e, depois do que pareceu uma eternidade, a enfermeira de plantão atendeu.

— Precisamos de uma ambulância. — Ela teve que levantar a voz para falar mais alto que Jill. — Minha mãe precisa ser internada.

— Quando a senhora deu o último analgésico? — A enfermeira permaneceu calma.

— Hoje à tarde. — Ela olhou para o relógio na mesa de cabeceira de Jill. Ela havia trocado as roupas de sua mãe às 5 e depois fora descansar. Eram 11 da noite. Dormira por seis horas.

— Dê-lhe dois comprimidos de codeína e levante os travesseiros. Isso vai aliviar a pressão da ferida. E se ela não se sentir melhor em meia hora, chame de volta.

Sua mãe não soltava a mão de Saffy, mas com a que estava livre, ela conseguiu fazer com que Jill engolisse duas codeínas e manobrá-la para que ficasse sentada. Mesmo depois que a droga começou a fazer efeito, depois que a falta de ar foi aliviada e ela começou a ficar sonolenta, Jill ainda a segurava. E Saffy, que estava com a perna dormente e o braço começando a sentir câimbras, permitiu.

Jess tentou ligar para Saffy mais uma vez. Seu telefone ainda estava desligado. Ela foi até a sala de estar, empurrou algumas revistas e jornais para o lado, deitou no sofá, ligou a televisão e ficou zapeando. Uma apresentadora com vestido bem decotado entrevistava um transexual que ia ser operado em breve na TV3. Na RTE, uma apresentadora loira, que mais parecia um transexual depois da operação, entrevistava um cabeleireiro que falava sobre extensão de cabelo. Pela primeira vez, Jess desejou que tivessem TV a cabo.

Saffy estava lhe dando uma gelada. Jess não a via desde o casamento. Ela estava brava por Jess ter contado a Conor sobre seu caso de uma noite. Porém isso não era nada comparado à ira que a possuiu quando ela descobriu que Jess sabia sobre o casinho de Greg. Ainda se falaram, tecnicamente, mas só com monossílabos.

— Sim. — Sua mãe estava indo bem. — Não. — O resultado da segunda biópsia ainda não tinha saído. — Não. — Ela não sabia nada sobre Greg. — Não. — Ela não tivera tempo de pensar o que faria em seguida. — Não. — Ela não precisava de nada. — Sim. — Ela telefonaria se precisasse.

Jess aceitou porque sabia que merecia. Se estivesse no lugar de Saffy, não sabia se chegaria a dizer "sim" ou "não". Não que ela, de alguma maneira, pudesse ser infiel a Conor ou que ele pudesse traí-la, a não ser que escrever um livro contasse como traição.

Ele tinha enviado a segunda parte do romance para sua agente há alguns dias e ela imaginava que ele tiraria uma folga, mas Conor voltara à escrivaninha na manhã seguinte. Ela tinha acordado e o procurado, mas ele não estava na cama. Ela ficou acordada por um bom tempo, ouvindo o matraquear do teclado e o rangido da cadeira, desejando que ele voltasse para a cama para ficar com ela. Mas ele não voltara.

Ela pulava de canal para canal nervosamente. *Judge Judy. Um Lugar Ao Sol.* Um desenho animado japonês. Um comercial com um homem que gritava muito alardeando um limpador de forno. *Teletubbies.* Ai, por favor, *Tinky Winky e LaLa*, não!

Sentiu sono. Tinha voltado para a cama e dormido por mais uma hora depois que Conor e os gêmeos foram para a escola de manhã. E, durante o dia todo, só ficara lendo os jornais. Deveria levantar e lavar a louça do café. Deveria tomar um banho e telefonar para algumas editoras para tentar marcar alguma reunião e depois pegar a bicicleta e ir até a casa da mãe de Saffy.

Desligou a TV e voltou a aninhar-se no sofá, empurrando para o chão uma embalagem vazia de enroladinhos de figo que tinha comido. Haveria muito tempo para tudo aquilo mais tarde, depois que descansasse um pouco.

Saffy não queria voltar ao trabalho, mas não tinha escolha. Já fora difícil negociar com Marsh o período do casamento e da lua de mel. Sabia a reação que haveria se pedisse mais tempo. E ela precisava do emprego. Tinha que pagar o empréstimo que fizera para o casamento.

Odiava ter que deixar sua mãe sozinha. Fazia só uma semana que Jill fora operada e ela estava melhorando aos poucos, devagarinho. Já conseguia chegar até o banheiro sozinha, mas Saffy ainda tinha que fazer todo o resto: banhá-la, vesti-la, despi-la, medir sua temperatura e convencê-la a comer. Era como se os papéis tivessem se invertido e Jill agora fosse a criança e ela, a mãe.

— Obrigada — Jill dizia quando Saffy a vestia com pijamas novos. — Obrigada — quando ela passava perfume em seu pulso. — Obrigada — quando ela penteava seu cabelo. Nos primeiros dias, eram as únicas palavras que dizia, e as dizia de modo tão submisso e tão agradecido que Saffy se sentia culpada. Porque, se as coisas fossem diferentes, se tivessem saído do modo como ela queria, não estaria ali para ouvir a mãe agradecer.

— Vou deixar uma bandeja aqui e voltarei na hora do almoço — avisou sua mãe, colocando a cabeça pela porta. Usava a roupa que menos lembrava moda de praia de seu enxoval de lua de mel: um vestido estilo marinheiro curto com botões brancos.

— Você está bonita! Eu ficarei bem. — Jill estava apoiada nos travesseiros lendo um livro. — Estou me sentindo bem melhor hoje, de verdade.

— Se precisar de alguma coisa, quero que me ligue, está bem? Promete?

Jill tentou sorrir. Saffy passara a vida toda evitando os telefonemas dela.

— Prometo.

Saffy tinha mãos de gorila. As palmas eram de um marrom liso e brilhante e as costas tinham uma horrível coloração de pinho manchado com alguns pontos albinos em volta dos pulsos. Não ia enganar ninguém com aquela loção autobronzeadora.

Ciara caiu na risada quando a viu.

— Você não pegou sol nenhum, garota levada!

Fim de jogo, pensou Saffy. E nem havia passado da recepção.

— É bronzeado de mentirinha! Você passou as duas semanas inteiras trancada no quarto do hotel, não é?

— Bom... — Saffy começou.

O telefone tocou e Ciara virou-se para atendê-lo.

Escapara dessa. E seria igualmente fácil com o restante de seus colegas. Nem precisaria mentir.

— O Caribe é superestimado, não é? — Simon inclinou-se para roubar um croissant de amêndoas enquanto eles se acomodavam para a reunião de trabalho.

— Depende de para onde você vai — Saffy respondeu com sinceridade.

Mike, que era entomologista amador, perguntou se ela tinha visto alguma tarântula em Antígua e ela disse que nunca vira uma tarântula, o que também era verdade.

Ant não perguntou nada. Só olhou como se não a visse.

Marsh tirou seu pequenino Rolex antigo, colocou-o ao lado da xícara de café e deu-lhe um sorrisinho básico.

— Espero que tenha feito muito, muito sexo em sua deliciosa lua de mel, porque não vai ter mais tempo novamente nos próximos seis meses.

— Defina muito, muito — disse Saffy.

Vicky chegou atrasada, então só conseguiu dizer:

— Quero ver as fotos.

Foi um alívio ser sugada novamente para dentro do drama diário da Komodo. A gravação da Avondale não tinha ido muito bem e o diretor baratinho fizera um estrago com a sequência dos produtos. O cliente estava exigindo que fosse tudo refeito.

A primeira pesquisa para a Pluma Branca parecia positiva e o próximo passo era Saffy reunir-se com Dermot Nervoso e o pesquisador para aprovarem um roteiro definitivo.

Ant e Vicky haviam produzido um pôster para a campanha do NoQ, um shopping de outlets de marcas. Simon mostrou as pranchas com um sorriso petulante, como se ele mesmo tivesse escrito e dirigido a arte.

Stella McCartney
Canecas
My Little Pony
NoQ. Moda, utensílios e brinquedos.

E:

Giorgio Armani
Perfumes
Marc Jacobs
Calças
NoQ. Cosméticos, presentes, moda e roupas masculinas.

Havia até uma versão para o Natal:

Papai Noel
Ferros
Barbies
Calcinhas
NoQ. Para o Natal.

— O que vocês estão vendo é a terceira rodada da criação — Simon disse, convencido. — Eu não poderia apresentar as primeiras ideias de Ant.

Ant virou-se para Vicky.

— Você sabia — ele disse, por alguma razão olhando para Saffy, não para Simon —, que é possível mandar quebrar as pernas de alguém por 350 euros?

Depois da reunião, Vicky encurralou Saffy.

— Se você me contar tudo sobre Antígua, eu lhe faço um chá e fico babando. Fechado?

— Se você me der um desses. — Saffy apontou para o pacote de Marlboro Lights que estava aparecendo na bolsa de lantejoulas de Vicky.

— Não sabia que você fumava.

— Nem eu.

O pequeno pátio era rodeado de muros altos em todos os lados. Havia duas cadeiras de ferro fundido enferrujadas e algumas plantas cheias de mato que eram usadas como cinzeiros. Saffy não fumava há anos, só de vez em quando. A nicotina atingiu seus terminais nervosos como um enxame de abelhas. Seus dedos das mãos e dos pés crepitaram. Seu cabelo pinicou.

— Me fale da lua de mel — pediu Vicky. — Quero saber os mínimos detalhes. Não se esqueça de nada! Foi incrível?

Saffy deu outra tragada do cigarro e concordou.

— Antes que você comece, tenho que alertá-la. — Vicky exalou fumaça, formando um anel. — O Simon tem sido um absoluto cretino. Ele nos contou sobre aquela história do bônus com a qual todos vocês concordaram quando você escolheu o diretor irlandês para a Avondale. O Ant ficou passado.

— Vicky, eu sinto muito. Não deveria ter concordado com aquilo. Me sinto péssima.

— Não importa. Acho que você devia estar dura por causa do casamento. Não se preocupe com o Ant. Ele vai superar isso quando o roteiro da Pluma Branca for aprovado. Mas não é só isso que o Simon Pegajoso tem aprontado. Ele está tendo um caso com a Marsh.

— Não!

— O Ant esqueceu o iPod quando saiu na sexta-feira e voltou para cá depois da aula de Chi Kun e ouviu ruídos na sala dela. Ele achou que fosse um ladrão, então foi verificar. A porta estava fechada, só que ele disse que ouviu uns guinchados. Como um esquilo.

— Ai, meu Deus! Eles estavam transando na sala dela? — Saffy imaginou-os se enroscando no lindo sofá de veludo cinza de Marsh.

— Transando no sofá. Horrível, não? É melhor você ficar esperta, Saffy. Simon quer ocupar o lugar de Marsh tanto quanto você, e eles agora estão bem mais próximos, porque ele já está dormindo com ela.

Vicky tinha razão. Saffy esperava que a paranoia a tomasse, mas isso não ocorreu. Já havia muito com o que se preocupar.

— Enfim, chega de falar desse casinho sórdido. — Vicky enfiou a bituca do cigarro no vaso. — Vamos, tenha pena de mim. Eu, provavelmente, nunca terei minha própria lua de mel, então pelo menos quero desfrutar da sua por tabela.

Saffy olhou para o chão.

— Eu não fui — disse. — Não aconteceu nada.

— Então você ficou escondida no seu apartamento durante duas semanas? Que ótimo! Fiquei preocupada que você estivesse cansada demais para apreciá-la.

Saffy balançou a cabeça.

— Greg foi. Nós terminamos. Eu descobri que ele me traiu. Ele me contou na noite do casamento.

Vicky olhava para ela, incrédula.

— Passei as últimas duas semanas morando com a minha mãe, cuidando dela. Ela teve que fazer uma mastectomia de última hora na segunda-feira passada.

— Meu Deus, Saffy! — Vicky colocou o braço em volta dela. — Coitadinha. Mas que pesadelo! Sua mãe vai ficar bem?

— Acho que sim. Espero que sim.

— Não posso acreditar que Greg tenha feito isso com você e ido para a lua de mel sozinho! Você deve estar se sentindo horrível.

— Na verdade, me sinto anestesiada. — Era verdade.

— Eu tenho certeza de que ele não quis magoar você, Saffy. Você ainda pode tê-lo de volta. — Vicky afagou seu braço. — Se ele estiver muito, muito arrependido...

Saffy balançou a cabeça, em negativa.

— Não. Não vou fazer isso. Não posso.

Vicky acendeu mais dois cigarros e deu-lhe um.

— Bom, talvez isso seja parte do grande plano celestial. Tudo no universo acontece por um motivo.

— Tem razão. — Saffy segurou a fumaça dentro dos pulmões até que doessem. — Tudo no universo acontece por um motivo e, às vezes, esse motivo é que a vida é uma merda.

Na esteira de bagagens, Greg foi cercado por uma despedida de solteira com mulheres usando camisetas com frases como *O Último Porre de Lisa*. Prendeu o fôlego enquanto elas lhe diziam o quanto estavam arrasadas por causa de Mac e depois ele deu alguns autógrafos, tentando não inalar aquele hálito coletivo de Red Bull e cigarros.

Quando se dirigiu para as portas automáticas que se abriam para o corredor de chegada, viu um grupo de fotógrafos que aguardavam por trás das barreiras. *Merda!* Eles esperavam vê-lo com Saffy. Se os jornais ficassem sabendo que viajara em lua de mel sozinho, ele pareceria um perfeito fantoche.

Ele curvou-se. Não podia pedir que a segurança do aeroporto o escoltasse. Isso só atrairia mais atenção para o fato de estar sozinho. Teria que se esconder no banheiro até que fossem embora.

O trânsito na M50 estava congestionado até Cherrywood. Saffy acendeu um cigarro e fez as contas. Tinha 35 minutos para chegar em casa, fazer sua mãe comer alguma coisa e voltar para o escritório para uma reunião do NoQ. Pegou o acostamento, levantando uma boa quantidade de cascalho. Depois de alguns segundos emocionantes, percebeu a luz azul que piscava em seu espelho retrovisor.

O guarda de motocicleta veio até o carro, todo garboso.

— Tem um incêndio em algum lugar?

Ela podia ver seu próprio rosto, pequeno e distorcido, nas lentes dos óculos espelhados do policial. Um cheiro de couro quente vinha das calças dele.

— É minha mãe.

— Sua mãe está pegando fogo?

Ela balançou a cabeça.

— Não, seu guarda.

— Mas vejo que está fumando. Esse carro é da empresa?

— É.

— A senhora está ciente de que, de acordo com a Lei de Saúde Pública de 2002, seção 47, é ilegal fumar em qualquer local de trabalho, *incluindo* em veículo motorizado?

Aquilo era ridículo.

— Olhe. — Saffy jogou o cigarro pela janela. — Não tenho mais cigarro. Satisfeito?

Ele olhou para a bituca fumegante que havia aterrissado na ponta de sua enorme bota. Se ele estava satisfeito, conseguia esconder muito bem. Ele levantou o pé e pisou na bituca com o calcanhar.

— A senhora está ciente de que *também* é ilegal ultrapassar pelo acostamento?

— Sim, é claro que estou. Olhe, eu sinto muito, mas minha mãe acaba de fazer uma mastectomia e ela está sozinha e eu tenho que chegar em casa e dar os remédios para ela. Quando eu vi o trânsito, fiquei apavorada.

Ele hesitou, e então o telefone dela tocou. O celular estava no banco do passageiro. Os dois viram a foto de Greg aparecer na tela.

— A senhora tem um dispositivo de viva-voz?

Ela tinha, mas estava trancado no apartamento e não tinha a chave.

Ele abriu o caderninho e balançou a cabeça.

— É claro que não.

Quando Greg telefonou novamente, ela estava na pia da cozinha lavando verduras para o almoço de sua mãe.

— E aí, o que me conta?

O que eu conto, Saffy pensou, *é que você dormiu com outra mulher. Você me traiu e mentiu para mim, e casou comigo só pelas aparências. E eu nunca mais quero vê-lo.*

Mas o que disse foi:

— Não tenho nada a dizer para você, Greg. Não ligue mais.

— Espere um segundo. — A voz dele parecia desesperada. — Por favor.

Um segundo se passou e depois mais um. Saffy olhou pela janela da cozinha. Os vizinhos idosos de sua mãe, o sr. e sra. O'Keefe, estavam deitados em espreguiçadeiras no jardim, de mãos dadas. O que era preciso fazer para manter vivo o amor depois de tantos anos? Qual era o segredo?

— Conor me contou sobre a cirurgia de sua mãe — Greg disse. — Como ela está?

— Como se você se importasse.

— Amor, que coisa horrível. Estou tentando ter uma conversa normal com você.

— Por que eu iria querer ter uma conversa normal com você, Greg? Me dê uma razão para eu querer fazer isso.

— Bom, porque eu gostaria de ajudar. Eu poderia ir até aí e fazer companhia à sua mãe. Eu poderia ler para ela. Eu poderia dar comida para o Kevin Spacey.

— O nome do gato é Kevin *Costner*, e não quero sua ajuda.

— Então — ele disse, com cuidado — você vai ficar com a Jill até as coisas melhorarem?

— É óbvio que sim.

— E depois, o que vai fazer?

— Não tenho ideia.

— Eu só queria saber quando você vai voltar. Estamos falando de semanas ou meses?

— Estamos falando de nunca.

— Nunca diga nunca, amor. Eu sei que fiz besteira, mas nós estamos casados. E estar casado inclui resolver problemas juntos e...

— Eu preciso pegar algumas coisas no apartamento. Você pode, por favor, deixar minha chave no vaso ao lado do elevador? E você pode não estar lá amanhã à noite?

— Por favor, Saffy, não desista de nós. — A voz dele estava trêmula. — Vamos dar um tempo. Três meses, é só isso que peço. Não precisamos nos ver, não precisamos nos falar. E, no final, se você ainda quiser me deixar, eu aceitarei, está bem?

Não estava bem. Não estava bem mesmo. Mas, se essa mentirinha o tirasse do telefone, se fizesse com que ele não ligasse ou tentasse vê-la, ela estava pronta para mentir.

— Está bem.

O relatório sobre a doença de sua mãe havia saído. O câncer havia invadido os dois nódulos linfáticos.

— Não é nada para se preocupar, Jill — disse o dr. Kenny depois que a enfermeira removeu o dreno e tirou os pontos.

Naquele dia, ele usava uma gravata escarlate de bolinhas. Talvez fizesse algum bico como palhaço nas horas vagas, Saffy pensou. Talvez, no final de um dia em que passara falando às pessoas que elas estavam doentes ou morrendo, ele precisasse colocar um nariz vermelho e fazer alguém rir.

Ele fechou a pasta e sorriu.

— Vamos começar com a quimioterapia e depois passamos para a radioterapia, em seis ou sete semanas.

— Eu vou ficar sem cabelo? — Jill estava sentada na mesma cadeira que ocupara algumas semanas antes. Usava o mesmo terninho de cor creme, mas estava muito trêmula para calçar salto alto, então colocara tênis. A cirurgia a transformara. Pela primeira vez, Saffy pensou, ela demonstrava a verdadeira idade.

— Se a senhora ficar sem cabelo — ponderou o dr. Kenny —, ele logo crescerá novamente. Porém vai precisar de muitos cuidados. Nada de trabalhar. Nada de levantar ou carregar peso. Seu braço está se recuperando, mas não queremos correr o risco de os nódulos linfáticos ficarem inflamados. Então, quero que sua filha cuide de tudo. Afinal, é para isso que ela está aqui, certo?

Saffy concordou. *Certo.*

Capítulo 18

Conor leu a carta uma segunda vez, dobrou-a e colocou-a no bolso. Em seguida tirou-a, desdobrou-a e leu-a novamente.

Douglas, Kemp & Troy
Agência Literária
Rua Winnet, 11
Londres W 1D

Prezado Conor,
Obrigada por enviar a segunda parte de seu romance para a Juniper. Tenho alguns pequenos comentários, mas, com base no que li até agora, afirmo que teríamos imenso prazer em representá-lo. Anexo duas cópias de nosso contrato — padrão para clientes. Por favor, leia-o com atenção e, se estiver de acordo, assine e envie-nos uma cópia.

Normalmente, a esta altura, eu marcaria uma reunião em Dublin ou em Londres, mas vemos que há uma oportunidade em aberto que nos apresenta um problema de tempo.

Tenho em mente um editor para o romance, mas preciso mostrar a ele o manuscrito completo antes do final de agosto. Até agora, você nos enviou menos do que dois terços de seu livro, e pelo que entendi, você ainda tem mais 30 mil palavras para escrever. Seria possível completar o manuscrito antes do final de julho?

Desse modo, poderemos nos reunir no meio de agosto para discutirmos meus comentários e pensar em aprontar o livro para entregar ao editor no fim do mês.

Nós, da Douglas, Kemp & Troy estamos muito contentes por acrescentá-lo à nossa lista de autores e ansiosos por trabalhar com você.

Atenciosamente,
Becky Kemp
Agente Literária

P. S. Meus cumprimentos a Brendan, que merece, se não uma dedicatória, pelo menos um "obrigado" por fazer este livro chegar até nós.

ÁUDIO
Trilha sonora sobe e desce todo o tempo. Versão independente de "Heaven Must Be Missing An Angel".

VÍDEO
Abrimos com uma rua urbana movimentada gravada em preto e branco. Um anjo acaba de cair na terra. Ele está deitado com as asas presas debaixo de si. Uma senhora idosa passa por cima dele. Vemos detalhe dos sapatos de um homem que pisa através de sua cabeça. Percebemos que as pessoas não podem vê-lo. Ele é visível somente para nós.

O anjo luta para ficar de pé. Está nu, vestindo somente uma tanguinha. A câmera sobe em pan por seu corpo, passando por suas coxas musculosas e seu abdômen firme. Ela vai subindo até se fixar em seu lindo rosto.

Cortamos para nosso belo anjo passando por um ponto de ônibus. Uma garota linda, mas triste, aguarda na fila. Ele para atrás dela e a envolve em suas asas. Ela não pode vê-lo, mas é como se pudesse sentir o conforto desse abraço angelical. Ela suspira de contentamento.

Agora vemos nosso anjo caminhando por uma vila de casas. Chove. Notamos uma mulher atraente que olha pela janela do andar superior, chorando. De modo mágico, nosso anjo aparece ao seu lado. Quando ele a abraça, a chuva cessa e o sol volta a brilhar. Quando o anjo desaparece, a mulher sorri.

Vemos uma série de tomadas de nosso anjo invisível confortando mulheres em diferentes situações. Uma cirurgiã na sala de cirurgia. Uma garota brigando com seu namorado. Uma modelo na passarela. Em todas as vezes, seu toque invisível levanta o astral delas.

Agora nós o vemos caminhando por uma praia deserta na direção de um balão de ar quente.

O filme passa de preto e branco para colorido enquanto vemos o anjo na cesta do balão.

Quando ele se aproxima, vemos que o balão tem a forma do logo da Pluma Branca.

Cortamos para uma tomada de nosso anjo no balão. Depois, a câmera segue o caminho deixado por suas plumas, que flutuam no ar.

ÁUDIO

Uma voz feminina sexy diz: Proteção invisível com asas da Pluma Branca. Porque existem dias em que toda mulher precisa de asas.

Saffy anexou o roteiro ao e-mail e copiou a agência, o cliente e as três produtoras de comerciais que Ant e Vicky queriam orçar. Dermot Nervoso tinha finalmente parado de mordiscar roteiros e aprovara um.

Os dois garçons de terno preto trocaram olhares e, em seguida, em exata sincronia, levantaram as tampas de prata que cobriam os pratos. Jess olhou para o seu. No centro do enorme prato de porcelana havia um pequeno apóstrofo de peixe equilibrado precariamente sobre um montinho de folhas. De um lado, quatro vagens, uma cenoura baby e a menor batata que ela já vira na vida.

Ela teria preferido ficar em casa e comer uma prato de massa, e ainda não sabia ao certo o que estavam fazendo ali, mas levá-la para almoçar no Restaurante Patrick Guilbaud era a maneira que Conor encontrara para compensar o tempo que investira no livro, e ela concordou de bom grado.

Cortou um cantinho da batatinha e colocou na boca. Não era boa. Era *incrível*.

— O que será que eles fazem para conseguir que a batata fique com esse gosto? Será que temperam com *crack*?

Conor deu risada. Era tão bom ouvi-la fazer uma piada, era tão bom estar sentado nesse lugar lindo e ter a oportunidade de olhar para ela. De olhar para ela de verdade. Ter tempo para perceber a suavidade de seu pescoço, a delicadeza da clavícula e a borda azul-marinho de seus olhos azul-claros e o modo como seu vestido revelava suas curvas incríveis.

Ele não fazia ideia de quanto a refeição iria custar. No entanto, mais uma centena de euros não faria diferença no já enorme saldo negativo do cartão de crédito. Greg ainda não pagara o anel que havia comprado para Saffy. Conor adoraria que ele o fizesse logo. A fatura já havia vencido e os juros se acumulavam.

— Olha, eu tenho uma ideia. — Jess estava se sentindo leve e deliciosamente tonta. — Vamos telefonar para a babá, avisar que não vamos voltar antes das 6 e vamos ao cinema. Não, espere. Espere! Vamos ao Whelan's beber Guinness e fazer palavras cruzadas.

— Fechado! — Conor disse, sorrindo. — Mas eu devo estar bem enferrujado.

— Você está sempre bem enferrujado. — Ela pegou a mão dele e sorriu.

— Foi incrível! — ela disse. — Tenho certeza de que não vale o preço astronômico que eles vão cobrar, mas foi absolutamente incrível.

— Tem mais — Conor disse.

Ela gemeu:

— Não consigo comer mais nada. Preciso deixar espaço para a Guinness.

— Não é comestível nem bebível.

— Você quer dizer potável — disse Jess. — Estou vendo que sou eu quem vai fazer a maioria das palavras cruzadas.

— É uma novidade — começou Conor.

— Boa ou má?

— É muito boa. — Ele manteve o segredo por mais alguns instantes, tocando cada um dos dedos dela com o polegar. — É sobre o livro. Recebi outra carta da agente. Becky Kemp quer me contratar. Ela me deu até o meio de agosto para entregar o manuscrito inteiro. Aí, ela vai fazer algumas adequações e depois quer mostrar para uma editora.

Jess fechou os olhos por um momento e, quando os abriu novamente, toda a efervescência e a alegria que sentira haviam sumido e só sobrara uma sensação apertada, incômoda por trás dos olhos, que parecia o começo de uma ressaca. Tudo aquilo — a comida, o vinho, o modo como Conor olhava para ela — não era por causa *dela*. Era por causa do *livro*.

Ela balançou a cabeça.

— Então, basicamente, você me trouxe aqui para contar que vai ficar acorrentado à sua escrivaninha durante todo o verão? — E quando ela olhasse por sobre o ombro dele, ele abriria um novo documento para que ela não visse o que ele estava escrevendo.

— Bom, eu realmente vou ter que investir bastante tempo. O prazo é apertado e vou ter que ficar grudado lá, mas não vou trabalhar o tempo todo.

— Tá bom. — A voz de Jess saiu baixa e desanimada. — Podemos ir para casa agora?

— Ora, não fuja de mim desse jeito. Fique contente por mim. Por favor. Este sempre foi meu sonho. Você sabe disso. Nós conversamos muito sobre isso antes de os gêmeos nascerem.

— Conversamos? — Ela também tinha seus sonhos. Sonhos de viver em um barco. De mudar para a Nova Zelândia. De tirar um ano de folga e viajar pelo mundo com uma mochila nas costas. Porém desde que se transformaram em uma família, não precisara mais desses sonhos.

Agora, ouvir Lizzie rir quando Conor lhe fazia cosquinhas, observá-lo cortar as bordas de todos os sanduíches de Luke porque ele detestava as cascas, aninhar-se no beliche junto dos gêmeos enquanto Conor lhes contava uma história e fazia várias vozes diferentes, *este* era seu sonho. Ela o vivenciava. E até alguns meses atrás, pensava que era o sonho dele também.

— Jess, nós concordamos que eu iria lecionar por alguns anos, mas que em algum momento tentaria parar para ganhar a vida como escritor.

— Você vai *parar* de lecionar? — Ela não podia acreditar. Lecionar era o que pagava o aluguel e a maioria das contas.

— Bem, não imediatamente, mas, se der certo, talvez eu possa reduzir as aulas. Sair da St. Peter's. Pegar algum outro trabalho alternativo. Liberar mais tempo para escrever. Olhe, podemos falar sobre tudo isso quando eu terminar o livro.

Jess olhava fixamente para seu copo. Nessa mesma época, no ano anterior, aquele maldito livro nem mesmo existia. Agora a vida deles girava em torno dele. E depois haveria outro. E mais outro. E nada voltaria a ser como antes.

Um garçom aproximou-se e colocou uma bandeja de *petits-fours* na mesa: um quadradinho formado por *marshmallows*, chocolatinhos recheados de Brandy, um trio de *macarons* em miniatura, um folhado em forma de barco carregando uma única framboesa. Enquanto Jess olhava para eles, todos se dissolveram em uma única mancha de cor pastel.

Ela falou tão baixo que Conor precisou inclinar-se para ouvir.

— Estou contente por seu livro. Estou mesmo. Mas, cada vez que você senta na escrivaninha, você vira as costas para mim, para o Luke e para a Lizzie. Você nem percebe, só que é isso que está fazendo. E me desculpe, mas não consigo mais suportar. Então você poderia me fazer uma coisa? Poderia encontrar outro lugar para terminá-lo?

Saffy havia deixado uma bandeja na porta do quarto de sua mãe antes de ir trabalhar. Cereal de fibras, iogurte, um *muffin*, uma jarra de chá verde e um copo de suco de ameixa. Jill perderia peso quando começasse a quimioterapia e Saffy estava tentando fazer com que ela ganhasse alguns quilos antes. Havia deixado dois comprimidos de codeína num frasco com um bilhete: "Tome um às 8 e outro às 12. Voltarei à 1 da tarde para preparar o almoço. S."

Quando abriu a porta do quarto, ao retornar, havia suco de ameixa espalhado por todo canto — na cama, no carpete, no papel de parede, até no teto. Jill estava apoiada na cama de modo desconfortável e tinha o rosto lívido.

— O gato comeu meu iogurte — ela disse. — E depois eu derramei o suco de ameixa. Me desculpe.

— A senhora não tomou os analgésicos de estômago vazio, não é?

— Eu não tomei nenhum. Não consegui encontrá-los.

— Kevin Costner! — elas disseram em uníssono.

Saffy ficou de joelhos e olhou debaixo da cama. Verificou também atrás do guarda-roupa.

— Temos que encontrá-lo — disse Jill — e esvaziar seu estômago!

— Eu tenho uma reunião às 3, não tenho tempo de esvaziar o estômago do gato. — Saffy afastou a cômoda. — A senhora vai ter que fazer isso sozinha.

— Eu estou fraca demais para esvaziar o estômago dele!

— Bom, então ele vai ter que esvaziá-lo sozinho.

Num instante, elas se encaravam seriamente. No instante seguinte, riam tanto que Saffy acabou caindo sobre a cama.

— Pare — Jill pediu, arfando —, por favor, pare! Está balançando a cama. Meus pontos!

A cortina se mexeu. Saffy arremessou-se na direção dela e afastou-a. Kevin Costner estava agachado atrás da borda com o frasco de codeína ainda fechado entre as patas. Olhou para ela e começou a ronronar.

Conor chegou adiantado, então parou em uma cafeteria na Rua South William e pediu um café. Era o dia mais quente do ano, quente demais para beber café, mas ele não suportava a ideia de já descer para a sala de sinuca, que era abafada e sem janelas.

Era o primeiro dia das férias escolares e deveria sentir-se aliviado. As últimas semanas na St. Peter's tinham sido o inferno na terra. Pedaços de seu rascunho (os trechos mais picantes, é claro) foram xerocados e distribuídos por toda a escola. Até as primeiras séries o estavam tratando como uma piada.

— "Ai, Dan" — eles gemiam quando ele escrevia na lousa. — "Ai, Susan."

Infelizmente, a piada estava longe de acabar. No dia seguinte, começaria na escola onde lecionava nos cursos de revisão durante as férias de verão, e alguns alunos da St. Peter's estariam nessas aulas. Seria uma nova série de humilhações, mas ele simplesmente tinha que aguentar. Não havia escolha.

Estava começando a pensar que essa coisa toda de livro tinha sido um grande equívoco, e, se não tivesse assinado o contrato e prometido entregar a próxima parte, teria desistido. Aquilo já tinha causado muitos problemas entre ele e Jess e, no ritmo que ia, duvidava seriamente de que conseguisse cumprir o prazo, marcado para agosto. Não escrevia mais em casa desde que Jess havia pedido que não o fizesse. Vinha procurando escritórios baratos para alugar, mas não tinha encontrado nada que pudesse pagar.

Enquanto isso, trabalhava na biblioteca durante algumas horas todos os dias, mas não estava dando certo. Ele estava acostumado a trabalhar bem cedo pela manhã ou bem tarde da noite; era nessas horas que tinha suas melhores ideias. Era horrível ficar na cama, acordado, enquanto elas matraqueavam em sua mente, sabendo que as esqueceria quando acordasse.

Certas noites, quando não conseguia dormir, ele se levantava, saía de casa de fininho, pegava a bicicleta e pedalava pelas ruas desertas até Sandycove. Rabiscava em seu caderno por algum tempo e depois mergulhava nas águas escuras e frias, nadando por vinte minutos. Quando saía, sentia-se entorpecido, o que era o mais próximo de bem-estar que conseguia experimentar naqueles dias.

— Olá!

Ele apertou os olhos. Era uma jovem com um vestido preto e branco muito curto e enormes óculos escuros. Por um momento, achou que fosse uma de suas alunas, e depois notou que sua franja estava tingida para combinar com o vestido.

— Você é amigo de Greg Gleeson, não é? Só que você andou malhando. Está diferente.

Era Tanya. Merda!

— E aí, como foi seu casamento? — ela perguntou com sarcasmo. — E você, tipo, gostou de mentir para a minha família inteira? Minha avó ficou, tipo, arrasada. Ela achou que você era legal.

— Olhe, me desculpe por ter feito aquilo.

Tanya ergueu a mão, com a palma voltada para ele e o dedo indicador levantado. Era aquele gesto da Oprah Winfrey e do Jerry Springer, que indicava "não mexa comigo", na moda entre todas as garotas agora.

— Me pergunta se eu, tipo, me importo. Vamos! Pergunta se eu, tipo, me importo?

— Humm...você, tipo, se importa? — Conor checou a rua. Se Greg aparecesse agora, a coisa ficaria feia.

Tanya deu um sorriso amargo.

— Não — ela garantiu —, não me importo. Para ser sincera, você me fez um grande favor. E pode dizer ao seu "amiguinho" Greg Gleeson que não vou mais incomodá-lo.

— Muito bem — disse Conor. — Direi a ele. — Ele tinha que se livrar dela. Greg já estava meia hora atrasado. Ele chegaria a qualquer momento. — Bom, então até mais.

— Tá. — Tanya deu um sorrisinho e lançou-lhe um olhar de puro desprezo. — Você ainda vai me ver por aí. Se ler os jornais certos, vai me ver bastante, para falar a verdade.

A sala de sinuca estava quente feito o inferno. Os tacos escorregavam na mão, era como jogar debaixo da água. Depois de algum tempo, eles desistiram e foram se sentar no bar. Depois de duas semanas sozinho em Antígua, Greg não parava de falar, agora que havia com quem conversar.

Conor ouviu sobre o casamento, sobre o rompimento, a lua de mel e o trabalho em Los Angeles, mas sua mente estava em outro lugar. Onde e como ele terminaria o livro?

— ... porque ela precisa de um tempo, o que é legal, sabe, porque a mãe dela está doente. Acho que ela meio que pirou quando Jill disse que poderia ser câncer e é por isso que ela teve uma reação exagerada à história da Tanya. Você acha isso possível?

— Claro — disse Conor. O que ele realmente achava era que duas pessoas que mentiam uma para a outra daquele jeito não poderiam ficar juntas. É claro que Greg não sabia que Saffy dormira com outro homem, mas acabaria sabendo. A verdade sempre aparece.

O que o lembrava que estava na hora de contar a verdade sobre o livro.

— Olha, eu preciso contar uma coisa.

— O quê? Não estou ficando careca, não é? — Greg se empertigou para ver sua nuca no espelho turvo que havia atrás do bar. — Acho que todo esse estresse pode causar alopecia.

Um dos olhos de Greg sofria espasmos, e, enquanto Conor lhe contava sobre o romance, ele rasgou uma bolacha de cerveja em mil pedacinhos.

— Douglas, Kemp e Troy, certo? Você já assinou? Porque, se ainda não assinou, posso falar com a Lauren e ela pode colocar você em contato com algum agente poderoso, como Curtis Brown ou A. P. Watt.

— Agradeço, mas já assinei o contrato e enviei.

Greg pegou a garrafa e fez um sinal para a atendente. Ela largou seu livro, suspirou e andou muito lentamente até a geladeira.

— E como vai se chamar esse grande romance irlandês? E quando poderei lê-lo?

— Não vou mostrar para ninguém até terminar. Nem mesmo para a Jess. E não é um grande romance irlandês — disse Conor com timidez. — Na verdade, é bem leve. — Por que estava se diminuindo? Por que sempre sentia que precisava se diminuir diante de Greg? — Chama-se *Dobra ou Desiste*.

— Bom, aí está o seu primeiro problema. — Greg bateu a palma da mão no balcão.

Não havia nenhum problema, Conor pensou; pelo menos até agora.

— Erro número um: um título pobre. Entendi o que quer dizer com o "dobra". O personagem principal, esse tal de Dan, tem gêmeos, você disse, não é?

Conor fez que sim.

— E eu consigo ver uma dona de casa comprando o livro no supermercado — disse Greg. — Mas não consigo ver um sujeito moderno lendo o livro no metrô. Você precisa de algo que tenha mais impacto. É isso! Aí está o seu título: *Duplo Impacto!*

Conor tomou o último gole de sua Coca Diet. Estava quente e sem gás.

— Como o seu filme preferido do Jean-Claude Van Damme?

— Isso só prova que grandes mentes pensam igual. Olha, deixa comigo, certo? Tenho bastante tempo livre. Vou pensar em um título bem tiro e queda. E quanto à frase de efeito?

— O quê?

— Nossa, você leu uns mil livros sobre como escrever roteiros. Uma frase de efeito é o resumo da história. É o gancho.

— Eu sei o que é uma frase de efeito — disse Conor —, mas não preciso de um gancho. Eu disse para você que a agente já tem uma editora que talvez se interesse...

— Erro número dois. — Greg virou os olhos. — Nunca, nunca dê ouvidos aos agentes.

— Você vai ganhar um monte de dinheiro com esse livro — Greg disse enquanto Conor abria o cadeado de sua bicicleta. — Eu tenho faro.

— Falando em dinheiro — Conor disse com cuidado —, sei que não é uma boa hora, mas...

— Cara, eu sinto muito, mas o comprador ainda não pagou. — Não era verdade. Greg ainda tinha cerca de 8 mil sobrando da venda do carro. Saffy estava pagando metade da hipoteca, mas ele tinha que pagar a outra metade, e além disso precisava viver.

— Posso pedir o anel de volta para Saffy.

— Olha, não quero pressionar você e você sabe que te devo, mas é que já estourei o limite do cartão e os juros estão se acumulando.

— Eu cuido disso — Greg assegurou. — Vá anotando que eu pago depois, está bem? Ou... espere, eu podia pagar a dívida com meu tempo. Posso ser consultor do seu livro, sabe, tipo um editor...

— Não. — Conor tinha que ser firme ou as coisas fugiriam ao controle. — Agradeço a oferta, mas isso é algo que eu tenho que fazer sozinho.

Greg ficou desapontado.

— Só estou tentando ajudar, cara.

— Tem uma coisa que você pode fazer para me ajudar. — De repente, Conor teve uma ideia. — Sabe o escritório do seu apartamento? Posso usá-lo?

— Para quê?

— Jess não quer mais que eu escreva em casa. Eu poderia alugar seu escritório e trabalhar lá, e poderíamos descontar dos juros.

Greg pensou em seu enorme apartamento vazio. Sem Saffy, ele vagava a esmo pelo apartamento. Seria legal ter Conor por perto. Seria como nos velhos tempos.

Capítulo 19

Jill recostou-se na grande poltrona reclinável de couro cinza e ficou olhando para uma péssima reprodução de *Os Girassóis* enquanto uma enfermeira indiana injetava uma droga vermelho-vivo no cateter que o dr. Kenny havia implantado em seu peito.

— Chamo essa coisa de diabo vermelho — a mulher na cadeira ao lado comentou, sorrindo. Ela estava conectada a um suporte de soro também. Era jovem, provavelmente da mesma idade de Saffy, definitivamente jovem demais para ter câncer, e estava quase totalmente careca. Jill notou que nem sobrancelhas ela tinha.

Abriu o livro e resmungou um "arrã" indiferente. A visão daquele couro cabeludo reluzente com seus pequenos tufos de cabelo a deixou nauseada.

— É sua primeira vez? — A mulher virou-se para encará-la.

Jill fez que sim e continuou lendo.

— Bom, é um prazer conhecê-la. — A mulher estendeu a mão. — Sou um linfoma não Hodgkin, estágio dois — ela disse. — Mas pode me chamar de Linda. — Inclinou-se e ajustou o tubo intravenoso de Jill. — A gente tem que manter o senso de humor, não é?

Saffy examinou as revistas e os jornais da sala de espera, mas sentia-se ansiosa demais para ler. Então, uma palavra na manchete de um tabloide chamou sua atenção. A palavra era "Tanya". As outras três palavras na manchete eram: "Adolescente", "Atrevida" e "Aventureira".

Havia duas fotos. Uma era de uma amuada sósia de Kelly Osborne de cabelo com pontas tingidas de rosa vestindo uma camisola preta de renda e botas de couro envernizado. A outra era de Greg usando smoking, com Saffy ao seu lado com um sorriso feliz e usando aquele lindo vestido creme do casamento.

Um homem idoso muito bronzeado e muito nu arrastou-se para fora da água e subiu os degraus, indo na direção do grupo de nudistas que se achavam perto das cabines de banho, pingando água nas páginas do jornal de Saffy ao passar.

Ela havia ido até Killiney depois de deixar Jill em casa e caminhado pela ponte ferroviária até o mar. Não podia voltar ao trabalho — não antes de ler o artigo tantas vezes que aquilo não conseguisse mais magoá-la. Logo o saberia de cor.

O safado do Greg bebeu Jack Daniel's no meu umbigo... Seus colegas de elenco nem desconfiavam que, por baixo de seu uniforme, o gostosão Greg usava as meias finas de Tanya... Amarrei Greg na cama usando as faixas de nossos roupões... O adúltero Gleeson trocou uma série de mensagens quentes com a peituda Tanya e deu uma paradinha na casa dela a caminho de sua cerimônia de casamento para um último e tórrido encontro amoroso.

Saffy sentiu a mão molhada de alguém em seu ombro e olhou para cima. Era o nadador idoso, que sorria para ela e oferecia uma taça de metal.

— Tome — ele disse. — Beba.

Era café preto fervendo com uma dose de algo mais quente ainda.

— Metaxa — ele explicou. — É barato. Cura hipotermia e impede que seus olhos lacrimejem.

Agachou-se ao lado dela e ficou olhando para o mar. Dois homens grisalhos se divertiam perto das rochas.

— O Pascal faturou! — um deles gritou para os dois.

O outro berrou:

— Vá em frente! Que bom!

— Não ligue para aqueles velhos babacas. — Pascal revistou uma bolsa de plástico e ofereceu-lhe balas de hortelã. — Eu sou gay.

Saffy respirou fundo e abriu a porta da sala de reuniões.

— Me desculpem pelo atraso.

Sorriu para Dermot Nervoso e enfiou-se numa cadeira entre Marsh e Vicky. Simon estava de pé em meio a uma apresentação. Ele subiu os punhos de sua camisa Thomas Pink e agitou os braços.

— Então, em vez da praia vazia da última gravação, quando o anjo sai do balão, centenas de mulheres sorridentes aparecem.

O quê? Saffy não acreditava no que acabara de ouvir. O que havia acontecido com o adorável roteiro que Dermot Nervoso tinha aprovado? E quem tinha inventado isso?

— Elas são jovens, lindas, despreocupadas. E — Simon fez um sinal com a cabeça — estão todas usando branco, que mostra sua confiança na Pluma Branca. Elas acenam para o anjo com gratidão. Algumas podem até fazer o sinal de OK.

O sinal de OK? Aquilo era de uma breguice além dos limites. Por que tinham permitido que esse idiota estragasse o roteiro?

Saffy olhou para as pessoas da mesa, mas ninguém a encarou. Ant e Vicky enfiaram a cabeça no roteiro. Mike mastigava biscoitos de limão. Dermot Nervoso mordiscava as juntas dos dedos.

— Parece que há um... — Saffy começou.

Marsh cutucou suas costelas com o cotovelo e passou-lhe um bilhete dizendo: "Cale a boca. Saia. E esteja na minha sala em dez minutos".

— A conta é minha, Marsh. Você sabe que é minha — Saffy disse, mas já sabia o que viria a seguir. Ela havia ficado na praia conversando com Pascal por quase uma hora. Perdera completamente a noção do tempo.

— *Sua conta? Sua conta?* — Marsh disparou. — Você parece uma menininha reclamona. E não vai chegar a lugar algum nesta agência agindo desse jeito. A Pluma Branca é uma conta da Komodo! E, se você acha que pode se atrasar uma hora e meia para uma reunião e ainda espera ser a estrela, pode esquecer.

— Eu estava com a minha mãe, Marsh. Ela fez a primeira sessão de quimioterapia.

— É mesmo, Saffy? Ela estava fazendo quimio no bar? Porque você está cheirando a conhaque.

— Me desculpe, Marsh. Hoje foi o pior dia da minha vida. Eu venho tentando manter silêncio, mas Greg e eu terminamos depois do casamento. Ele me traiu com uma menina de 19 anos e ela vendeu a história para os tabloides e aí...

Marsh colocou o cabelo atrás das orelhas com cuidado e colocou as mãos sobre elas.

— Não é problema meu que sua vida pessoal tenha virado um desastre. Não é problema meu que sua mãe esteja doente. Mas, quando Dermot aparece aqui tendo um ataque de pânico e pedindo mudanças de última hora no roteiro e você não está, o problema é meu. E não vou ficar sentada esperando que você se digne a aparecer para resolvê-lo. Fui *clara?*

Saffy fez um sinal afirmativo.

— Não vai acontecer novamente.

— É melhor que não. — Marsh olhou para sua agenda. — Você tem um relatório de contato para escrever, ou eu vou ter que pedir ao Simon que faça isso para você também?

Chovia a cântaros. A barra da calça de Saffy estava encharcada. Suas sandálias de camurça ficaram arruinadas. Deveria estar sentada em sua sala quentinha e seca, revisando o *briefing* para a reunião daquela tarde com a Pluma Branca. Em vez disso, passara o horário de almoço ajudando sua mãe a escolher uma peruca.

— Eu *não preciso* de uma peruca — Jill insistira. Ela já estava bem melhor. Sua energia voltava e ela parecia mais ela mesma. — Eu perdi um seio, não pretendo perder meu cabelo também. O espírito vence a matéria.

Porém, quando o chuveiro havia entupido, alguns dias antes, Saffy encontrara um chumaço de cabelo loiro com fios prateados grudado no ralo.

Ela estava atrás de sua mãe e observava uma mulher encaixar na cabeça de Jill alguns apliques com nomes que pareciam mais adequados a coelhinhas da *Playboy*: Brandi, Carla, Ambre, Cristal.

— Esta é a Fifi. — A mulher prendeu o cabelo de Jill com um grampo. — É cem por cento de fios de cabelo humano. Feita à mão, com arremate em veludo.

Jill levantou a cabeça e uma farta cabeleira loira caiu sobre seus ombros. Saffy ficou sem ar. Por um momento, viajou no tempo, de volta ao quarto de sua mãe no segundo andar, ou seria no primeiro? O que tinha uma janela hexagonal.

Ela era pequena, tão pequena que seus pés nem tocavam o chão quando ia se sentar na cama e ficava admirando Jill soltar os cabelos, feito Rapunzel. Um manto de ouro reluzente lhe caía sobre os ombros. Cem escovadas todas as manhãs e todas as noites. Às vezes, Jill permitia que Saffy os penteasse para ela.

— Esta é ridícula — Jill disse. — É muito jovial. Sadbh? — A voz de sua mãe a despertou do passado. — Sadbh?

Ela se forçou a sorrir para o reflexo da mãe, para seu novo rosto emoldurado pelo antigo cabelo. — Talvez, um pouquinho.

— Por que não voltamos e encomendamos a Cristal? — Saffy perguntou depois de saírem da loja. — É igual ao seu cabelo. Você pode guardar, se algum dia precisar.

— Eu ainda tenho o meu próprio cabelo. — Jill abriu o guarda-chuva e entregou-o a Saffy, que era mais alta.

— Até *agora*. Mas você só teve duas sessões de quimio. Tem que pensar adiante.

Saffy tinha passado as noites anteriores pesquisando no Google sobre os efeitos colaterais das drogas que Jill estava tomando: náusea, diarreia, vômitos, feridas na boca, infecções, fadiga, anemia. A perda de cabelo seria a menor das preocupações de sua mãe.

No entanto, Jill se encontrava em uma fase de negação total, e não somente acerca da quimioterapia. Ela se recusava a contar seu diagnóstico para as pessoas. Ignorava os telefonemas dos poucos amigos que ligavam. Não deixava que Saffy entrasse em contato com Len e a forçara a telefonar para seu chefe na loja de antiguidades para dizer-lhe que ela estava com herpes e iria se ausentar por uns dois meses.

— Andei lendo os fóruns, mãe. Todo mundo diz que as chances de recuperação são maiores se a pessoa é sincera. Você precisa ser mais aberta acerca do câncer — Saffy dizia.

— Bom, você não está se abrindo sobre que está havendo entre você e o Greg. Eu leio jornais, sabia?

Saffy recuou.

— Me desculpe — disse Jill, suspirando. — Sei que você não quer falar nisso e eu não a culpo. É horrível, Saffy, simplesmente horrível. Não vou mais tocar nesse assunto. Agora podemos falar de alguma coisa que não seja essa merda de doença?

Jill raramente falava palavrões, o que fez Saffy rir.

— Falar do quê? — ela revidou. — Dessa merda de tempo?

Jill foi ao banheiro enquanto Saffy pediu dois chás de hortelã e duas panquecas de limão e foi se espremendo pela multidão que lotava o lugar em busca de uma cadeira para sentar. Havia um homem comendo sozinho em uma mesa para quatro.

— Tem alguém sentado aqui?

— Não. Fique à vontade. — Ele lhe pareceu familiar e, enquanto se sentava, tarde demais, ela se lembrou dele. Era o piloto do balão, Joe. Ela havia tentado esquecer aquela fatídica manhã no campo em Wicklow, mas agora tudo voltava, envolvendo-a numa enorme onda de vergonha. Primeiro, havia proposto que ele vestisse asas e uma tanguinha por 600 euros. Depois, vomitara em suas botas. Ela olhou para baixo. Ah, meu Deus! Ele ainda estava usando as botas. E elas ainda tinham pequenos flocos de... vômito.

Ele viu que ela olhava para baixo.

— Perdeu alguma coisa?

— Não — ela disse.

Ele olhou para ela sem entender e Saffy percebeu uma ponta de reconhecimento em seus frios olhos azuis.

— Você é a Sally, certo? Da agência de propaganda?

Ela teve vontade de se levantar e sair correndo, mas o restaurante estava muito lotado. Levaria horas. Bem, faria a coisa certa.

— Sim, sou eu. E estou *tão* contente por encontrar você. — Ela tirou a carteira. — Eu lhe devo um novo par de botas.

Ele olhou para ela da mesma maneira que fizera ao ouvir-lhe a proposta de 600 euros. Não era um olhar bom.

— Como?

— Você sabe, eu estraguei suas botas.

Ele deu de ombros.

— Esqueça — ele disse. — Eu esqueci.

— Por favor. — Ela tirou uma nota de 100 euros e colocou-a na mesa. — Jogue essas fora e compre um par novo. Eu me sentiria bem melhor.

Ele deu aquele sorriso irônico de que ela agora se lembrava bem.

— Mas eu joguei fora mesmo. Estas são novas.

— Mas elas estão com pintinhas de...

Ele balançou a cabeça.

— Tinta. É só tinta. Eu sou decorador.

— Por favor — ela empurrou o dinheiro na direção dele —, aceite. Eu me sentiria bem melhor se aceitasse. Se não for suficiente, posso fazer um cheque.

Ele levantou. Ela tinha se esquecido de como ele era alto.

— Não será necessário.

— Bom, se houver alguma coisa que eu possa fazer, me diga. Qualquer coisa. Mesmo.

Nossa, aquilo soou tão mal, como se estivesse oferecendo favores sexuais ou algo assim. Ela corou.

— Olá. — Jill chegou à mesa. — Nós nos conhecemos?

— Me chamo Joe — ele disse. — E estou de saída.

— Meu nome é Jill. Eu tenho câncer. Não costumo contar a estranhos, porém a minha filha disse que eu tenho que ser mais aberta com relação a isso.

Jill cortou as panquecas em pedaços pequenos, mas não comeu nenhum. Bebericou seu chá de ervas e leu *Marie Claire* enquanto Saffy verificava os e-mails em seu BlackBerry.

— Escute — ela tentou mais uma vez —, ainda tenho meia hora. — Ela dissera a Marsh que faria uma pesquisa de lojas para a Pluma Branca. — Por que não voltamos e encomendamos a peruca?

— Por que não vamos até a Karen Millen para eu comprar um novo top? Isso sim me animaria.

Era como barganhar com uma criança.

— Vou até a Karen Millen com você para comprar um top — disse Saffy — se você encomendar a peruca primeiro.

Jill não estava escutando, mantinha o olhar pela janela.

— O que há de errado com o seu amigo?

O piloto do balão, Joe, já saíra há cinco minutos, mas ainda estava lá fora, correndo para lá e para cá na chuva em busca de um táxi.

— Ele não é meu amigo. Eu só o vi duas vezes.

— Bom — Jill levantou as sobrancelhas —, acho que vai encontrá-lo de novo.

Joe abriu caminho pela fila e chegou à mesa, pingando e arfando.

— Sally! — Ele parecia transtornado.

— O nome dela é Saffy — disse Jill. — Na verdade, é Sadbh.

— Você se ofereceu para fazer alguma coisa... Bom, tem uma coisa que você pode fazer. Preciso de uma carona. Eu estou sem o meu furgão e não consigo pegar um táxi. Tenho que ir para a escola do meu filho. Ele se machucou.

— Me desculpe, eu adoraria ajudar, mas tenho que fazer uma coisa com a minha mãe e depois preciso voltar para o trabalho.

— Vá — disse Jill. — Vá. Podemos comprar a peruca outra hora. Posso pegar um táxi para ir para casa.

— Obrigado! — disse Joe.

— Eu sei o que você está pretendendo — Saffy disse para Jill, enfiando seu celular na bolsa — e acho que está sendo infantil.

— Você foi infantil por tantos anos... — Jill parecia o Kevin Costner depois de dar uma cheirada na erva-de-gato. — É minha vez!

— Por favor, mamãe, só na Karen Millen, está bem? A senhora ainda está em recuperação. Não fique fora muito tempo. Promete?

— Me diga se isso não soa familiar? — disse Jill.

Joe não abriu a boca, a não ser para dar instruções para Saffy e xingar o trânsito, que estava pior que o de costume.

— Você ligou para sua esposa? — Saffy perguntou a certa altura.

— Minha esposa não está.

Se você for assim tão grosso com ela, Saffy teve vontade de dizer, *não me surpreende.*

Parou em fila dupla diante da escola e ficou com o motor ligado enquanto Joe atravessava correndo o pátio inundado na direção de um conjunto de sombrias casas pré-fabricadas. Ela verificou seu BlackBerry. Não havia nada urgente, mas precisava voltar para o escritório. Quando levantou a cabeça, viu Joe correndo de volta pela chuva com um menino em uniforme escolar. Havia sangue no rosto do garoto.

Merda, Saffy pensou. *Meu estofamento.*

Joe tomou seu olhar de horror por preocupação.

— Tudo bem — ele disse. — Não tem nada quebrado. Não precisamos ir ao pronto-socorro. Eu só preciso levar esse menininho para casa.

O menino, que parecia ter uns nove anos, enterrou o rosto no peito de Joe e começou a chorar, talvez de dor ou talvez pela humilhação de ser chamado de "menininho" e ser carregado como um nenê. Saffy não soube dizer.

Ela olhou para Joe, parado na chuva com o sangue lhe ensopando ainda mais a camisa já molhada.

— Entre.

— Tem certeza? Podemos pegar o ônibus.

— Tenho certeza — ela disse, um tanto emburrada, embora não estivesse certa de nada.

— Está tudo bem por aí, Liam? — Joe tinha, de alguma forma, dobrado sua estatura de quase dois metros no pequenino banco traseiro para que o filho pudesse se sentar na frente.

Liam limpou o nariz com a manga do casaco.

— Eu tô bem, pô.

Ele não parecia bem para Saffy. Já havia transferido o que pareciam vários litros de sangue de suas narinas para os bancos de couro creme. O colarinho de seu blazer azul-marinho estava rasgado e um dos olhos começava a ficar roxo.

— O que aconteceu? — perguntou Joe.

Liam brincava com o acendedor de cigarros, tirando e colocando de volta.

— Jack William me chamou de ianque e esfregou minha ca... a... a... a... ra no chão.

O quê no chão? Saffy perguntou sem som, só com os lábios, para Joe pelo espelho retrovisor.

A cara, Joe respondeu só com os lábios.

— Meus óculos quebraram. — Liam começou a fungar, acrescentando meleca à já impressionante produção de lágrimas. Ele colocou a mão no bolso do short cinza e tirou um par de óculos. Tinham quebrado ao meio, certinho, na junção.

Joe o pegou.

— Sabe de uma coisa? Quando chegarmos, vamos pegar a caixa de ferramentas e ver o que podemos fazer para consertar isso.

A voz dele soava diferente para falar com o filho, mais lenta e mais grave. Parecia funcionar, porque o pranto de Liam se transformou em um ou outro soluço ocasional. Infelizmente, Saffy percebeu que não funcionava com o sangramento. Viraram na Rua Dundrum e entraram em um conjunto habitacional que era um labirinto de casas com fachadas de seixo.

— Esquerda — indicou Joe, inclinando-se —, esquerda novamente. Agora pode encostar ali, atrás do furgão branco.

Saffy esperava que a casa de Joe não fosse aquela com a carcaça de um Subaru empoleirada em blocos de concreto nem a que tinha um cão alsaciano amarrado no portão com uma corda de nylon laranja. Ela inclinou-se e abriu a porta do passageiro para o menino, depois saiu e levantou o banco para que Joe pudesse sair do carro.

— Olhe, eu agradeço muito — ele disse na mesma voz que usara para falar com o filho. — Você não precisava ter feito isso.

O menino já tinha atravessado o portão e corria num jardim, Saffy ficou contente de ver, sem cães nem pedaços de metal.

— Coitadinho, ele... — Joe parou. — Ele acabou com os bancos do seu carro! Espere aí!

Foi abrir a porta da casa para Liam, em seguida voltou e abriu a porta do passageiro. E começou a limpar as manchas de sangue com um pano azul surrado.

— Tudo bem — disse Saffy. — Eu mando lavar.

Ele tirou a carteira.

— Vai deixar que eu pague essa despesa? — Ele olhou nos olhos dela. — Não, acho que não vai.

— Digamos que assim estamos quites. — Ela engatou a primeira marcha, mas ele permaneceu no lugar.

— Minhas botas custaram 80 euros, e a lavagem vai custar muito mais.

— É, mas eu ganhei uma lição de moral de graça. — Saffy sorriu.

— Escuta, por que você não vem dar uma volta de balão amanhã no fim da tarde?

— Depois da última vez? Acho que não.

— Você vai adorar. Eu prometo. E pode trazer seu marido.

— Não sou casada — Saffy disse. Bom, tecnicamente, era casada, porém não no verdadeiro sentido. — Enfim, agradeço o convite, mas...

— Então traga seu namorado.

Ela balançou a cabeça.

— Sua mãe? Ah, não, ela está doente, não é? Bom, então venha sozinha. Você trabalha na Komodo, na Rua Molesworth, certo? Eu passo lá amanhã por volta das 6. Já vi a previsão do tempo. Vai estar bom.

E antes que ela conseguisse responder, Joe correu de volta para casa.

Jess socava o espaguete duro feito pedra grudado no fundo da panela. Luke se recusara a comer os cachorros-quentes que ela preparara para o chá.

— Eu gosto de cachorros — ele disse —, mas não quero comê-los.

— Há quanto tempo Brendan sumiu? — Lizzie perguntou.

O espaguete deveria ter fios, mas Jess o cozinhara demais, depois a água secara e a massa virara algo parecido com uma corda.

— Uma semana — ela mentiu.

— Mãe, eu sou gay? — Luke perguntou. — Jake Murphy disse que eu sou.

— Não tenho a mínima ideia. — Jess virou a panela de ponta-cabeça. O espaguete continuou lá. Meu Deus, onde estava Conor? Por que ela era obrigada a fazer tudo sozinha? — Vamos ter que esperar para ver.

Lizzie penteava a crina de seu unicórnio com o garfo.

— Eu quero ser gay. Nós somos gêmeos. Não é justo ele ser gay e eu, não!

— Ah, Lizzie, pare com isso. — Jess jogou a panela, a massa e todo o resto dentro da lixeira de pedal e abriu a geladeira. — Estou avisando.

Não havia mais nada lá dentro que ela pudesse colocar em um sanduíche, exceto uma alface liquefeita e um pouco de queijo velho. Era um Brie bem fedido, e Luke era a criança mais exigente da face da Terra, mas era só o que ela tinha para lhe dar.

— Se você for gay, não pode casar com a mamãe — Lizzie disse com despeito.

— Posso casar com o papai — Luke retrucou.

— Não me importa. Eu vou casar com Damo Doyle. Já decidi.

— Por que essa família gosta tanto de casamento? — Jess resmungou. Ela cortou um pedaço do Brie e enfiou-o dentro de um enroladinho de salsicha. — Ninguém vai casar com ninguém. Tome, Luke. Experimente isso aqui.

Luke olhou de modo desconfiado para o sanduíche esquisito e experimentou um pedacinho, mastigou-o, com cuidado, e engoliu.

— Tem gosto de sujeira — ele disse —, mas é bom. — Deu outra mordida.

— Bom, não sei se você é gay — Jess disse, passando a mão no cabelo dele —, mas talvez você seja francês.

Conor ficou debaixo daquelas patéticas gotas de água com os olhos cerrados e a mão no piloto automático. Quando gozou, sentiu-se melhor por cerca de 30 segundos e depois se sentiu sujo.

Achou uma toalha menos úmida e enrolou-a na cintura. Passou a mão no espelho para limpar o vapor. Quando havia se transformado em uma pessoa sombria que se masturbava às 7h30 da manhã enquanto a mulher mais linda do planeta estava deitada na cama do quarto ao lado?

E quando, ele pensou, olhando para o próprio reflexo, tinha perdido todo aquele peso? Não costumava ver músculos e ossos. Desde que se conhecia por gente seu corpo tinha sido um enorme travesseiro macio.

Ainda faltava muito para ficar magro, mas já estava no caminho. Até seu rosto parecia diferente. Não tinha mais interesse por comida, estava preocupado demais com o livro.

Greg, deitado no sofá, fumava, bebia cerveja e assistia a *Countdown* com o volume tão alto que, mesmo sendo enorme o apartamento e a porta do escritório estando fechada, Conor não conseguia ouvir os próprios pensamentos. Ele tinha conseguido escrever exatamente 37 palavras nos primeiros 115 minutos de sua sessão de duas horas. Havia prometido a Jess que chegaria em casa cedo para que todos pudessem passar a noite juntos, então deu a sessão por terminada. Mas, quando chegou em casa, encontrou um bilhete avisando que ela havia levado os gêmeos para o Jardim Botânico.

Ele ficou parado ao lado da janela, apertando a borda da pia. Por que ela não mandara um torpedo? Ele poderia ter passado esse tempo escrevendo. Por que Jess vinha se comportando como uma megera? Ele caiu em si. Não podia acreditar que acabara de ter esse pensamento. Ele não estava perdendo somente peso. Estava perdendo o prumo. Estava se transformando em alguém que não tinha tempo para os filhos e ficava magoado com seu melhor amigo e irritado com a mulher que amava acima de todas as coisas.

Podia ouvir o som dos passarinhos vindo do jardim. O céu estava azul enevoado com fios de rosa e dourado na direção do horizonte. Um pedacinho da lua parecia preso nos galhos da castanheira do vizinho. Aquela era sua vida. Aquela era sua casa. Então, por que sentia-se um estranho?

Capítulo 20

Um furgão branco estacionara em fila dupla diante da Komodo, do outro lado da rua. Joe estava no banco do motorista. O cara parecido com o Meatloaf de quem Saffy se lembrava do dia da gravação do anjo se achava sentado ao lado dele, comendo pistache.

Ele se inclinou e abriu a porta de trás para Saffy entrar. Joe olhou-a pelo retrovisor.

— Saffy, este é o Roger.

— Pode me chamar de Meatloaf — disse Roger. — Todo mundo chama. Não sei bem por quê. Mas é melhor que Roger. Você não odeia pais que dão nomes idiotas aos seus filhos?

Saffy concordou. Ela odiava. Temia ter que puxar conversa com Joe, mas acabou não precisando. Meatloaf falava com ele sem parar, em uma língua que poderia ser urdu, sobre pirômetros, altímetros e taxas de subida. Ela abriu a janela, sentou-se e desligou-se deles, apreciando a sensação da brisa em seu rosto e o prazer simples de sair da cidade em uma maravilhosa tarde de verão. Quando viraram na N11, em Rathnew, a pista ficou mais estreita e eles percorreram longos corredores de árvores verdejantes. Saffy não se lembrava da última vez que tinha ido ao campo; depois, ao se aproximarem de uma aldeia que parecia familiar, lembrou-se de modo horrivelmente claro.

Ela tocou no ombro de Meatloaf.

— Aonde estamos indo, exatamente?

— Para um hotel a duas milhas daqui. Woodglen. Lugar chique. Faz casamentos fantásticos. Já esteve lá?

— Tem duas coisas sobre balonismo que você precisa lembrar — Joe explicou enquanto eles caminhavam na direção do enorme balão de ar quente amarrado no meio do gramado. — Você não sabe para onde vai e não sabe onde vai aterrissar.

Saffy balançou a cabeça com ar desentendido. Lá estava a ponte de madeira onde ela atirara seu buquê. Lá, no primeiro andar, estava a janela da suíte nupcial, aberta. Lá estava o jardim de rosas onde posara para a imprensa com Greg.

— Joe, pare! — disse Meatloaf. — Olhe para a cara dela! Assim você a assusta.

Saffy ouviu uma voz familiar e lá estava Vivienne, a gerente do Woodglen, surgindo por trás do jardim murado. A moça caminhava na direção deles, seguida por um casal. A mulher parecia incomodada. Seu namorado parecia gostar do traseiro de Vivienne, pois olhava fixamente para ele.

— Nosso prestigioso Pacote Diamante inclui uma variedade de sofisticados coquetéis de champanhe servidos antes da recepção — Vivienne alardeava. — Os convidados podem ficar à vontade na proximidade da fonte de mármore e apreciar uma variedade de canapés servidos por nossos funcionários.

Ela cumprimentou Meatloaf com um gesto de cabeça, e Saffy, antes que pudesse ser reconhecida, virou-se e enfiou o rosto no peito de Joe.

— Você está bem? — Joe perguntou, parando de andar.

— Um pouco assustada — Saffy resmungou. Ele cheirava a roupa limpa e couro.

— Não precisa — ele tentou animá-la, mas ela continuava grudada nele feito um coala a um galho de eucalipto. — De verdade. Somente sete pessoas morreram fazendo balonismo nos últimos cinco anos nos Estados Unidos.

— Uau! — disse Meatloaf. — Tenho certeza de que agora ela vai se sentir bem melhor. Eu me sinto.

— Quando a noite cai — Saffy ouviu a voz de Vivienne se afastando —, o gramado imaculado de Woodglen é iluminado por centenas de tochas flamejantes.

— Você não tem que subir se não quiser — disse Meatloaf gentilmente. — Pode ficar no chão com a equipe de solo.

— Não, eu vou subir — disse Saffy. A ideia de flutuar sem rumo no que era basicamente um cesto de roupa suja amarrado a um enorme tanque de gás inflamável não era nem de longe tão assustadora quanto passar mais um minuto no imaculado gramado de Woodglen.

Ruth, a sósia de Lara Croft de quem Saffy se lembrava da apresentação à Pluma Branca, aguardava junto ao balão, usando em um macacão preto colado. Meatloaf subiu e ela ajudou Saffy a fazer o mesmo.

— Pega leve lá em cima — Joe disse para Meatloaf. — Ela não teve uma boa experiência da primeira vez.

— Você não vem? — Saffy perguntou-lhe.

Ele fez que não.

— Não. Eu e a Ruth vamos segui-los no furgão. Falo sério, Meatloaf. — Joe apertou os olhos. — Nada de manobras perigosas, OK?

O vime debaixo dos pés de Saffy rangeu e o balão começou a se mover. Meatloaf virou os olhos e ajustou a válvula de combustível.

— Tá bom, tá bom! Não estamos levando tesouras e não vamos fumar. Mas, se ela vomitar nas minhas botas, eu a jogo para fora, está ouvindo?

Saffy corou e virou-se para olhar para Joe, e só o que viu foi o topo de sua cabeça.

O balão subiu, lento como a fumaça, passando sobre uma fileira de frondosos pinheiros. Saffy esticou a mão, mas não sentiu vento algum. Estavam planando numa corrente invisível de ar. Um sheepdog caçava a sombra deles em meio a um campo onde alguns garotos jogavam *hurling*. O som de seus gritos era levado para cima, cada voz clara como o repicar de um sino.

Meatloaf murmurava algo no rádio:

— 564 pés, 7,8 nós.

A voz de Ruth estalou, em resposta.

— Entendido.

Ele apontou para a esquerda, lá embaixo, e Saffy viu o furgão branco, diminuto, correndo por uma estrada sinuosa atrás de um trator.

— Podemos vê-los aí embaixo — ele disse no rádio —, então não façam nenhuma brincadeirinha, tá bom?

— Entendido.

Ele ajustou a chama e o balão levantou e mudou de direção, seguindo um vale. A distância, por trás dos picos do Sugar Loaf, Saffy viu a linha azul do oceano.

Ela inclinou-se para intensificar a sensação de flutuar. Atrás dela, Meatloaf lidava com o fluxo de gás, grunhindo alguma coisa para si mesmo.

— Essa é a trilha do comercial da British Airways. — Ela virou-se para ele com um sorriso.

— "O Dueto das Flores". É de Lakmé, de Delibes. — Ele viu a expressão no rosto dela. — Não me entenda mal. Meu negócio é rock'n'roll no chão, mas aqui em cima ópera funciona melhor. Agora pare de falar e aprecie a vista.

Saffy já estava se virando para observar uma aldeia lá embaixo. Um grupo de telhados, o círculo piscante de uma piscina infantil em um jardim, a pequena figura de uma mulher colocando a mão na testa para olhar para cima enquanto pendurava a roupa lavada... e tudo se foi. Eles flutuaram sobre uma serpenteante fila de carros atravessando uma ponte. Da última vez que subira no balão, ela havia morrido de medo. Tinha mantido os olhos fechados durante todo o voo. Entretanto, agora queria abri-los mais do que conseguia. Nem conseguiu acreditar que uma hora já havia passado se quando Meatloaf deu um tapinha em seu ombro e disse que já estavam descendo.

Enquanto perdiam altitude, o balão parecia se mover mais e mais depressa e Saffy teve a sensação nauseante de que a colcha de retalhos dos campos verdes voava na direção deles. Roçaram em uma sebe e um bando de ovelhas correu assustado. Saffy lembrou-se do que Joe lhe dissera e dobrou os joelhos, segurando-se na borda do cesto. Em um instante, tocaram o solo, quicando umas dez vezes antes de pararem completamente.

Meatloaf pulou para fora e agarrou a corda de sustentação, e Ruth e Joe atravessaram o campo correndo para amarrar o balão.

Saffy sentia-se num sonho, calma, mas, quando Joe colocou seu braço em volta dela para ajudá-la a sair, seu corpo todo acordou, num choque.

— Uau! — Ela olhou para ele. — Podemos fazer novamente, agora mesmo?

— É isso o que todas as garotas dizem. — Meatloaf deu risada. — Não é mesmo, Joe?

Saffy sentou-se no banco do passageiro ao lado de Joe. Meatloaf e Ruth se acomodaram atrás, batendo boca sobre Richard Branson.

— Ele é babaca. Ele tem cabelo de babaca, barba de babaca e uma companhia aérea babaca.

— Não me fale de babacas, Roger — Ruth disse, com um sorriso de desdém. — Na verdade, nem fale mais comigo até você circum-navegar o globo em seu próprio balão.

As cercas vivas passaram, rabiscadas de brincos-de-princesa carmim, o ar cheirava a madressilva e grama cortada. Saffy estava um pouco inebriada e jovial. Devia ter algo a ver com a altitude.

Joe parou num *pub* em Stepaside, e Meatloaf e Ruth saíram e tiraram a lambreta de Ruth de trás do furgão.

— Vamos tomar um chope? — Meatloaf martelava os dedos no teto. — Eu não estou pedindo, estou *implorando*. Por favor, não me deixem sozinho com ela. — Ele inclinou-se e enfiou a cabeça pela janela do passageiro. — Estou com medo.

— Tenho que ir para casa — disse Saffy. — Não como nada desde a hora do almoço.

— Eles fazem comida — Meatloaf disse. — Amendoim salgado. Amendoim salgado torrado. E meio litro de Guinness tem 210 calorias.

— Vá você, Joe. — Saffy abriu seu cinto de segurança. — Eu chamo um táxi.

Joe virou-se e afivelou novamente o cinto.

— Eu levo você para casa.

Ele colocou as mãos de novo no volante, mas Saffy ainda sentia o ponto de calor em seu braço onde os dedos dele a tinham tocado.

— Eu nunca, mas nunca o perdoarei por isso — Meatloaf disse para Joe. Depois, deu um tapa no teto do furgão e, quando se virou, disse alguma coisa que parecia com "até breve" ou "pega leve".

Saffy tentou lembrar-se de quem havia falado por último, mas não conseguiu. Em seguida, os dois começaram a falar ao mesmo tempo.

— Você primeiro — disse Joe.

— Estava pensando que talvez a gente pudesse parar e jantar. — Não havia pressa, pois ela tinha avisado sua mãe que trabalharia até tarde e deixado uma bandeja pronta. Jill poderia aquecer uma refeição congelada no micro-ondas.

— Não. — Joe balançou a cabeça. — Quero dizer, não posso. A babá do Liam tem que sair às 10 horas.

Saffy recuou mais que depressa. O que estava pensando? Já se esquecera de como as coisas terminaram da última vez que saíra para jantar com um estranho?

— Eu tenho que ir para casa mesmo.

— Você pode ir jantar lá em casa — disse Joe —, mas já vou avisando que sou um péssimo cozinheiro.

— Aposto que não é assim tão ruim.

— Experimente. Tenho certeza de que a única coisa que vai conseguir engolir são essas palavras.

Saffy aguardou na pequena cozinha enquanto Joe pagava a babá. Uma mesa de fórmica dobrável e duas cadeiras preenchiam quase todo o espaço. Um varal de roupas coberto por toalhas ocupava o resto.

Havia um calendário do Manchester United numa parede e um cofrinho amarelo em forma de porco no parapeito da janela. E só. Nada de pilhas de brinquedos de plástico, nada de pilhas de livros, nada de bolas de futebol murchas nem *frisbees*, nada de ímãs na geladeira ou quadros.

Um par de chinelos estava estacionado na frente da geladeira, como se alguém de pequena estatura tivesse aberto a porta e entrado nela. Os chinelos tinham o formato da casinha do Snoopy. Um estava rasgado e no outro mal se via a figura do Snoopy.

— O Liam está dormindo pesado — Joe disse, parado à porta. Ele era tão alto que seu cabelo tocava no batente superior. Fitava-a com alguma perplexidade, como se estivesse surpreso de encontrá-la em sua cozinha. — Posso lhe oferecer algo para beber?

— Uma taça de vinho seria ótimo.

— Não sei se tenho vinho. — Ele abriu a geladeira. — Eu não bebo. Mas tenho groselha. — Ele tirou uma garrafa. — É de 2008. Acho que foi um bom ano.

Enquanto Joe picava a cebola e batia os ovos, Saffy colocou a água para cozinhar as batatas e sentou-se à mesa. Eles se moviam naquele pequeno espaço como se evitar qualquer contato real fosse algum tipo de esporte olímpico. Ela o observava de esguelha. A boca de Joe era ligeiramente torta. Ele tinha mãos bonitas.

Ela havia encontrado um par de velas na gaveta dos talheres. Pareciam ter sobrado do Natal.

— Você tem fósforos?

Joe virou-se.

— Você fuma?

Saffy viu a expressão dele e fez que não. Começara a fumar somente há algumas semanas, e três ou quatro cigarros por dia não era nada, era?

— Não, eu preciso acender as velas...

Ele acendeu uma no bico do gás, devolveu-a e em seguida despejou os ovos batidos com legumes picados em uma frigideira.

— Como você começou a voar? — Saffy perguntou, sentando-se à mesa e colocando as velas em pires.

— Começou como hobby. — Joe mexia o conteúdo da frigideira com uma colher de pau. — Fiz o treinamento para piloto comercial e um grupo de participantes se cotizou e comprou um balão. Isso foi em Chicago.

— Morou muito tempo nos Estados Unidos?

— Uns quinze anos. Fui para lá quando tinha vinte e poucos. E depois, há dois anos, nós, Liam e eu, voltamos para casa.

Saffy esperou que Joe continuasse, mas ele se calou.

— Seu casamento terminou? — ela perguntou.

— De certa maneira, sim. — Joe aumentou o gás e a coisa com ovos começou a espirrar. — Minha esposa faleceu.

— Oh, sinto muito! — Saffy havia deduzido que eles tinham se divorciado.

— Shelley morreu num acidente de carro causado por um motorista bêbado. Eu estava em Paris, numa escala de trabalho. Demorei dezoito horas para voltar para casa e ficar com Liam. Depois disso, nunca mais quis pilotar aviões. Para ser sincero, perdi um pouco a vontade desde o ataque de 11 de setembro, e o fato de estar tão longe do meu filho quando ele precisou de mim foi a gota d'água. Então agora pinto casas e só piloto balões.

— Sinto muito — repetiu Saffy.

— Não sinta. — A voz de Joe saiu ríspida. — Merda. — Ele virou-se de frente para ela. Seus olhos estavam úmidos nos cantos, mas poderia ter sido a cebola. — Me desculpe. Fui grosseiro. — Bateu a mão na testa. — Merda! Eu acabei de dizer "merda"?

Saffy levantou três dedos.

— Três vezes? — Ele largou a colher de pau, meteu as mãos no bolso da calça jeans e colocou três moedas de 50 centavos no cofrinho de porco que ficava na janela.

— É o porco do palavrão. Foi ideia do Liam. Ele tem uma amiga, Gillian Coulter, que disse que eu tinha uma boca muito suja. Se as coisas saírem como ele espera, Gillian Coulter será minha nora algum dia, então estou tentando me curar desse hábito.

A refeição foi, de longe, a pior que Saffy já comera na vida, concorrendo inclusive com um Nasi Goreng que lhe rendera uma gastroenterite, em Kuala Lumpur, e uma salada de macarrão com atum vencido que Greg lhe dera certa vez, sem verificar a data de validade.

Não era omelete nem eram ovos mexidos. Estava gosmento, emborrachado, cru e queimado. Para si mesma, Saffy batizou aquilo de “omelequento”.

Ficou empurrando a comida em volta do prato enquanto contava a Joe sobre o câncer de sua mãe, depois sobre seu pai e como ele a deixara quando ela tinha dois anos de idade.

— Deve ter sido difícil. — Joe deu uma garfada no omelequento, colocou na boca e fez uma careta. — Difícil para você e para ele, também. Abandonar uma criança vai contra todos os instintos que temos.

Ela nunca tinha pensado que poderia ter sido difícil para seu pai tê-la abandonado. Isso nunca lhe ocorrera.

— Já tentou entrar em contato com ele?

— Não. Ele poderia ter me procurado, se quisesse. Dublin é uma cidade pequena. — Ela tentou reorganizar a comida, procurando dar a impressão de que tinha comido um pouco.

— O fato de ele tê-la abandonado desse jeito — Joe disse olhando diretamente em seus olhos — deve ter influenciado muito o modo como você se relaciona com os homens.

— Ah, mas isso já faz muito tempo.

— Posso entender por que é difícil confiar em alguém o suficiente para casar ou ter filhos tendo um modelo como esse.

— Eu tive um relacionamento estável bem recentemente — Saffy disse com cuidado —, mas não deu certo.

Ela cortou um pedaço do omelequento e colocou na boca. Tinha a textura do forro de um tênis. Acabou conseguindo engolir.

— Tem filhos? — Ele preencheu o copo dela com groselha.

— Não. Eu seria uma péssima mãe. A vida acaba quando você tem um filho. Eu vi o que aconteceu com minha mãe. Não quero que aconteça comigo.

— Você entendeu tudo errado. — Joe chacoalhou a cabeça tão forte que seu cabelo caiu nos olhos e ela teve que se conter para não se inclinar sobre a mesa para ajeitá-lo.

— Ter um filho não é o final da sua vida; é o começo de uma nova. Se não fosse pelo Liam, eu não teria voltado para a Irlanda e não teria investido todo o meu dinheiro em um terreno em Wicklow e alugado a casa mais barata que encontrei para poder construir a minha própria. Fiz tudo isso para dar a ele uma vida melhor, mas sabe de uma coisa? Minha vida ficou melhor também.

— Você nunca imagina onde estaria se não tivesse toda essa responsabilidade?

Joe riu.

— Eu sei exatamente onde estaria: em um bar de Chicago com um monte de comissárias de bordo bêbadas me perguntando qual delas me deixaria levá-la para casa.

Saffy conseguiu imaginar perfeitamente a cena e não gostou dela.

— Olhe — disse Joe —, existem coisas que você não pode fazer se tem um filho. Então, você simplesmente não faz. Por exemplo, não tenho como me envolver com alguém que não pudesse amar o Liam como eu amo. Isso deve excluir mais ou menos 99 por cento da população feminina. Eu poderia ver isso como uma limitação, mas não vejo, porque o que ele me dá é... — Ele esticou os braços para cima, como se estivesse medindo um peixe enorme. — É muito grande. Ter um filho é a coisa mais incrível que alguém pode fazer, mas o segredo é que você nunca vai saber até fazer. Merda. Quando eu disse "fazer" eu quis dizer ter um filho, não quis dizer fazer aquilo, sabe.

Ele pegou outra moeda de 50 centavos, inclinou-se e colocou-a no cofrinho do palavrão. E depois que a moeda caiu, a cozinha ficou repentinamente muito silenciosa.

O banheiro era impecável e cheirava a produtos de limpeza. Havia estrelas fluorescentes grudadas no teto. Saffy pensou ter reconhecido a forma de Órion, com as três estrelas e o cinturão com duas estrelas acima e abaixo, nos ombros e nos pés. Depois de dar a descarga, ela abriu o gabinete da pia. Os utensílios para barba de Joe estavam perfeitamente arrumados na prateleira, junto com frascos de xampu, um xarope para tosse e um enxaguante bucal.

Ficou olhando aquilo por algum tempo, sem saber o que procurava, aliviada e também desapontada por não encontrar. Lavou as mãos e olhou para si mesma no espelho. A imagem era a de sempre, mas ela se sentia estranha. Seus lábios pinicavam e ela sentia um aperto no estômago. Esperava que o omelequento não tivesse lhe causado salmonela.

Eles estavam lavando e secando os pratos quando ouviram uma buzina lá fora. Era o táxi de Saffy. Joe pedira ao motorista que não tocasse a campainha para não acordar Liam. Ela pegou a bolsa e o casaco e seguiu Joe até o saguão de entrada.

— Obrigada. O voo de balão foi incrível e o jantar estava...

— Intragável?

Ela riu.

— Bom, talvez cozinhar não seja o seu ponto forte, mas tenho certeza de que você deve ser bom em outras coisas.

Joe não tinha acendido a luz, então ela não conseguia ver seu rosto.

— E você? No que você é boa?

— Como assim? — perguntou Saffy.

— Você é boa *nisso?* — Joe correu os dedos pelo ombro até a clavícula dela. — E que tal nisto? — Ele inclinou-se e roçou os lábios no pescoço dela.

O táxi buzinou novamente.

Saffy se afastou.

— Olhe — ela disse —, você parece muito legal, mas não posso.

— E nisto, é boa? — Ele a beijou na boca de modo muito carinhoso. Ela disse a si mesma para não corresponder, mas foi em vão.

Em seguida, ele já a encostara contra a parede e ela abria os botões da camisa dele e ele sugava os dedos dela e ela mordia o pescoço dele. Ele desabotoou seu sutiã e puxou as mãos dela para trás do corpo, segurando-as lá e movendo os lábios para cima e para baixo sobre sua pele quente. Ela livrou-se dos sapatos e Joe levantou-lhe a camiseta. O corpo dele pressionava o dela, pele quente com pele quente, exceto pelo frio metal da fivela do cinto dele em seu estômago.

Alguém bateu forte na porta.

— Foi daqui que pediram um táxi?

Os dois ficaram paralisados. Podiam ver o rosto do motorista levemente distorcido olhando para o vidro fosco, o que significava, pensou Saffy, que ele quase certamente os via também.

— O que vocês estão fazendo aí?

Saffy não respondeu, mas o que estava fazendo, aparentemente, era livrar-se de sua calça jeans.

Havia uma mala enfiada atrás da cômoda, de modo que o espelho não descia adequadamente. Jess só via parte de seu corpo, um dorso truncado em uma cinta-liga branca retorcida. Tinha que tirá-la, desabotoar as meias, colocá-la novamente e voltar a abotoar as meias. Nossa, quem tinha tempo para aquilo tudo? Vestiu um sutiã combinando e deu um laço nos dois lados da tanga. Ficara tentada a comprar tudo numa loja mais popular, mas não sabia ao certo se os artigos mais baratos funcionariam, então foi a uma loja de grife. Se aquilo fizesse sua vida sexual voltar aos eixos, teria valido cada centavo.

Cada centavo de 90 euros. E isso sem as meias. No caixa, ela teve um ataque de pânico e juntou um frasco de perfume, o que elevou a conta para 150. Era metade do preço de uma máquina de lavar. Era uma bicicleta. Um beliche novo para os gêmeos. Tentara não pensar nisso enquanto rasgava a embalagem do perfume e borrifava os pulsos. Na loja, achara o cheiro ótimo, mas agora ele parecia cheirar a desespero.

Conor vestiu os pijamas em Luke e Lizzie, perguntando-se o que tinha feito de errado desta vez. Jess se trancara no quarto e não parecia que se dignaria a sair para dar boa-noite às crianças.

Ele sentou-se no chão entre as duas camas e leu os trechos que as crianças preferiam de *Rover Salva o Natal*, de Roddy Doyle. Os gêmeos não se importavam que a leitura começasse na metade da história. Gostavam tanto que o livro já caía automaticamente na parte que eles mais adoravam: o capítulo seis, que tinha somente uma frase: "Eu não quero ser o Capítulo Seis."

Conor dedilhou as folhas até o começo. "Era véspera de Natal em Dublin e o sol partia as pedras. Os lagartos usavam chinelos e os cactos que ladeiam as ruas da cidade sufocavam..."

A história deveria tê-lo feito sentir-se melhor, mas continuou péssimo. As primeiras páginas xerocadas de seu livro tinham aparecido na sua última aula do dia. Ele as confiscara, mas na segunda-feira, estariam em toda a escola. Não conseguia tirar isso da cabeça. Pensou em pegar a bicicleta e ir nadar, mas simplesmente não tinha energia para tanto.

Se sua escrivaninha ainda estivesse lá embaixo, poderia se perder em sua trama por algum tempo, mas Jess a desmontara e o buraco já estava cheio de brinquedos, sapatos, a gaiola de Brendan, que permanecia vazia a não ser por um pote de chá quebrado e um par de presilhas para andar de bicicleta.

Jess acomodou-se na cama, tentando parecer casual. Ela havia acendido algumas velas, o que era muito idiota porque ainda estava claro lá fora. Daquele ângulo, podia se olhar no espelho, deitada sobre o edredom amarrotado. Ela parecia ridícula. Ouviu o ruído leve da porta dos gêmeos se fechando e então soube, de imediato, que não conseguiria prosseguir.

Pegou o robe de Conor e cobriu-se com ele. Tinha tido tempo de abrir seu laptop, mas não de ligá-lo, quando ele abriu a porta. Ela fingiu estar digitando para não ter que encará-lo.

— As crianças dormiram. O que está fazendo?

— Trabalhando. — Jess manteve a cabeça baixa sobre o teclado.

— Por que as velas? — Ela tinha esquecido de apagá-las. Ela fingia digitar, batendo os dedos nas teclas aleatoriamente.

— Hã? Ah, as velas. Estou escrevendo um artigo promocional sobre um novo tipo de velas para o Wicklow People. São detestáveis, não?

Conor tamborilava com os dedos no batente da porta. O quarto exalava um perfume exótico e doce, um tanto sexy, na verdade, mas ele não queria entrar em conflito com Jess.

Ela estava deitada de bruços na cama. O tecido atoalhado grosso lhe dava contornos de desenho animado. Ele queria, mais do que tudo, ir até lá e puxá-lo, mas não sabia se podia. Já fizera sexo com outras mulheres e fora só sexo, mas com Jess mesmo a transa mais rápida tinha o potencial de derreter seu coração, e, naquele momento, outra onda dessas estava acontecendo.

Ele sentou-se na beirada da cama.

— E então, como vai o artigo?

Jess gelou. Se o robe abrisse, ele veria a lingerie e a humilhação seria imensa. Tinha que afastá-lo dali. Ficou olhando para a tela.

— Não vai muito bem. Mas tenho que terminar esta noite.

Ele se levantou.

— Bem, se você está trabalhando, vou até o Greg tentar escrever um pouco do livro. Eu ando meio devagar, mas tive uma ideia quando estava lendo para os gêmeos e acho que talvez consiga deslanchar.

— Tá bom. — O cabelo de Jess havia caído sobre o rosto e ele não conseguia ver sua expressão, mas nem precisava. Ela sempre ficava irritada quando ele falava sobre o livro.

Ele fechou a porta sem olhar para a linda estranha na cama. Não compreendia como era possível sentir saudade de alguém que estava tão perto. Mas ele sentia.

Antes de Saffy estar devidamente acordada, podia sentir a força daquele olhar fixo a alguns centímetros de seu rosto.

— Esqueça, Kevin Costner — murmurou. — Eu não vou levantar. Use a sua portinha.

Afundou de volta para um sonho delicioso. Joe a carregava escada acima e a atirava em sua cama, e ela o puxava para si. De súbito, percebeu que não estava sonhando, que estava lembrando, e que ainda se encontrava na cama de Joe.

Ela se esticou, abriu as pálpebras e deu com o olhar do garoto que tinha sangrado sobre o carro todo.

— Você dormiu aqui? — ele perguntou imediatamente, como se estivesse esperando para fazer aquela pergunta há muito tempo.

O instinto de Saffy foi negar, mas todas as evidências diziam o contrário. Suas próprias roupas, por exemplo, que ela claramente se lembrava de ter deixado cair no corredor e por toda a escada, estavam dobradas cuidadosamente sobre uma cadeira de madeira no pequeno e arrumado quarto. Joe não se achava por perto. Decidiu contornar a pergunta.

— Você não deveria estar na escola?

O menino — seu nome era Ian ou Leo? — estava usando um agasalho pequeno demais para ele com estampa do Homem-Aranha e calças de pijama com listras vermelhas. Seus óculos estavam consertados com fita adesiva prateada. O cabelo era avermelhado, não castanho, mas seus olhos tinham o mesmo azul frio dos de Joe.

— Hoje é sábado — ele disse, com sotaque norte-americano.

— Sábado! Você sabe o que isso significa? — Precisava tirá-lo de lá para poder ir até o banheiro. Queria desesperadamente fazer xixi. — Isso significa que tem desenhos ótimos na TV.

— Por exemplo?

Ela tentou arrastar sua mente em busca do nome daquele desenho idiota que Greg assistia na casa de Conor e Jess na manhã seguinte da separação.

— *He-Man, Mestre do Planeta*.

— É *Mestre do Universo* e minha mãe dizia que é sexista.

Saffy lembrou-se de que a mãe dele tinha morrido. Sem saber o que dizer, apenas murmurou.

— Arrã.

— Quando vier dormir aqui — ele disse, olhando para seus ombros nus — você tem que trazer pijama e um saco de dormir.

Joe apareceu na porta com uma toalha em volta da cintura. Sorriu para Saffy, e ela sorriu para ele. Ele ainda estava úmido do banho. Havia muitos motivos para sorrir.

— Vocês já são amigos?

— Sim — disse Saffy.

— Nada disso. — O menino balançou a cabeça.

Joe o agarrou e começou a fazer-lhe cosquinhas no corpo todo.

— É o sr. Rabugento! — O menino se jogava e guinchava. — É o sr. Rabugento que está rindo?

— Eu só estava dizendo... — Leo? Liam? Saffy não queria dizer o nome errado — ... a ele que vim dormir aqui.

Joe deu um sorriso de agradecimento.

— Liam dorme bastante fora, não é?

— Não com garotas.

Joe começou a fazer cosquinhas de novo. Saffy ficou horrorizada ao perceber que sentia ciúmes de toda a atenção que o sr. Rabugento estava recebendo.

— Pai, pare!

— Se eu soltar, você vai direto para baixo comer seu cereal?

— Vou!

Joe largou-o e ele correu para a porta, sem fôlego. Ouviram o barulho surdo de seus pés na escada e o bater de uma porta lá embaixo. Era ridículo, considerando as coisas que haviam feito juntos nas últimas horas, mas agora que estavam sozinhos, Saffy sentia-se envergonhada.

— Merda! — Joe recostou-se, pegou a mão de Saffy e puxou-a para cima dos próprios olhos. — Isso não deveria ter acontecido. Ele normalmente dorme até tarde no sábado.

— Tudo bem. — Ela precisava desesperadamente usar o banheiro, mas tinha medo de que ao voltar ele já estivesse vestido e então teria de colocar as roupas também e tudo estaria terminado.

— Você acha? Meu Deus. Nunca apresentei o garoto para uma mulher. Acho que tudo correu bem, apesar do lance do ciúme.

Como ele sabia que ela tinha sentido ciúme? Podia ler sua mente?

— Espero que ele não tenha sido mal-educado. Ele não está acostumado a me dividir. — Joe correu o dedo pelo pulso e a parte interior do braço dela. Ela estremeceu. Joe parecia localizar zonas erógenas que ela nem sabia que tinha.

— Acho que é melhor eu ir aprontá-lo, e depois tenho que deixá-lo na aula de natação, e, se você não estiver ocupada, podemos encontrar algo para fazer...

Ele seguiu o caminho percorrido pelo dedo com a boca, terminando no lóbulo da orelha dela. Saffy tinha muito o que fazer. Tinha que voltar para a casa de sua mãe, fazer o café da manhã, ir ao supermercado e lavar roupa. Depois, tinha prometido levar Jill para passear no mar.

— Não posso — ela disse. — Tenho que voltar para casa.

— Tem? Agora? Você não tem nem dez minutos...?

Ela permitiu que ele a puxasse de volta para a cama.

— Tenho sete.

Capítulo 21

Marsh abaixou a voz, olhando para cima através dos cílios, e deixou a mão escorregar um pouquinho acima da coxa de Harry Burke enquanto lhe explicava a regravação do comercial da Avondale. A mão permaneceu lá quando as luzes da sala de edição se apagaram. Saffy viu que Ali percebeu e ficou apreensiva. Ela se perguntava se Simon também havia notado. Mas ele estava tão ocupado fingindo que a regravação não era culpa dele que nem devia ter notado nada.

Saffy não precisava assistir à edição. Ela a repassara com o editor uma dúzia de vezes de manhã. Estava no estúdio desde as 8. Tinha passado a noite na casa de Joe novamente e colocado o celular para despertar às 5. Joe também acordara e ela permitira que ele a puxasse para a cama por mais quinze minutos. Depois, tinha ido para casa, tomado banho e deixado o café da manhã pronto para sua mãe.

A cada três ou quatro noites, dormia na casa de Joe. A enfermeira do dr. Kenny dissera que Jill estava fora de perigo e ficaria bem, mas Saffy ainda se sentia culpada por sair de fininho, deixando-a sozinha. Porém Jill dormia tão profundamente com a codeína que nem parecia perceber que ela saía.

Ela fechou os olhos na escuridão resfriada pelo ar-condicionado e fez sua própria edição. Joe, abrindo a porta do boxe do chuveiro e levando-a, pingando, de volta para a cama. Joe, deslizando a mão por sua coxa em uma estrada deserta enquanto seguiam o balão...

As luzes se acenderam e todos olharam para Harry, esperando uma resposta. Saffy podia quase ouvir o apertar coletivo das nádegas. Ele balançou a cabeça.

— Não está bom. — Marsh tirou a mão esquerda da coxa dele e colocou-a sobre a boca, para abafar um gemido. — Está brilhante! — Ele deu um largo sorriso. — Agora, o que tem para almoço?

Certa vez, quando Saffy era pequena, alguém a levou para alimentar os patos no St. Stephen's Green. Ela não se lembrava bem de quem fora, mas não achava que tinha sido sua mãe. Jill arrastava Saffy para galerias de arte, cafés e lojas; alimentar patos não era sua especialidade.

Os patos, ela lembrou, nadavam juntos em um pequeno grupo e todos conseguiam pegar algumas migalhas. Exceto um. Ele tinha marcas diferentes. Virava de um lado para outro de modo incerto nas margens, querendo fazer parte do bando, mas nunca se integrava de fato. Mike lembrava-lhe aquele pato. Mike, usando uma camisa de manga curta azul de nylon e calça marrom com sandálias pretas, que exibiam suas unhas dos pés, compridas e amareladas. Ao lado de Simon, vestido de linho azul-marinho, Marsh, que usava um vestido Alaia preto colado, Harry, vestindo Hugo Boss, e Ali, em seu terninho poderoso, Mike parecia simplesmente deslocado.

Gabriel Byrne cumprimentou Saffy fazendo um gesto com a cabeça, Louis Walsh agitou um dedinho e a agente de Greg, Lauren, que almoçava com Damo Doyle, acenou-lhe. Ele sorriu e fez-lhe o sinal da paz.

— Amiga de celebridades. Estou impressionado! — Harry olhou para ela com novo respeito.

— Você obviamente só lê planilhas, Harry — disse Marsh, abanando-se alegremente com o cardápio —, porque, se lesse os tabloides, saberia que a nossa Saffy é a sra. Greg Gleeson.

— Bem, na verdade, não sou... — Saffy começou.

— Minha filha é uma grande fã. De Damo Doyle, não de Gleeson — disse Harry. — Você poderia ir até lá e pedir um autógrafo?

Saffy esperou até Damo ir ao banheiro e dirigiu-se à mesa.

— Você parece bem felizinha — Lauren disse, levantando uma sobrancelha —, considerando...

Seu hálito de fumante fez Saffy ansiar por um cigarro. Mas estava tentando parar. Tinha mentido para Joe de modo idiota sobre fumar e agora sentia que precisava tornar a mentira verdadeira.

— Depois do que houve, pensei que você estaria arrasada. Falando de desastres, como está seu marido?

— Não sei, Lauren. Faz semanas que não o vejo.

— Não me surpreende. Eu li sobre a farrinha do Greg. Era tudo o que eu precisava depois daquele episódio na *Estação* e do desastre daquela festa de casamento. O que será que vem agora? Uma denúncia por molestar crianças? — Lauren pegou um camarão e quebrou-lhe a casca. — Está circulando um boato que ele assinou com a Venom para promovê-lo. Se for verdade, é quebra de contrato. — Ela sugou a carne da casca. — E eu não acharei nada divertido.

Saffy não estava ali para falar de Greg.

— Poderia pedir a Damo que desse um autógrafo para um cliente meu?

— É claro, sob a condição de que você considere aceitar Greg de volta. Ele só degringolou depois que vocês brigaram, querida. Posso pensar em uma centena de razões para você ter mudado de ideia, mas volte atrás, por favor, para o bem de todos.

Jill não conseguia dormir. Pela primeira vez, não era o enjoo da quimioterapia que a mantinha ajoelhada no vaso sanitário, tremendo com ânsia de vômito na maioria das noites. Não era nem o medo de morrer que quase sempre a acordava, real e assustador como um estranho em sua sala. O que a mantinha acordada era o medo da bagunça que deixaria se não conseguisse sobreviver. Sadbh estava fazendo tanto por ela agora... O mínimo que Jill poderia fazer era tornar as coisas mais fáceis para a filha, caso acontecesse o pior.

Ela tinha ouvido sua filha chegar bem cedo, tomar um banho e sair novamente. Imaginou que Saffy vinha passando algumas noites por semana com Greg, voltando de fininho pela manhã para se trocar para o trabalho.

Tinha sentimentos conflitantes com relação aos dois voltarem a se relacionar. Greg se comportara de forma imperdoável, e tudo fora exposto nos jornais, o que tornava a coisa pior. Mas como a própria Sadbh havia dito, não se pode acreditar em tudo que se lê. Sua filha parecia tê-lo perdoado, e não era isso a coisa mais importante num casamento? A garantia de que, aconteça o que acontecer, o casal permanecerá junto. A promessa que fizera Rob Reilly, que jurara amar Jill, voltar para sua esposa?

Se Sadbh voltasse a morar no apartamento com Greg, Jill encontraria um jeito de se virar sozinha. Podia contratar uma enfermeira ou mudar para um lar de idosos. Mas sentiria falta da filha. Nas últimas semanas, vira-a mais do que nos últimos dez anos. Tê-la por perto era a única coisa boa em meio à nuvem negra do câncer. E ela queria desfrutar disso o máximo possível. Então, fingia não saber que Sadbh estava dormindo fora uma vez ou outra. Havia decidido simplesmente ignorar. Mas havia outras coisas que não podia ignorar. Coisas que precisavam ser esclarecidas antes que fosse tarde demais.

Sadbh havia coberto a bandeja do café da manhã com filme plástico, mas Kevin Costner conseguiu furá-la e lamber a manteiga dos croissants, deixando um longo pelo preto, feito um ponto de interrogação, no fundo da xícara. Jill não estava com fome mesmo. Ela colocou o robe e sentou-se nas escadas por alguns minutos, esperando sentir-se humana. Como isso não acontecia, foi até a cozinha e preparou um café bem forte. Não devia tomar café, mas forçou-se a beber duas xícaras. Depois de vinte minutos, vomitou tudo no banheiro de hóspedes, mas pelo menos a cafeína entrou na sua corrente sanguínea e ela finalmente acordou.

Ela encontrou um rolo de sacos de lixo e voltou para cima. Tudo que estava no quarto havia sido escolhido por ser bonito, simples ou luxuoso. Seus lençóis de linho, seu candelabro antigo, seu tapete de seda tecido à mão. Len chamava aquele quarto de templo, mas ele achava que ela era uma deusa. Talvez mudasse de ideia se a visse agora.

Ela fechou as cortinas de veludo e postou-se diante do espelho. Seu cabelo começava a cair aos chumaços, e os cílios também. Sem eles, seus adoráveis olhos azuis ficavam parecidos com os de um coelho, com o contorno rosado. O peso que ela perdera tinha saído diretamente do rosto, e sua pele formava bolsas debaixo do queixo. Tinha feridas nos cantos da boca.

Desde a cirurgia, havia tentado não olhar para a cicatriz. Agora, tirou o robe. Seu peito era macio e seu braço ainda estava entorpecido, mas a dor física não era nada comparada ao choque de olhar para o próprio corpo. Sempre temera perder sua beleza lentamente, com a idade, mas nunca imaginara ser dilacerada de modo tão repentino e violento assim.

A pele sobre a caixa torácica estava bem esticada no lugar onde existira o seio esquerdo, puxada para cobrir uma cicatriz branca que se destacava, como se o dr. Kenny houvesse pegado um marcador e traçado uma linha vermelha e encaroçada entre a mulher que ela era e a mulher que seria dali por diante.

Vestiu novamente o robe, abriu a porta do armário e começou a tirar as roupas que nunca mais usaria: uma blusa branca de cetim, um suéter tomara que caia, um top de jérsei, uma série de vestidos transpassados. Tudo que era justo ou decotado foi para a pilha; e quase tudo que ela possuía era assim.

Atacou as gavetas da cômoda, suas camisetas, sua roupa íntima, suas camisolas de seda. A ideia de ver aquela mulher do espelho usando o biquíni de bolinhas vermelhas, ou a camisola de seda cor-de-rosa seria cômica, se não fosse trágica. Ela fez força para erguer-se e começou a colocar tudo dentro das sacolas de lixo.

Quando terminou, estava com falta de ar e pingando de suor. Seu braço esquerdo, de onde o dr. Kenny havia removido os nódulos linfáticos, pulsava forte, mas ela estava furiosa demais para parar o que vinha adiando há muito tempo.

Foi até o patamar e puxou a escada que levava ao sótão. Encontrou uma lanterna e conseguiu arrastar-se lá para cima, degrau por degrau. Descansou por alguns instantes e em seguida rastejou pelo espaço apertado, movendo caixas e sacolas com seu braço bom até encontrar o que procurava. Arrastou a pesada mala marrom para o alçapão do sótão e desceu a escada, com o peso em seu ombro. Não teve força suficiente para segurá-la, e a mala escorregou. Ao cair, um dos cantos de metal atingiu-a, rasgando seu robe e deixando uma comprida marca na parte de dentro de seu braço. A mala aterrissou com um estrondo no chão, abrindo-se e espalhando papéis e fotografias velhos pela escadaria.

— Não parece um porco. — Luke fez uma careta ao ver os nós retorcidos dos balões.

— Se você *imaginar* que é um porco, é um porco. — O homem do balão exibiu um sorriso que franziu sua pintura de palhaço, mas seus olhos não estavam sorrindo.

— Se eu imaginar que *você* é um porco, *você* vai virar um porco também? — Lizzie perguntou.

Jess afastou os gêmeos antes que a coisa ficasse preta. Ela sempre gostara do Festival de World Music. Eles vinham ao parque em Dun Laoghaire todo verão desde que os gêmeos nasceram. Dentro de alguma caixa, ou possivelmente, considerando o estado do sótão, dentro de uma panela junto com uma escova e uma pilha usada, devia haver fotografias de Luke e Lizzie de fraldas, mais tarde em seu carrinho duplo e depois correndo, rechonchudos, sacudindo-se junto com os *mariachis* mexicanos ou ao som dos tambores japoneses.

Mas este ano ela simplesmente não estava conseguindo curtir. Os gêmeos não paravam de aprontar. O tempo nublado e abafado e o som incômodo de todo tipo de música vindo dos quatro cantos do parque davam-lhe dor de cabeça. Conor tinha ido comprar batata frita. Ela podia vê-lo a distância, esperando ao lado do furgão. Ele parecia entediado e irritado, e, ainda que ela se sentisse do mesmo jeito, ficou chateada com ele por causa disso.

Apertou os olhos para ler o programa, desejando, pela primeira vez na vida, que tivesse óculos.

> *3h15 Ultarak Stevens ataca os tambores com uma fusão estonteante de surfe-ninja e música tradicional do Cazaquistão.*
> *3h45 Debashish Nacharya encanta com seu Shruti Stick, uma criação de duas cordas inspirada na oitava de 22 notas usada na música indiana.*

Jess suspirou. Seria uma longa tarde.

Saffy estava esperando perto do palco de madeira onde combinara de encontrar Joe e Liam. Alguns dervixes deviam rodopiar ali, às 3 horas. Podia vê-los através de uma abertura na cortina, conversando, comendo Pringles e ajustando suas saias ornamentadas.

Ela também arrumava a saia, nervosa. Seria a primeira vez que reencontraria Liam desde aquela manhã em que acordara na casa de Joe e o vira parado perto dela. Até parecia um primeiro encontro romântico. Ela se torturara escolhendo a roupa para usar. No final, saíra e comprara um vestido estilo anos 1950.

Olhando a multidão, cujas pessoas na maioria usavam shorts e camiseta, ela percebeu que, exceto pelos dervixes, era a pessoa mais vestida do lugar. Mas pelo menos, raciocinou, estava mais vestida do que na primeira vez em que encontrara Liam.

Mesmo passando algumas noites por semana na casa de Joe, sempre tomavam o cuidado de que ela chegasse depois que o menino tivesse ido dormir e saísse antes de ele acordar. Saffy não se incomodava de acordar cedo. Adorava voltar para a casa de sua mãe pelo subúrbio ainda silencioso, cortando por ruas conhecidas onde todas as casas ainda mantinham as cortinas fechadas.

Ranelagh, Clonskeagh, Milltown. Um lado de Dublin do qual ela havia desesperadamente tentado fugir quando se mudara para o seu primeiro apartamento, aos 20 anos. Agora, era estranhamente reconfortante passar na frente de sua primeira escola e do apartamento acima da farmácia que sua mãe alugara por um ano e pelo ponto de ônibus onde ela mesma, aos 15 anos, tivera o coração despedaçado ao ver Eoghan Casei beijar Orlagh Kavanagh.

Mas, há algumas noites, tudo tinha mudado. Joe havia arranjado uma babá para tomar conta de Liam e levado Saffy para um passeio em Brittas Bay. Eles fizeram amor em um tapete nas dunas de areia, e quase foram descobertos por uns garotos que procuravam um cão fugitivo.

Depois, ficaram lá, dormitando sob o sol do final da tarde. Se Saffy pudesse olhar a cena de fora, não reconheceria a si mesma deitada na areia com a saia e a blusa amassadas, sem sapatos, e com a cabeça no colo daquele moreno magro e alto que vestia macacão manchado de tinta.

— Eu gostaria de conhecer sua mãe algum dia — Joe disse, virando de lado para olhar para ela. — Quando chegar a hora. Ela me pareceu legal.

— Ela é legal — Saffy disse.

Não teria dito isso alguns meses antes, pensou, mas sua mãe estava diferente. Ela havia perdido seu seio, depois sua independência e agora perdia sua beleza. Mas se mostrava estoica e doce, e não reclamava. Além disso, estava mantendo uma discrição incrível. A Jill de antes teria bombardeado Saffy de perguntas por estar passando a noite fora. Imaginava que Jill concluíra que ela estava se encontrando com Greg e, por enquanto, isso era bom. Ainda não estava pronta para contar a ninguém sobre Joe. Era muito cedo e muito especial.

— Acho que é hora de você e o Liam se conhecerem de modo apropriado — Joe dissera. — Vocês têm muito em comum.

— O quê, por exemplo?

Ele cutucou o lábio com uma folha de grama.

— Vocês dois são filhos únicos de famílias com um só progenitor. Vocês dois têm hipermetropia. Nenhum dos dois come nada do que eu preparo. E eu amo os dois. De maneiras diferentes, obviamente.

Ele havia usado a palavra amor. Saffy teria pulado em cima dele se já não estivesse deitada em seu peito.

Lizzie chorava porque Jess não queria comprar um conjunto de tom-tons. Luke ficou verde depois de comer suas batatinhas. Ele disse que seu estômago estava doendo e que a única cura era sorvete, mas Jess sabia que, se lhe desse sorvete, ele teria dor de cabeça. O surfe-ninja estava fazendo seus ouvidos ferverem. Tentava ignorar o mal-estar, mas, por algum motivo, queria chorar. Procurou Conor. Ele estava de pé a alguns metros deles, perdido em devaneios. Parecia nem notar que ela existia.

Foi dominada por uma repentina e avassaladora onda de inveja, e o terrível era que a pessoa que invejava era a si mesma. A Jess que estivera nesse mesmo lugar um ano atrás, provavelmente até usando o mesmo vestido cáqui e sandálias. Sua antiga *persona* não deixaria todas essas pequenas irritações a enervarem a ponto de querer chorar. E, mesmo que chorasse, o antigo Conor perceberia que ela estava com problemas e colocaria seu braço em volta dela e arrumaria seu cabelo atrás das orelhas e diria alguma coisa doce ou idiota que a faria sorrir novamente em poucos segundos.

Ela deixou que seus olhos vagassem, ordenando que as lágrimas secassem e viu um casal agarrado um ao outro vindo em sua direção através da multidão, seguido por um menino de óculos com ar meigo e cara de coruja.

O homem era alto, com nariz levemente torto, cabelo castanho longo e barba por fazer. A mulher era morena, tinha o cabelo na altura dos ombros, usava um vestido vermelho espalhafatoso e óculos escuros, mas parecia familiar. Jess foi até Conor e deu-lhe um tapinha no ombro.

— Conor — chamou. — Aquela não é...?

— Hum?

Justo naquele momento, o homem inclinou-se, pegou o queixo da mulher e virou seu rosto para beijá-la. Quando ela olhou para a frente novamente, Conor reconheceu-a de imediato. Ele sorriu e chamou seu nome.

Saffy apresentou o sujeito alto como Joe e o menino de óculos como o filho dele, Liam. Ela e Conor agiram como se tudo aquilo fosse perfeitamente normal, mas Jess tinha vontade de gritar.

O que estava acontecendo? Por que as duas pessoas mais próximas dela estavam se transformando em estranhos? Sentia como se mal conhecesse Conor ultimamente, e agora também não reconhecia Saffy. A Saffy que ela conhecia não ficaria bêbada, apagaria e iria para a cama com um estranho. Nem largaria o marido depois de algumas horas de casada. Nem se recusaria a atender seus telefonemas e de repente apareceria, saída do nada, com um desconhecido qualquer que não conseguia manter as mãos longe dela. Durante todo o tempo que Conor e Saffy passaram falando sobre o tempo e sobre a música, esse sósia moreno de Owen Wilson ficou revistando o corpo dela.

Saffy tentou mandar uma mensagem telepática silenciosa pedindo desculpas a Jess. Sentia não ter contado sobre o Joe, mas não tinha contado a ninguém — nem para sua mãe nem para qualquer pessoa no trabalho. Sabia que todos pensariam que ela estava só se recuperando para voltar para Greg, mas não. Ainda não sabia exatamente o que era, mas era mais que isso. Nunca imaginaria se envolver desse jeito, mas, mesmo achando que devia sentir-se envergonhada, não conseguia parar de sorrir.

E para o incômodo de Jess, Conor estava retribuindo os sorrisos.

— Vocês querem tomar alguma coisa? — ele perguntou. — Os surfe-ninjas estão só esquentando para o cara da Índia. E eu acho que esse Shruti Stick não vai combinar muito bem com o cachorro--quente que eu comi.

Saffy olhou para Joe com timidez e eles trocaram um daqueles sorrisos irritantes. Aqueles sorrisos que dizem: "Podemos pensar em coisas melhores para fazer. E vocês não precisam pensar muito para adivinhar o que é".

— Foi um prazer conhecer vocês — Joe disse —, mas acho que vai ficar para a próxima.

Capítulo 22

O miseravelzinho pulou de uma pilha de potes na pia, voou sobre o tampo de granito e depois, desafiando a gravidade, correu direto para baixo da porta do fogão integrado e desapareceu sob a geladeira.

A frigideira de Greg bateu pesado no chão, perdendo por um triz o rabo do rato e deixando uma lasca no canto de um azulejo que era um triângulo perfeito. Ele se aprumou, pegando o que parecia ser um grão de arroz selvagem do chão sobre seu pé descalço. Caca de rato. Ótimo. Era só do que precisava — leptospirose.

— Eu pego você, seu merdinha! — bramiu, batendo a frigideira na geladeira. — Você pode correr, mas não pode se esconder.

De repente, em sua mente, visualizou si mesmo sob a perspectiva do rato: um homem nu gritando e brandindo um utensílio de cozinha do Jamie Oliver. Parecia algo saído de um desenho de *Tom e Jerry*.

Ele largou a frigideira, enrolou uma toalha de mesa na cintura e ligou a televisão no noticiário da Sky para mostrar ao rato que tinha coisas mais importantes a fazer. Depois, desligou a TV porque realmente tinha coisas mais importantes para pensar. Como a carta de Lauren que acabara de abrir.

Agência de Talentos BlueSky
Dublin, Sidney, LA

Prezado sr. Gleeson
Re.: Seu contrato com a Agência de Talentos BlueSky
Referimo-nos ao contrato entre nós com data de 10 de janeiro de 2002.

Os termos deste documento afirmam claramente que o senhor é empregado exclusivo da L. S. Gerenciamento de Pessoal.

Devemos lembrá-lo de que procurar trabalho por intermédio de qualquer outra agência representa uma violação deste contrato.

Compreendemos que o seu perfil encontra-se listado nos livros da Modelos Venom, Inc. Se o seu nome não for retirado dessa lista dentro de catorze dias, seu contrato conosco será cancelado sem notificação prévia e entraremos com uma ação para ressarcimento de perdas, custos e juros como resultado de quebra contratual.

Aguardamos o seu contato, devido à urgência da questão.

Atenciosamente,

Lauren Smith e Associados

Rabiscado abaixo do nome dela havia uma mensagem de Lauren: *Apronte mais uma vez e será excluído!*

Greg fez uma bola com a carta e atirou-a contra a geladeira. Dane-se, Lauren que o processasse. No entendimento dele, ela havia deixado de ser sua agente quando não o apoiara depois de seu problema em *A Estação*.

Desde aqueles dias, tudo tinha degringolado. O humilhante café da manhã em que ela o excluíra e o fizera se rebaixar, para em seguida ir se enturmar com Bono. O papel no filme em Los Angeles que simplesmente desaparecera. O fato de ela nem ter se dado ao trabalho de aparecer em seu casamento. E agora ela não atendia mais seus telefonemas.

Era isso mesmo, tinha assinado com a Venom. O dinheiro da venda do carro estava acabando e o pagamento da hipoteca do mês seguinte seria um problema. O que poderia fazer? Morrer de fome?

Ele havia encontrado Greta, uma das agentes da Venom, há algumas semanas. Ela fora ao casamento e veio dizer-lhe o quanto o achava fantástico. Acabaram saindo para comer sushi e tomar alguma coisa. Ela até pagara a conta e dissera que poderia arranjar-lhe um monte de trabalho.

A garota já lhe enviara uma proposta de um teste para um catálogo de roupa de baixo. Para ser honesto, podia pensar em coisas melhores para fazer do que ser untado com óleo de nenê e ficar lá parado de cueca, diante de um homem de negócios gordo e um relações-públicas maricas, mas o trabalho pagava bem. Além disso, havia o fator Mark Whalberg. Andar por aí de tanguinha parecia não ter atrapalhado em nada a carreira *dele*.

Um narizinho bigodudo saiu de debaixo da geladeira e voltou a desaparecer. Greg sorriu. Se o Ratoso queria brincar de esperar, tudo bem. Tinha tudo de que precisava para ficar de tocaia. Um baseadinho já enrolado, um litro de suco de laranja gelado, o controle remoto e o rascunho do romance de Conor, que ele havia "tomado emprestado" de uma prateleira em seu escritório. E também sua frigideira antiaderente do Jamie Oliver. O Ratoso iria direto para o grande buraco no céu. Era só uma questão de tempo.

No fim da primeira aula, Conor devolveu todos os ensaios corrigidos sobre "Canal Bank Walk", exceto um.

Wayne Cross não aparecera nas três primeiras semanas do curso de revisão, mas acontece que ele estivera no Irish College e, quando foi expulso, apareceu novamente na aula de preparação de Conor. Não que o garoto fizesse muita coisa além de ficar ouvindo seu iPod e jogar Snake no celular.

— De quem é esse ensaio, Cross?

O garoto recostou-se na cadeira, cruzando os dedos manchados de nicotina por trás do pescoço gordo.

— É meu.

— Não foi você que escreveu esse ensaio.

Uma prega apareceu no limite do couro cabeludo raspado de Wayne e ondulou sua testa, acumulando-se em uma onda de carne sobre suas sobrancelhas.

— Está me chamando de mentiroso?

— Está me chamando de idiota? Olhe a primeira página, que tem o seu nome. — Conor colocou o ensaio sobre a carteira. — Esferográfica preta. O resto? — Ele vasculhou as páginas. — Caneta-tinteiro azul.

Wayne deu um sorriso afetado.

— Minha esferográfica quebrou.

— Muito bem. — Conor pegou o ensaio. — Isso foi antes ou depois de você escrever: *Kavanagh começa este poema com o neologismo "Frondoso com Amor", sugerindo que o crescimento das plantas e da grama nas margens do canal foram promovidos pelo amor de Deus*. O que é um neologismo, Cross?

Wayne coçou a tatuagem de escorpião abaixo de sua orelha esquerda.

— Eu sei. O senhor é que tem que descobrir.

— Olhe aqui, Wayne, isso aqui não é a escola, OK? Isso aqui é um curso e seus pais estão pagando por ele. Não faz sentido roubar o trabalho de outra pessoa. Você está aqui para se preparar para um exame, não para tirar A num ensaio.

— Foi isso que eu tirei? A? — Wayne levantou-se.

Ele tirou o ensaio das mãos de Conor, meteu-o em uma sacola plástica que usava como mochila e contornou a mesa de modo que ficaram bem perto um do outro.

— Beleza, sr. Fofo! Ganhei o dia.

Conor não acreditava. Eram 5 da tarde e Greg nem tinha se vestido. Ele estava sentado no balcão da enorme cozinha branca segurando uma frigideira e usando somente uma toalha de mesa.

— Cara! Você não vai acreditar! — Ele tinha os olhos vidrados. Estava drogado mais uma vez. — Temos ratos!

— Não me surpreende. — Conor abriu a geladeira. — Este lugar infringe todas as regras de saúde e de segurança possíveis.

Uma bisteca de porco embalada em filme plástico estava lá desde que ele começara a usar o apartamento de Greg, e já começara a ficar verde. Gotas de gema caíam da caixa de ovos. Havia uma poça de alguma coisa rosa e espessa vazando da tigela de salada.

Conor colocou um pote de leite e um saquinho de café em uma prateleira e fechou a porta da geladeira. Não se importava de comprar comida de vez em quando, mas havia delimitado as tarefas de limpeza. Ele não era faxineiro. Abriu uma embalagem de tangerinas e empilhou-as numa tigela.

— Tem algo para comer? — Greg pegou uma e devolveu-a. — Algo que não seja laranja? — A toalha escorregou para um lado, dando a Conor uma visão frontal de sua genitália. Estava sem pelo algum.

— Meu Deus! O que é que você fez?

— Eu tive que raspar para um teste de catálogo de roupa de baixo — Greg respondeu, voltando a envolver-se na toalha. — Segredo do ramo: dá um perfil melhor quando você veste cuequinha apertada.

Greg pediu uma pizza de 40 centímetros sabor Luxo Caribenho com massa grossa, seis latinhas de Budweiser e uma musse chamada "De Morte".

— E então — Conor perguntou, descascando uma tangerina —, como foi o teste?

Greg deu de ombros.

— Não sei se vou pegar.

— Eles ofereceram o trabalho para você?

— Não oficialmente, mas me querem, eu sei. — Ele se levantou e foi cambaleando até a pia. Havia um pequeno, mas inconfundível, pneuzinho de gordura sobre sua toalha de mesa. Ele endireitou-se, encolhendo a barriga. — Como podem não querer?

— Greg, o que isso está fazendo aqui? — Conor apontou para uma pasta que estava debaixo da frigideira. Era o rascunho de seu romance. — Você tirou isso do meu escritório?

Greg repetiu com exagero:

— Seu escritório? *Seu* escritório? Que eu me lembre, era meu escritório e você é o inquilino. — Ele lavou uma taça de vinho e encheu-a de água.

— Chegou a ler?

Greg fez que sim.

— Li. Não pensei que tivesse algum problema. E você deixou lá em cima, dando sopa.

Jesus! Ele não havia mostrado nem uma linha a ninguém exceto para sua agente. Conor ficou olhando pela janela, esperando que Greg dissesse alguma coisa. Qualquer coisa. Uma gaivota pousou na sacada, fez cocô e foi embora. Greg voltou a sentar no banquinho. Pegou o controle remoto e começou a mudar de canal em canal, sem colocar volume.

Finalmente, Conor disparou:

— E então, o que achou?

— Sobre o quê?

— Meu romance, Greg!

— Eu não li. Só passei os olhos. É... sabe...

Conor ficou vermelho.

— Não, eu não sei. É por isso que estou perguntando.

— Bom, é um pouco pesado, e não engulo o modo como o cara termina cuidando dos filhos. Ele deixaria a mulher ir embora com outro cara assim, sem mais nem menos?

Greg pegou um pedaço de casca de tangerina e começou a rasgá-lo.

— Seria melhor se a esposa fosse assassinada ou fosse para a prisão. Isso seria menos frustrante. E eu acho que deveria haver um filho só, não dois. Quem sabe uma adolescente, com muitas amigas bonitas. A mais sexy poderia se insinuar para o cara e ele a rejeitar. Desse jeito você poderia inserir muitas situações sexies e uma moral.

Conor balançou a cabeça.

— Então, resumindo, você está me dizendo que eu devia reescrever o romance todo?

— Ei, não fique assim na defensiva. É mais ajustar do que reescrever. Olha, não tenho nada para fazer hoje à tarde. Posso ajudar, dar umas ideias.

A campainha tocou.

Greg apontou para a toalha de mesa.

— Você poderia atender?

— São 40 euros. — O entregador de pizza olhou para dentro do apartamento. — Que casa maneira, chefe. Alguém famoso mora aqui?

Conor deu-lhe o dinheiro.

— Mora. — Estava furioso por ter que pagar novamente pela comida de Greg. Ele não iria servi-la. Fez sinal para o entregador, apontando a cozinha. — Colin Farrell. Ele não está, mas vai voltar a qualquer minuto. Por que não espera?

Os dedos de Conor voavam pelo teclado. Sempre que diminuía o ritmo, imaginava o risinho de Wayne Cross ou o olhar convencido de Greg quando dissera que o escritório era dele, ou o modo como Jess se encolhia quando ele a tocava ultimamente.

Vinha se sentindo horrível há semanas, mas agora estava enfurecido e a raiva era um sentimento que podia canalizar para sua história. Era algo sobre o que podia escrever. Trabalhou durante três horas sem parar, terminando uma cena importante entre seu personagem principal e a ex-esposa, e depois passou mais uma hora reorganizando as cenas que levavam ao clímax.

Quando terminou, recostou-se na cadeira e permitiu que o mundo entrasse novamente: o tagarelar alto da televisão, o cheiro de abacaxi cozido e fumaça de droga, a voz do entregador de pizza, que não tinha ido embora, gritando para Greg de dentro do banheiro, onde ele fazia xixi feito um cavalo.

— Ei, cara, quando é que o Colin vai aparecer?

Jess estava sentada nas escadas espremendo um tubo de cola em duas orelhas de coelho que ia juntar a um triângulo de pele cor-de-rosa. Era o dia da fantasia no acampamento de verão dos gêmeos. Lizzie iria de anjo. Luke iria de coelhinho e ele queria ser um coelho rosa.

— Os coelhos costumam ser cinza ou marrom — Jess o lembrara.

— Eu sou um coelho especial — Luke informara. — Chamado Daisy.

— Deve ser por isso que se chama "acampamento de verão"! — Conor dissera, rindo.

Mas para ele era fácil rir. Conor não tinha que fazer o tapa-olho nem recortar uma folha de papel crepom para fazer uma camisa nem ir à loja para comprar orelhas de coelho.

— Não são para mim — ela dissera à mulher do caixa.

— É claro que não, querida. — A mulher deu-lhe um sorriso recatado. — Temos umas cuecas femininas lindas, com cauda destacável, se for do seu interesse.

Jess observara à sua volta os casais enamorados e as garotas que olhavam os vibradores e os uniformes de enfermeira, dando risadinhas. Por que todos eram tão obcecados por sexo?

Ela e Conor tinham finalmente quebrado o jejum de três semanas na noite anterior. E tinha sido bom. Ela mordeu o lábio. Não. Não era verdade. Tinha sido horrível. Ela estava começando a compreender toda aquela baboseira esotérica que diz que o sexo é a continuação de uma conversa. Ela e Conor não pareciam ter muito o que dizer um ao outro nesses últimos tempos, dentro ou fora da cama.

O telefone tocou e ela estendeu a mão com cola para pegá-lo, apertando as orelhas do coelhinho contra a cabeça de pelo com a outra.

— Sou eu! — Era Saffy. Saffy com a voz de uma pessoa alegre e feliz, como se isso fizesse tudo ficar bem.

— Olá — Jess disse friamente.

— Jess, não culpo você por estar zangada comigo. Me desculpe por não ter contado sobre o Joe. Sinto muito que você tenha sabido daquela maneira. Eu queria contar, mas achei que você não aprovaria.

— Tem razão, eu não aprovo. — Jess levantou a mão para ver se as orelhas tinham grudado. E tinham. Em seus dedos. — Mas olha, não precisa se desculpar. Não deixe que a minha opinião impeça que você ande por aí com um cara casado.

— Ele não é casado — disse Saffy.

— Me desculpe. Que você ande por aí com um cara *divorciado*. Errei.

— Ele é viúvo.

Jess tentou desgrudar as orelhas dos dedos, chacoalhando-as, mas estavam muito grudadas em sua pele, talvez permanentemente.

— Isso é bem conveniente. Se o Greg pulasse do alto de um prédio, você estaria livre para casar com Joe. Vou contar para o Greg da próxima vez que o vir.

— Jess, você poderia não mencionar o Joe para o Greg?

Jess balançou a cabeça.

— Estou tendo uma estranhíssima sensação de *déjà-vu*, Saffy.

— Ou será o contrário? Eu só quero fazer isso no meu tempo.

— Você contou para esse novo namorado que o Greg existe?

— É claro. Ele sabe que eu acabei de terminar um longo relacionamento, mas não sabe que eu me casei.

Jess achou melhor não dizer nada.

— Por favor, Jess. Nós nem estamos mais casados *de verdade*. Nos separamos depois de vinte minutos.

Jess prendeu as orelhas debaixo do pé descalço e puxou a mão. Elas saíram deixando uma lasca de sua pele grudada nos pelos rosados. Seu dedo começou a sangrar.

— Me desculpe, Saffy. Mas importa, sim. Você tem que estar separada por quatro anos neste país provinciano para poder entrar com o pedido de divórcio.

— Meu Deus, tem razão. Eu nem me lembrava disso. — Saffy parecia genuinamente surpresa. — O que eu estava fazendo quando me casei com o Greg, Jess? Nunca daria certo. Estar com o Joe me fez perceber isso. Existe uma honestidade emocional incrível entre nós.

— O que explicaria porque você está mentindo para ele sobre estar casada. — Jess sabia que estava sendo horrível com Saffy, mas não conseguia evitar.

— Jess. — A voz de Saffy começou a tremer. — Eu entendo perfeitamente que esteja chateada por eu não ter contado sobre o Joe.

Fiquei chateada quando você não me contou sobre o casinho de Greg. Mas vamos considerar que estamos quites? A vida é curta demais e você é a minha melhor amiga.

Jess apertou o dedo contra a pele rosa. Ele fez uma bolinha vermelha perfeita, depois mais outra.

— Sou mesmo, Saffy? Eu achei que era, mas não sei o que aconteceu com a gente nos últimos meses. Não tenho ideia do que acontece na sua vida e você não tem ideia do que acontece na minha.

— Então me conte — disse Saffy. — Me conte tudo que está acontecendo em sua vida. Estou aqui, ouvindo.

Jess suspirou. Saffy tinha razão. A vida era curta e ela realmente precisava de uma amiga nessa hora. Sentiu a raiva dissipar-se.

— Está bem, eu conto. Mas não é uma boa hora, Saffy. Estou terminando uma coisa.

— Bom, então vamos nos ver em breve, está bem?

Jess suspirou.

— Está bem.

— Ah, olha, eu quase ia esquecendo. Quero alugar um filme para o filho de Joe. Qual é o melhor filme infantil já realizado? Algo que a gente ainda não tenha visto. Estou tentando conquistar a afeição dele. O pentelhinho me odeia.

Toda a raiva voltou em dobro.

— Ele não é um pentelhinho, ele é um garotinho, Saffy. E você está competindo pela atenção do pai dele. E pelo que eu vi em Dun Laoghaire no domingo, você está ganhando. Pense nisso. Pense como isso deve ser horrível para ele.

— Eu *vou* pensar nisso, mas neste momento tenho que pegar um filme e tenho que fazer isso nos próximos cinco minutos.

Jess prendeu a respiração.

— Você está na locadora *agora?*

— Estou! E daqui vou para a casa do Joe.

— Então você me ligou só para pedir uma indicação de filme?

— Bom... — Saffy tentou voltar atrás. — É claro que eu queria falar com você sobre o Joe, também...

Jess espremeu o tubo e colocou uma gota de cola no dedo que sangrava. Queimou feito fogo.

— Eu tenho uma ideia — ela disse. — Por que você não pega aquele filme que você trouxe uma vez para Luke e Lizzie?

Houve uma longa pausa.

— Eu não me lembro de ter alugado nenhum filme para Luke e Lizzie — Saffy disse, confusa.

— É mesmo? — Jess disse. — Deve ser porque você não alugou. Nunca. Jamais. — E desligou.

Joe atendeu a porta e beijou Saffy de modo longo e forte, bem na frente de um homem que estava consertando sua motocicleta no quintal ao lado e de uma mulher de agasalho que passeava com um lulu da pomerânia. Em seguida, ele a puxou para dentro da casa e pegou suas sacolas de compras.

— Pipoca — ele disse, olhando dentro. — Confeitos de chocolate. Coca-Cola e... um DVD.

— Pensei que a gente podia ver um filme hoje à noite. Eu, você e o menininho.

— *Um Peixe Chamado Wanda*. — Joe abriu a caixa. — Eu não vi. Mas espera aí. Aqui está indicado para maiores de 15 anos.

— Tem certeza? — Saffy não se lembrara de verificar. — Eu vi há muitos anos. Não me lembro que tenha violência, sexo, nem nada assim. É de um dos caras do Monty Python, então é surreal.

— Boa pedida. Liam adora o que é surreal, e o Alex, aquele amigo dele, vai dormir aqui hoje. Eles vão adorar.

Saffy encorujou-se no sofá marrom de veludo cotelê e os dois meninos se atiraram no grande pufe que tomava a maior parte da pequena sala de estar. Joe mexeu em alguns cabos atrás do antigo aparelho de televisão.

— Muito bem. — Ele sentou-se no sofá e colocou seu braço em volta de Saffy. — Prontos para decolar.

Toda vez que ele a tocava de modo casual, distraído, Saffy sentia que era exatamente no lugar certo. Ela havia ouvido sua cabeça a vida inteira, mas tinha finalmente parado de tentar entender tudo e, pela primeira vez, conseguia ouvir seu coração.

"Ele me ama, me ama, me ama", dizia seu coração. "Ele me ama, me ama, me ama."

O primeiro "foder" aconteceu aos dez minutos da película. Um "foder" comum teria sido o suficiente. Este era um "foder" fora de proporção.

— Mesmo que você fosse meu irmão — a personagem de Jamie Lee Curtis disse ao personagem interpretado por Kevin Kline — eu ainda iria querer foder com você.

Liam virou a cabeça e olhou para Joe. Seus olhos, por trás dos óculos remendados, estavam arregalados.

— Pai — ele disse, incerto. — Ela falou palavrão.

— Bah — disse Alex. — Todo mundo fala. É só uma *palavra*.

— Uau! — Saffy interrompeu. — Vocês já tentaram comer pipoca e um confeito de chocolate ao mesmo tempo? É como fabricar sucrilhos de chocolate na boca!

Joe apertou o maxilar, tentando não rir.

— Bom, foi Saffy quem alugou o filme, então ela tem que colocar 50 centavos no seu cofrinho do palavrão, certo?

Liam virou-se para a TV.

— Temos que desligar! — Saffy sussurrou para Joe. — Acho que o filme não é adequado.

— Não podemos — ele sussurrou de volta. — O Liam ficaria com cara de idiota. Será que pode ficar pior do que isso?

Acabou ficando bem pior.

Nos noventa minutos seguintes, seguiram-se mais 22 "foder", três "caralhos" e vários "cus". Saffy contou cada um, com o rosto queimando. Calculou que devia ao cofrinho do palavrão pelo menos 50 euros, embora talvez tivesse que pagar um extra pelo pedaço em que o personagem de Kevin Kline chama o personagem de John Cleese de "inglês metido, melequento, enorme canalha, cara de merda, babaca". Mas o que a fez realmente retorcer-se foi que o personagem de Michael Palin tinha gagueira e falava do mesmo jeito que Liam naquele dia em que ele manchara todo o carro de sangue.

— Que demais! — Alex disse, chacoalhando a cabeça. — Meu pai nunca me deixa ver filmes para 15 anos.

Os meninos estavam no andar de cima se preparando para dormir. Saffy dobrou uma nota de 20 euros e enfiou-a no porquinho do palavrão.

— Não precisa fazer isso. — Joe veio por trás dela.

— Pode ser preciso para a terapia que Liam vai fazer daqui a dez anos.

Ele abraçou-a e virou o rosto dela para o seu.

— Olhe pelo lado bom. Você quadruplicou o crédito dele na frente do garoto mais descolado da turma.

— Você só está sendo legal. — Ela enfiou o rosto no peito dele. Ele cheirava tão bem. Simples e limpo, como cascalho molhado.

— Você é que é legal. — Joe afagou seu cabelo. — Ele é um menino difícil. E você foi incrível por ter tentado se aproximar. Então, não se sinta mal, OK?

Saffy lembrou-se do que tinha dito a Jess sobre Liam ser um "pentelhinho" e sobre tentar conseguir a afeição dele de modo dissimulado e não se sentiu mal, sentiu-se horrível.

Ela não teve a intenção de ouvir, mas a porta do quarto de Liam estava aberta.

— Por que você não tem nem televisão nem um computador no quarto? — Alex indagava. — Você é pobre?

A voz de Liam soou baixinha.

— Eu tenho um telescópio.

— Bah! Um telescópio? — Alex zoou. — Mas que careta!

Saffy parou no meio da escada. Por que Liam não pedia para ele parar? Por que ele não se defendia?

A voz de Alex ficou abafada quando ele passou a roupa por sobre a cabeça.

— E aquela era sua nova mãe toda melosa para cima do seu pai lá no sofá?

— Não! Ela é só ami... mi... mi... miga.

— Ami... mi... mi... miga? — Alex imitou-o. — Seu americano metido, melequento, babaca...

— Liam! — Saffy chamou. — Posso falar com você um minuto?

Alex estava vestindo um robe aveludado azul com estampa do Harry Potter e pijamas combinando. Liam usava uma camiseta desbotada e calças de agasalho um tamanho menor do que o dele e os chinelos com o Snoopy faltando.

— Seu pai precisa de você lá embaixo — ela disse a Liam. Ele disparou escada abaixo. Alex largou o corpo, apoiando-se na porta, com um meio sorriso, feito um duende garboso.

Saffy lembrava-se de crianças como Alex. As meninas convencidas que nunca a deixavam esquecer que ela não tinha pai e que ela morava em um apartamento, e não em uma casa, que bajulavam sua mãe e depois zombavam dela e de suas roupas espalhafatosas pelas costas.

Ela queria dar um tapa naquele rostinho bonito de Alex, mas não podia. Então, inclinou-se até que seus olhos ficaram no nível dos dele.

— Alex, você sabe que eu sou uma cientista internacional famosa, certo?

Ele balançou a cabeça, em negativa, o que era previsível. Ela mesma não sabia disso um instante atrás.

— Bem, estou envolvida num projeto de pesquisa secreto que acaba de provar que toda vez que a gente trata alguém mal produz mais saliva. — Saffy não sabia de onde vinha aquilo tudo, mas estava gostando. — E se você engolir muita saliva, ela reage com o seu suco gástrico e produz um ácido que queima todo o revestimento de seu intestino. E aí você tem que usar fraldas *pelo resto da vida*.

O sorriso de Alex sumiu.

— A propósito, adorei seu robe. É bem *drag queen*. — Ela apertou a garganta e engoliu. — Epa!

Liam voltou para cima enquanto Joe colocava seu casaco para ir buscar comida.

— Está tudo bem aí em cima? Liam desceu aqui para pedir um abraço.

— Não me pergunte. Sou pior com crianças do que você com comida, e isso é significativo.

— Ora essa! Eu ainda não vi você se escravizando num fogão para cozinhar para mim — ele disse —, e a ideia de você como *escrava* é bem interessante.

Enquanto ele estava fora, Saffy colocou música e acendeu duas velas Diptyque. Ela vinha introduzindo pequenos luxos na casa. Joe não parecia notar que ela tinha mudado seus lençóis baratos por lençóis de algodão egípcio, nem que trocara suas velhas toalhas por toalhas extra felpudas, mas o óleo de massagem do Body Shop não passou despercebido.

Ela o mantinha fora do alcance de Liam, na prateleira que Joe havia lhe reservado em seu guarda-roupa. Não tinha trazido muita coisa: limpador de pele, hidratante, solução para lentes de contato, perfume e algumas peças de lingerie.

Às vezes ela desejava ter acesso à gaveta cheia de roupas íntimas provocantes que tinha em seu apartamento, mas não importava muito, porque não as usaria por muito tempo. Algumas pessoas notam a embalagem, outras só querem ganhar o presente.

Ela foi até o jardim tentar fumar um pouquinho antes de Joe chegar. O céu estava claro, embora fossem 10 horas, e as pedras do piso sob seus pés descalços ainda se mantinham quentes. Ela fechou os olhos. Então ser feliz era isso?

Não era algo apressado. Parecia lento e profundo, quase comum. Era uma sensação mais parecida com um copo de água do que com uma taça de champanhe, um sentimento de estar no lugar certo na hora certa, fazendo a coisa certa.

Era sua vez de ficar ali sentindo o ar dourado da noite, como milhões de mulheres desde os primórdios do tempo, esperando seu homem voltar da caçada, ou, no caso, do restaurante chinês A Grande Muralha.

Ela caminhou pela grama molhada e pegou duas passifloras que estavam penduradas no muro, vindas do jardim do vizinho. Podia colocá-las em uma tigela com água com algumas velinhas flutuantes. Deixou uma na palma da mão. Havia um círculo externo de pétalas verde-claro, depois uma mistura de filamentos azuis e suaves, em seguida dois anéis, um púrpura e outro dourado, depois três estames verdes e três amarelos. Nunca poderia imaginar que algo tão lindo pudesse crescer em um pequeno e sujo jardim de subúrbio.

— Assustei você no outro dia, não foi? — Joe lambeu o molho de uma costelinha que ficara em seus dedos. — Quando disse que amava você? Eu deveria te tratar mal para manter você interessada. Não é assim que os namoros funcionam?

Saffy riu.

— Não me pergunte. Eu não namoro há seis anos. — A noite que eu passei com aquele australiano não conta, não é?

— Porque você estava como o tal do ator. — Joe fez um sinal positivo. — Glen?

— Greg — Saffy resmungou, com a boca cheia de *satay*.

Joe terminou uma costelinha e pegou outra.

— Certo. Vamos brincar um pouquinho de homem das cavernas. — Ele agitou a costelinha sobre a cabeça e bateu no peito com a outra mão. — Ele não é maior, mais forte, mais rico, mais engraçado nem melhor na cama do que eu, é?

Saffy fez um sinal negativo.

— Tudo bem. Eu aguento.

— Não é maior, não é mais forte, talvez seja mais rico, mas acho que agora nem é mais.

Falar sobre Greg ali, na cozinha de Joe, parecia carma ruim. Parecia que Greg sentava-se ali junto na mesa, observando. Teve vontade de fumar novamente. Ela pegou uma colher de molho *hoisin* e um pouco de pato desfiado, colocou tudo sobre uma panqueca e enrolou, lutando contra a vontade de ir pegar um cigarro.

— Bom, ele certamente é mais burro — disse Joe —, pois deixou você escapar. Como diria o grande filósofo Alex, de 9 anos: "Bah". Ele nunca se ofereceu para... qual é a expressão mesmo, "fazer de você uma mulher honesta"?

Se havia um momento de ser uma mulher honesta, era esse.

— Mesmo que nós tivéssemos casado — ela disse com cuidado —, teríamos nos separado de qualquer maneira. Casar ou não casar realmente não importa.

Joe jogou a cabeça para trás e deu risada.

— Só alguém que *jamais* se casou pode pensar assim — ele disse. — Acredite.

Agora Saffy sentiu como se a esposa de Joe, Shelley, estivesse sentada ali também.

Joe nunca falava dela — obviamente, ainda era muito doloroso para ele — e não havia uma única fotografia dela na casa. Saffy a imaginava bonita, alegre e loira, o tipo de mulher que sempre a fazia, com sua pele alva e cabelo escuro, sentir-se desbotada e opaca. Não conseguia deixar de pensar que Shelley tinha sido a mulher ideal. Ela, Saffy, devia ser apenas o prêmio de consolação.

— Ei! — Joe largou seus pauzinhos. — Não tive a intenção de irritá-la.

Ele puxou-a para o seu colo e prendeu-lhe o cabelo atrás das orelhas.

— Às vezes você parece uma menininha — ele comentou. — Sabia disso? — Deu-lhe um beijo na testa. — Estou beijando a Saffy de 32 anos. E a de 30 —sussurrou entre um beijo e outro —, e 25. E 23. E 19. Estou viajando no tempo para beijar todas as garotas que você já foi. Estou beijando você quando tem 17 e — ele riu —, acho que vou parar de beijar você por aqui, porque vai ficar um pouco estranho. — Colocou os braços em volta dela e apertou-a bem forte. — Mas estou abraçando você quando tem 12 anos. E 9. E 7. Estou abraçando a menina de 5 anos, de 3 anos.

— Me beije quando eu tenho 33 — ela disse junto ao cabelo dele. — Me beije, agora.

Capítulo 23

Jess ficou olhando para a tela do computador. Era estranho sentar-se para trabalhar novamente. Mentir para Conor sobre escrever um artigo para o *Wicklow People* lhe dera a ideia de realmente telefonar para a revista e, para sua surpresa, eles lhe deram um emprego.

Tinha que fazer de tudo, desde elogiar as vantagens de almofadas para sofá até escrever sobre a emocionante chegada de um novo serviço de coleta de lixo com base em Kilcoole. Mas pelo menos não precisava lidar com o Miles e estava recebendo.

— Wicklow People. Rascunho 1 — ela digitou —, 31 de julho.

Suas mãos gelaram no teclado. 31 de julho. Fazia exatamente oito anos que descobrira estar grávida dos gêmeos.

Havia dois tipos de homens que queriam sair com uma garota como Jess. Aqueles que a desejavam porque a consideravam uma peça de design perfeita. Como um estéreo Bang & Olufsen, uma máquina de café expresso Gaggia ou um Porsche Boxster. Uma vez que percebiam seus defeitos, costumavam ficar com raiva, como se ela tivesse fingido ser uma pessoa que não era.

O segundo tipo a colocava em um pedestal. Quando finalmente reuniam a coragem para convidá-la para sair, presumiam que ela diria "não". Depois, quando ela saía, eles passavam o tempo todo procurando provas de que ela não era para o bico deles. Aí, ficavam com raiva logo de cara.

Conor era diferente. Ele viu além daquilo que uma de suas amigas de faculdade tinha definido como "miss Suécia aperfeiçoada" e descobriu quem ela realmente era. Tratou-a como uma pessoa comum, que era tudo o que ela queria ser. Recordou-se de que ele estava tentando encontrar uma camisinha, naquela manhã, oito anos atrás. Ela lhe dissera, quase dormindo, que não precisava, porque a menstruação dela estava chegando, mas depois percebera que estava errada. Sua menstruação não estava para chegar, já deveria ter chegado *quatro semanas antes*. Já havia atrasado antes, mas nunca tanto assim.

Depois que tomaram banho, ela preparou sanduíches e uma garrafa de café e foram até St. Stephen's Green. Pararam para comprar os papéis e, enquanto Conor estava na loja, Jess foi até a farmácia ao lado e comprou um teste de gravidez.

Mais tarde, quando ele cochilava na grama, ela pegou o copo de metal da garrafa térmica, levou-o para o banheiro público e lavou-o com cuidado. Depois, trancou-se no cubículo.

Era uma tarde quente e o banheiro estava cheio de crianças. Suas vozes doces e esganiçadas ecoavam nas paredes de concreto e no piso de mármore enquanto ela esperava o resultado do kit.

"O Sean me empurrou. Ele disse que foi engano, mas foi de propósito." "O Rufus é um cachorrão." "A Tracey pegou meu sorvete."

Jess tinha 24 anos. Só estava namorando Conor há dois meses e meio. Achava que poderia vir a amá-lo, mas não dissera isso a ele. Ela estava indo devagar com as coisas.

Quando abriu os olhos, viu duas fortes linhas azuis no tubo branco. Uma para Luke e uma para Lizzie, embora ainda não soubesse disso. Jess esqueceu aquela história de ir devagar com as coisas. Saiu correndo do cubículo, atravessou o banheiro frio e úmido e saiu no sol para encontrar Conor.

— Mamãe! — uma garotinha com tranças esquisitas gritou quando ela passou. — A mulher não lavou as mãozinhas!

Jess levantou a cabeça e, do sofá de onde trabalhava, olhou para fora. O que parecia ser um grande buquê de flores com pernas abriu o portão e entrou. Conor tinha parado de dar-lhe flores há anos. Ela odiava essa coisa feminina que elas sugerem. Flores ficavam melhor crescendo no jardim, não enfiadas num vaso. Mas o fato de ele ter lembrado da data, desta vez, era um sinal. Essas flores eram para lembrar de como eles tinham sido felizes durante tantos anos e uma promessa de que voltariam a sê-lo.

— Obrigada! — ela sussurrou, muito depois de a entregadora ter fechado o portão e ido embora. — Obrigada!

O menino tinha metade do corpo debaixo de uma carteira ao lado da janela. Espasmos percorriam seu corpo, e, a princípio, Conor deduziu que ele estava tendo um ataque epilético e que os outros o ajudavam. Em seguida, Wayne Cross levantou o pé e pisou na mão dele.

Quando Conor chegou ao outro lado da sala, Wayne tinha levantado novamente o pé, mas, antes que chegasse ao rosto de Turvey, Conor deu uma estocada em seu ombro e afastou-o, empurrando-o de lado, e ele perdeu o equilíbrio e caiu, batendo em uma carteira.

Era Wayne Cross mais uma vez. Maldito Wayne Cross. A mão de Turvey estava suja e um pouco amassada, mas não tinha quebrado.

— Graham! — Conor tentou olhar nos olhos dele, mas o menino não o encarava. — Você está bem? Precisa ir à enfermaria?

Turvey levantou-se, agarrou sua mochila e correu para a porta.

— Foi um ataque! — Conor ouvir a voz grave de Cross atrás dele.

Ele se virou. Wayne estava sentado no chão. Tinha cortado o rosto ao cair e bater no canto da carteira. Sua camiseta já apresentava manchas de sangue, mas ele sorria afetadamente para os outros alunos.

— Foi um ataque. O sr. Fofo queria me pegar. Vocês viram, não viram?

Brenda Toner, a diretora da escola, estava parada ao lado da janela aberta em sua sala, fumando um cigarro enrolado à mão.

Era uma mulher permanentemente perturbada, de longos cabelos grisalhos.

— O sr. Kelly vai acompanhar nossa cruz, quer dizer, o Cross, até o pronto-socorro. — Brenda bateu as cinzas para fora da janela. — Meu Deus, esse menino é repulsivo.

Ela fazia teatro amador e falava de um modo dramático que fazia tudo o que dizia parecer o diálogo de uma peça. Jogou a bituca dentro de um copo de isopor, produzindo um chiado.

— Nós tivemos um pequeno *tête-à-tête*, o adorável Wayne e eu. Ele me disse que vai prestar queixa.

— Abolete-se — ela indicou — e me conte tudo.

E assim ele o fez, voltando ao momento em que encontrou Turvey com o nariz sangrando, e ressaltou sua suspeita de que Cross o vinha pressionando para que ele escrevesse seus trabalhos. Mas ele conhecia as regras. Se um aluno tiver menos de 18 anos e vier para cima de você com um taco de beisebol, de acordo com o Ministério da Educação, a única coisa que você pode fazer é se proteger.

— Extraoficialmente. — O cigarro de Brenda havia apagado. — Eu o admiro por ter interferido e tentado salvar o adorável Graham, mas, se Cross decidir mesmo prestar queixa, estaremos todos numa situação delicada.

Conor pensou bem. Impedir que Wayne fizesse uma plástica nas feições de Turvey tinha acabado com sua carreira na escola. Três meses de trabalho bem remunerado de verão iam por água abaixo. Simples assim.

— Eu sinto muito, Conor, mas tenho que suspendê-lo até resolver essa situação.

Ele forçou-se a concordar.

— Eu compreendo.

— Coloque tudo isso em um relatório para mim — ela pediu baixinho. — Não se esqueça de nada. Verei o que posso fazer. Acha que Turvey vai apoiá-lo?

— Não, os dois estão em minha classe do quinto ano no St. Peter's. Se ele me apoiar, o Cross vai matá-lo.

— O que acontecerá se os dirigentes da St. Peter's souberem desse incidente?

Conor balançou a cabeça.

— Não sei, mas não será nada bom.

Ele lecionava na St. Peter's já há sete anos, mas ainda estava sob contrato, o que significava ser entrevistado para o emprego todo ano.

Cinco professores haviam se aposentado e sido substituídos, mas Conor não fora efetivado. Parecia que eles não queriam dar-lhe um emprego permanente e não era difícil entender o porquê. A St. Peter's era uma escola católica. Conor vivia com uma mulher que não era sua esposa e tinha dois filhos com ela, e a diretoria não devia aprovar isso.

Mas talvez houvesse mais motivos. Ele era um professor ruim. Algumas pessoas tinham nascido para aquilo, mas ele não era uma delas. Só se formara professor para agradar os pais, nunca pretendera usar o diploma, e ao sair da faculdade fora direto procurar um emprego em jornalismo.

Depois, há exatamente oito anos, ele subitamente lembrou, Jess descobrira que estava grávida. Três dias depois, o *Irish Voice* fechou.

E na primavera seguinte, já se encontrava diante de um grupo de alunos que lhe deram o mesmo apelido de quando também fora um aluno. Só que naquela época ele não era "Senhor", ele era só Fofo.

A St. Peter's era um inferno, mas um inferno do qual Conor e Jess dependiam para pagar a hipoteca.

Um furgão de lacrar veículos estava parado na entrada do estacionamento ao lado da escola. Eram 5h05 e havia somente um carro lá — um BMW novinho. Sentado no brilhante capô preto estava um homem enorme com uniforme do departamento de lacre de veículos. Tinha a cabeça raspada e a testa carnuda. Era óbvio que ele e Wayne nadavam na mesma piscina genética.

— Sr. Fahey? — ele indagou, olhando para Conor. — Mick Cross. Pai de Wayne.

— Muito prazer. — Conor mediu a distância até o enrugado abrigo de ferro onde guardava sua bicicleta.

— Você parece um bom sujeito. — Mick Cross ergueu a mão. Havia uma tatuagem de tarântula muito irreal perto de seu cotovelo. — Seria uma pena perder sua porcaria de trabalho por ter batido num menino indefeso.

Conor avançava devagar na direção do abrigo. O pai de Wayne tirou a outra mão de trás das costas. Ele segurava uma chave de roda.

— Quer que eu faça isso tudo desaparecer? — Ele tremulou os dedos na tentativa de imitar um pássaro voando. — Três mil e o Wayne não presta queixa. Três mil e você continua com o emprego. Vamos chamar isso de uma oferta irrecusável.

A adrenalina circulava no corpo de Conor.

— O que você ganhou de Natal? — perguntou, aproximando a cabeça. — Uma caixa de DVDs com a série *Família Soprano*?

O pai de Wayne bateu com a chave de roda bem firme no capô do BMW.

— Você gosta do carro?

— Gosto. — Conor estava quase chegando ao abrigo. — Eu gosto do meu carro. Gosto muito.

Ele ouviu o estrondo da chave de roda estilhaçando o farol dianteiro. Quando chegou ao abrigo, ouviu o outro farol estilhaçar.

Quando ele se virou, o pai de Wayne estava de pé em meio a um tapete de vidro quebrado.

— Ainda gosta dele? — Ele levantou a chave de roda no ar.

— Gosto, sim. Meu carro é um Fiat Punto 97 — disse Conor, montando na bicicleta e forçando suas pernas trêmulas a pedalar.

O ex-boxeador que era dono da boate ao lado vinha correndo pelo estacionamento, seguido de dois enormes seguranças.

— O BMW é dele.

Conor atirou sua mochila na mesa, quase atingindo um vaso. A casa estava silenciosa e havia algo estranho na cozinha, mas não tinha tempo de pensar no que era. Precisava de uma bebida. Vasculhou a geladeira, verificando a gaveta de verduras, onde às vezes guardava uma ou duas latas de cerveja, mas não havia nada exceto um pé de alface em decomposição e meia cebola.

Pensou em olhar nos armários, caso uma garrafa de vinho não terminada pudesse estar escondida lá por engano, mas eles quase não tomavam vinho, e quando tomavam, sempre terminavam a garrafa. Foi então que se lembrou da vodca. Havia uma garrafa ancestral em algum lugar do freezer. Tinha certeza.

Começou a cavar e encontrou uma pizza cujo prazo de validade tinha vencido há quase dois anos, um solitário e amassado filé de bacalhau grudado a uma bandeja de cubos de gelo e um Magnum comido pela metade que Lizzie tinha começado e nunca terminara no verão passado. Um bombardeio de ervilhas congeladas caiu sobre seus sapatos. Mas a garrafa estava lá. Ainda estava lá.

Ela saiu junto com uma chuvarada de gelo em pó. Havia alguns centímetros no fundo, o suficiente para uma pequena e suave distância entre ele e o choque do enfrentamento e o medo do que o pai de Wayne faria se tivesse conseguido alcançá-lo. Estendeu a mão para pegar um copo do escorredor. A maioria dos pratos, panelas e talheres era levada da pia para a mesa e vice-versa, então o armário há muito deixara de ser usado. Entretanto, pela primeira vez que ele podia lembrar, o escorredor não somente estava vazio, como também brilhava com o polimento. Conor olhou em volta.

O fogão estava impecável. A pilha de livros e brinquedos que morava debaixo da mesa desaparecera. A bagunça de CDs no balcão havia sido colocada em caixas e cuidadosamente arrumada no parapeito da janela. O piso, exceto pelo recente banho de gelo e ervilhas, cintilava.

Ele fechou os olhos e apertou a garrafa gelada contra a testa. Quem sabe assim acordava e descobria que o dia inteiro tinha sido um sonho. Seria possível apanhar num sonho? Só havia um modo de descobrir.

Ele tinha mamado quase toda a vodca quando Jess apareceu na porta com duas sacolas plásticas da Marks & Spencer.

— Oi. — Ela lhe sorriu, radiante. — Fui até o shopping em Dundrum. Mas consegui sair com vida.

— Oi — ele ecoou. Tentou obrigar sua boca a sorrir como a dela, mas só conseguiu fazer seu lábio tremer.

— Lizzie e Luke vão dormir na casa do Max. — Ela abriu a geladeira e começou a esvaziar as sacolas. — Pensei em preparar alguma coisa gostosa pra gente. — Virou a cabeça para olhar para ele. Novamente, o mesmo sorriso. — Obrigada pelas flores.

— As flores? — Ele olhou e viu o buquê. Já devia estar lá quando entrara, mas estava tão irritado que nem o viu.

— Obrigada por lembrar que faz oito anos que... — ela fez um sinal indicando a cozinha impecável — ... tudo começou.

Ele balançou a cabeça.

— Olha, eu sei que faz oito anos hoje que ficamos sabendo sobre os gêmeos, mas não sei nada sobre as flores.

O sorriso dela sumiu e reapareceu, sumiu e reapareceu, como uma lâmpada fluorescente defeituosa. Ela vasculhou os bolsos da calça jeans, tirou um pequeno quadrado branco e colocou-o sobre a mesa.

Ele aproximou-se e pegou o papel. Era um cartão da floricultura com um desenho de uma ovelha com os cascos (ovelhas tinham cascos?) cobrindo os olhos.

"Que vergonha!" o cartão dizia com letras amarelas acima do animal com olhar mortificado. Ele virou-o. "Desculpe-me se as coisas não têm sido muito boas ultimamente. Vamos começar novamente, a partir de *hoje*. X."

— Não é meu. — Ele devolveu-o a ela.

Jess sentiu-se uma idiota. Por passar quatro horas limpando a cozinha. Por comprar filés de salmão defumado escocês e morangos frescos com *crème fraiche*. Por imaginar que Conor estava se desculpando por alguma coisa.

Claro, as flores eram de Saffy. Devia ser o jeito dela de se reaproximar. Conor tomou um gole direto da garrafa.

— O que você está *bebendo?*

Ele olhou para o rótulo.

— É vodca. Vodca muito fajuta e muito velha.

Jess bateu a porta da geladeira.

— É isso que você faz no apartamento do Greg quando deveria estar escrevendo? Fica sentado bebendo vodca?

— Tive um incidente na escola hoje — Conor disse com cuidado. A voz dele já parecia estar dando informações ao seu advogado. — E fui suspenso por tempo indefinido.

Jess despencou na cadeira.

— Deixe-me adivinhar. Você entrou na classe bêbado?

Conor não esperava que Jess compreendesse, mas ela poderia pelo menos esperar até ele terminar de explicar o que tinha acontecido antes de julgá-lo.

— Um dos meninos estava matando o outro de pancada. Eu o puxei antes que ele fizesse algum estrago permanente. Ele caiu e cortou a cabeça.

— Ele está bem? — Os olhos de Jess se arregalaram.

E eu? Conor pensou. *Por que você não pergunta se eu estou bem?*

— Ele vai precisar de alguns pontos, mas está bem.

— Vai precisar de *pontos?*

Jess devia estar pensando em um garoto de seus 11 anos, Conor imaginou, e não em um monstro de um metro e oitenta de altura com a cabeça raspada como Wayne Cross.

— Tem mais uma coisa. Vou perder meu emprego na St. Peter's por causa disso. Na verdade, ficarei impedido de lecionar em qualquer lugar, caso haja um processo.

Jess riu, mas não era um riso bom.

— Que conveniente — ela exclamou —, que conveniente. Não vai mais ter que trabalhar e aí pode dedicar todo o seu tempo ao livro, certo?

Conor apoiou a garrafa na mesa com força. Parecia não haver mais espaço dentro dele para todo o sangue que corria em suas veias.

— É isso o que você acha? Acha que fui suspenso de *propósito?*

— Eu não sei o que pensar. Você machucou o pobre garoto. Você conseguiu acabar com 90 por cento de nossa renda. E sua resposta é embebedar-se.

Conor levantou-se.

— Não — ele disse. — Essa não é minha resposta.

Jess ouviu-o subir as escadas. Por sobre o bater surdo do próprio coração, ouviu gavetas sendo abertas e fechadas e o som da porta do guarda-roupa batendo. Em seguida, ouviu os passos dele nas escadas novamente.

Ele parou na porta da cozinha com uma mala em uma das mãos e uma mochila em um ombro. Conor estava praticamente vivendo no apartamento de Greg. Poderia muito bem mudar-se para lá.

— Minha resposta é esta — ele disse.

Capítulo 24

Estava uma tarde perfeita para voar. Joe tinha um trabalho, pilotando um balão com o formato de um pote de iogurte chamado Shanti. Saffy o ajudara a tirá-lo do trailer e agora Meatloaf e Ruth o esticavam sobre a grama. Eles discutiam, como sempre.

— Olha o John Travolta, por exemplo — Ruth dizia. — Ele é rico. É talentoso. E tem um 747 parado na pista.

— Ele não precisa de pista. — Meatloaf conectava o sistema de combustível. — Dá para aterrissar um Airbus A380 no queixo dele.

Ruth riu.

— Você tem se olhado no espelho?

Talvez não, Saffy pensou, olhando para a surrada camiseta do Def Leppard e o shorts cáqui largo que revelavam as carnudas, mas estranhamente desprovida de pelos, batatas da perna.

— Você tem 35, certo? — Ruth sentou-se sobre os calcanhares. — Está na metade da vida. O que você fez até agora que pode mostrar?

Meatloaf fez cara de preocupado.

— Meu Deus! Você acha que eu vou durar até 70 anos?

— É isso aí. Evite a pergunta! — Ruth zombou.

— Eu tirei quarto lugar nas finais do Irish Air Guitar em 2003. — Meatloaf esticou o lábio inferior, numa carranca rock'n'roll, dobrou os joelhos e começou a tocar um instrumento imaginário.

— Muito bom. — Saffy sorriu.

— Para você, Michael "O Destruidor" Hoeffels. — Meatloaf jogou a cabeça para trás e bramiu. — Você não é de nada, Elvis "Fender-bender" Virgem.

Ruth balançou a cabeça.

— Está perdendo seu tempo se mostrando para Saffy — ela disse. — Você deveria tentar impressionar a mim. Ela já tem dono. — Saffy ia no comboio de apoio com Liam, e não estava exatamente animada. O menino se achava parado a alguns metros, de costas para ela, com a cabeça praticamente enterrada em um GameBoy, diligentemente ignorando suas tentativas de puxar conversa.

— Uau! Você está jogando Pokémon?

Silêncio.

— Ei! Você já jogou Nanosaur? Eu tenho no meu laptop. Você pode jogar quando estivermos voltando, se quiser.

Nada.

Ela vinha tentando conquistá-lo, mas, quanto mais insistia, menos ele respondia. Ela nem conseguia lembrar quando fora a última vez que ele falara ou olhara para ela.

Saffy suspirou e pensou em suas bênçãos. A Pluma Branca estava caminhando. Ela não estava mais na lista negra de Marsh e, o melhor de tudo, sua mãe já chegara na metade do tratamento de quimioterapia. Jill havia perdido a maior parte do cabelo e do apetite, e parecia dez anos mais velha. Mas o dr. Kenny já alertara que isso era esperado. A enfermeira dele havia indicado a Saffy uma batelada de bebidas nutricionais que continham 500 calorias em cada copinho de café, e Jill estava conseguindo segurá-las no estômago. Ainda sentia-se fraca demais para fazer algo além de tomar banho, vestir-se sozinha e ficar deitada no sofá de camisola e lenço na cabeça. Saffy tinha voltado àquela loja e encomendado a peruca Cristal. Estava em uma caixa sob a escada, mas sua mãe não queria usá-la e ela não tinha coragem de forçá-la.

Ela não falava com Jess desde a discussão que tiveram no telefone, mas lhe mandara flores, o que considerava bem generoso, uma vez que fora Jess quem batera o telefone na cara dela. E ainda tinha Joe, que vinha andando pelo campo em sua direção como se tivesse ganhado na loteria e ela fosse o prêmio. Ele enlaçou-lhe os ombros com um braço e ela inalou seu cheiro de terra e ali eles ficaram olhando para aquele pote gigante de iogurte inflado. O slogan estava escrito em letras azuis por cima do logo: *Eu acredito em Shanti.*

Era uma mancha na paisagem. E Saffy, que havia encorajado Marsh a customizar o balão da Pluma Branca, sentiu-se estranhamente culpada. O céu não era um *outdoor* gigante no qual se podiam rabiscar slogans para absorventes e laticínios. Algumas coisas deveriam ser sagradas.

— Eu acredito em Shanti — Joe disse baixinho. — Vamos transar?

— Aqui? Com toda essa gente olhando?

Ele apertou seu rabo de cavalo com firmeza.

— Não me tente — ele disse. — Estou só procurando uma desculpa para não subir naquele horror.

— Olhe para o lado bom. — Ela sorriu. — Você é a única pessoa em Wicklow que não vai ter que olhar para ele porque não conseguirá vê-lo de dentro do cesto.

— Gôndola, Saffy. O nome é gôndola.

A música alta e frenética do GameBoy de Liam feria os ouvidos de Saffy, então ela abriu a janela, mas o cheiro da silagem vazou para dentro do carro, então ela a fechou novamente.

Já era bem difícil seguir o curso errático do furgão da frente, que acompanhava o rumo do balão de Joe, sem essa trilha sonora do inferno.

— E aí, Liam — ela disse entre os dentes —, em que ano você está?

Ele nem se deu ao trabalho de levantar os olhos. Manipulava os controles, e talvez fosse só sua imaginação, mas a música ficou mais alta e mais rápida. A qualquer momento, suas orelhas iam começar a sangrar.

— Quando eu estava na escola — ela balbuciou —, odiava matemática, mas adorava inglês. E você? De quais matérias você gosta?

Ele não mexeu um músculo.

O furgão virou repentinamente à esquerda e Saffy passou direto. Ela deu ré e fez a curva voando, sem ligar para os pés de amora que provavelmente riscariam a pintura do carro.

— E aquele merdinha do Alex, como vai? — Ela virou a direção com força e entrou com o carro na estrada lamacenta. — Ele ainda trata você feito cocô?

Liam levantou os olhos do jogo. Finalmente, ela chamara sua atenção.

— É — ela disse. — Eu disse dois palavrões. O porquinho do palavrão ganhou um euro. Eu ouvi o Alex zombando de você naquela noite. Ele é uma figura desagradável.

Liam olhou para ela.

— Ele é meu amigo.

— Seu amigo? — Saffy retrucou. — Merda nenhuma. Um euro

e 50 centavos. Seu amigo? Dá um tempo, porra. Dois euros. O Alex não é seu amigo. Ele é um pirralho venenoso.

O GameBoy ainda estava ligado, mas Saffy se esquecera de sua dor de cabeça.

— Você acha que tem que aguentar amigos assim porque tem sotaque americano, porque não tem mãe ou porque gagueja de vez em quando? Porra nenhuma. Dois euros e 50. Se você acha isso, está só *pedindo* para ser tratado feito cocô. Três euros. Se você não se encaixa, faça alguma coisa a respeito.

Liam fez. Ele colocou uma mãozinha trêmula na maçaneta da porta do passageiro. Estavam indo a cerca de 20 quilômetros por hora, mas, se ele pulasse, Saffy pensou, se mataria. E Joe nunca a perdoaria.

Ela encostou. O furgão desapareceu na próxima curva, mas ela não ligou. Subitamente, ficou desesperada para que Liam entendesse.

— Pense no Alex, certo? Agora tire aquela franjinha e a camiseta bacana. Coloque um agasalho surrado, shorts muito pequenos e meias com sandálias de couro. O que você tem?

Liam encarava os próprios joelhos.

— Um ET, só isso! — disse Saffy. — E meninos pegam no pé de ETs. Não é legal, mas é verdade. Tome, experimente os meus. — Antes que ele pudesse impedi-la, ela tirou os óculos de Liam e substituiu-os pelos seus.

— Eles devem fazer você ficar tonto, não é? Porque os nossos olhos têm graus diferentes. — Ela abaixou o espelho para que ele pudesse olhar sua imagem. — Mas sabe de uma coisa? Eles ficam muito bem em você.

Ela estava dizendo a verdade. Não era só o remendo grosseiro. Os óculos de Liam eram grandes demais para o rosto dele. A armação escura, pequena e retangular dos óculos dela ressaltava seus olhos azuis e fazia seu cabelo cor de cenoura parecer quase loiro.

— Não estou dizendo que você deve mudar quem você é *por dentro* — Saffy disse —, mas às vezes é só quando você muda por fora que as pessoas *veem* o que você tem dentro.

Ela o perdera. Ela se perdera um pouco, também.

— Minha mãe me dava roupas e coisas de que eu gostava — Liam disse baixinho —, mas tudo quebrou ou ficou pequeno demais, e agora o papai compra tudo errado.

Ele tirou os óculos, dobrou-os com cuidado e devolveu-os.

— Por que você não fala alguma coisa? — ela perguntou. — Por que você não diz ao seu pai o que você quer?

Liam olhou pela janela, buscando o balão de Joe no céu.

— Você se preocupa com o seu pai, não é? — ela disse baixinho. Imaginou que ele devia ter visto Joe arrasado depois que sua mãe morrera e que tinha medo de dizer algo errado e isso acontecer novamente.

Liam deu de ombros.

— Mas sabe de uma coisa? Não é você que tem que fazer isso.

Os olhos dele encontraram os dela por um instante. Pareciam nus e vulneráveis sem seus óculos. Ele parecia estar prestes a chorar.

— Ele é que tem que se preocupar com você, e não o contrário. Você tem é que ser o mais feliz possível para ele não ter que se preocupar com você.

Ela devolveu-lhe seus óculos e ele os colocou de volta.

— Ele faria qualquer coisa que você pedisse, sabe? Se você disser que quer voltar para os Estados Unidos, ele o colocaria num avião — ela disse. — Se você disser que me odeia de verdade, ele nunca mais vai me ver. Você é a pessoa mais importante do mundo para ele e sempre vai ser, está bem?

O iogurte gigante apareceu, brevemente, por entre algumas árvores à direita. Estava flutuando na direção de um campo a cerca de um quilômetro e meio.

— Agora você pode desligar seu GameBoy e me ajudar a achar o caminho para onde seu pai vai aterrissar aquela joça... — Saffy fez uma careta. — Epa, isso conta? Três euros.

— Três euros e 50 — corrigiu Liam. Ela pensou ter visto os cantos da boca dele começarem a se contrair. Deu partida. — Acho que é melhor comprar um porquinho maior.

A alguns quilômetros de Blessington, Joe tirou sua mão do joelho de Saffy e colocou-a no braço dela.

— Pare um pouquinho, por favor.

Estavam em uma alça da estrada que dava para um lago. Ele fez sombra para os olhos e apontou para um grupo de velhas árvores na margem oposta.

— Aquela é a nossa casa.

Saffy olhou, mas não viu nenhuma construção.

— Comprei o terreno quando viemos de Chicago. Paguei bem caro por ele e a licença para construir saiu em março. Vamos ter que continuar pagando aluguel até levantarmos a estrutura básica, mas valerá a pena esperar. O lado da casa que dá para o lago será quase todo de vidro.

— Vamos construir uma casa na árvore — Liam disse. — Já escolhemos a árvore; e eu vou ter um cachorro.

— Achamos que você estivesse dormindo — Joe disse, rindo, e recostou-se para afagar o cabelo do filho.

Tudo exalava uma certa aura dourada sob a luz do entardecer. Um bando de andorinhas fizeram uma curva no céu acima das árvores. Um barquinho cortava o brilho da água.

— Às vezes vamos acampar lá — disse Joe. — Trazemos uma barraca, acendemos uma fogueira e cozinhamos alguma coisa, como vaqueiros. Pode vir conosco da próxima vez.

— Eu não sei, me parece mais uma coisa de meninos. — Saffy buscou os olhos de Liam no espelho retrovisor.

Ele olhava pela janela, mas comentou:

— Também existem vaqueiras.

Saffy sentou-se no banquinho de courino seboso e esperou Jess e os gêmeos voltarem do bar. Ela havia prometido pegar as crianças e entregá-las a Conor. Ainda estava em choque depois do telefonema de Jess. Não acreditava que Conor tinha saído de casa. Como isso tinha acontecido? Lembrava-se de ter pensado que eles pareciam nervosos no dia em que se encontraram no festival de World Music, mas como tinham se separado *tão depressa?*

Havia barris amassados e caixas de garrafas empilhados em uma parede. Mesas de plástico esquisitas estavam dispostas em um pedaço de jardim cheio de bitucas de cigarro. O cheiro de cerveja era forte e a única vegetação era uma planta desfalecida pendurada num xaxim com uma embalagem de batatas chips presa na corrente enferrujada.

Eram 11h30 de uma manhã de domingo e o lugar estava deserto exceto por dois homens que fumavam um baseado furtivamente e um filhote de *pit bull* que brincava com uma bola.

Jess chegou carregando uma bandeja de bebidas, seguida dos gêmeos. Seu cabelo estava encrespado e ela exibia olheiras. Usava um casaco encardido sobre um vestido sem manga com bainha desfiada. Saffy pensou que ela poderia passar por uma mendiga. A mendiga mais gostosa de todos os tempos, obviamente, mas a cena era preocupante.

— Não consegui lembrar o que você queria. — Jess largou a bandeja. — Então trouxe um vinho.

Saffy tinha pedido água, mas não queria forçar a barra. A barra, pelo que Jess havia contado, já estava bem pesada.

Os gêmeos sugaram suas Cocas em cerca de dez segundos e foram brincar com o filhote.

— Eu não me importo comigo — Jess encheu o copo de Saffy até a borda —, mas nunca, nunca perdoarei Conor pelo que ele fez com Luke e Lizzie.

Fazia três dias que Conor tinha partido. Três dias esperando que ele aparecesse na porta e implorasse para ela o aceitar de volta. Três dias de silêncio, administrando as crianças sozinha sem ter ideia de quando ele voltaria. Jess achava que Conor estava na casa de Greg, mas nunca havia corrido atrás de homem algum, e não começaria agora.

Então, naquela manhã, ele mandara um torpedo: ME DESCULPE PELO SILÊNCIO. PRECISO DE ESPAÇO. GOSTARIA DE VER OS GÊMEOS HOJE. NÃO QUERO MAIS BRIGAR, ENTÃO É MELHOR NÃO NOS VERMOS. POSSO PEGÁ-LOS NA MÃE DE SAFFY ÀS 2 HORAS E DEIXÁ-LOS LÁ ÀS 7. FICAREI EM CONTATO. C.

Jess já lera a mensagem repetidas vezes, mas não encontrara uma só palavra terna, um indício de arrependimento (a menos que se considerasse o "me desculpe pelo silêncio", mas ela não considerou), um sinal de quando ele planejava voltar para casa.

Ficarei em contato. Parecia uma frase no final de uma carta de banco. O coração dela estava preso e apertado de raiva. Se ele podia ser breve, ela podia ser mais breve ainda.

OK J., ela respondera, imaginando em que pé eles estavam, se tudo o que tinha a dizer podia ser contido em três letras.

— O que você disse a eles? — Saffy apertou a mão dela. — Às crianças, quero dizer.

— Eu não disse nada. Quem saiu foi ele. É ele que tem que lhes dizer por que fez isso e depois talvez ele diga a mim, porque eu não tenho ideia.

Saffy tomou um gole do vinho. Estava quente e azedo, mas forçou-se a bebê-lo.

— Ele bateu numa *criança,* Saffy. Ele atacou um garoto indefeso. E depois simplesmente foi embora.

Saffy balançava a cabeça, distraída. Observava Lizzie e Luke pelo canto dos olhos. Eles estavam colocando batatas fritas na boca do filhote. Isso era higiênico? Era seguro? Joe não deixaria Liam brincar com um *pit bull* de modo algum. Procurou se concentrar em Jess.

— Olhe, eu não sei o que aconteceu na escola, mas acho que é um grande mal-entendido. Conor não largaria você e os gêmeos, Jess. Ele é louco por você e nada pode mudar isso.

Mas, enquanto falava, se perguntava se algo já havia mudado. Quando telefonara para Conor a fim de combinar a entrega dos gêmeos mais tarde, esperava que ele estivesse chateado, mas ele parecia bem calmo.

— O que ele disse quando você falou com ele? — Saffy notou que as unhas de Jess estavam roídas. Desde quando ela roía as unhas? — Ele falou alguma coisa sobre mim?

Ele não falara nada, mas Luke apareceu ao lado de Saffy e salvou-a de ter que responder.

— Com licença — o menino falou, educadamente —, que hora são?

— Que *horas* são, Luke — Jess corrigiu imediatamente.

Saffy olhou no relógio.

— São 11h30.

Ele baixou a voz e sussurrou.

— Tá na hora do meu cocô.

Jess afastou-o com um gesto.

— Você pode fazer mais tarde, na casa da mãe da Saffy.

— Não consigo fazer em casas estranhas. — Luke parecia preocupado. — É esquisito, eu fico assustado.

Saffy sabia exatamente do que ele estava falando.

— Ai, meu Deus — Jess suspirou. — Muito bem, pode usar o do bar, mas você está crescidinho demais para ir no banheiro das mulheres, e eu não posso levá-lo ao dos homens, então vai ter que ir sozinho. Lizzie! Vá também.

Os gêmeos correram, obedientes.

— E limpem o bumbum direito — Jess disse por sobre o ombro.

E não falem com estranhos, Saffy quis gritar para eles, mas havia dois homens estranhos no jardim e ela não queria anunciar em voz alta que duas criancinhas estavam indo ao banheiro sozinhas.

Jess mexia em alguma coisa grudada na mesa. Achara que conversar com Saffy ajudaria, mas não ajudou. Ela nunca soubera como se abrir como fazem as outras mulheres. Nunca precisara. E agora que precisava, receava que, se dissesse o que estava pensando em voz alta, aquilo se tornaria realidade. Ela adorava a vida que tinha com Conor e os gêmeos. Era comum e confusa, mas era real. E achava que ele também adorava. Mas ela não era suficiente para ele. *Eles* não eram suficientes para ele. Conor queria dinheiro e sucesso, e ela sabia o que isso fazia com as pessoas. Isso o mudaria. Já tinha mudado.

— Você devia tê-lo visto naquele dia, Saffy. — Ela apertou os lábios. — Você devia ter visto o sangue na camisa dele no dia em que ele bateu no pobre garoto.

— Não chore, Jess — Saffy disse com ternura. — Tudo vai ficar bem. Eu prometo. — O dia estava esquentando e o jardim da cerveja começava a produzir um fedor úmido que revirara seu estômago.

— Não vai ficar bem. Como pode ficar bem? Nós estamos na merda, Saffy. A escola não vai aceitá-lo de volta e, quando isso vier a público, ele será demitido da St. Peter's. Eu ganhei 300 euros nas últimas seis semanas. Como vamos viver?

O filhote de *pit bull* vagava pelo cascalho e fez xixi em uma perna da mesa, bem ao lado do pé de Jess, mas ele nem notou.

— Ei, belezura — um dos homens que fumavam maconha chamou suavemente —, quer dar um tapinha?

Jess virou-se.

— Com licença? Estou tentando conversar.

— Não fique se achando, querida — o homem zombou. — Eu não estava falando com você. Estava falando com a sua amiga.

Jill chegou à porta da frente antes que Saffy pudesse abri-la. Ela usava maquiagem e um vestido longo verde e tinha trocado o lenço de cabeça pela peruca. O vestido era horrível, com gola alta e antiquado. Ela havia colocado na frente um enchimento que parecia estar no lugar errado. Mas era bom vê-la se esforçando. Jill normalmente não colocava outras roupas, a não ser nos dias da quimio.

— A senhora está linda, mãe! — Saffy disse.

— Não quero assustar as crianças — Jill sussurrou. — Olá, Lizzie — ela disse a Luke, que usava uma camiseta cor-de-rosa.

— Todo mundo pensa que ele é menina — Lizzie disse —, mas ele não se importa.

Lizzie quis ficar na cozinha e ajudar Saffy a fazer o almoço. Conor só chegaria dentro de uma hora, então eles tinham parado no supermercado e Saffy permitira que os gêmeos pegassem suco de laranja, batata frita, pão fatiado, queijo e bolinhos decorados.

— Posso passar manteiga no pão? — Lizzie perguntou.

— Você tem permissão para usar a faca?

— Tenho 7 anos — Lizzie disse, desdenhosa — e um pouquinho.

Lá fora, no jardim, Jill passava protetor solar em Luke. Quando ela terminou, espremeu um pouco na mão dele e inclinou-se para ele passar em seu rosto.

— Já terminei. — Lizzie tinha usado quase toda a manteiga em uma fatia de pão.

— Está perfeito. — Saffy deu-lhe os bolinhos. — Vamos colocá-los num prato?

— Vamos. — Lizzie limpou as mãos cheias de manteiga na camiseta. — Meu pai vem mesmo? Você promete?

— Juro por Deus.

— Se você fica muito tempo nos Desaparecidos — Lizzie deixou cair um bolinho no chão, pegou-o e colocou-o de volta no prato —, você pode morrer. O Brendan foi para lá. É o nosso hamster. Ele é branco com manchas marrom e tem uma barriga muito fofinha.

Saffy não sabia ao certo o que fazer quando as crianças falavam de morte, mas emitiu um "hum" interessado, caso Lizzie tivesse mais a dizer sobre o assunto, e ela tinha.

— Acho que papai foi até os Desaparecidos para *encontrar* ele. — Lizzie piscou para ela. — Acha que ele morreu?

Saffy balançou a cabeça.

— É claro que ele não morreu, querida. Eu falei com ele hoje de manhã.

— Com quem? — Lizzie estava empilhando todos os bolinhos em um lado do prato. — O papai ou o Brendan?

Saffy recostou-se em sua espreguiçadeira. Estava muito quente para fazer qualquer movimento. Abelhas rondavam as rosas de sua mãe. Em algum lugar a distância, alguém aparava a grama. Joe iria subir de balão mais tarde e ela esperava que o tempo continuasse firme.

Lizzie estava sentada na outra espreguiçadeira afagando Kevin Costner com vigor. Ele não parecia estar apreciando muito. Jill sentava-se na grama, ajudando Luke a fazer uma corrente de margaridas.

— A gente conheceu um cachorro chamado Fanny — ele dizia. — A gente deu batata frita pra ele. Ele fez xixi na sandália da mamãe.

— Essa coisa esquenta demais. — Jill mexia na peruca, tentando ajustá-la na cabeça.

— Tire. — Saffy passava a mão na grama fresca por trás da sombra de sua cadeira.

— Não posso.

— Duvido que a senhora tire.

Jill esperou um instante e arrancou a peruca. Ela estava praticamente careca. Colocou-a sobre a grama.

Luke olhou para ela, horrorizado.

— Não pode colocar isso nas margaridas — ele disse. — Elas vão ficar amassadas e são as melhores para a corrente.

— Ah, está bem. — Jill afastou a peruca.

— É melhor colocar um pouco de protetor na cabeça, mamãe. — Saffy passou o frasco para Jill. — Está muito quente.

Lizzie levantou-se com um pulo e Kevin Costner aproveitou a oportunidade para dar um tempo sob a macieira.

— O Luke passou no rosto — ela disse. — Agora é minha vez.

— Obrigado por ajudar, Saffy. — Conor havia perdido peso desde que Saffy o vira pela última vez. Ele parecia estressado, mas ela achou que ele também parecia ótimo. — Tudo bem se eu os trouxer às 6h30?

Eles estavam parados nos degraus da frente. Os gêmeos corriam para lá e para cá, cercando o Yorkshire terrier dos O'Keefes.

— É claro. Tudo bem. — Ela tocou no braço dele. — Mas por que você mesmo não os leva para casa? Você precisa conversar com a Jess. Vocês têm que resolver isso.

— Eu já disse o que tinha para dizer. — Ele balançou a cabeça. — E não estou pronto para vê-la, pelo menos não por enquanto.

— Não faça isso com ela, Conor. Ela ama você.

Ele ficou algum tempo olhando para ela.

— Talvez, mas ela não gosta muito de mim.

— Ora, você não fala sério.

— Eu vejo nos olhos dela. Qualquer coisa que eu faça ela acha ruim. Eu tento escrever um livro para mostrar que posso fazer alguma coisa bem e ganhar dinheiro e ela acha que é traição. Eu me intrometo para impedir que um garoto apanhe feio e eu sou o vilão da história. — Tornou a balançar a cabeça, triste. — Eu não sei quem ela acha que eu sou, Saffy. Mas sabe de uma coisa? Eu também não gosto muito desse cara.

Capítulo 25

Greg vestiu a fantasia no banheiro dos funcionários. Greta da Venom dissera para só levar o tênis que o supermercado em Dun Laoghaire providenciaria o resto. O "resto" revelaria ser um traje de aipo: um collant verde de corpo inteiro, um tubo verde canelado com buracos para os braços, que iam do pescoço até a altura dos joelhos, e uma estrutura na cabeça com folhas e o rosto do personagem. Ele quase dera meia-volta para ir embora. Então se lembrara de que Brad Pitt chegara a usar uma fantasia de frango para promover um restaurante e olha só o cara agora!

Ele tivera sorte no catálogo de moda íntima, mas os outros testes deram em nada. Estava aliviado, pois a carta de Lauren o deixara nervoso. Dissera a Greta que só pegaria trabalhos em que seu rosto não aparecesse. Não queria colocar tudo a perder.

Os outros legumes estavam reunidos na sala do gerente. Havia uma garota bonitinha vestida de tomate, um cara alto com traje de cenoura e uma mulher dentuça em um collant roxo que pretendia ser uma berinjela. Estavam provavelmente tirando 15 euros por hora no máximo, mas Greta tinha conseguido que Greg fosse pago pela tabela de modelo, mesmo sendo um trabalho promocional: 63,49 euros por hora. Greg fizera o cálculo no seu iPhone. Se fizesse aquilo por cinco dias conseguiria pagar metade da prestação da casa.

Eram 507,92 euros por dia para se vestir de legume? É claro, nem precisava pensar. Legume. Isso era engraçado. Deveria considerar seriamente a ideia de escrever um seriado.

— Certo, pessoal. — O gerente usava um terno mal cortado. — Já sabem as regras. Nada de palavrões. Nada de comer petiscos. Nada de fumar enquanto estiverem com os trajes. Nada de confraternizar com os clientes.

Ele deu um talão de cupons para cada um.

— Deem os cupons para os clientes — instruiu —, mas fiquem atentos aos aposentados. São devoradores de cupons. A regra é somente um cupom por pessoa.

Greg examinou os papéis. Traziam estampada uma cara cujos olhos eram tomates, a boca uma banana e os cabelos, brócolis.

Cinco por Dia É Fácil!

Coma uma banana no café da manhã.
Acrescente cenouras no almoço.
Belisque uvas, pepino em palitos ou tomate-cereja.
Adicione brócolis ao jantar.
E deguste uma maçã ou laranja de sobremesa.

Este cupom dá direito a 1 euro de desconto na compra de 10 euros em frutas e legumes.

Greg virou o cupom. O verso estava em branco.

— Houston — ele chamou, com a voz soando cavernosa dentro da cabeça oca —, temos um problema.

— O que disse? — O gerente parecia estar irritado. Greg detestava quando as pessoas agiam assim. Era tão passivamente agressivo.

Ele apontou para o cupom.

— Cara, o cupom menciona cenouras, tomates e pepinos. Mas eu sou um aipo, certo? E aqui não fala em aipo.

— Que desastre! — exclamou o gerente. — E imprimimos 500 mil cópias.

A berinjela deu uns risinhos.

— Além do mais — Greg olhou em volta —, somos todos legumes. Esta promoção é de legumes e frutas. Onde estão as frutas?

O tomate levantou a mão.

— Bom, tecnicamente, eu sou uma fruta.

— Acho Zac Efron um gato — o cara da cenoura disse. — Será que sou "fruta" por causa disso?

Greg viu ao longe uma mulher no corredor de doces. Coxas imensas. Queixo duplo. Um caso sério de brigadeiro direto da panela.

— Oi, tudo bem? — Sua voz soava diferente, ninguém podia ver seu rosto, o que o tornava anônimo. Era uma experiência estranhamente libertadora — Sabia que o aipo tem calorias negativas? — Ele deu-lhe um cupom. — Portanto, quanto mais você comer aipo, mais peso irá perder.

Afastou-se, sorrindo dentro da cabeça oca. Um ator iniciante não daria muita importância à pesquisa. Mas um profissional, um De Niro ou um Nicholson não sossegaria enquanto não descobrisse qual é a motivação de um aipo. Aproveitou uma pausa quando foi ao banheiro e usou seu iPhone para pesquisar alguns dados nutricionais no Google. Quando voltou para os corredores, não era somente um cara vestido de legume, mas um superalimento com poderes de livrar o mundo da obesidade. Sua missão era andar pelos corredores à cata dos cheinhos, barrigudos e obesos com carrinhos cheios de carboidratos e gorduras transgênicas. Após ter abordado um ou dois, pegou o jeito.

— O aipo é uma excelente fonte de fibras — dizia aos clientes. — O aipo contém componentes que abaixam a pressão sanguínea. Aipo é o que há de melhor para uma dieta saudável.

Pelo meio da tarde a cenoura já aderira e estava copiando suas táticas. Greg a ouviu falando a dois adolescentes gorduchos no corredor de sopas e bolachas que cenouras tinham poucas calorias e eram perfeitas para se beliscar. Ele os seguiu e os abordou no corredor dos congelados.

— Escute, uma cenoura tem trinta calorias. Um talo de aipo tem apenas seis. Da próxima vez que quiser beliscar algo, coma cinco talos de aipo — ele disse, mostrando os cinco dedos da mão verde. — Ou, uma cenoura — completou, mostrando um dedo da outra mão. Era o dedo do meio e o mostrava para que a cenoura o visse na outra ponta do corredor. — Você decide.

Joe apareceu por trás de Saffy quando ela estava inclinada pegando uma garrafa de óleo de gergelim. — Vou guardar essa imagem para depois — ele disse, pegando em sua cintura —, mas só porque tem crianças por perto.

Liam apareceu no final do corredor com uma caixa enorme de Choco Crispis, colocou no carrinho e saiu de novo. Estava usando óculos novos e tinha cortado o cabelo, agora penteado de modo a ficar um pouco espetado em cima. Parecia outro menino. Saffy e Joe tinham se separado para pegar as compras e economizar tempo, já que suas listas não tinham nada em comum.

— O que temos aqui? — Joe perguntou, olhando o carrinho de Saffy. — Peito de pato. Champanhe. Leite de coco. Creme de leite. Maracujá? Vai ser uma refeição e tanto.

Saffy sorriu.

— É essa a ideia.

— Precisa de espaguete ou feijão pronto para acompanhar isso aí? — ele perguntou, olhando para seu carrinho. — Salsicha? Patê de queijo? Torradas?

Saffy olhou para sua lista.

— Preciso de gengibre, pepino, acelga e só. Encontro você no caixa.

Ela estava pesando o gengibre quando o aipo a abordou. Saffy não gostava muito de palhaços ou bonecos. Eles a deixavam ligeiramente desconfortável.

— Sei que não devemos nos falar — o aipo disse —, mas é uma emergência. Preciso do Kevin Spacey emprestado.

— O quê? — Ela olhou em volta procurando ajuda, mas só havia uma mulher idosa com andador examinando os melões.

— Kevin Spacey! Preciso pegar emprestado o Kevin Spacey. Tem um rato em casa — o aipo continuou — e aquele idiota tem que morrer.

Devia ser um daqueles programas de pegadinha, ela deduziu.

— Muito engraçado — retrucou, virando-se para a balança novamente —, mas sei como isso funciona. Não vou assinar uma autorização para uso de imagem, portanto é melhor você procurar outra pessoa.

— Não é nada engraçado ter um rato em casa, Saffy — o aipo disse. — Você já pesquisou ratos no Google? Eles transmitem 35 doenças. Fazem sexo até 20 vezes por dia. Em 18 meses, dois ratos podem se tornar mais de um milhão.

— Greg? — Saffy olhou para aquela cara de boneco com cabelos de folhas — É você?

— Sim! É claro que sou eu e preciso do gato da sua mãe emprestado.

— Kevin *Costner.*

— Costner. Spacey. Bacon. Não me importa o nome do gato desde que ele mate aquele rato.

— Greg, por que você está vestido assim?

— Bem, vamos ver. Perdi meu emprego. Minha mulher me deixou. Estou ferrado tentando pagar metade do financiamento de um milhão e meio de uma casa. E estou tentando me manter. — Aproximou-se. — O que você está fazendo com esses peitos?

— O quê?

— Esses peitos de pato? — Ele apontou com o dedo verde para dentro do carrinho dela. — E esse champanhe e esse creme de leite fresco e essas coisas afrodisíacas?

— Pato não é afrodisíaco — Saffy respondeu, tentando ganhar tempo.

Ele balançou a cabeça de folhas.

— Combinamos de dar um tempo por três meses, mas você está saindo com alguém, não está?

— Só concordei com isso para que você me deixasse em paz, Greg. E você não pode falar nada quanto a eu estar saindo com alguém — Saffy disse. — Eu leio os tabloides. Esteve amarrado a alguma cama ultimamente?

Uma mãozinha puxou a manga de seu casaco. Era Liam, segurando uma penca de bananas.

— Você pode pesar para mim? Não sei como funciona a balança.

Tinha esquecido de Liam. Meu Deus! Precisava afastá-lo dali.

— Claro que posso — ela respondeu, tentando soar como uma estranha sendo simpática e ajudando uma criança que não conhecia.

Seu coração estava batendo forte quando grudou a etiqueta de preço no saco e entregou a ele.

— Aí está! — ela disse, animada. — Pode levar para o caixa agora. Já tem o que precisa! — Ele a olhou, confuso, e foi saindo devagar.

— Não tente me enganar, Saffy. — Era estranho ouvir uma voz raivosa saindo daquela cabeça de boneco. — E não tente mudar de assunto. Você sabia sobre a Tanya antes de nos casarmos. Nós fizemos um acordo, Saffy, mas isto — ele pegou um maracujá do carrinho dela e o atirou em cima da pilha de mandioquinhas — é quebrar todas as regras.

— Escute aqui, não estou saindo com ninguém. Estou comprando comida para minha mãe, OK? — ela sussurrou. — Minha mãe, que está com câncer? Estou tentando animá-la um pouco.

Liam sacudiu seu cotovelo. Ela olhou para ele, em pânico. Há quanto tempo o menino estava ali? Será que ele tinha ouvido a parte em que Greg falara que tinham se casado?

— Temos que ir porque *Os Simpsons* começa às 6.

Saffy tinha que continuar fingindo que não o conhecia. Não tinha outra opção.

— Bem, então é melhor se apressar. Sério. Já são 10 para as 6 — ela disse e virou as costas para ele, torcendo para que fosse embora.

— S... S... Saffy? — Saffy já sabia que ele só gaguejava quando estava cansado ou triste.

— Olha, estou muito ocupada. Não tenho tempo para conversar com você agora, OK?

Parecendo ter levado um tapa na cara, Liam se virou e foi embora.

— S... S... Saffy? — Greg se inclinou para que ela pudesse ver seu rosto através da tela da cabeça de aipo. — Como ele sabe seu nome?

Saffy não respondeu.

— Com quem você está saindo? Há quanto tempo?

Saffy pegou o carrinho e saiu andando. Depois de alguns metros começou a correr. Greg tentou segui-la, mas seu traje era apertado e prendia na altura dos joelhos. Ele parou e rasgou o tubo verde no mesmo instante em que o gerente se aproximava ofegante pelo corredor.

— Em minha sala. Agora! — ele latiu, colocando uma mão no peito de Greg.

Greg tentou se desvencilhar, mas o gerente foi rápido. Pegou um dos braços de Greg por trás, o cara da cenoura veio correndo, segurou o outro braço e o levaram para os fundos do supermercado.

— Tirem suas mãos fedidas de cima de mim! — Greg berrou. — Tirem suas mãos nojentas de cima de mim agora, seus merdas!

— Bem — ouviu um dos repositores falar para outro —, agora a gente sabe porque tem que cortar a cabeça do aipo.

Saffy esperava junto ao furgão de Joe. Cada célula de seu corpo ordenava que continuasse correndo, mas ela tinha que parar e fingir que estava tudo normal.

Greg dissera algo sobre eles terem casado. Tentava lembrar se Liam tinha escutado essa parte ou quando Greg dissera seu nome.

Joe cruzou o estacionamento com Liam, empurrando o carrinho. Estava dando risada.

— Tem um doido lá vestido de legume dando um escândalo! — ele contou, abrindo a porta do furgão. — Impagável!

— Eu vi. — Saffy estava morrendo de medo de olhar para Liam. — Ele tentou me abordar antes — ela disse, com voz trêmula.

Joe colocou o carrinho para o lado e a abraçou.

— O que ele fez? Você está bem?

— Estou bem. Eu só queria sair de perto dele e acabei deixando tudo o que tinha pegado para o jantar.

Joe segurou o queixo dela, levantando seu rosto e olhando-a nos olhos.

— Acho que temos salsicha, feijões cozidos e sorvete crocante o suficiente para três. O que acha, Liam?

Liam não disse nada.

Liam jogava a comida de um lado para o outro do prato. Juntava tudo fazendo um montinho e colocando feijões em volta com o garfo. O som do metal arranhando na louça fazia os dentes de Saffy rangerem de aflição.

— Liam! — Joe lançou-lhe um olhar. — Não brinque com a comida.

Eles haviam parado numa *delicatessen* no caminho para casa e comprado alguns antepastos. Saffy colocara os legumes, o queijo, azeitonas e presunto parma sobre uma tábua de madeira com pães aquecidos e uma tigela com azeite, mas a atmosfera estava tão tensa que ela mal conseguia engolir qualquer coisa. Liam separou um grão de feijão e o colocou na boca. Em seguida, transferiu-o de volta ao garfo, olhando-o por alguns instantes. Depois, tentou equilibrá-lo sobre a salsicha. Ele caiu e rolou até o copo de Saffy.

Joe parou de mastigar e olhou fixamente para aquilo. Saffy tocou em seu joelho por debaixo da mesa.

— Está bem — ele disse. — Acabou, Liam? — Sem esperar pela resposta, Joe pegou o prato dele, raspou os restos na lixeira e jogou-o dentro da pia.

Liam recuperou o feijão ao lado do copo de Saffy e começou a chutá-lo com o pé de um bonequinho vestido de vermelho e preto.

— Quem é esse? — Saffy perguntou. — É do *Guerra nas Estrelas*?

Fez-se um longo silêncio, interrompido apenas pelo barulho de Joe fechando a geladeira seguido de um ruído metálico enquanto ele mexia na gaveta de talheres e um ruído duplo de quando ele colocou dois potes de sorvete sobre a mesa.

— Você ouviu Saffy — ele falou baixinho. — Responda o que ela perguntou.

Liam esmagava o feijão com o pé do boneco.

— Liam? — Havia um tom de advertência na voz de Joe.

— É um Bionicle — Liam respondeu, relutante.

— Vamos lá — disse Joe. — Você pode fazer melhor que isso.

— É-um-Toa-Tahu. Ele tem um Kanohi-Hau. Uma enorme máscara protetora e uma espada de fogo que pode derreter até pedra. Ele se funde com Pohatu e Onua para formar Toa-Kaita-Wairuha, um dos Super-Toa — Liam recitou mecanicamente.

— Uau! — Saffy sacudiu a cabeça. — Como consegue se lembrar de tudo isso?

Liam fez uma cara emburrada.

— Posso tomar meu sorvete?

— Claro — Joe disse de forma simpática. — Logo depois que pedir desculpas à Saffy por ter sido tão rude.

— Não precisa, mesmo. Ele não fez nada de errado. Tome... — Ela empurrou sua tigela de sorvete para Liam. — Pode ficar com o meu.

— Não pode, não. — Joe empurrou a tigela de volta e se debruçou até ficar no mesmo nível de Liam.

— O que está acontecendo, rapazinho? Você está se comportando mal desde o supermercado. Não é culpa da Saffy se você perdeu o começo dos *Simpsons* e, mesmo que tenha sido, não é nada legal ficar tratando uma pessoa assim. Se alguma coisa estiver errada, ponha para fora e conversaremos a respeito. É assim que as coisas funcionam aqui, lembra?

Uma onda de pânico atingiu Saffy, seguida por outra de vergonha. Ela queria livrar a cara de Liam, mas isso significaria contar a Joe toda a verdade sobre Greg e ele descobriria que ela vinha mentindo. Não estava pronta para isso. Ainda não. Era cedo demais. Era complicado demais.

— Saffy está esperando — Joe disse, tamborilando os dedos na mesa.

Ela olhou para a carinha pequena e preocupada de Liam.

— Joe, por favor — implorou. — Podemos mudar de assunto?

— Está bem, você teve a sua chance, Liam. Vá para o quarto.

Liam se levantou vagarosamente, fazendo barulho ao arrastar a cadeira no assoalho. Ele pegou o bonequinho.

— Não! — Joe fez um gesto com a mão. — Sem brinquedos, sem livros e sem TV, até que resolva pedir desculpas.

— Joe — Saffy disse depois que ele saiu. — Acho que você foi muito severo.

Joe balançou a cabeça.

— Ele não pode tratar você assim. Você tem sido tão carinhosa com ele.

Ela ficou apreensiva.

— Todas as pequenas coisas que você fez por ele, como encontrar aquele lugar para que ele cortasse o cabelo, ajudá-lo a escolher os óculos novos, tudo isso significa muito para ele e quero que ele reconheça, só isso.

Joe se levantou e abriu a torneira da pia. Saffy o seguiu e abraçou-o por trás. Encostou o rosto nas costas dele. Podia sentir o calor de sua pele através da camiseta e a batida fraca, mas constante de seu coração em sua mão. Poderia ficar daquele jeito por toda a vida.

— Talvez você esteja certa. — Joe levantou a mão ensaboada e acariciou o rosto dela. — Talvez eu tenha sido duro.

— Vou lá falar com ele. Deixe que eu resolvo.

Saffy foi pegar uma sacola que deixara no quarto e em seguida bateu na porta de Liam. Depois de um tempo, bateu novamente. Sentou-se no chão. O carpete dos anos 1970 era verde-claro com uma estampa de linhas onduladas verde-claras. Ficar tão perto daquilo a deixou nauseada.

— Liam?

Mais cinco minutos se passaram, depois mais cinco.

— Não culpo você por não querer falar comigo. Não vou culpar você se nunca mais quiser falar comigo, mas queria entrar só para explicar o que aconteceu, está bem?

Liam estava com o rosto enterrado no edredom do Homem-Aranha, o que pareceu apropriado, considerando-se o emaranhado que era a vida de Saffy.

— Olha, eu nem sei o que dizer — ela começou. Não era muito original, mas pelo menos era verdadeiro. — Fui rude com você na frente do meu amigo. Fingi que não conhecia você. Talvez você pense que fiz isso porque tenho vergonha de você, mas não foi nada disso. Tenho muito orgulho de você.

Isso também era verdade. Liam perdera a mãe, os amigos, sua casa e sua vida toda em Chicago. Ela bem podia imaginar o quanto isso devia tê-lo magoado, o quanto era preciso ser forte para superar aquilo tudo aos nove anos de idade.

— A pessoa de quem tenho vergonha sou eu mesma. Entrei em pânico. O cara vestido de legume no supermercado foi meu namorado, sabe.

Isso era parcialmente verdadeiro. Se quisesse ser 100 por cento verdadeira teria que explicar que fora casada com Greg, mas que tipo de pessoa sai por aí confiando detalhes do desastre de sua vida amorosa a um garotinho de nove anos?

Liam se apoiou em um cotovelo.

— Você namorou um aipo?

Ele a olhou com os olhos de Joe: cílios longos, olhos azul-claros com a borda da íris de um azul mais escuro. Era desconcertante.

— Sim, saímos por muito tempo. Quando terminei com ele, ele me pediu que esperássemos alguns meses para ver se as coisas se resolviam, para decidir se continuávamos juntos ou se terminávamos de vez e eu não queria isso, mas ele estava triste e eu aceitei.

Liam balançou a cabeça, concordando, como se aquilo acontecesse todos os dias na escola.

— Mas então eu conheci seu pai — Saffy continuou —, e eu gostei muito, muito dele. — Aquela parte era a mais verdadeira.

— Eu deveria ter contado a ele, ao aipo, que tinha conhecido alguém, mas não contei e, quando o vi no supermercado, fiquei com medo que se ele visse seu pai fizesse uma cena. Foi por isso que fingi que não conhecia você. Mas nada disso justifica a minha atitude e eu sinto muito mesmo.

— Tudo bem. — Liam encolheu os ombros.

— Isto é uma oferta de paz. — Ela os comprara alguns dias antes. Verificou antes qual era o número dele para ter certeza de que as pantufas serviriam. Tinham o formato de bola de futebol preta e branca com um buraco para os pés entrarem. — Suas pantufas do Snoopy estão rasgadas — disse. — Eu ia pegar umas do Harry Potter, que nem as do Alex, mas achei que essas eram mais legais.

Liam colocou as mãos nas pantufas e andou com elas pela cama.

— Obrigado! São bonitas! — Ele esticou os braços na altura dos ombros. Saffy pensou que ele estava admirando as pantufas e então a ficha caiu. Colocou os braços em volta dele e deu-lhe um abraço rápido. Sentiu um aroma leve e doce, como merengue.

— Contou para Alex que você foi uma cientista internacional famosa?

Saffy concordou com um gesto de cabeça.

— Mais ou menos.

— Você contou ao meu pai que o aipo era seu namorado?

— Na verdade, não.

— Você inventou um monte de coisas.

Saffy concordou novamente.

— Eu sei.

Joe subira para fazer as pazes com Liam. Saffy estava repassando algumas anotações para uma apresentação na segunda-feira, ao mesmo tempo em que o escutava ler uma história. Não estava ouvindo as palavras, mas adorava o ritmo calmo de sua voz.

Tinha uma vaga lembrança de adormecer enquanto alguém lia *Onde Vivem os Monstros*. Nela, já era crescida demais para que fosse seu pai, mas não parecia o tipo de coisa que Jill faria. Talvez fosse só sua imaginação.

Seu pai havia morado com ela e Jill durante dois anos antes de partir. Centenas, milhares de momentos em que passara com ele estavam arquivados em sua memória, mas não conseguia acessá-los. Podia se lembrar de todas as letras das músicas do Coldplay, mas de nenhuma palavra que seu pai dissera.

Ele levara consigo o registro de todos esses momentos quando partira e ela, aparentemente, os apagara. Nunca conseguira entender como ele fora capaz de fazer aquilo, e a convivência com Liam e Joe fazia com que entendesse ainda menos. Como ele fora capaz de fechar o livro antes mesmo de começar a história?

Segundo o que as revistas propagavam, o melhor sexo era aquele que acontecia em camas com dossel em casas de campo no fim de semana após um jantar regado a champanhe e um banho de banheira à luz de velas. Não era, pelo que Saffy sabia, para acontecer debaixo de uma manta barata sobre um pufe em uma sala de estar do tamanho de um ovo com *Have I Got News For You* tocando ao fundo.

Joe grunhiu quando Saffy o envolveu com as pernas, trazendo-o mais para perto.

Ela roçou o tórax dele com os dentes, agarrou seu cabelo e então todas as suas terminações nervosas explodiram como um fogo de artifício.

— Oi — Joe sorria para ela. Seus corpos molhados grudavam-se como Velcro. Uma gota de suor caiu do queixo dele no lábio dela. Ela lambeu.

"Eu costumava sair com uma girafa", Paul Metron dizia. "Eu ia com ela ao cinema e tal. Sempre tinha alguém reclamando que não conseguia ver a tela."

Eles começaram a rir.

O sexo com Greg nunca fora assim e, olhando para trás, era provavelmente culpa dela mesma. Sabia que mulheres mais jovens e atraentes abordavam Greg todos os dias e o sexo era como um teste em que tinha que passar para mantê-lo ao seu lado. Na verdade, ela quase nunca relaxava. Estava ocupada demais tentando adivinhar o que ele gostaria em seguida ou tentando encontrar posições que não a fizessem parecer uma tábua. Por mais de uma vez se pegara considerando a possibilidade de colocar implantes de silicone. Mas sabia que, com sua cara e seu corpo, ficaria ridículo, como uma garotinha usando salto alto.

Agora, mal tinha tempo de pensar se estava ou não bonita quando fazia amor com Joe. Apenas acontecia. De repente, urgentemente, eroticamente. O único problema era que acontecia dentro de uma casa com paredes finas e um garotinho dormindo no quarto ao lado. De modo que tinha que ser bem silencioso.

Joe rolou para o lado e cheirou seu pescoço.

— Em que você está pensando?

Saffy riu.

— *Eu* é que tenho que perguntar isso.

— Certo. — Balançando a cabeça, ele concordou, cruzando os braços sobre o peito. Tinha pequenas constelações de pintas nos ombros. Por vezes, Saffy sentia uma vontade incontrolável de uni-las com uma caneta.

— E eu devo dizer "estou pensando em você" quando na verdade estou pensando sobre o jogo do Chicago Bears contra Miami Dolphins.

— Exatamente. Só que você não está nos Estados Unidos, portanto você deveria estar pensando em futebol.

— Mas não estou pensando em futebol. Estou pensando no que você deve estar pensando.

— Estava pensando em Liam. Que talvez você devesse colocar a foto dela em algum lugar.

Joe se debruçou e puxou a tomada da TV. O quarto ficou escuro de repente.

— Ele pode estar se esquecendo dela, Joe. É como perdê-la pela segunda vez.

Ela ouviu Joe dar um gole do copo que ela deixara sobre a mesa, mas não podia vê-lo.

— Você sabe, não havia nenhuma foto de meu pai na casa onde eu morei. A primeira vez que vi uma fotografia dele foi logo antes do... — Quase dissera "meu casamento". Conteve-se a tempo. — Bem, foi há alguns meses.

A fotografia que sua mãe lhe dera na sua despedida de solteira estava dentro de uma gaveta no escritório. Ela a tirava para olhar de vez em quando. Mas era tarde demais para realmente ter algum significado agora. Era apenas uma pequena peça de um quebra-cabeças que fora desmanchado havia anos.

Seus olhos agora se ajustavam ao escuro. Joe estava de costas para ela.

— Sei bem que ele era um fracasso como pai — ela continuou. — Um cara casado que destruiu a vida da minha mãe e depois voltou para a esposa. E sei que ele nunca quis saber de mim, mas eu teria dado qualquer coisa para ter uma foto dele quando tinha a idade de Liam.

Ela esticou a mão e tocou nas costas dele. Podia sentir sua coluna debaixo da pele quente.

— Eu pensava que poderia passar por ele na rua e nem mesmo reconhecê-lo.

— Bem, isso não vai acontecer com Liam e Shelley — Joe disse, amargo —, não é mesmo?

Ela sentou-se e colocou os braços à volta dele.

— Eu sabia que seria difícil para você. Entendo que não queira ver fotos dela. Deve trazer tudo à tona novamente, toda a dor de tê-la perdido.

Joe tirou as mãos dela e virou-se. Estava escuro demais para ver seus olhos, mas ela conseguia distinguir que sua boca estava contraída.

— Você não sabe de *nada*, Saffy — a boca descontraiu quando ele riu. — Você não *compreende*, acredite.

Saffy queria puxar a manta para si, mas os dois estavam sobre ela.

— Você quer que eu dê a Liam uma imagem de Shelley? Que tal esta: ela estava tendo um caso. Um de muitos, ao que tudo indicava. O cara que estava dirigindo o carro quando ela morreu foi seu último amante: um comissário de bordo, 22 anos. Ele estava bêbado como um gambá. Assim como ela.

Saffy imaginara Shelley muitas vezes e sentia que a conhecia. Ela não era assim. Era perfeita.

— Eles tinham acabado de fazer sexo no carro. Pelo menos foi o que os peritos me disseram. Espero que tenha sido o melhor sexo da vida dele, porque o cara está em uma cadeira de rodas agora. Tem 25 anos de idade e não pode nem fazer cocô sozinho, então duvido que tornará a fazer sexo novamente. — Ele cobriu os olhos com o braço.

— Joe...

— Pensei que nós éramos felizes, Saffy. Tínhamos uma vida boa. Tínhamos Liam. Não era perfeito, mas éramos bons amigos. Pensei que éramos bons amigos. Se tivesse sido só uma vez, talvez eu... mas ela já vinha fazendo isso há anos. Todos sabiam, menos eu.

— Levante-se um pouco — disse Saffy. — Só um segundo.

Ela puxou a manta para cima e os cobriu a ambos. A pele dele estava úmida e fria. Ela pressionou seu corpo contra o dele.

— Tive que deixar meu trabalho. — Ele tremia. — Comecei a beber. Me metia em brigas. Quebrei o nariz. Nem me preocupei em consertá-lo. Eu estava um caco. Não conseguia tomar conta de Liam. Não me sentia capaz. Tive que deixá-lo por seis meses com os pais de Shelley enquanto fui para uma clínica de reabilitação.

A voz dele estava abafada.

— Eu quase o perdi, Saffy. Quase perdi tudo.

Ela o abraçou o mais apertado que pôde, até que ele se aquecesse e parasse de tremer. Por todo o tempo em que o abraçou, sentiu que estava sentada sobre algo duro e pequeno que pressionava seu quadril. Era o bonequinho de Liam, aquele com a espada de fogo que podia cortar até pedra.

Capítulo 26

"... pernas."

Conor não acreditava que esta palavra, em especial, era a derradeira de seu livro.

Não havia mais nada a escrever. O personagem principal, Dan — que teve que criar sozinho os gêmeos depois que sua esposa, Lucy, o deixou — havia completado sua jornada.

Ele começara como um determinado jornalista, que sonhava alto e raramente via seus filhos, e terminara como um jornalista mal pago, trabalhando meio período e pai em tempo integral. Durante sua trajetória, levara correndo sua filha para o hospital com suspeita de meningite, recusara o emprego de seus sonhos em Nova York, conseguira que o filho parasse de fazer xixi na cama e fizera uma *piñata* em formato de coelho a partir do zero.

Dan batalhou para equilibrar seu trabalho e sua vida, lutou contra a própria inabilidade de cozinhar qualquer coisa que não viesse em um pacote e contra sua completa ignorância das regras básicas do Kerplunk.

Beijou três mulheres e fez sexo com uma, mas estava começando a pensar que sentiria saudade de Lucy pelo resto da vida. Depois, no último parágrafo, aparecia uma insinuação de que ele poderia estar errado. Dan está esperando as crianças diante da escola quando vê uma mulher parada perto dele.

> *Ela é morena, tem a pela clara e os braços nus. Usa um vestido leve e sandálias.*
>
> *As morenas não fazem o tipo de Dan. As loiras sempre foram sua fraqueza e onde ela estiver, com quem estiver, Lucy sempre será a mais linda de todas. Mas, mesmo depois de ver Robin e Rose descendo os degraus na direção dele, alguma coisa o faz virar o rosto para olhar a morena novamente.*

Ela o surpreende olhando para ela e ele desce os olhos pelo seu braço, por sua cintura fina e pela curva de seus quadris até a bainha do vestido. Ela tem, e ele não pode deixar de notar, um incrível par de pernas.

Não era isso. Talvez ele devesse deixar os olhos de Dan terminarem em outro lugar, mas não podia fechar o livro com a palavra *seios*.

Uma máquina de café expresso quebrada estava desmontada e suas peças espalhadas pelo sofá afundado. Os fios do PlayStation de Greg serpenteavam pelo chão. O apartamento tinha cheiro de fungo, como o quarto de um menino adolescente. Conor puxou a porta branca laqueada da estante oculta. Era muito óbvio quais livros eram de Saffy e quais eram de Greg.

A última palavra de *Precisamos Conversar Sobre o Kevin* era "limpo". *O Guia das Mulheres para Caça e Pesca* terminava com "noite". *Homem Rico, Homem Pobre*, com "lembrado". Até *Garotas Gostosas — 20 Anos de Páginas Centrais Escaldantes* finalizava com "sonho".

Qualquer uma dessas palavras, Conor pensou, era melhor do que "pernas", mas ele tinha que deixar assim. Se cedesse aos seus demônios, terminaria modificando o livro todo, palavra por palavra. Voltou ao escritório antes que mudasse de ideia.

Prezada Becky,
Envio-lhe o rascunho completo de Dobra ou Desiste. *O texto inclui as 60 mil palavras que já enviei mais as últimas 30 mil (34.576 palavras, para ser exato!). Consegui completá-lo dois dias antes do prazo, para minha surpresa, e tenho certeza de que para a sua também.*

Espero que não seja completamente descartável.

Tenho más notícias. Brendan foi para (segundo minha filha Lizzie) o "Desaparecidos". Tomara que ele tenha se infiltrado em algum avião e ido para o prato de alguém em algum lugar exótico.

Atenciosamente,
Conor Fahey

Clicou em enviar. Conseguira. Tinha terminado um romance. Obviamente, era só o primeiro rascunho e Becky poderia odiar, mas mesmo assim era um grande feito e ele não tinha com quem compartilhá-lo, exceto com uma gaivota encardida que beliscava uma embalagem de comida para viagem que Greg deixara na sacada.

Fazia seis dias que ele não ouvia a voz de Jess. Ele a via na porta de casa eventualmente, quando ia pegar os gêmeos e devolvê-los, mas não se falavam. Desde que partira, eles só se comunicavam por mensagens de texto.

PEGAREI L E L ÀS 4. OK? C.

OK. J.

SE VC LEVAR AS CRIANÇAS P PISCINA, PASSE PROT SOLAR. J.

OK. C.

Um mês atrás, Conor não poderia imaginar um tempo em que eles não tivessem nada para dizer um ao outro. Agora, estavam reduzidos a uma troca de sílabas.

Isso o dilacerava por dentro, mas ele não conseguia esquecer o olhar de desprezo no rosto de Jess quando lhe contara sobre a briga na escola.

Foi de bicicleta até o posto de gasolina onde tinha comprado seu charuto de comemoração quando terminara o último pedaço do livro. O russo ainda estava lá.

— Terminei o livro — Conor disse sorrindo. — Vou precisar de outro charuto.

O homem olhou para ele, sem entender.

— Meu livro. — Conor imitou o gesto de abrir um livro no ar. — Eu estive aqui há alguns meses. Era de manhã bem cedo. Você achou que eu tinha tido um filho. Eu disse que estava escrevendo um romance. Lembra?

— O que você quer?

— Um charuto. — Conor fez o gesto de fumar.

— Quatro euros. — O russo colocou um charuto no balcão.

— Tolstói? — O sorriso de Conor se esvanecia. — Dostoiévski? Stephen King?

— Quer ou não? — o sujeito perguntou, de modo rude. — Gente esperando!

Conor olhou para trás. Um casal de clientes formava fila para pagar o combustível.

— Vou levar o jornal da noite. — Ele foi pegar o jornal no fundo da loja, o mais lentamente possível. — E balas de hortelã.

O russo teve que andar por toda a extensão do balcão para pegá-las. Conor viu que o pescoço dele estava ficando vermelho.

— Não, essas não. — Ele empurrou-as de volta pelo balcão. — Quero de menta. E uns aparelhos de barba também. — O russo teve que pegar a chave para abrir o armário. — E um pacote de Marlboro Lights. Não, prefiro o Silk Cut.

A fila tinha aumentado.

— E uma caixa de fósforos. Não. Espere. Mudei de ideia. Me dê um isqueiro.

Quando Conor saiu, teve ódio de si mesmo por ter sido tão perverso. O russo devia ver centenas de fregueses todo dia. Por que lembraria da única vez que servira a *ele*? Encheu a sacola com as coisas que não queria ou não precisava e colocou-a na cesta da bicicleta, pedalou até uma loja de bebidas e comprou uma garrafa de champanhe. Era isso que se fazia quando havia algo a celebrar. Não era?

— Entre no telefone, Alyssa. Envolva-o em seus braços. Jogue a cabeça para trás. Muito bom. Sorria. Novamente.

Greg — que usava uma fantasia de telefone — e a modelo loira — que usava biquíni — posavam sob um enorme *banner* que dizia: *Text in the City.*

Ele tentou lembrar o verdadeiro nome dela. Sharon? Karen? Certamente não era Alyssa. Ela aparecera em um dos primeiros episódios de *A Estação* como uma noviça piromaníaca que incendiava conventos. Como Mac Malone, ele já a beijara uma vez antes de entregá-la à polícia e ela havia deixado muito claro que gostaria de reprisar a cena fora do estúdio.

Ela era mais gostosa de biquíni do que dentro de um hábito. E dado que Saffy havia quebrado as regras do acordo entre eles, não havia nada que o impedisse de descobrir como ela ficava sem o biquíni.

Mal podia esperar para ver a expressão no rosto dela quando se livrasse de sua enorme cabeça de isopor. Ela não fazia ideia de quem ele era. Era isso que adorava nesses trabalhos promocionais. Como Greg Gleeson, ele era propriedade pública, mas vestido de Nokia E95, era o Homem Invisível.

Achou que tivesse arruinado suas chances de pegar mais trabalhos promocionais depois do fiasco com o aipo, mas, alguns dias depois, o gerente do supermercado ligara para Greta. Acontece que os cupons do *Cinco por Dia* eram numerados e os que Greg havia distribuído foram resgatados mais do que os outros — sete vezes mais. Perguntaram-lhe se gostaria de voltar.

Você não pegaria um Billy Bob Thornton ou um Toby Maguire dando-lhes uma segunda oportunidade e, por Greg, eles estariam esperando até agora. Mas Greta havia encadeado uma série de outros trabalhos promocionais. Até agora, ele já fora uma garrafa de Bacardi Breezer, um Mentex gigante e uma lata de óleo para automóveis. Era uma representação artística de verdade.

Alyssa e o fotógrafo entraram na loja da O2 na Rua Grafton para fazer algumas fotos com a equipe. Dois sujeitos com agasalhos de nylon brilhante pararam e ficaram olhando feito idiotas para Greg, que, vestido de celular, distribuía panfletos.

— Tem uma *série* de coisas que eu não faria por dinheiro — um deles disse. — E esta é uma delas.

— É — concordou seu companheiro. — Isso é realmente o fim da linha.

Greg cruzou os braços e inclinou sua cabeça preta de isopor.

— Tenha cuidado — o primeiro disparou. — Acho que você está fazendo ele se tocar.

— Por que você não vai se foder? — Greg disse. — Porque, com uma cara dessas, outra pessoa não vai conseguir.

O sujeito mais alto falou duro.

— Quem você pensa que é, camarada?

Greg aproximou-se mais um pouco de uma robusta policial feminina que estava parada na porta da loja.

— Sou um aparelho compacto multimídia 3G com muitas funções que possibilita a conexão em rede entre televisões, sistemas de som e PCs — falou —, mas eu diria que vocês têm que roubar mais algumas bolsas para poder me comprar.

Conor acelerou a bicicleta na direção da briga. Em uma das mãos, segurava um charuto e na outra, um jornal, e mal conseguia se manter no rumo. Ficara de encontrar Greg dentro de uma hora, mas eles precisavam conversar, e tinha chegado mais cedo.

— Tudo bem. — Ele agarrou o ombro da roupa acolchoada de celular de Greg e puxou-o. — Ele está comigo. Eu seguro ele!

Apoiou a bicicleta na parede e levou Greg aos pulos até a esquina.

— Eu não deixaria a bicicleta lá, cara! — Greg esticou sua cabeça de espuma. — A menos que queira que um daqueles caras a roubem.

Conor jogou o jornal com força para ele.

— Já viu isso?

Greg abriu o tabloide e olhou através da fenda reduzida diante de seus olhos. Uma foto de Mary Harney cobria a maior parte da primeira página.

— Cara, me diga uma coisa — ele disse. — Que outro país teria uma ministra da Saúde com problemas de peso?

— Não! Não! Isso, não! — Conor apontou para um título mais abaixo: *É Um Dia Alegre para Greg!*

> *Dias após ter se amarrado em uma cerimônia de casamento repleta de astros e estrelas, os fãs do ex-bombeiro Mac Malone ficaram estupefatos ao ler sobre suas brincadeiras safadas com uma adolescente bem dotada.*
>
> *Mas um choque ainda maior aguarda os fãs de Gleeson. O astro de novela desempregado levou seu amante gay para morar com ele em seu apartamento de 1 milhão de euros...*

Greg balançou a cabeça.

— Droga! Você acha que só vale um milhão? A última avaliação deu 1 milhão e 600.

Conor fez um som de quem queria estrangulá-lo.

— Olha!

Ele bateu o charuto aceso em uma foto fora de foco que ilustrava o texto. Mostrava um homem entrando no apartamento de Greg com uma mala. Greg levantou o jornal até a cabeça de telefone e olhou bem.

— É você? — Jogou a cabeça de telefone um pouco para trás para poder olhar para Conor. — Você parece mais *magro*. Anda malhando?

— Greg! Isso é um desastre!

— Acham que somos gays. E daí? Quem se importa? — Greg deu de ombros.

— *Eu* me importo, Greg. — Conor cerrava os punhos de modo tão forte que suas juntas estavam brancas. — Eu tenho mulher, dois filhos e sou professor. E pelo que me lembro, o sistema educacional neste país é controlado por um bando de homofóbicos de direita chamado Igreja Católica.

As partes sobre ter uma mulher e ser professor, Greg pensou, não eram mais muito verdadeiras, mas não era o melhor momento para corrigir Conor.

— Cara, você está bêbado?

— Pode ser. Tomei champanhe.

Conor ficara tão apavorado ao ler o artigo que tomara a garrafa inteira, mesmo sem gelar. Junto com três garrafas de Bacardi Breezer que Greg tinha deixado na geladeira.

— Terminei o livro — ele disse com tristeza. — A última palavra foi "pernas".

— Sabe o que temos que fazer? — Greg colocou o braço em volta de Conor. — Temos que comemorar.

Conor afastou-o e olhou em volta, nervoso.

— Não acho que você devia me tocar — alertou. — Tem fotógrafos por aí.

— É, mas estou disfarçado. — Greg bateu a mão nos botões com números em seu peito. Eles acenderam. — Olha que legal, eu não sabia que eles acendiam.

Conor não se lembrava da última vez em que ficara bêbado. Na verdade, não se lembrava nem dos últimos cinco minutos.

— Qual é o nome deste bar? — Ele teve que gritar por causa da música. — E quais são os nomes daquelas garotas com quem você estava falando?

— Spybar. Alyssa. Britney. Seiláoquê — Greg respondeu, também gritando.

— Achei que eram só duas.

As mulheres voltaram do banheiro. Ambas tinham vinte e poucos anos. Uma era loira e a outra, morena. Tinham cabelo comprido e usavam saltos muito altos.

Mesmo que Conor estivesse sóbrio o bastante para falar, não teria ideia do que dizer a elas. Mas Greg tinha muito a contar sobre a época em que confortara Madonna em um voo difícil para Nova York, e da vez em que fora com Heath Ledger até a casa de Johnny Fox, e da vez em que Kate Winslett precisara tomar banho em sua suíte do hotel porque ela não achava a tampa da banheira do apartamento dela.

Se conseguia inventar aquele tipo de coisa assim, do nada, Conor pensou, como é que Greg tinha tanta dificuldade para ter uma ideia original para um roteiro?

— Esse cara existe? — Britney, ou era Alyssa, disse, inclinando-se. Ela cheirava a flor de laranjeira.

— Não me pergunte — disse Conor. Ele vinha se fazendo a mesma pergunta há 22 anos.

A música na sala de estar do apartamento de Greg estava tão alta que as janelas estremeciam. Era o Fun Young Criminals ou o Fine Lovin' Cannibals. Conor queria perguntar a Greg quem estava tocando, mas se achava esticado no sofá, beijando a loira. De repente, Conor lembrou-se de sua bicicleta. Tinha que encontrar sua bicicleta. Lembrou-se de tê-la destrancado diante do bar, mas ela não estava no corredor, onde normalmente a deixava.

Foi verificar na cozinha, mas, quando chegou lá, lembrou-se de que não comia nada desde a hora do almoço. Estava faminto, mas só conseguiu encontrar algumas bolachas de água e sal mofadas e um vidro de picles de gengibre. Mastigava a segunda bolacha quando a morena entrou.

— Humm. Me dá um pouquinho?

Ela aproximou-se, abrindo a boca cheia de *gloss*, como um filhote de passarinho esperando seu alimento. Conor quebrou uma ponta da bolacha, colocou um pouco de gengibre em cima e enfiou-a entre os lábios dela. Esperava que ela não estivesse com muita fome. Só havia mais duas bolachas.

Ela mastigou com cuidado.

— É esquisito, mas é bom. Combinações estranhas de comida são grandes inibidores de apetite, sabia disso?

Ele balançou a cabeça. Se soubesse, teria passado seus anos de adolescente comendo fígado e sorvete, ou picles com geleia de morango. Ela deu um impulso e sentou-se no balcão de granito preto, ficando sob um foco de luz. Seu vestido curto cor de prata parecia feito de lantejoulas de luz.

Conor não conseguia defini-la. Não como pessoa, mas matematicamente. Como aquela coluna estreita podia sustentar aqueles seios enormes? E como aquela cabeça, com uma cabeleira que deveria pesar vários quilos, podia se equilibrar na ponta daquele pescoço fininho? Ela não parecia uma mulher, e sim personagem de um desenho da Disney — *Pocahontas* ou a *Pequena Sereia* — com aqueles olhos largos e vidrados, aquela boca enorme e um nariz que parecia não estar lá.

— Eu bebo detergente quando quero perder peso. — Ela sacudiu os pés, deixou cair os sapatos prateados de salto alto e levantou as penas de modo que seus pés ficaram encostados na geladeira. — Eu sou modelo. O que você faz?

— Não sei. — Conor queria que ela fosse embora para ele poder terminar as bolachas. — Eu era professor e acabo de escrever um romance.

— Que inteligente! — Ela abriu sua pequenina bolsa prateada e tirou um baseado fininho, acendendo-o com um isqueiro em forma de sapato. — Sobre o que é?

— Ele tem 90 mil palavras. — Conor ouviu sua voz falhar: *pal... vras*.

Ela deu uma risadinha prateada para combinar com seus sapatos, sua bolsa e seu vestido. — Você é engraçado. Quer um tapa? — E ofereceu-lhe o baseado.

Ele inclinou-se, envolveu-o com os lábios e inalou. Segurou a vontade de tossir até passar.

A loira, usando só a roupa de baixo, passou pela porta da cozinha, seguida por Greg, sem camisa e pulando.

A morena sorriu novamente para Conor. Havia uma linha de alguma coisa cintilante e prateada acima dos cílios.

— Você é muito bonita. — Ele deu mais uma tragada do baseado. Não era paquera. Era um fato.

— A Alyssa é bem mais bonita.

Britney (ela tinha que ser a Britney, se a outra era a Alyssa) curvou a cabeça e sacudiu a cortina de cabelo escuro para que caísse sobre um ombro.

— O que é mais bonito em mim?

Ele olhou para suas longas pernas lustrosas. Percebeu que elas o prendiam entre a geladeira e a pia, mas não se importou. Ele poderia estar em lugares piores.

— Seu cabelo — falou.

— Ah, ele não é de verdade! — Ela franziu seu diminuto nariz. — É extensão. Escolha outra coisa.

— É duro — Conor disse, e a palavra pegou como uma migalha de bolacha em sua garganta. Não estava mentindo. Ele teve uma ereção pela primeira vez em semanas.

— Muita gente acha — Britney sorriu — que minha parte mais bonita é...

Conor viu uma fração de segundo antes dela: o narizinho pontudo e bigodudo para fora de um dos sapatos prateados.

— Rato! — Britney gritou, ficando de quatro no balcão. — Rato! Rato!

Conor abriu um olho. Seu crânio parecia ter sido esfregado com arame farpado. Nossa, quanto uísque haviam bebido? E até que horas tinham ficado conversando? Seu rosto estava grudado no assento do sofá creme de couro. Greg, enroscado em volta dos próprios pés, de peito nu, roncava suavemente.

Ele ouviu um arranhar distante e sorriu, embora sorrir com aquela ressaca fosse extremamente doloroso. Não tinha ideia de como Brendan havia saído de sua gaiola no quarto dos gêmeos e vindo parar ali no apartamento de Greg, mas ele o fizera, e eles conseguiram encurralá-lo à noite, usando uma frigideira e um cesto de papel. Vagamente se lembrava de tê-lo trancado dentro da estante. Ainda bem. A porta do apartamento estava escancarada. As garotas não haviam parado nem para fechá-la quando saíram correndo.

— Eu sempre quis árvores. — Joe puxou a camiseta por cima da cabeça. — Quando esta casa estiver pronta, vou plantar um monte de árvores. Carvalhos. Lariços. Bétulas.

— Humm. — Saffy olhou para os braços dele. Estavam bronzeados e tinham pintas de tinta azul-clara.

Joe jogou a camiseta em uma cadeira.

— Você está sexy.

Ela estava deitada na cama e vestia um sutiã e shorts pretos, abanando-se com um catálogo de material de construção.

— No sentido sufocante, úmido, que faz a gente acreditar no aquecimento global e no efeito estufa?

Joe abriu a fivela de seu cinto de couro, puxou-o pelas presilhas do jeans e largou-o no chão.

— Não. No sentido de que eu quero que você chegue mais perto para eu poder passar a mão no seu corpo todo.

O telefone de Saffy tocou. Ela verificou o número. Era Jess.

— É melhor eu atender.

Joe suspirou e esticou-se na cama ao lado dela. Ele lambeu um dedo e colocou-o na coxa dela. Ele fez um som de "shhhh", como se o dedo tivesse queimado.

A voz de Jess estava abalada.

— Saffy! Pode vir até aqui?

— Você está bem? Os gêmeos estão bem?

— Os gêmeos estão bem. É o Conor.

— O que aconteceu com ele? — Saffy tentou se desvencilhar de Joe.

Jess engoliu em seco, fazendo força para conter as lágrimas.

— Você viu a foto dele? No jornal?

— Aquela em que ele está mudando para o... — Saffy deteve-se antes de dizer "Greg". — Tenho certeza de que é só uma coisa temporária, Jess. Ele deve estar precisando de espaço.

Joe agarrou o braço de Saffy e puxou-a para baixo. Começou a beijar-lhe a clavícula bem devagar. Ela sentiu seus terminais nervosos efervescerem e estalarem, como poeira espacial.

— Não, aquela não — Jess disse. — Isso foi ontem. Estou falando do jornal de hoje. É uma foto de Conor e Greg em um lugar chamado Flybar.

— Spybar?

— Ele está dando em cima de uma modelo morena. Eu sabia que isso ia acontecer. Eu sabia. Ele encontrou outra pessoa.

Saffy esquivou-se de Joe.

— É claro que ele não encontrou outra pessoa. Ele devia estar conversando com ela e alguém apontou a câmera.

— Talvez você tenha razão. Acho que estou exagerando. — Jess engoliu em seco. — E parece que você está ocupada, então vou desligar.

— Eu vou até aí. Eu só tenho que... terminar uma coisa, mas estarei aí em uma hora. — Joe balançou a cabeça. — Talvez uma hora e meia.

— Não. Tudo bem. — Jess parecia sufocada. — Vou ficar bem. Me ligue amanhã. Podemos nos encontrar para almoçar ou algo assim, talvez.

— Talvez, não. Com certeza — disse Saffy. — Vou telefonar com certeza e vamos almoçar com certeza, está bem?

Joe estava desabotoando seu sutiã quando o telefone dela tocou novamente.

— Me desculpe! — Saffy fez cara de desconsolada. — É minha mãe. É melhor eu atender.

— Sadbh, me desculpe por perturbá-la e eu sei que está com o Greg, então serei breve — Jill disse.

Joe jogou o sutiã no chão e enganchou um dedo na cintura de seu shorts.

— Mamãe, posso ligar de volta? Estou no trabalho...

— Por favor! Não sou idiota. Eu sei que você está dormindo no apartamento de Greg a cada dois dias. Pode parar de fingir. O dr. Kenny tirou o meu seio, não o meu cérebro.

Saffy grudou o telefone no ouvido. Por sorte, Joe não tinha ouvido. Ele estava ocupado puxando os shorts dela com os dentes.

— Acontece que — Jill dizia — preciso de um homem para fazer um trabalhinho para mim. Não quero pedir ao sr. O'Keefe, ele não pode dirigir porque tem catarata. Estava pensando que talvez o Greg pudesse me ajudar. Se ele não estiver muito ocupado.

Joe começou a fazer pequenos círculos em torno do umbigo de Saffy com a língua.

— O que é? — ela perguntou, arfando. — Vou perguntar a ele. — Fosse o que fosse, ela o faria sozinha e então sentaria com sua mãe e contaria sobre o Joe. E contaria ao Joe sobre o Greg. E contaria ao Greg sobre o Joe. Tudo estava ficando muito complicado.

— Preciso que ele vá à loja beneficente e ao depósito de lixo para mim. Tenho duas grandes sacolas de lixo e uma mala velha para jogar fora e cinco sacolas grandes para a loja de caridade. Ele nem precisa entrar. Sei que as coisas entre vocês estão delicadas. Deixei tudo do lado de fora, ao lado da mesa dos pássaros.

— Mamãe, me diga que não andou arrastando sacolas pesadas por aí — Saffy disse. — A senhora não deve levantar nada...

Joe soprou no seu estômago. A sensação do ar frio na sua pele quente era insuportável. Ela soltou um gemido.

— Eu vou ter que ligar de volta... — Saffy pensou ter ouvido Jill rir quando ela desligava. Ela jogou o telefone na cama e agarrou Joe pelo cabelo. — Como eu posso falar com a minha mãe com você fazendo isso?

O telefone tocou novamente. Ele o passou para ela.

— Eu não sei — ele disse, num suspiro. — Por que você não me mostra...?

— Quem é esse? — disse Greg. — Seu novo namorado?

— Escute, não é uma boa hora — Saffy disse friamente. — Posso ligar depois?

— Não, não pode.

Ela apontou para o telefone e balbuciou as palavras *trabalho* e *cinco minutos*. Joe apontou para seus genitais. *Ereção*, ele balbuciou. Ele levantou três dedos. *É melhor três minutos.* Saffy vestiu o robe e foi até o patamar da escada, fechando a porta depois de passar.

— Sinto muito! Está na cama com ele ou algo assim? — Greg perguntou em tom falsamente simpático. — Peguei vocês trepando?

Ela começou a descer as escadas devagar.

— Bom, pois *eu* não sinto — ela sussurrou. — Conheci outra pessoa, está bem? Achei que nunca mais poderia confiar em ninguém depois do que você fez, mas eu estava errada.

— Depois do que *eu* fiz? — Greg riu. — Ah, é? Bom, isso é muito engraçado vindo de alguém que passou a noite com um australiano qualquer e convenientemente se esqueceu de mencionar isso *antes* ou *depois* de dizer "prometo".

Saffy entrou na cozinha e fechou a porta.

— O quê?

— Seu segredinho vazou. Conor tomou um porre ontem à noite e me contou tudo.

— É, eu passei a noite com ele, mas não sei se fizemos...

— Você mentiu para mim. Você me fez ficar rastejando naquela suíte nupcial pedindo para ser perdoado enquanto você tinha feito a mesma coisa.

— É diferente, Greg. As mulheres estão sempre se atirando para você.

— Tem razão, Saffy. Pense em todas mulheres que se atiraram para mim. Centenas delas. Milhares, talvez. Mas eu só traí você uma vez. Uma em mil. E eu estava fora de mim. Quantos homens se atiraram para você, Saffy? Quantas vezes você me traiu? Aposto que uma em dez.

Era mais ou menos uma em cinco.

— Tem razão. Eu só posso dizer que sinto muito — ela disse baixinho. Mas ele já tinha desligado.

Saffy voltou a deitar-se ao lado de Joe. Subitamente, ficara cansada. Até seus dentes estavam cansados. Ele tocou no cinto do robe dela e deu um puxão.

— Estranho — ele comentou. — Sempre que toco em você, seu telefone toca.

Bateram à porta. Saffy deu um pulo, sentou-se na cadeira e abriu o catálogo de construção. Liam entrou e andou devagar até a cama, piscando de sono. Saffy não sabia se ele a vira. Ele não estava usando óculos.

— Eu tive um pesadelo — ele contou. — E ouvi... vozes.

Joe levantou o braço e Liam subiu na cama e se entocou debaixo do edredom. Seus olhos fecharam quando sua cabeça tocou o travesseiro. Joe olhou para Saffy e sorriu.

— O que eu posso fazer? — ele sussurrou. Depois, levantou o outro braço e Saffy aconchegou-se nele.

Saffy tinha o horrível pressentimento de que Dermot Nervoso estava ficando com um pé atrás quanto ao projeto. Ele deveria ter aprovado o roteiro, mas o devolveu cheio de indagações. Não seria um pouco batido um anjo de peito nu? Não seria melhor vesti-lo? Um duende não seria mais simpático do que um anjo, e mais irlandês, o que comunicaria a origem da marca? E a tomada toda não era um pouco melancólica? E se mostrasse mulheres aplaudindo quando o anjo chegasse? Ele poderia dançar um pouquinho?

Ele havia aprovado o portfólio do diretor uma semana atrás, mas depois decidiu que não o aceitaria sem conhecê-lo em carne e osso e insistiu que fosse convocada uma reunião na sede da Pluma

Branca, em uma área industrial localizada em Tallaght.

A sala de reunião era pequena, atulhada e encalacrada em um espaço no teto acima da produção. Saffy, Dermot Nervoso e o diretor tiveram que se espremer por entre caixas de absorventes Pluma Branca para chegar à mesa. E todos tiveram que falar aos gritos para poderem ser ouvidos por causa do ruído das máquinas e das empilhadeiras que trabalhavam no andar de baixo.

Contratar um diretor de primeira de Nova York era sua oferta de paz para Ant — uma maneira de se desculpar por ter-lhe impingido o sujeito de segunda que tinha dirigido o comercial da Avondale. Ben Rosen, um hippie da Costa Leste, tinha vindo direto do aeroporto, assim que desembarcou. Ele era grisalho, rabugento, usava um rabo de cavalo desgrenhado e tinha um ego enorme. Mencionou tantos nomes nos primeiros dez minutos que Saffy começou a contar. "Quando trabalhei com Martin Scorsese [3]... Eu estava dizendo a Steven Soderbergh [9]... E depois eu recebi um telefonema de meu velho amigo Al Pacino [11]."

No início ela mal conseguia olhar para Dermot Nervoso, mas por fim percebeu que ele estava completamente enfeitiçado, feito um adolescente. Tinha achado que ele ia discutir cada ponto, mas Dermot só ficou divagando enquanto Ben Rosen apresentava suas opiniões sobre o trabalho.

No fim da reunião, tinham um roteiro de filmagem quase idêntico ao que Ant e Vicky haviam apresentado logo no início. Saffy enviou-lhes um e-mail de seu BlackBerry. A julgar pelo cartaz na parede de Ant quando voltou para a agência, ele estava maravilhado. E parecia que a tinha perdoado.

Dizia: "Retiro o que disse! Não vá se danar!".

Ela espiou pela porta. Vicky estava sentada em sua mesa com a cabeça apoiada nas mãos. O primeiro pensamento de Saffy foi que Dermot tinha mandado outra bomba. Devia ter imaginado que a reunião fora boa demais para ser verdade.

— O que houve?

Vicky enxugou os olhos na manga de chiffon preto de seu vestido.

— Josh voltou para sua ex-esposa — ela falou. — Ele se mudou ontem à noite.

— Ah, não. Eu sinto muito.

— Eu não contei — os olhos de Vicky pareciam os de um panda, com o rímel todo borrado —, mas ele tem me pedido dinheiro emprestado. Quase 10 mil euros. E descobri que ele gastou tudo numa cirurgia plástica nos seios daquela mulher. E deu entrada em um cavalo para a Pequena Lindsay.

Novas lágrimas rolaram por seu rosto.

— Eu achava que a gente ia se casar. Achava que íamos ter um filho. Eu tenho quase 40 anos, Saffy. Quando encontrar alguém, se encontrar, será tarde demais.

Saffy estacionou em uma vaga diante da loja de caridade na Rua Camden. Arrastar as sacolas para fora do quintal de sua mãe só lhe tomara alguns minutos, mas o trânsito estava ruim na volta do depósito de lixo. Ela já estava dez minutos atrasada para o encontro com Jess. Abriu o porta-malas, tirou as últimas duas sacolas e arrastou uma até a porta da loja. Depois, correu para pegar a outra.

Uma mulher saiu depressa para ajudá-la.

— Eu sinto muito, mas não aceitamos itens pessoais. — Ela apontou um cartaz escrito à mão pendurado na janela

Sob uma carinha sorridente, estava escrito: ACEITAMOS ROUPAS.

Sob uma careta, a frase: NÃO ACEITAMOS LIVROS CARTÕES FOTOGRAFIAS ETC.

Saffy pensou se lojas de caridade tinham algum problema com a pontuação. Ninguém conhecia vírgulas?

— Mas são roupas! — Ela abriu uma das sacolas. Estava cheia de papéis. — Merda! — Devia ter jogado as roupas no lixo e trazido as sacolas que eram para o lixo.

A mulher recuou.

— Como disse?

— Me desculpe, eu não quis... me desculpe.

A mulher deu-lhe as costas e entrou na loja.

— Tem cada uma... — ela comentou com um homem que vasculhava uma caixa.

Quando Saffy tentou erguer a segunda sacola para colocá-la no porta-malas, ela enganchou na placa e rasgou. Um monte de antigos saldos de banco, cartas e cartões espalhou-se pela rua.

Ela estava coletando tudo e colocando no porta-malas quando viu seu nome em um envelope.

Havia um número de caixa postal em vez de um endereço, mas seu nome estava escrito com clareza acima dele, em tinta azul. Sadbh Martin. Ninguém a chamava de "Sadbh" a não ser Jill, mas não era a letra de Jill. O endereço do remetente se encontrava no verso do envelope. A carta tinha vindo de alguém em Swansea. Saffy fez uma careta. Não conhecia ninguém em Gales. Olhou para o monte que ainda se acumulava no chão e viu que pisava em um postal de um patinho fofinho. Ela o pegou e leu seu nome mais uma vez e a mesma caixa postal. E havia uma mensagem com a mesma letra.

13 de outubro de 1976

Olá, boneca!

Lembra-se de quando íamos alimentar os patos no lago de St. Stephen's Green? Esse filhotinho me lembrou aquele de que você mais gostava! Feliz aniversário de 3 anos! Com amor, do papai.

Capítulo 27

Papai.

A palavra atingiu Saffy como um soco e ela teve que se apoiar no carro para conseguir ficar de pé. Devia ter gemido, porque o homem que vasculhava a caixa aproximou-se.

— Você está bem? Precisa entrar na loja e sentar?

Ela fez um gesto negativo com a cabeça.

— Deixe-me ajudá-la. — Ele pegou as cartas e papéis e colocou tudo de volta em uma das sacolas. — Onde quer colocar isso? — Ela apontou para o banco do passageiro. Não tinha coragem de falar nada.

Estava tremendo demais para continuar dirigindo. No canal da Rua Mespil, encostou e estacionou o carro. Abriu a sacola rasgada e esvaziou-a no banco do passageiro, pegando o primeiro envelope com o seu nome que encontrou. Já estava aberto. Dentro dele havia outro postal com o desenho de um sapo sentado em um lírio, tocando violão.

12 de outubro de 1982

Querida Sadbh,

Eu não sabia o que você queria em seu nono aniversário. Pensei em uma Barbie. Mas talvez você já tenha uma Barbie. Ou talvez odeie a Barbie.

Ele estava duplamente certo, Saffy pensou. Tinha uma Barbie *e* a odiava.

Então, como seu presente, estou enviando algum dinheiro para você comprar o que quiser.

Ela balançou o envelope e dele caiu uma nota muito velha de 20 libras.

Eu sei que já faz muito tempo que não nos vemos, mas penso em você todos os dias. E estarei pensando em você no seu aniversário e desejando que, quando você soprar suas velinhas, todos os seus desejos sejam realizados. Com amor, do papai.

Sua respiração estava entrecortada. Lá fora, o mundo continuava correndo. Um filhote de labrador latia para um cisne. Uma mulher estava sentada sob uma árvore comendo um sanduíche. Um casal de adolescentes se beijava, de pé ao lado do portão.

Saffy voltou-se para a pilha de papéis no banco do passageiro e sacou outro envelope. A letra era diferente. Uma folha de bloco com três notas de 100 libras estava dobrada dentro dele.

1º de novembro de 2003

Querida Sadbh,

Já faz quase um ano que não entro em contato, mas esperava voltar ao ar antes do seu trigésimo aniversário e aqui estou. Não tive oportunidade de comprar um cartão, mas estou enviando alguns trocados para você comprar um presente.

Eu sei que não devo lhe enviar cartas, mas não queria dar-lhe essas notícias em um cartão-postal. Não me pareceu certo. Sinto dizer que minha esposa, Marie, faleceu enquanto dormia no dia 30 de setembro do ano passado. Nunca é fácil perder alguém, mas eu fico me lembrando de como ela ficaria feliz, depois de 28 anos, de sair daquela maldita cadeira de rodas (me perdoe a linguagem).

Marie sempre quis conhecer você e eu esperava que isso acontecesse algum dia. Estou certo de que você teria gostado dela. Todos gostavam. Eu não fui uma pessoa fácil de se conviver. Tive meus períodos de depressão e ela deve ter pensado que eu tinha me arrependido de abandonar você e sua mãe, e ela provavelmente tinha razão.

Se ela teve que partir, então estou contente que tenha sido como foi, porque eu mesmo tive um derrame em junho e permaneci no hospital até a semana passada. Eles me deram alta e estou quase de volta ao normal, embora tenha que usar um daqueles andadores. Sinto-me um perfeito velhinho e não consigo escrever direito, então meu amigo Frank está escrevendo esta carta para mim. Ele está adorando, esse chato abelhudo!

Não posso acreditar que você já tem 30 anos. Para onde foi esse tempo que passou?

Com amor, do papai

Ela abriu outro envelope. Um desenho de anjo com uma aura cintilante. Uma nota de 50 libras.

12 de dezembro de 1988

Um anjo de Natal para um anjo de Natal. Feliz 16º Natal!

Com amor, do papai

E mais uma. Um cartão com sete poodles dançando, uma nota de 20 libras e uma fotografia.

Feliz aniversário de 7 anos, Sadbh. Aqui está uma foto minha com nosso terrier (um puro terror!), Ted. Ele tem a mesma idade que você. Mas na idade dos cães, ele tem 49 anos, dois anos a mais que eu!

Ted era uma mistura de terrier com sobrancelhas e barba. Estava pulando para pegar um *frisbee* nas mãos do mesmo homem da foto que Jill lhe dera. O mesmo rosto fino e bonito. A mesma boca larga, os mesmos olhos escuros. Os seus olhos. Seu pai.

As mãos de Saffy tremiam enquanto ela separava os papéis. A maioria era só lixo. Antigos saldos de banco e programas de teatro, bilhetes de trem e canhotos de cheques, recibos rabiscados e receitas de remédio amassadas. Ela colocou todos esses de volta em uma sacola.

Havia um maço de fotografias profissionais dos dias em que Jill fora modelo e um envelope de plástico transparente com um punhado de recortes de revistas. Ela os empurrou para baixo do banco e olhou o que havia sobrado... Cinquenta e oito envelopes e um pequeno pacote. Sua mãe tinha escondido cada um deles.

A letra era a mesma em todos, exceto por um envelope e o pacote. Os pingos das letras "i" bem acima da letra. As letras "t" cortadas bem embaixo. Os rabos das letras "y" e "p" inclinando-se quase que horizontalmente para a esquerda.

Vinte e oito cartões de Natal. Uma silhueta de rena com uma lua cheia ao fundo. Dois ursinhos puxando um biscoito. Uma estátua de mármore de um anjo com neve nas asas. Uma meia de Natal com um ratinho com a cabeça para fora. Um galgo usando chifres. Um pinguim vestido de Papai Noel andando de trenó no gelo. Um esquilo cinza com avental de retalhos em um teto salpicado de neve. O brilho do telhado era de purpurina, que soltou e grudou nos dedos dela. Vales de livros e cédulas velhas, finíssimas e frágeis como flores prensadas, escoaram por seus dedos.

Natal de 1978. Papai Noel me pediu para enviar este vale para que sua mãe possa comprar-lhe seu livro favorito. (Ainda não é seu livro favorito, mas será em breve!) Ele se chama "Onde Vivem os Monstros". Feliz Natal, bonequinha. Com amor, do papai.

Dezembro de 1992. Sinto sua falta neste Natal, e sempre sentirei. Desejo que possamos nos encontrar em breve e com mais frequência. Com amor.
Papai

14 de dezembro de 1999. Feliz Natal e Feliz Milênio! Vou para Londres ver os fogos da Ponte da Torre no dia 31 de dezembro. Nossos amigos Frank e Susan virão para me ajudar com Marie. Eu não conseguiria sozinho, pois agora sou oficialmente um velho. (Sessenta e cinco este ano. Passe de ônibus. Aposentadoria por idade. Orelhas tão peludas que

você não acreditaria.)
Com amor,
Papai

Greg havia levado Saffy a Londres para a passagem do milênio. Eles jantaram no Soho House e andaram até South Bank para ver os fogos. Seu pai poderia estar ao lado dela naquela multidão junto ao rio, também assistindo.

Vinte e sete postais com mensagens de aniversário. Um Jack Russell aninhado em uma cadeira: *Um aniversário legal para você!* Um papagaio verde com cauda vermelha e "Me Perdoe a Linguagem" escrito num balão: *Repita comigo: Este será meu melhor aniversário!* Um coelho desenhado em uma bola pula-pula: *Feliz aniversário de 5 anos! Então pule até cair, bonequinha!* Dois carneiros com sacolas e saltos altos: *Feliz aniversário para você hehehe!*

Seu desenho favorito de Gary Larson, o que tinha as vacas em pé sobre as patas traseiras e uma vaca gritando "Carl!": *Espero que as vacas façam isso mesmo! E espero que você tenha um lindo aniversário, Sadbh. Estarei pensando em você às 8h45 da noite de 17 de outubro porque foi nesse exato momento que você nasceu, quinze anos atrás.*

Um pergaminho dobrado que dizia: *Que todos saibam que a estrela localizada na AR 273.21034164 DEC 63.68550278 de agora em diante fica conhecida como: Sadbh, em homenagem a: Sadbh Martin e seu 17º aniversário.* E um cartão com uma única estrela dourada dizendo: *Você não precisa ver a sua estrela todas as noites para saber que ela está em algum lugar lá em cima. Um lindo aniversário para você!*

Um detalhe do quadro *Ninfeias*. O mesmo quadro que ela colocara em seu quarto ao completar 15 anos. A pintura ainda estava lá. *Feliz aniversário de 21 anos. Me perdoe o atraso do cartão. Fiquei um mês com pneumonia (Bem feito! Esses malditos cigarros!) Espero que o montante anexado seja suficiente para que você vá a Paris ver esta pintura (e volte!).*

Só havia duas cartas. A que já tinha lido e uma outra mais longa. Ela a desdobrou com cuidado.

1º De Janeiro de 1992

Querida Sadbh,

Venho escrevendo esta carta em minha cabeça há anos e devo dizer-lhe que isso não ajudou nada! Meu cesto de lixo está cheio de tentativas, mas combinei comigo que enviarei esta versão, não importa como ela saia.

Depois que saí de Dublin, o acordo era que eu deveria enviar uma mesada ao banco de sua mãe até que você completasse 18 anos e ela lhe entregaria minhas mensagens de aniversário de Natal, mas o advogado deixou claro que eu não deveria escrever mais do que coubesse em um postal, então sei que existe a possibilidade de você não ler esta carta.

Eu sei que sua mãe ainda está brava comigo, porque a primeira mesada depois que você completou 18 anos, no ano passado, retornou para minha conta bancária em novembro. Eu esperava poder ajudá-la com a faculdade ou com o que você tivesse planejado antes de entrar nela, mas não insistirei, exceto para dizer que, se você alguma vez precisar de alguma coisa (sem compromisso), por favor, avise-me.

Eu não sei o que Jill lhe disse sobre mim e a razão de minha partida, mas sei que existe algo que ela não lhe disse porque, para ser sincero, naquela época nem eu sabia.

Suponho que saiba que eu era casado quando a conheci e que minha esposa era amiga da mãe dela. Também havia uma diferença de idade de 23 anos entre nós. Não soa muito bem no papel, mas tudo o que posso dizer é que sempre existe uma pessoa feita para você e se você encontra essa pessoa, não pode lutar contra isso. Jill foi essa pessoa para mim. Eu amei sua mãe. Ainda amo.

Ela queria que fugíssemos quando descobriu que estava grávida, mas eu fiz com que ela contasse aos pais. Não queria que ela perdesse a família, mas no final foi isso que acabou acontecendo. Ela lhe contou que o pai e a mãe dela eram Adventistas do Sétimo Dia? Não sei muito sobre eles, a não ser que são muito mais severos do que os católicos. Nada de música nem de bebida, e as meninas devem se guardar para o casamento. Uma moça de 18 anos ter um filho com um homem casado era o fim do mundo para eles, e eles a enxotaram de casa. Penso que eles nunca a perdoaram. Jill tinha um irmão chamado Tony, mas eu perdi contato com ele. Acho que ele foi para a Nova Zelândia.

Levei sua mãe a um serviço de aconselhamento e eles nos sugeriram que a gravidez fosse interrompida, mas ela não conseguiu fazer isso, nem eu, então fomos embora. Tentamos ir para o mais longe possível, mas acabamos em Dublin. Eu tinha trabalhado lá durante alguns meses antes de ir para a Inglaterra, então já conhecia a cidade. Eu havia deixado a casa para Marie, então nós não tínhamos nada, mas éramos felizes. Eu achava que não podia ser mais feliz, e então veio você e eu descobri que estava errado. Você era o bebê mais lindo do mundo, Sadbh, e muito parecida com minha mãe, que morreu quando eu tinha 15 anos, então lhe demos o nome dela.

Não foi só o dia em que você deu seu primeiro passo (23 de janeiro de 1975!), nem o dia em que você disse a primeira palavra ("cócega"), quando tinha sete meses. Todos os dias com você eram maravilhosos. Você ficava no seu carrinho diante da janela da cozinha de nosso apartamento em Ranelagh, rindo para você mesma. Quando acordávamos de manhã, ouvíamos você cantarolando no berço.

Depois, quando você tinha quase 2 anos, Marie foi diagnosticada com esclerose múltipla. Já estava bem avançada quando descobriram. Seus pais já tinham morrido e a irmã tinha cinco filhos. Não havia ninguém para cuidar dela, e ela teria que ir para um asilo. Fomos casados por dezenove anos. Eu não queria voltar, mas tive que fazê-lo.

Jill não compreendeu e eu não a culpo. Ela disse que, se eu partisse, nunca mais veria nenhuma de vocês. Eu achei que ela mudaria de ideia, mas nunca mais tive notícias, exceto por intermédio do advogado. Eu queria entrar em contato, mas sabia que já havia feito estrago suficiente, então a deixei em paz. Me perdoe se esta carta parece uma lista de desculpas porque, afinal de contas, não existe desculpa para abandonar a própria família.

O que eu queria dizer, o que eu não sabia quando parti, é o quanto eu me arrependeria. Não passa um dia sem que eu sinta sua falta, Sadbh. Você é a primeira coisa em que penso pela manhã e a última coisa em que penso quando vou dormir.

Com amor,
Papai

Saffy deixou o pacote para o fim. Ele estava rasgado e algumas fotografias, unidas por um elástico, haviam sido empurradas de volta para dentro.

Havia meia dúzia de fotos de seu pai. Era toda a vida dele, em ritmo acelerado. Em um momento ele tinha cabelo castanho, estava de pé, fumando, ao lado de um leão de pedra. No seguinte, ele estava grisalho e barbado, brindando para a câmera com uma taça de vinho tinto em uma festa. Depois, ele estava calvo e tinha o rosto magro, apoiando-se num andador em meio a um jardim ensolarado.

As outras fotos eram uma série em preto e branco de uma menina morena de cerca de 2 anos. Cada foto captava uma expressão diferente: solene, surpresa, rindo, olhando diretamente para a câmera com olhos cândidos e confiantes. Saffy podia ter esquecido, mas já havia amado seu pai; não poderia ter olhado para ele daquele modo se não o amasse.

Havia algo mais no pacote; um último cartão com a foto de um arco-íris sobre um lago.

30.08.2005

Rua Wilbur, 91
Swansea
SA1 9RE

Querida Sadbh,

Sou um velho amigo de seu pai, Rob. Sinto informar-lhe que seu pai faleceu no dia 27 de agosto de 2005, depois de um forte derrame. Eu estava limpando sua casa e, como ajudei seu pai a escrever-lhe sua última carta, pensei em você quando encontrei estas fotos e sabia que ele gostaria que eu as enviasse.

Com os mais sinceros sentimentos,
Frank Fielding

Joe estava rindo ao abrir a porta.

— Tentei falar com você a tarde toda! O Liam vai dormir fora e temos a casa só para nós. — Ele viu o rosto dela. — Saffy! O que foi?

— Meu pai morreu. — Ela encostou-se na parede de seixos, colocando o punho na boca para sufocar os soluços, dando goles profundos de ar.

— Hoje?

— Há quase três anos.

Joe ajudou-a a entrar e carregou-a nos braços pela escada estreita até a cama, deitou-se a seu lado e puxou as cobertas sobre os dois. Depois de um tempo, quando finalmente conseguiu entender o que ela lhe contou, foi até o carro e trouxe os cartões e as cartas. Espalhou-as sobre o edredom e Saffy as leu novamente. E novamente.

— É uma coisa incrível. — Joe havia trazido uma bandeja de chá com torradas. Já era quase meia-noite e Saffy não tinha comido nada desde o café da manhã. — O fato de seu pai ter tentado manter contato todos esses anos.

— É tão triste — disse Saffy. — É tão triste pensar nele morrendo e pensando que eu não queria vê-lo.

— Você precisa ligar para sua mãe. Você precisa perguntar para ela por que nunca lhe disse que ele queria vê-la.

Saffy fez um gesto negativo com a cabeça. Sua mãe matara seu pai — talvez não com uma faca ou um revólver, mas com uma mentira. Uma longa e complicada mentira que ela contara de modo tão convincente e com tanta *frequência* que Saffy nunca havia duvidado dela.

Seu pai sabe onde estamos, Sadbh. Se ele quisesse nos ver, ele viria.

Como Jill pudera fazer isso? Como pudera ser tão cruel com uma criança?

— Ela deve ter uma razão para não ter contado isso para você.

Se tinha, Saffy não queria saber. Era tarde demais para desculpas. Nada que sua mãe dissesse poderia reparar o que havia feito.

— Quer que eu a leve até a casa dela agora?

— Eu não quero vê-la, Joe. Não quero voltar lá. Por favor, não me force!

Ele a abraçou.

— Shhh. Você não tem que ir a lugar nenhum. Pode ficar aqui comigo.

Saffy sonhou que era a única pessoa em um enorme transatlântico. Ela corria de convés em convés, andava pelos restaurantes desertos, pelo salão de baile, abria as portas de cabines abandonadas. Procurou na casa de máquinas e subiu na ponte de comando, mas não havia mais ninguém. Quem estava pilotando esse navio e como ela poderia detê-lo sozinha?

— Acorde — Joe dizia baixinho —, você está tendo um pesadelo.

Ele afagou seu cabelo e ajeitou o edredom em torno dela.

— Não vá a lugar algum, está bem? — ela sussurrou.

— Estou bem aqui.

Depois de um instante ela ouviu a voz dele novamente, perto de seu ouvido.

— Ninguém ensina a ser pai ou mãe, sabe. A gente erra. Erra todo dia, de maneiras diferentes. A gente não quer errar, mas erra.

— Está falando da minha mãe ou do meu pai?

— Não sei — Joe disse —, talvez dos dois.

S, QUERIA SABER SE VOCÊ VIRÁ ME PEGAR PARA IR À QUIMIO ÀS 2 HORAS. SE NÃO, NÃO SE PREOCUPE. POSSO PEGAR UM TÁXI. J.

Saffy deletou a mensagem. Em seguida, enviou uma resposta: M, ACABO DE DESCOBRIR QUE MEU PAI MORREU NO DIA 27 DE AGOSTO HÁ QUASE TRÊS ANOS. NÃO VOLTO HOJE. VOU NA SEGUNDA À NOITE PEGAR MINHAS COISAS. S.

Saffy levara duas horas para se mudar do apartamento que dividia com Greg. Levou menos de cinco minutos para limpar seu quarto na casa de sua mãe. Esvaziou as gavetas para dentro de uma mala, enrolou suas roupas — ainda nos cabides — e meteu-as por cima. Depois, jogou seus sapatos dentro de um saco e pronto. Pegou a mala e levou-a para baixo.

Sua mãe não havia aparecido, mas, quando arrastou as malas para o patamar da escada, Jill se achava parada na porta de seu quarto, vestindo uma camisola encardida cor-de-rosa. Usava a peruca e um pouco de batom porcamente colocado, mas parecia exausta e cheirava mal. Por um momento, a visão da mãe daquele jeito quase amansou o coração de Saffy. Sua mãe nunca cheirava a nada exceto laquê e Joy, de Jean Patou.

Jill torcia o cinto da camisola em volta dos dedos. Sua boca tremia.

— Sadbh, eu nunca quis... — Sua voz saiu quebrada e áspera.

— Mentir para mim por trinta anos?

— Eu guardei tudo. Guardei para mostrar para você, mas nunca encontrei o momento certo.

Saffy voltou para cima e fechou a porta de seu quarto.

— O momento certo para quê? Para jogar tudo no lixo e eu não ficar sabendo de nada? — Ela pegou sua sacola.

— Você não pode perdoá-lo por ter nos deixado só porque leu alguns cartões, Sadbh.

— A esposa dele tinha esclerose múltipla. Ele estava tentando fazer a coisa certa.

— A coisa certa teria sido ficar conosco, não voltar para ela! Ele deu as costas para nós.

— É *mentira*. Você lhe deu um ultimato e depois o isolou. Quando ia me contar que ele me dava uma mesada, mamãe?

Jill segurava no corrimão com uma das mãos e agarrava o lado vazio da camisola com a outra. Estava pálida e tinha a respiração curta.

— Por favor, podemos conversar sobre isso? Podemos sentar e conversar?

Ela estava deliberadamente bancando a patética, Saffy pensou, e, se não tivesse visto a segunda carta, do amigo, dizendo que seu pai havia morrido, Saffy talvez pudesse perdoá-la. Mas sua mãe havia lido a última carta e sabia o que ela dizia todo esse tempo.

Ela sabia quando finalmente lhe dera aquela foto de seu pai na moldura prateada, antes do casamento. E isso, mais do que qualquer coisa, era o que fechara o coração de Saffy. Sua mãe havia escondido tanta coisa e então, finalmente, quando tudo havia acabado, revelara aquela foto, aquela migalha.

A sacola escorregou dos braços de Saffy e os sapatos rolaram escada abaixo. Kevin Costner, que assistia a tudo do corredor de baixo, esquivou-se de um *stiletto* e saiu correndo pela porta da frente. Saffy desceu, chutando sapatos pela escada.

— Nós tivemos anos para falar sobre isso, mãe. Você teve três anos para me contar que ele morreu. Foi decisão sua. Esta decisão é minha.

Tirou a chave da casa do chaveiro e colocou-a na mesinha do corredor, fechando a porta atrás de si. E, sob o olhar da sra. O'Keefe, que fingia podar uma roseira, ela curvou-se atrás do pé de magnólias de sua mãe e vomitou.

Capítulo 28

Lizzie e Luke cavavam um buraco perto da piscina inflável desinflada. De fora, no pequeno jardim que mais parecia um matagal, pareciam as mesmas crianças de antes do verão, mas não eram.

Luke mal comia e Lizzie tinha voltado a molhar a cama. Ficavam tristes no dia em que Conor ia buscá-los e tristes nos outros, o que significava, Jess pensou enquanto enxaguava o copo na pia, que eles se sentiam daquele jeito desde que Conor fora embora. Mas agora ela iria fazer algo a esse respeito. Conor mandara uma mensagem mais cedo perguntando se poderia passar lá às 2 e ela tinha decidido o que faria naquela tarde. Pediria a ele para voltar. Iriam se sentar como dois adultos e resolveriam aquilo.

Fora ele quem quisera ir embora. Ele precisava perceber que suas ações tinham consequências. Mas tinha sido muito dura quando ele propusera acabar a briga. Saffy estava certa. Conor nunca agrediria alguém de propósito, muito menos uma criança. E não era o fim do mundo que ele tivesse perdido seu emprego na escola. Havia outros cursos de verão. Eles dariam um jeito.

Não ia pedir que ele voltasse imediatamente, mas seus pais tinham uma casa de campo em Kinsale e, agora que Conor não estava trabalhando na escola, ela tinha pensado que talvez pudessem levar as crianças para passar uma semana lá. Assim, ficariam alguns dias juntos. Tentariam resolver as coisas.

Jess olhou seu reflexo na janela. Estava o mesmo de antes. O mesmo cabelo loiro e desarrumado, a mesma boca grande demais, os mesmos olhos azuis acinzentados. Tinha vestido um cardigã cinza e velho que perdera os botões e uma *legging* preta que havia encolhido durante a lavagem. Não tinha pensado em se trocar, mas de repente resolveu que sim. Não como antes, com aquela lingerie boba. Apenas queria que ele a visse com sua melhor aparência.

Trouxe as crianças para dentro, colocou-os na mesa com o almoço e correu para cima, para tomar um banho.

Encontrou um vestido limpo na secadora, colocou um pouco de perfume e penteou os cabelos. Abriu o armário para pegar uma sandália. Havia um moletom de Conor embolado atrás dela. Ela o tirou. Sempre adorara o tamanho grande das roupas de Conor. Faziam-na sentir-se segura. Será que já tinha dito isso a ele? Enfiou o nariz no algodão macio e cinza. Conseguia distinguir o cheiro dele naquelas dobras. Ninguém mais tinha aquele cheiro. Para ela, era um cheiro de lar. Sentia tanta falta dele. Sentia saudade de tudo dele. Percebeu que havia um papel amassado no bolso do moletom. Tirou-o. Era a conta conjunta do Visa deles. Chegava a quase 12 mil euros.

— É o Brendan! — Lizzie entrou correndo na cozinha onde Jess estava sentada à mesa. — É o papai e ele está com o Brendan em uma *caixa*!

Um instante depois, Luke chegou trazendo a gaiola de Brendan, o rosto brilhando de satisfação. Conor vinha atrás. Carregava uma caixa de sapatos com um buraco em um dos lados. Um pequeno focinho rosa apareceu e sumiu em seguida.

Ele sorriu.

— Adivinha quem eu encontrei? Ele apareceu há alguns dias, mas quis fazer surpresa e deixei para quando eu viesse aqui. — Abriu a caixa cuidadosamente e apareceu um hamster. — É o Brendan.

Jess teve que reconhecer que Conor encontrara um hamster quase idêntico. Virou-se para os gêmeos e falou de modo seco:

— Não é o Brendan. O Brendan morreu. Papai comprou um muito parecido com ele, o que é muito legal, mas não é ele.

As expressões deles pareceram congelar. O lábio inferior de Luke começou a tremer.

— Não, é o Brendan mesmo — Conor afirmou. — Não sei como ele foi parar na casa de Greg e Saffy, mas ele estava lá. Perdido na cozinha. Greg pensou que era um rato e quase o matou com uma frigideira.

— Detesto o Greg — Lizzie disse.

— É o Brendan, mamãe! É, sim. — Luke pegou o hamster das mãos de Conor. — Olha, ele tem essa marquinha marrom na barriga.

Lizzie tentou pegá-lo de Luke e Brendan escapou e saiu correndo pela cozinha, com os gêmeos perseguindo-o.

— Muito esperto. — Jess o olhou forçando um pequeno sorriso em sua linda boca. — Dez pontos por arranjar um hamster substituto. — Colocou a conta do Visa sobre a mesa. — Espero que você consiga fazer o mesmo com estes 12 mil e 500.

— Você comprou um anel de noivado para Saffy? Você comprou o anel de *noivado* da Saffy?

— É claro que não comprei o anel. Greg pegou o cartão emprestado para comprá-lo, mas vai me pagar de volta.

— Por quê? Por que faria algo assim tão estúpido?

— Porque eu devia isso a ele, Jess — Conor disse abaixando a voz. — Eu peguei emprestado uma grana com ele há mais ou menos uns cinco anos e ainda devo a ele.

— Você *o quê*?

Conor tentava achar um jeito de fazê-la olhar em seus olhos, mas ela não permitia. Ele desejava que ela começasse a chorar. Seria um pretexto para abraçá-la. Não era assim que as coisas deveriam acontecer. Encontrar Brendan no mesmo dia em que terminara seu livro parecera um sinal de que tudo ficaria bem. Que agora poderiam os dois voltar para o lugar deles, que era com Jess e os gêmeos.

— Olha, eu sinto muito. Estávamos quebrados. Deveria ter contado a você na época e devia ter contado quando ele pegou emprestado o cartão. Devia mesmo, mas vai dar tudo certo, eu juro, Jess. Ele vai me pagar de volta.

— Como? Ele está sem trabalho — Jess disse. — E você perdeu seu trabalho na escola. Como é que nós vamos economizar 12 mil com o que você ganha na St. Peter?

Conor tinha cogitado não contar, mas era preciso. Já eram mentiras demais para um dia só.

— Fui suspenso da St. Peter. A direção fez uma reunião de emergência. Estou afastado até que realizem uma investigação, portanto não devo voltar no começo do ano letivo.

Ela cobriu a boca com a mão. Parecia a ponto de chorar, mas ele não podia abraçá-la agora. O momento tinha passado.

— Mas você vai receber enquanto estiver suspenso, certo? Eles têm que pagar até que decidam o que fazer.

— Pagariam se eu fosse efetivado — Conor falou —, mas não sou.

Jess não o olhava nos olhos.

— Não quero mais ouvir. Não dá. Você pode ir embora agora? Luke! Lizzie! Papai vai levar vocês agora.

Lizzie voltou à cozinha.

— Precisamos mesmo ir? Não podemos ficar aqui e brincar com o Brendan?

— Eu já disse — Jess falou em voz baixa e ríspida — que *não* é o Brendan. O Brendan se foi e não vai mais voltar.

Joe embrulhou-se em uma toalha e sentou ao lado de Saffy no tapete. Eles ficaram observando Liam brincar na piscina natural logo abaixo.

— Incomoda você — Joe perguntou — o fato de eu não poder mais ter filhos?

Saffy balançou a cabeça.

— Sinceramente? Não. Não sou muito de crianças. Exceto por Liam. E Lizzie e Luke. Tenho muito carinho por eles, mas nunca quis ter meus próprios filhos. — Ela olhou para ele. — Incomoda você?

Ele pensou por uns segundos.

— Não sei. Shelley ficou muito doente quando Liam nasceu, e achei que deveria fazer vasectomia. Mas agora fico pensando se deveria tentar reverter. Não quero assustar você *de novo*, mas acho que é isso que eu quero, você e eu. Eu vejo isso com você. Filhos, casamento...

O coração de Saffy disparou.

— Desculpe — ele disse, rindo —, agora estou realmente deixando você com medo!

— Não! Não está, não. É só que... — Era só que ela não fazia ideia de quando ou como contaria a ele que *já era casada*.

— Olha — Joe passou o braço em volta dela, apertando seus ombros —, vamos conversar sobre isso outra hora.

Ela concordou com um gesto de cabeça.

— OK.

— Que tal falarmos sobre isso quando eu tiver 38 anos?

— Quando será isso?

— Domingo. Prometi levar Liam para acampar. Esperava que você pudesse ir e talvez conseguisse tirar a segunda-feira de folga.

— Se eu compensar em um sábado, não tem problema.

— Ótimo. Olhe, não se preocupe com o que eu disse antes. Talvez eu esteja apressando as coisas.

— Não está, não. — Ela inclinou-se sobre ele. Seu corpo estava frio após ter nadado. Ela teria que encontrar um jeito de contar a ele. Ele entenderia. Joe era a pessoa mais compreensiva que ela conhecia.

Ele ajeitou o cabelo dela atrás das orelhas.

— É que eu acho que sempre existe uma pessoa feita para você, e quando você a encontra, entende...

Seu pai dissera algo assim naquela carta: *Sempre existe uma pessoa feita para você e se você encontra essa pessoa, não pode lutar contra isso.*

— Sim — ela concordou, colocando o rosto sobre o peito dele e sorrindo para a pele úmida e salgada. — Entendo.

Capítulo 29

Saffy passou correndo pela janela da sala de Mike. Ele estava curvado em sua cadeira, enfiando um clipe de papel em uma das orelhas. Foi direto para a sala de Simon.

— Saffy, tem cinco minutos? Tenho algumas questões com relação a Vicky que levantei com a Marsh e gostaria de ter a sua opinião.

— Agora não, Simon — respondeu Saffy. Ela estava indo almoçar com Jess. Jess havia esperado mais de uma hora e meia por ela no dia em que encontrara as cartas e os cartões de seu pai. Ficara tão irritada que Saffy ainda nem lhe contara sobre essa descoberta. Estava levando alguns dos papéis na bolsa para mostrar.

Marsh estava na recepção repreendendo Ciara.

— Você pode mascar chicletes quando estiver de folga. Eu realmente acho que o ruído de sua mastigação não manda uma mensagem positiva para nossos... — Ela notou a presença de Saffy. — Você verificou seus e-mails nos últimos dez minutos?

Ela não tinha verificado.

— Tem um pequeno incêndio da Pluma Branca na sua caixa de entrada. Nem pense em deixar o edifício antes de apagá-lo.

Saffy voltou à sua mesa e tinha acabado de sentar quando Ant apareceu à porta.

— Você tem um... minuto?

Ela girou a cadeira para poder olhar para ele.

— Ant, você acaba de *falar* comigo?

Ele deu de ombros e entrou, fechando a porta. Saffy indicou uma cadeira e ele sentou-se, olhando em volta. Ant nunca havia pisado na sala dela.

— Você não tem... — houve um longo silêncio — monstrinhos.

— Como?

— Nem trolls, nem bonecas de pelúcia, nem fofoletes. — Ant

piscava depressa. — Não é comum. Para uma mulher. Sua sala é impessoal. Gosto disso.

Ele se levantou, tirou do bolso um pacote de lenços umedecidos, limpou a cadeira com cuidado, colocou o lenço no cesto de papéis e voltou a sentar.

— Preciso conversar com você sobre a Vicky. Ela está tendo... — Ele olhou para o teto.

Trinta segundos, contados no relógio de Saffy.

— Problemas. Ela está tendo dificuldade para...

Vinte e três segundos. Saffy curvou-se para frente, tentando estimulá-lo a terminar.

— Se encaixar. Trabalhar. Funcionar. Lidar — disse Ant por fim.

— É compreensível, Ant. Ela está abalada por causa do Josh.

Ant assentiu.

— Sim! E ela está tomando... — Ele olhou em volta de modo frenético.

— As coisas de modo muito sério? Eu sei.

— Ela está tomando Xanax. Antidepressivos — disse Ant. — E bebendo muita vodca.

— Isso não é bom — Saffy admitiu.

— Aquele miserável. Ele roubou...

— O dinheiro. Eu sei. Ela me contou. Ele gastou o dinheiro numa cirurgia plástica e num cavalo.

O lábio inferior de Ant tremia.

— A autoestima. A fé na natureza humana. A inocência.

Ai, meu Deus, Saffy pensou. Ele está apaixonado por ela. *Ant está apaixonado pela Vicky.*

O e-mail de Dermot Nervoso era um relato longo e incoerente de como Vicky havia aparecido bêbada em um teste de elenco, pedido vinho em vez de café, insistido que os atores tinham que tirar toda a roupa de baixo, que todo mundo devia tirar, e finalmente desmaiado no sofá.

Estava assinado: *... ainda muito nervoso, Dermot.*

Pedir desculpas era algo que Saffy havia aprendido a fazer com Marsh. O segredo era exagerar o efeito de qualquer ofensa causada e usar o nome da outra pessoa o maior número de vezes possível.

Prezado Dermot,

Obrigada por ter se dado ao trabalho de compartilhar suas preocupações acerca do teste de elenco desta manhã. Lendo nas entrelinhas de seu e-mail, posso ver que sua fé na Komodo foi seriamente comprometida por este lamentável evento.

Dermot, é nossa responsabilidade, como sua agência e como parceiros em quem depositou sua confiança, não somente ajudá-lo a alcançar suas metas comerciais, mas também fazê-lo de modo profissional.

Vicky está sob tremendo estresse em sua vida pessoal, mas isso é problema nosso, não seu. Peço desculpas irrestritas por seu comportamento imperdoável.

Espero, Dermot, que você aceite minhas desculpas sinceras e nos dê uma oportunidade de provar o quanto todos nós aqui da Komodo o valorizamos como cliente e como amigo.

Sinceramente,

Saffy Martin

Depois de enviar, ela escreveu dois bilhetes, checou o orçamento de um fotógrafo e ajustou um roteiro de rádio que Vicky havia escrito para os queijos da Avondale. O texto estava muito longo e cheio de erros de ortografia, o que não era comum nos trabalhos dela. Tentou ligar para Jess e pedir desculpas por faltar novamente ao almoço, mas Jess não atendeu o telefone e ela não a culpou.

Às 7 da noite, ainda estava em sua mesa. Marsh mostrou a cabeça na porta. Totalmente maquiada, usava um vestido tomara que caia verde que Saffy havia visto na vitrina da Brown Thomas. Ela parecia, se não a mulher de 1 milhão de dólares, pelo menos a de 2 mil euros, que era o que devia ter pago pelo vestido.

— Vou fazer sexo! — Marsh entrou, balançando seu pequeno traseiro de modo sugestivo. — E estou atrasada, mas queria parabenizá-la pelo e-mail para o Dermot. Estava no tom certo. E quero que você reserve uma data em sua agenda.

— Claro.

— Estou procurando uma nova dupla de criação. Vou entrevistar Tom e Aoife, da Ogilvy, às 2h30 no dia 17. Eu gostaria que você estivesse presente.

— Uau! Eles são bons. Não sabia que estávamos contratando.

Marsh tirou um potinho de brilho labial Chanel de sua bolsa Mulberry.

— Estamos contratando e despedindo. Vicky é a única pessoa que consegue manter aquele sociopata do Ant nos trilhos e, se ela está pirando, estaremos melhor sem os dois.

Saffy engoliu em seco. Se Vicky perdesse o emprego *e* Josh, aí sim é que ela piraria de vez, e Ant, a julgar pela conversa que tiveram, poderia acompanhá-la.

— Deixe-me conversar com ela, Marsh. Estou certa de que...

— Eu também — Marsh disse, pontuando seu lábio inferior com brilho. — Vamos esperar até termos o comercial da Pluma Branca pronto e aprovado — ela sorriu — e então faremos alguns cortes.

Era sábado de manhã e Joe estava andando pelo jardim falando ao telefone. Saffy colocou um prato sobre os ovos mexidos que fizera para ele e pegou uma xícara de café.

— Era um arquiteto — ele contou, entrando em casa. — O decorador o abandonou e ele quer me consultar para um trabalho hoje. É coisa grande, mas eu acho que não dá tempo de chamar uma babá para o Liam. Merda! Vou ter que ligar para ele cancelando.

— Vá. — Ela passou-lhe o café. — Liam pode ir para o escritório comigo. Não vai ter ninguém lá; ele pode ficar jogando videogame ou assistir a um DVD no meu laptop.

— Tem certeza? Fico lhe devendo essa.

— Você não deve nada a mim — Saffy disse —, mas deve ao porquinho do palavrão 50 centavos.

Liam colocou na mochila: livros, seus chinelos de futebol, dois DVDs, seu GameBoy, um sanduíche de manteiga de amendoim, uma caixinha de suco e dois pacotes de batatinhas sabor cebola e queijo. Ele a fez colocar mais um pacote porque disse que, se tivesse só um, ela comeria a metade.

— Eu nem gosto de batata frita — Saffy protestou.

— Você gosta da batata dos outros. — Liam deu um sorriso largo e ficou parecido com Joe.

E se ela mudasse de ideia e Joe revertesse sua vasectomia para eles poderem ter um filho? E se ele tivesse algo não somente de Joe, mas do pai dela também? Pela primeira vez na vida, Saffy compreendeu a verdadeira razão pela qual as pessoas têm filhos. Porque ninguém morre de fato, não completamente, se tiver alguém, em algum lugar, que ainda esteja sorrindo ou levantando a sobrancelha ou dando de ombros do modo como *eles* costumavam fazer.

Liam sentou-se quietinho na sala de reunião vizinha à de Saffy e ficou jogando Nanosaur no laptop dela enquanto ela revisava a escala de pré-produção da Pluma Branca que havia chegado por e-mail no dia anterior. O prazo era extremamente apertado. De acordo com as datas, as locações e o elenco tinham que ser aprovados dentro de duas semanas, o comercial seria gravado em três, e estaria no ar em quatro.

Fazer isso com um diretor irlandês já seria bem complicado. Mas Ben Rosen morava em Nova York. Alguém teria que ficar em cima de cada detalhe. Essa pessoa deveria ser Vicky, mas Vicky estava afastada. Segundo a escala, Rosen deveria voltar a Dublin na terça-feira para os testes de elenco. Se ela conseguisse convencê-lo a adiar o teste por alguns dias, teria uma chance de colocar Vicky de volta nos eixos.

Saffy pegou o telefone e discou para o celular dele. Eram 7h30 da manhã em Nova York, e fim de semana. Esperava que ele tivesse o hábito de acordar cedo.

Se Liam olhasse por sobre seu ombro direito, poderia ver o grande réptil de aço na parede lá embaixo. Era legal, mas, para ele, parecia mais um monitor em forma de lagarto do que um dragão de Komodo. Ele nunca tinha entrado em uma empresa grande. Era um lugar meio esquisito, com todas as mesas e cadeiras vazias, como se tivesse acontecido um terremoto ou uma praga qualquer e todos tivessem escapado em uma nave alienígena. E estava tudo tão silencioso que o próprio silêncio produzia um ruído.

Mas, sempre que esse ruído o incomodava, ele se virava de lado para poder ver Saffy e isso o fazia sentir-se bem novamente. Não conseguia vê-la inteira através da porta aberta de sua sala, somente parte de uma perna e os dois pés. Ela estava usando sapatos diferentes hoje, pretos com um buraco na frente por onde os dedos saíam.

Ela tinha tantos sapatos que era difícil reconhecê-los. Sua mãe também tinha muitos sapatos. Não sabia ao certo quantos porque, antes do acidente, ele era muito pequeno e não sabia contar além de vinte. Terminou seu suco e imediatamente teve vontade de fazer

xixi. Saffy estava falando ao telefone, mas ela havia mostrado onde era o banheiro.

Seus chinelos de futebol não produziam som algum sobre o carpete, o que ele normalmente acharia bom, mas que neste momento só fazia aumentar o ruído do silêncio. As salas eram divididas por paredes de vidro. Em algumas, as persianas estavam abertas e dava para ver que não havia ninguém dentro. Mas algumas estavam fechadas, então não dava para saber se havia alguém olhando lá de dentro.

Ele teve que empurrar com força para abrir a porta. Parecia que havia alguém do lado de dentro fazendo força contrária. Sentiu-se tão assustado que teve vontade de voltar correndo para a sala de Saffy, mas estar assustado o fez ter ainda mais vontade de fazer xixi, então ele não podia voltar. Havia um corredor mais curto do outro lado e depois ficava o banheiro. Havia na porta a silhueta de uma mulher, mas não importava. A porta se abriu com um rangido e em seguida deu um assobio ao se fechar.

Ele fechou o cubículo. Suas mãos tremiam tanto que ele não conseguia abrir o zíper da calça. Foi então que ouviu o gemido. Vinha de longe e foi se aproximando. Parecia alguém machucado. Ele congelou. Ouviu o gemido novamente, mais próximo, e em seguida ouviu o rangido da porta se abrindo.

Liam só teve tempo de subir no vaso para que ninguém pudesse ver seus pés por baixo da porta do cubículo e duas pessoas entraram com tudo.

— Não. — Era a voz de uma mulher e ela parecia assustada. — Não! Não! Por favor!

O homem tossiu.

— Eu sei o que você quer e vou dar pra você. — Ele tossiu mais uma vez. — Desculpe.

Liam queria gritar, mas, se gritasse, saberiam que ele estava lá. Ele tapou a boca com o punho.

— Na frente do espelho — a mulher dizia. Agora ela parecia um pouco brava. — Não, aí não! Aqui! Na pia! Agora diz!

— Eu... vou rasgar sua blusa — o homem disse com voz cansada.

— Não! Não! — A mulher soava bem brava agora. — Não rasgue de verdade, seu idiota! É da DKNY!

Um dos chinelos de futebol de Liam caiu de seu pé, fazendo barulho. Logo depois, a porta do cubículo foi empurrada por um homem velho com as calças na altura do tornozelo e usando cuecas com a figura do Bart Simpson. Atrás dele, uma mulher velha com a saia levantada olhou para ele.

— Mas quem é *esse aí?*

Saffy estava vencendo a discussão com o sonolento e mal-humorado Ben Rosen quando ouviu os gritos.

— Liam! — Ela largou o telefone e disparou pelo corredor. — Liam!

Ele veio correndo na direção dela, chocando-se com suas pernas.

— Tem um homem. Ma... ma... matando uma mulher no ba... ba... nheiro.

— Liam! Volte para a minha sala! — ordenou Saffy. — Tranque a porta! Pegue o telefone e ligue para o seu pai. Não abra a porta para ninguém a não ser para o seu pai, entendeu?

Mike estava em um canto do banheiro feminino levantando suas calças e Marsh, parada ao lado da pia. Seu batom estava borrado e sua blusa, abotoada errado. Seu rosto se mostrava branco de raiva.

— Saffy! É você a responsável — ela sibilou — por aquele diabinho horrível que anda *espionando* a *minha* empresa?

A princípio, Saffy não entendeu. Depois, entendeu tudo. O sujeito gostoso do qual Marsh vivia se gabando, o que ela chamava sempre que queria, não era Simon, era o Mike. O Mike, das meias com personagens de desenho animado, o Mike, que era *casado*.

— Ver Marsh e Mike daquele jeito deve ter arruinado de uma vez toda a vida sexual dele quando crescer. — Saffy cobriu o rosto com as mãos.

Eles tinham jogado uma partida enorme de Cluedo depois que ela levara Liam para casa, mas ela só conseguia pensar em Marsh no banheiro com o gerente de mídia.

— Vamos lá. — Joe tirou uma das mãos do rosto dela. — Não é tão grave assim. Ele nem deve ter entendido o que estavam fazendo. E se entendeu, amanhã já vai ter esquecido.

— Você acha?

— Eu acho. — Ele colocou as peças de volta na caixa e dobrou o tabuleiro.

Saffy cobriu os olhos com as mãos.

— Acho que arruinou a minha vida sexual também. Eu queria lavar minha mente com sabão.

— Eu gosto da sua mente suja — Joe disse, rindo. — Mas acho que vai ter que lidar com alguns efeitos colaterais do que aconteceu hoje.

— Como assim?

— Bom, eu só a vi uma vez — Joe disse —, naquela viagem de balão que você preparou para o seu cliente, mas sua chefe é dura de roer. Ver o que você viu lhe dá poder sobre ela. E ela vai ter problemas com isso.

Saffy tinha comprado para Joe um novo par de botas e um livro de fotos da Terra vista de cima, um livro de receitas de Nigel Slater e um bolo decorado da Marks and Spencer. Liam comprara um chaveiro em formato de árvore e uma caneca com os dizeres *A idade só importa se você for um queijo.*

— Isso é demais — Joe disse depois do chá de aniversário regado a salsichas queimadas e ovos crocantes feitos em uma churrasqueira descartável. Mas ele era só sorrisos ao tirar as botas velhas e colocar as novas e depois quando colocou as chaves no novo chaveiro e serviu Coca-Cola na sua nova caneca. Começou a chover e eles foram para dentro da barraca, onde comeram o bolo de aniversário e ficaram assistindo à chuva cada vez mais forte apagar a fogueira.

— Acho que este foi o aniversário mais perfeito que eu já tive — Joe comentou.

— Se não contar os aniversários com a mamãe em Chicago. — Liam parecia ansioso.

Joe roubou um pedaço da cobertura do bolo de Liam.

— Sabe de uma coisa? Aqueles também foram perfeitos.

Saffy nunca havia dormido em uma barraca e achava que nunca mais iria querer. Seu saco de dormir estava torcido nas pernas e ela tinha receio de se mover e acordar Joe e Liam. Ficou imaginando que havia alguma coisa com muitas pernas rastejando sobre seu rosto. A chuva tamborilava na lona de um lado, e o ronco de Liam preenchia o outro lado.

Estava com calor. Com fome. Tinha coceira e, quando conseguiu se espremer e sair do saco de dormir, foi para fora tentar fazer xixi, pois estava muito apertada. Só que não existia nenhum banheiro, é claro. Encontrou um chorão e agachou-se embaixo dele, rezando para que não houvesse nenhuma sanguessuga na grama molhada e tentando não urinar nos próprios pés.

Não conseguiu achar lenços de papel em sua bolsa, mas sabia que havia um pacote de lenços umedecidos no porta-luvas do carro, e, quando sentou-se no banco, estava tão quente, macio e *seco* que ela acabou se recostando por um minuto e fechando a porta.

Despertou com alguém batendo no vidro. Deu um grito e então viu que era Joe.

Ela abaixou o vidro.

— Me desculpe! — sussurrou. — Eu só saí para fazer xixi. Não queria pegar no sono.

Alguma coisa estava errada. Ela podia sentir pelo jeito como Joe ficou lá parado na chuva e pelo modo como evitou olhar para ela. Ele passou-lhe o BlackBerry.

— Tem uma ligação para você.

— Quem é? — Ela tentou ver-lhe os olhos no escuro, mas ele já tinha virado as costas.

— Parece que é seu marido — ele respondeu.

Greg tinha bastante prática em dar más notícias. Quando interpretava Mac Malone, havia feito isso em quase todos os episódios. Mas naquela época havia um roteiro, e agora ele só dizia bobagens.

— É sua mãe, Saffy. Ela... droga, não sei se...

Saffy pressionou o teto do carro para não cair, esquecendo que já estava sentada.

— O quê? O que aconteceu com minha mãe, Greg?

— Ela desmaiou. Aquele cara de Catweazle, o namorado dela, Ben? Ken?

— Len?

— Ele foi até a casa dela e a encontrou. Ela não está bem. Você pode vir depressa? Para o hospital, eu quero dizer. O Vincent's?

Saffy ligou o motor e acendeu os faróis. Chorões e arbustos surgiram repentinamente na escuridão.

— Chego aí em uma hora. Uma hora e meia. Ela está bem, Greg? Ela vai... — Saffy segurou a palavra "morrer" na boca, como um caco de vidro que não conseguia cuspir.

— Eu não sei. Uma hora e meia? Saff, onde você está? Achei que você estava cuidando dela! Droga! Não estou no viva-voz, seus porcos! Saffy, tenho que desligar. Venha depressa, está bem?

Joe estava parado a alguns metros do carro, de costas para ela, na chuva forte. Seus pés estavam descalços e cobertos de lama. A calça preta estava encharcada. Seu cabelo, grudado na cabeça.

— Eu tenho que voltar para... — Saffy deu partida. — Minha mãe está...

— Eu sei. — Ele não olhou para ela. — Seu *marido* me disse.

A chuva caía, pesada, fazendo muito barulho no teto do carro. Ele disse algo que ela não conseguiu ouvir.

— O quê?

— Quer que eu a leve?

— Não. Fique aqui com o Liam. — Ela queria que ele olhasse para ela, ou se aproximasse do carro. — Joe, eu posso explicar tudo.

— Não há nada para explicar. — A voz dele soava fria. — Não é a primeira vez que mentem para mim. Já sei tudo que preciso saber.

— Eu não menti — Saffy lhe disse. — Eu juro para você, Joe. Sou casada com ele tecnicamente, mas...

— Não quero saber. De verdade. Vá embora — ele disse. — Vá.

Terceira Parte

Capítulo 30

A mulher velha e careca deitada na maca não podia ser sua mãe, mas era. Jill estava inconsciente. Seu corpo estava cheio de fios. Havia tubos entrando em seu braço e saindo do nariz, desaparecendo sob o cobertor azul. Um de seus pés descalços estava descoberto, com o calcanhar sujo e o esmalte rosa das unhas descascado. Saffy tirou seu suéter e cobriu-o.

Ela sentou-se em uma cadeira de plástico encardido e pegou a mão de sua mãe. Estava fria e sem vida, como se Jill tivesse saído dela, como uma luva. E estava molhada. Por um instante, Saffy não entendeu a razão. Depois, percebeu que chorava.

Alguém colocou a mão em seu ombro. Ela virou-se e lá estava Len, o antigo namorado de sua mãe, usando um suéter cinza meio disforme. Ela só o vira umas poucas vezes, mas ele deu-lhe um breve abraço. Em seguida, estendeu-lhe um lenço branco imaculadamente passado e contou-lhe o que havia acontecido.

Jill tinha telefonado para ele cinco dias antes. Ela lhe dissera que estava com gripe e pedira que ele trouxesse alguns mantimentos.

— Ela mandou deixar a sacola na porta, disse que não queria me contaminar, mas eu consegui vê-la por alguns instantes. Não me pareceu que era gripe, mas não quis pressionar, porque você sabe que não nos víamos há alguns meses.

Saffy imaginou quanto a aparência de sua mãe devia ter sido chocante para alguém que não a via desde que ela começara a quimioterapia.

— Ela disse que estava bem, mas fiquei preocupado. Então, tentei ligar algumas vezes nos últimos dias — prosseguiu Len —, mas ela não retornava as ligações. Depois, esta noite, eu estava andando de bicicleta e dei uma passada para vê-la. Toquei a campainha e olhei pelo vidro. Foi quando a vi no chão do corredor e chamei a ambulância.

— Que bom que você foi lá, Len — disse Saffy. O que ela não disse foi *Eu é que deveria estar lá.*

Um médico muito jovem que parecia estar prestes a desmaiar de cansaço disse a Saffy e a Len que estava confiante e que achava que a pneumonia de Jill seria controlada. A má notícia era que uma infecção não tratada nos seus nódulos linfáticos havia evoluído para uma septicemia e que havia a possibilidade de ela não responder aos antibióticos, o que causaria a falência dos órgãos.

Um bipe em sua lapela piscou e ele o desligou. Saffy reparou que as unhas dele estavam roídas até a carne.

— Vamos fazer todo o possível, mas é um caso complicado devido ao histórico — ele disse, olhando fatigado para o chão, como se quisesse deitar ali mesmo e dormir — de câncer.

Len olhou para ele e em seguida para Saffy.

— Que câncer? Do que ele está falando?

Saffy devolveu-lhe o lenço. Ele precisaria mais dele.

— Não é o ideal — disse o dr. Kenny —, mas agora só podemos jogar o jogo da espera. — Naquele dia, ele estava usando uma gravata-borboleta verde-clara. Ajustou-a e olhou melancolicamente pela janela para o campo de golfe.

Um *jogo?* Saffy encolheu-se. Queria dizer alguma coisa, mas sentia-se desorientada demais. Estava em um estupor de ansiedade e falta de sono. Tinha passado a noite ao lado da cama de sua mãe, temendo até ir ao banheiro com medo de que algo acontecesse enquanto se ausentava.

O dr. Kenny fechou sua pasta.

— Receio não podermos continuar com a quimioterapia enquanto os atuais problemas médicos não forem resolvidos, e isso pode demorar algum tempo. Minha preocupação é que, quando isso acontecer, o câncer já tenha evoluído para uma metástase.

— Meta... o quê? — Greg interrompeu.

O dr. Kenny suspirou.

— Se espalhado. Para outras partes do corpo.

— Mas como o senhor vai saber que isso está acontecendo?

Saffy ficou contente por Greg estar ali fazendo perguntas. Ela não conseguiria fazer nenhuma.

O dr. Kenny franziu a testa.

— Fazemos uma tomografia. Mas quando um paciente é imunocomprometido, costumamos esperar...

— Cara, eu não sou médico, sabe? Então, não sei o que isso aí quer dizer. Mas não queremos esperar. — Ele se sentia energizado pela primeira vez em meses. Ele se sentia como Mac Malone. — Gostaríamos que fizesse a tomografia hoje.

— Isso aqui não é uma série de televisão, sr. Gleeson. — O dr. Kenny balançou a cabeça. — Os hospitais têm que seguir os procedimentos.

Ele olhou para Saffy e a centelha de irritação em seus olhos transformou-se numa centelha de reconhecimento. Ela percebeu que ele a reconhecia da praia em Killiney, onde a vira com Pascal.

Ele engoliu em seco.

— Creio que podemos fazer uma amanhã de manhã.

— E podemos falar com o senhor de tarde? Para ver os resultados?

— Terão que verificar com minha... — Ele titubeou. — Amanhã de tarde. Às 3.

Greg havia telefonado para Jess, que chegou trazendo lenços umedecidos, roupa de baixo limpa e um conjunto de moletom para Saffy, que tomou banho e trocou de roupa no banheiro do corredor onde ficava o quarto de sua mãe.

— Você precisa comer alguma coisa — Jess disse, enfiando as roupas sujas numa sacola. — Eu vou pegar café e um sanduíche e trago para você, está bem?

— Está bem — Saffy concordou timidamente. — E obrigada por ter vindo. O Conor está cuidando dos gêmeos?

Jess fez que sim. Os gêmeos estavam a 150 quilômetros de distância, em Cork, e Conor a centenas de quilômetros, em Londres. Mas Saffy já tinha muito o que pensar e não precisava lidar com esses problemas.

Conor havia telefonado na quarta-feira à noite, quando ela estava colocando os gêmeos na cama. Ela tinha surtado com Luke porque o menino não queria jantar. Lizzie mal lhe dirigia a palavra, porque ela não queria acreditar que aquele falso hamster era o Brendan.

— O que foi, Conor? — Ela se sentia exausta só de ouvir a voz dele. — O que aconteceu agora?

— Estou telefonando para pedir um favor. Preciso ir a Londres por algumas semanas. Minha agente acaba de informar. Tenho que fazer umas mudanças no texto em pouco tempo e ela acha que será melhor se eu trabalhar no livro lá.

Isso não era bem verdade. Becky Kemp havia escrito a Conor para perguntar se ele poderia ir a Londres para conversar sobre as mudanças. Fora ele quem sugerira ficar até terminar o trabalho.

Ele precisava de algum tempo para decidir o que faria em seguida. Não podia suportar a ideia de ficar mais tempo no apartamento de Greg, não podia ir para casa e não tinha nenhum outro lugar para ir. E detestava ver Luke e Lizzie tentando se acostumar a serem levados para lá e para cá, divididos entre Jess e ele. Umas semanas distante dessa montanha-russa emocional lhes fariam bem. E, se fosse totalmente sincero, fariam bem a ele também.

— Eu só queria saber se tudo bem para você.

— Tudo bem. E eu tenho escolha?

— É claro. Se você não puder, é só dizer. Mas quanto mais cedo eu terminar o livro, mais cedo conseguirei vendê-lo e ganhar dinheiro. Você tinha razão sobre o Greg. Ele não está em condições de me pagar o anel e, como eu disse, não será por muito tempo. Algumas semanas, no máximo. Acha que consegue se virar?

Algumas semanas, Jess pensou. *Certo*. Ela teria que lidar com tudo sozinha por algumas semanas. E depois, pelo resto da vida.

— Eu posso, sim. Algo mais, Conor? Eu estava colocando Luke e Lizzie na cama.

Mas ela não podia. A ideia de lidar com aquilo a deixou tão frenética que ela ligou para seus pais e pediu que eles viessem pegar os gêmeos quando fossem para Cork no dia seguinte, dando como desculpa um prazo urgente para um trabalho. E depois que deu um beijo de despedida em Luke e Lizzie, subiu as escadas e fechou as cortinas para o céu azul resplandecente lá fora e se enfiou na cama, completamente vestida. Planejava ficar lá pelo tempo necessário para superar o fato de que Conor, assim como o verdadeiro Brendan, não iriam voltar.

— E então, o que está acontecendo entre Saffy e esse fulano?

Greg não parava de pressionar a alavanca da máquina de bebidas, como uma criança. A Coca-Cola saía espumando, enchendo seu copo aos jorros. Jess se conteve para não segurar a mão dele e encher o copo ela mesma.

— Eu não sei, Greg. E não acho que seja o momento de perguntar.

Eles estavam na lanchonete do hospital. Jess estava na máquina de café, colocando copinhos de isopor cheios de café na garrafa térmica de Batman de Luke. Quantas vezes não tinha observado Conor enchê-la com leite ou com suco? Como nunca lhe ocorrera que poderia haver uma última vez, um tempo em que ele não estivesse lá para fazer isso?

— O fulano estava com ela quando liguei ontem à noite — disse Greg. — Ele atendeu o telefone às 3 da madrugada.

Jess enroscou a tampa da garrafa.

— O que importa isso, Greg? Você dormiu com uma adolescente qualquer. Saffy dormiu com um completo estranho. E agora ela está com outra pessoa. Não importa. Tudo entra em perspectiva quando alguém corre o risco de morrer.

— Jill não vai morrer. — Desta vez, Greg acertou o tom de voz: profundo, mas não cavernoso; firme, mas sugerindo compaixão. — Ela vai conseguir. Todos vamos conseguir; temos que ser fortes.

Ele abraçou-a. Já imaginara antes como seria abraçar Jess. Não de um modo pervertido. Ela era tão escandalosamente bonita que ele tinha curiosidade. Mas agora, que a abraçava realmente, não era bom. Ela era muito alta. Seus cotovelos eram pontudos feito cabides e seu cabelo cheirava a bolo mofado.

— O quê? — Jess afastou-o e começou a rir. — Ai, meu Deus! — Ela apoiou a garrafa térmica e protegeu-se. — Me desculpe. Mas você é tão engraçado. Está agindo como o herói de uma novelinha de TV.

— Ah, é? — Greg cruzou os braços e começou a rir também. — E você está agindo como uma idiota pré-Madonna. Como sempre.

A bolsa intravenosa era drenada através de um emaranhado de tubos plásticos finíssimos para o cateter no braço de Jill. Depois de 2 horas e 27 minutos ela estava só na metade e Saffy achava que reconheceria cada uma daquelas gotas se as visse novamente, junto com cada detalhe daquele quarto minúsculo e superaquecido.

A porta vaivém toda arranhada, o gasto armário de aço, a caixa de plástico com o adesivo amarelo de material infeccioso já descolando. A pequena pia e o rolo de papel absorvente verde do hospital. O espelho escuro da janela com a persiana retorcida e encardida. O quadro *As Respigadoras* esmaecido pendurado torto na parede sobre a mesa.

Jill está inconsciente há três dias. Quando Saffy não conseguia mais olhar para o corpo inerte de sua mãe, para seus olhos fechados, seu rosto macilento e seus braços flácidos, com manchas roxas de todos os exames de sangue, ela fixava o olhar na bolsa intravenosa.

O médico libanês de fala mansa que fazia a ronda das 7 da manhã lhe dissera que, se Jill não recuperasse a consciência na semana seguinte, o próximo passo seria colocar uma sonda em seu estômago com um tubo de alimentação.

— Pode não ser necessário — ele disse ao ver o rosto de Saffy murchar. — Pode ser que ela saia dessa sozinha.

Mas mesmo se Jill saísse dessa, haveria outras. Mesmo se ela se recuperasse da pneumonia e da septicemia, ainda havia o câncer. O dr. Kenny não havia gostado muito das tomografias. Havia algo que parecia uma lesão no osso. Ele queria extrair material da medula assim que Jill estivesse forte o bastante.

O pensamento do que poderia estar por vir a apavorava. Ela desejava que Joe estivesse ali. Ele não poderia fazer nada para impedir o que tinha que acontecer, mas, se ela pudesse colocar a cabeça no peito dele e ouvir seu coração bater e sentir seus braços a envolvendo, ela saberia que conseguiria passar por tudo aquilo.

Será que ele gostaria de saber como Jill estava passando? Será que ele estaria interessado? Será que ele gostaria de receber um telefonema? Ela pegou seu telefone e ficou olhando para a pequenina tela por algum tempo, tentando pensar no que dizer. Depois, colocou-o de volta na bolsa.

Quando havia tentado explicar por que não lhe contara que era casada, ele respondera "Não quero saber". Não havia brecha naquelas palavras. Nenhum espaço para ambiguidades. Era como o próprio Joe. Claro. Direto. Honesto. Ela fixou o olhar no tubo intravenoso e observou uma gota se formar, engordar e cair. Ele dissera exatamente o que sentia. E ela não podia culpá-lo.

Capítulo 31

Às vezes, Saffy conseguia dormir algumas horas sentada ereta na poltrona que tinha trazido da sala de televisão. Todo alimento sólido que engolia ameaçava voltar de onde viera. Ela sobrevivia de café e cigarros, fumando diante da porta de entrada do hospital junto com homens velhos em cadeiras de rodas e mulheres de camisola que arrastavam consigo seus suportes de soro.

Jess vinha e ficava com ela durante o dia e Greg vinha todas as noites, trazendo uvas que Jill não podia comer e flores que ela não podia cheirar e o último livro de Marian Keyes, que, Saffy pensou com um nó na garganta, sua mãe talvez nunca lesse.

Certa noite, quando voltou do toalete, ouviu a voz dele e ficou parada na porta durante algum tempo, observando Greg sentado numa cadeira de plástico ao lado da cama, segurando a revista *OK!*, como se Jill pudesse vê-la.

— Cara, olha só. A Anne Robinson fez recauchutagem total: implante facial, olhos, preenchimento labial, dentes. Ela ficou uma gata. Quer dizer, ela não é a dama Helen Mirren, mas sob uma certa luz... — Ele virou a página. — David Beckham fez mais uma tatuagem. Eu estava pensando em fazer uma um tempo atrás, mas desisti. O braço do cara parece a manga de uma camiseta com estampa étnica.

Saffy nunca o vira tão concentrado em alguém, exceto, é claro, nele mesmo.

Len costumava chegar mais ou menos uma hora depois de Greg sair. Ele tinha a chave da casa de Jill e trazia rosas e outras flores perfumadas de seu jardim. Certa vez, chegou com um par de chinelos bem macios cor de creme e alinhou-os cuidadosamente sob a cama, prontos para o momento em que Jill pudesse pisar neles.

Saffy costumava ir à lanchonete e ficar lá por cerca de meia hora para dar-lhe algum tempo com sua mãe, porém, quando ela voltava, ele já tinha vestido sua jaqueta e colocado as presilhas na calça para andar de bicicleta e seus olhos estavam vermelhos. Ele lhe dava um abraço desajeitado antes de sair, e, embora isso significasse que seu rosto seria esfregado no suéter dele, ela não se importava.

Ela acabou conhecendo todas as enfermeiras: Pamela, a loira sardenta que sempre cheirava a Red Bull e cigarros e conversava com Jill enquanto trocava as bolsas intravenosas, media sua pressão e ajustava o cateter; Harimi, que cantarolava músicas indianas enquanto trocava a roupa de cama; Rosa, das Filipinas, que esfregava vaselina em sua pele depois do banho na cama.

Uma noite, Saffy revistou a *nécessaire* de Jill, pegou o removedor de esmalte e tirou a cor rosa de suas unhas, aparou-as e esfregou seus pés com creme de menta. Lembrou-se do óleo que tinha comprado para Joe e do modo como ele levantara a sobrancelha e sorrira quando ela se ofereceu para massagear suas costas, e depois lembrou-se de outras coisas. Coisas corriqueiras de que nem se dera conta que percebera.

O modo como ele se secava depois do banho, passando a toalha nos cabelos primeiro e depois nas pernas, nos braços e no corpo. O modo como ele comia, bem americano, com apenas um garfo, e o modo como ele apoiava a mão livre fechada sobre a mesa. O modo como ele esfregava as sobrancelhas com o polegar e o indicador quando estava cansado. O modo de ele dormir, de costas, com um braço por trás da cabeça e o outro apoiado nela.

Ela o perdera. E logo também perderia esses pequenos fragmentos dele. Era a isso que a vida parecia se resumir, ela começava a perceber. Perder coisas. E mesmo agora, enquanto sua mãe ainda estava por aqui, viva, ainda respirando aos pouquinhos, em *staccato*, Saffy perdia partes dela também. A imagem mental que sempre tivera de sua mãe como uma mulher jovem e glamourosa estava sendo apagada pela realidade da mulher doente e vulnerável que jazia inerte sobre a cama. A hipótese de que Jill sempre estaria por perto, pressionando-a e passando dos limites estava sendo substituída pelo medo de que isso pudesse não mais acontecer.

Saffy secou os pés de Jill com papel-toalha e meteu-os debaixo do cobertor. Beijou-a no rosto e apagou a luz. Depois, aninhou-se em sua cadeira e chorou baixinho, como se chora em hospitais.

Jess havia ligado para a Komodo e colocado Vicky a par dos acontecimentos.

Ciara e Vicky mandavam torpedos todo dia, desejando tudo de bom e perguntando se ela precisava de alguma coisa.

Ant enviou só uma MMS com uma foto de sua testa com *Pensamentos Carinhosos* escrito com esferográfica.

Um vaso enorme de orquídeas chegou da parte de Marsh, que também mandava torpedos todo dia. Às vezes duas vezes por dia. Ou mais.

No começo, suas mensagens eram confortadoras, ou o mais confortadora que alguma coisa digitada em letras maiúsculas pode ser. Marsh sempre escrevia em maiúsculas.

> DESEJO QUE SUA MÃE SE RECUPERE BEM. TODOS NA KOMODO LHE DESEJAM O MELHOR. M.

Depois, o tom começou a mudar.

> NÃO SE SINTA PRESSIONADA A VOLTAR. DEMORE O QUE FOR NECESSÁRIO. SERÁ QUE UMA SEMANA É O SUFICIENTE? M.

> QUANTO TEMPO MAIS VOCÊ SE AUSENTARÁ? M.

> ESPERO QUE POSSA LER SEUS E-MAILS NO HOSPITAL. ESTOU LHE COPIANDO TODA A CONVERSA COM A PLUMA BRANCA PARA VOCÊ NÃO FICAR POR FORA. M.

Da última vez que Saffy tinha visto Marsh fora no banheiro da Komodo. Será que Marsh era maluca? Como ela podia imaginar que leria seus e-mails num momento como aquele? Decidiu ignorá-la.

O próximo torpedo foi ainda mais ultrajante.

> REUNIÃO DE PRÉ-PRODUÇÃO DA PLUMA BRANCA AMANHÃ ÀS 9. DECIDIR LOCAÇÕES E ORÇAMENTO. POR FAVOR COMPAREÇA. MÁXIMO 2 HORAS. M.

Saffy não tinha intenção de ir, mas, depois de uma hora olhando fixamente para aquela bolsa intravenosa e para *As Respigadoras*, começou a questionar se poderia se dar ao luxo de não comparecer.

Estava por um triz com Marsh depois do evento com o Mike, e não queria piorar as coisas.

Pediu a Greg que trouxesse uma blusa, calças e um par de sapatos do apartamento e ele se ofereceu para chegar às 7 e passar a manhã com Jill. Saffy já tinha se acostumado a usar o banheiro do hospital, mas desta vez tomou um banho decente e lavou o cabelo com xampu seco que Pam, a enfermeira ruiva, lhe emprestou. Fazia uma semana que não dirigia, e sentiu-se trêmula e afoita enfrentando o horário do rush, como se fosse ela a doente ainda não recuperada.

O cartaz na porta de Ant dizia: *Muita gente esquisita. Poucos circos.* Saffy teve uma sensação de pavor. Era sempre assim antes de uma grande produção. Todo mundo palpitava e brigava pelo seu palpite. Vicky comentara certa vez que um orçamento de 700 mil euros poderia revelar até o lado egoísta de Sua Santidade, o Dalai Lama.

Havia muita gente trabalhando na sala de reuniões. Saffy estava tão acostumada com robes e aventais brancos que se sentiu como se tivesse chegado a uma grande festa à fantasia. Marsh era a *femme fatale*, usando um vestido azul-marinho Roland Mourer. O grisalho Ben Rosen era do Hell's Angels, com jeans e jaqueta de motoqueiro. Simon era o homem de negócios, usando um terno que devia ter comprado exclusivamente para a ocasião.

E lá também estava Ant, que parecia um bebê mal-humorado de macacão preto. E Vicky, também de preto, parecendo a morte. E Mike, de calças esporte e camisa de manga curta, parecendo, como sempre, um motorista de ônibus de folga. Ele corou de tal modo ao deparar-se com Saffy que ela achou que sua cabeça ia pegar fogo.

Ela apresentou-se a Dylan Rick, o assistente de Ben, que parecia um pequeno Clark Kent asiático, vestindo terno escuro, óculos e brincos de diamante. E apertou a mão de Dermot Nervoso, que estava muito parecido com um coelho, de suéter bege e calças de algodão. Ela nunca o vira tão inquieto.

— Eu soube da sua mãe — ele disse. — Deve ter sido muito difícil para você, logo depois do infarto de seu pai. Como ele está?

— Ele morreu — Saffy disse com calma. Marsh olhou-a de esguelha, mas ela não ligou. Era a verdade. Ela não tinha energia para contar mais nenhuma mentira.

— Sinto muito. — Ele apertou a mão dela. — Sinto muito por sua perda.

— Obrigada por se preocupar. Significa muito para mim — disse Saffy. E era verdade.

Saffy fingiu prestar atenção enquanto Dylan discorria sobre o cronograma de produção, mas não estava lá, de fato. Noventa por cento de sua atenção tinha viajado quatro quilômetros, voltado ao hospital, tomado o elevador até o andar de sua mãe e aberto a porta. E estavam sentados ao lado da cama, desejando que ela acordasse.

Não estava ouvindo quando Dermot Nervoso jogou sua bomba. Ela só percebeu que algo havia acontecido quando Vicky chutou sua perna por baixo da mesa.

— Eu só estou dizendo — ela falou, mordiscando a unha do polegar — que vocês vão ter que procurar mais.

— Vamos ser realistas, Dermot — Ben Rosen interpelou com sua fala arrastada de macho alfa. — Fizemos cinco testes de elenco. Dois em Dublin. Dois em Londres. Um em Nova York. Vimos mais de cem pessoas...

— Mas é esse o problema! — insistiu Dermot Nervoso. — Não estamos buscando um bostinha qualquer! Estamos procurando um anjo incrível. E vocês ainda não me mostraram nenhum.

Todos respiraram fundo. Dermot Nervoso nunca havia falado nenhuma palavra mais pesada, então ouvi-lo dizer "bostinha" soava muito fora de tom.

— Dermot Nervoso tem razão — disse Mike.

Sete cabeças voltaram-se para ele. Sete pares de olhos piscaram, incrédulos.

— O que eu quero dizer é — explicou Mike — que você tem motivos para estar nervoso, Dermot. Ninguém que vimos aqui hoje tem aquela coisa especial. Em minha opinião, só existe um homem perfeito para o anjo da Pluma Branca.

Ele examinou uma mancha escura em sua gravata amarela. Tinha o formato da Espanha. Saffy ficou imaginando se sua esposa sabia que ele tinha um caso. Se as roupas horríveis, as gravatas encardidas e as meias cheias de furos eram algum tipo de vingança.

— É o ator que interpretou Mac Malone em *A Estação* — Mike continuou. — Greg Gleeson.

Saffy não podia acreditar no que estava ouvindo.

— Greg Gleeson? — Ant agarrou a manga de Vicky. — Diga a

esses cretinos que Gleeson é muito plástico, chamativo e falso — ele disse, salivando —, e...

— Espere um pouco. — Rosen levantou a mão. — Quem é esse cara?

Dylan pesquisou pelo nome de Greg no Google, clicou em uma foto e a tela se encheu com o seu rosto. Ele, parado em um campo, sem camisa, segurando as rédeas de um cavalo. Greg não gostava muito de cavalos, mas olhava para aquele como se estivesse apaixonado por ele.

— É ele! — O nariz de Dermot Nervoso teve dois espasmos. Ele sentou-se e apontou para a tela. — É o nosso anjo. Se conseguirmos contratá-lo, podemos prosseguir. Se não, a gravação está cancelada.

Na pausa que se seguiu, 750 mil euros invisíveis ameaçaram sair flutuando pela janela. Não havia tempo para mais um teste de elenco. Mesmo se houvesse, eles já tinham gastado o orçamento para testes.

Ben e Dylan trocaram um olhar rápido e continuaram sem reclamar.

— Esse cara realmente tem algo especial — disse Dylan.

— Ele é meio afetado. — Rosen esfregou o queixo. — Mas estou certo de que podemos deixá-lo um pouco mais puro. Gosto dele. Gosto mesmo.

— Boa escolha, Dermot. — Simon não perderia a oportunidade de levá-lo no papo. — Ele é tiro certo para o público-alvo da Pluma Branca.

Marsh colocou os braços sobre a cabeça e esticou-se como uma gata. Saffy notou que ela não depilava as axilas há alguns dias.

— Gente, temos nosso homem!

Ant inclinou-se e começou a bater a testa na mesa.

Vicky interrompeu.

— O que Ant está tentando dizer é que o Greg está muito associado a um personagem de novela e ele é um pouco, me desculpe, Saffy, ele é muito, muito baixo.

— Podemos disfarçar a altura — Dylan disse, franzindo a testa. — Mas, se ele está amarrado a alguma novela, podemos ter problemas de contrato.

— O personagem dele foi morto há alguns meses — Simon lembrou, zombando. — Ele não está fazendo nada, só alguns trabalhos promocionais.

Ben Rosen balançou a cabeça.

— Bom, o que estamos esperando? Vamos chamá-lo! — Ele virou-se para Marsh. — Alguém tem o nome do agente dele?

Marsh sorriu.

— Não sei o nome do *agente* dele, Ben. — Marsh levantou sua mão com manicure perfeita e apontou para Saffy. — Mas você está olhando para a *esposa* dele.

Desde que se conhecia por gente, Conor achava que era guloso e vivia envergonhado de servir-se de mais um prato do jantar, comer mais uma sobremesa ou roubar pedaços de bolinhos de peixe frios e meio comidos deixados pelos gêmeos no prato.

Ele achava que seu apetite fazia parte de seu DNA, como o cabelo ondulado e as sardas. Mas ultimamente ele e a comida haviam desenvolvido uma relação nova e estranha. A centelha apagara. A paixão desaparecera.

Ele passou direto pelo enorme bufê de café da manhã do hotel, com seus enormes recipientes de salsicha, ovos e bacon e acabou pegando uma tigela de frutas frescas e uma xícara de café. Ao sentar-se à mesa, viu seu reflexo no espelho da parede oposta. Era irônico. Sua aparência nunca estivera melhor, mas ele nunca se sentira tão mal.

Quando planejara a viagem para Londres, tinha pensado que usaria o tempo que passasse longe para tomar uma decisão sobre seu relacionamento com Jess. Mas agora, que estava ali, começava a perceber que já havia tomado essa decisão.

Já ocorrera antes de brigar com Jess, mas nunca ficara com raiva por tanto tempo. Ele fazia o primeiro movimento e ela sempre amansava e voltava para ele. Era assim que sempre tinha funcionado. Mas agora não conseguia fazer aquele movimento. Não desta vez.

Se tudo se resumia a uma escolha entre ter razão e ser feliz — e, no final, todas as brigas sempre se resumiam a isso —, então eles tinham brigado pela última vez, porque agora ele preferia ser feliz.

Becky Kemp não era nem um pouco parecida com a foto exibida no site da Douglas, Kemp & Troy. Ela ainda usava óculos, mas a armação era salpicada com o mesmo tom de verde de seus olhos, seu cabelo estava mais para ruivo do que para castanho, e ela era extremamente tímida.

— Olá. Que bom que finalmente... — Ela inclinou-se, parecendo que ia beijar o rosto dele e depois mudou de ideia e esticou a mão para cumprimentá-lo. E, quando ele a pegou, sentiu que estava úmida, o que o fez, por alguma razão, sentir-se menos envergonhado.

Sua sala era limpa e abarrotada de livros, e cabiam somente uma mesa e duas cadeiras. Ela trouxe uma xícara de café e acabou derramando a maior parte na perna dele.

— Tudo bem. — Ele limpou as manchas com um lenço de papel que ela lhe deu. — Já ingeri bastante cafeína esta manhã. Estou tremendo.

Ela sorriu-lhe agradecida e então eles se sentaram para discutir sua opinião sobre *Dobra ou Desiste*.

— Parece mais trabalho do que realmente é — ela disse, desculpando-se, algumas vezes.

— Não, isso é bom. Isso é ótimo — ele lhe garantiu, e realmente achava isso. Havia bastante o que fazer, mas ele conseguia perceber, pelos comentários, que ela havia compreendido o livro. E, sempre que ela apontava alguma inconsistência na trama, sugeria uma solução.

Becky falava depressa e de modo ligeiramente esbaforido e, enquanto falava, ficava juntando o cabelo em rabo de cavalo com as mãos, depois o soltava de modo que, quando ela movia a cabeça, os fios brilhantes cor de cobre se espalhavam por seus ombros.

— Você pode trabalhar aqui no escritório — ela ofereceu assim que terminaram de repassar sua lista. — Quero dizer, não *nesta* sala, mas meu parceiro, David, está viajando, então você pode utilizar o escritório dele, se precisar.

Parceiro. Seria sócio ou marido?

— Estou hospedado em um hotel. Posso trabalhar lá.

Ele pegara emprestado o laptop de Greg e o instalara na mesa de seu quarto. Havia uma gráfica na esquina, caso precisasse.

— Se você se sentir confortável.

— Se você visse onde escrevi o livro — Conor lembrou-se do buraco debaixo da escada, de ter que guardar a cadeira giratória de lado depois de terminar —, não diria isso.

— Olhe... eu... — Ela começou a torcer o cabelo novamente. — Sei que não existe uma garantia, Conor, mas tenho um bom pressentimento sobre você. Quero dizer — ela soltou o cabelo e cobriu o rosto com os dedos claros e delgados —, sobre seu livro.

Ela passou-lhe as anotações por sobre a mesa.

— Estou certa de que você vai fazer isso voando. Ai, meu Deus! Eu não disse isso com a intenção de pressioná-lo. O que quis dizer é que acho que você vai querer terminar logo para voltar para sua esposa e seus filhos.

— Na verdade, não. Quero dizer... — Era a vez de Conor tropeçar nas palavras. — Minha... parceira e eu não estamos mais juntos. Nós... — Qual era a palavra? Mesmo depois de encontrá-la, ele não sabia se poderia dizê-la. Parecia tão formal. Tão definitiva. — Nós nos separamos. Há algumas semanas.

Ele mordeu o lábio. O que estava fazendo mostrando suas entranhas para essa mulher? Eles tinham acabado de se conhecer. Era idiota essa sensação de que ela o conhecia muito bem porque havia lido seu livro.

— Ai, meu Deus! Que pena... Espero que isso não esteja piorando as coisas. Quero dizer, espero que não tenhamos chamado você aqui num momento ruim.

— Não. — Ele olhou-a nos olhos. Disso ele tinha certeza. — O momento é bom. É disso que precisamos, na verdade.

— Está bem. — Becky juntou suas anotações e colocou-as em um envelope. — Espero que tudo dê certo. Quer dizer, espero que as coisas acabem bem.

Conor levantou-se.

— Eu também.

O plano de Conor era trancar-se no quarto de hotel e passar cada hora que estivesse acordado trabalhando nas mudanças que Becky sugerira. Em Dublin, ele conseguia escrever por várias horas, mas editar era diferente. Uma pequena mudança em um capítulo poderia ter um efeito devastador sobre os próximos seis.

Era obrigado a manter tanta informação na cabeça que seu cérebro começava a derreter se ele não fizesse um intervalo a cada duas horas.

Seu hotel ficava no Soho, e, sempre que precisava clarear as ideias, ele dava uma volta no Hyde Park ou caminhava até Covent Garden atravessando Chinatown, onde o ar crepitava com o aroma de pimenta queimada e as lojas vendiam frutas e vegetais que ele nunca vira antes. Ele estudava os cartazes escritos à mão presos nas cestas. Será que a pelúcia do *rambutã* ia até dentro da fruta? ele se perguntava. Será que o *durião* tinha gosto tão ruim quanto o cheiro?

Começou a deixar de lado o café da manhã do hotel e a levar seu laptop para a Pâtisserie Valerie todas as manhãs para planejar seu dia. E, quando a garçonete letã que tinha as maçãs do rosto parecidas com as de Meryl Streep perguntou se ele era escritor, ele lhe disse que era professor e só depois se lembrou de que isso não era verdade. Não mais.

Não era isso o que faziam os escritores? Sentar em cafés e dar longas caminhadas para organizar mentalmente os personagens? Para completar o clichê, ele só precisava de um sótão sem aquecimento. Era o que provavelmente encontraria ao voltar para Dublin. Não podia mais ficar no apartamento de Greg e também não podia voltar a morar com Jess e os gêmeos.

Becky havia sido sincera com ele. Não havia garantia de um contrato. Mas não importava o que acontecesse, ele nunca mais colocaria o pé em uma escola. Limparia banheiros ou seria repositor em supermercados, mas não voltaria a ficar de pé diante de uma sala cheia de adolescentes. Isso tinha acabado. Ele não voltaria.

Jess só telefonara uma vez, para dizer-lhe que a mãe de Saffy estava internada. A conversa havia durado menos de um minuto, e Conor ficara aliviado pela brevidade. Já sentira solidão, mas nunca tão intensamente como quando falava com a mulher a quem amava como se ela fosse uma estranha. Ela tinha dito que era melhor ele não falar com os gêmeos porque eles poderiam ficar nervosos e ele não pressionou, embora desejasse desesperadamente ouvir a voz deles.

Havia encomendado flores para serem entregues à mãe de Saffy no hospital. Parado ali na loja, inalando o perfume apimentado e doce das rosas, ocorreu-lhe mandar um buquê para Jess, mas não sabia o que dizer.

"Desculpe"? A verdade era que ele estava triste, mas não arrependido. "Te amo"? Ele realmente a amava, mas amá-la não era mais suficiente. E simplesmente dizê-lo mais uma vez não mudaria esse fato.

De qualquer maneira, Jess nunca apreciara receber flores. Ela sempre dizia que preferia as flores enfiadas na terra.

Becky telefonava todo dia para saber se ele tinha alguma dúvida com relação às suas sugestões. Conor ficava ansioso para falar com ela. Era mais fácil por telefone. Quando seu cabelo e suas mãos flutuantes não faziam parte da equação, ele achava que desenvolvia sua parte na conversa muito melhor.

Em cerca de duas ocasiões, ela perguntou, com hesitação, se ele estava bem, e ele imaginou que ela só queria verificar se ele não estava se lamuriando em seu quarto de hotel, com saudade da família, então inventou uns amigos irlandeses que moravam em Londres e disse-lhe que os via de vez em quando.

Mas certa noite, quando estava sentado em uma mesa ao lado da janela de um restaurante vietnamita na Rua Frith, ela passou pela rua e, antes que ele se desse conta, estava batendo na vidraça. Ela acenou e passou direto, mas após alguns minutos enviou um torpedo: QUER COMPANHIA?

Ele respondeu: É CLARO. E dentro de alguns instantes, ela entrou no restaurante e fez aquela mesma perturbadora menção de beijá-lo, mas só lhe deu um aperto de mão, e sentou-se diante dele. Usava uma saia creme e camiseta, e tinha uma pulseira verde-clara em um braço, fina e delicada como um talo de grama, com uma margarida como fecho. Ela parecia jovial e calma, como se tivesse vindo de um passeio no jardim. Ele ficou contente por ter tomado um banho e vestido uma camisa limpa antes de sair. Ela colocou óculos de armação escura e abriu o menu. Em seguida, fechou-o, derrubando o copo de água dele.

— Vou pedir o mesmo que você — ela falou enquanto ele secava a água com os guardanapos. — Está quente demais para pensar e aqui tudo parece tão agradável.

Pediu uma cerveja e Conor decidiu também pedir uma, embora não costumasse beber antes de terminar o trabalho, e ele ainda tinha algumas horas de mudanças para fazer depois do jantar. O prato que eles pediram chegou, e descobriram que tinham que finalizá-lo na mesa. Havia panquecas de arroz, montinhos de ervas, palitos de cenoura e várias tigelas com molhos, e juntar tudo aquilo manteve Conor e Becky distraídos até a primeira cerveja fazer efeito, ao terminarem a segunda, não se sentiam mais nervosos. Becky falava de um filme que tinha visto e das férias que estava planejando tirar, para fazer caminhadas pela Grécia.

Ela tirou da bolsa um lápis e um envelope e desenhou um perfil de Creta para ele.

— Vamos caminhar de Chora Sfakia até Paleochora. A maior parte do caminho são trilhas de cabras, muito traiçoeiras — ela rabiscou uma cabeça de cabra com chifres retorcidos —, mas na verdade não será tão duro, porque não vamos carregar nossa bagagem. Ela será levada para o hotel em que vamos passar a noite. Mal posso esperar.

Havia um pequeno ramo de coentro preso no seu cabelo. Conor ficou pensando se deveria ou não avisá-la. Sua mãe sempre dizia que um homem deve avisar uma mulher se sua saia prendeu na calcinha. Ele sempre pegava migalhas de pão do cabelo de Jess, mas não conhecia nenhuma regra envolvendo estranhas e coentro.

— E você e seu... parceiro caminham bastante aqui na Inglaterra? Ou só nas férias? — Conor perguntou.

— Ah, eu não tenho parceiro. — Ela corou, e suas sardas desapareceram e voltaram a aparecer, como se a cor de suas bochechas tivesse sumido. — Quero dizer, não esse tipo de parceiro. Eu fui casada por um tempo. Mas não sou mais. Vou viajar com uma amiga. Ela é bem cheia de frescuras. Vai ser uma luta fazê-la largar os sapatos de salto alto e calçar botas.

Beberam mais uma cerveja, e depois mais outra. O restaurante encheu e Conor sentiu-se leve com aquela conversa. Era bom sair de seu quarto de hotel. Era bom conversar com alguém.

Becky perguntou se ele tinha fotos dos gêmeos e ele abriu a carteira. Ela colocou os óculos para olhar.

— Fotos de crianças são o que um homem carrega em sua carteira — ela citou —, onde costumava levar seu dinheiro.

— Só que eu não tinha nenhum. — Conor riu. — Eu quis dizer dinheiro. Meu Deus! Me desculpe, isso foi horrível. Parece que estou tentando responsabilizá-la para me conseguir um contrato.

Ela começou a fazer aquela coisa novamente.

— Não, não pensei nisso. De verdade. Mas como você está tão desesperado — ela sorriu —, vou me empenhar com *Dobra ou Desiste*.

Ele riu.

— Isso é uma boa notícia, porque estou oficialmente desempregado e possivelmente não empregável como professor. Aconteceu um problema com um dos alunos na escola em que eu dava os cursos de revisão.

— Ah! — Os olhos dela se arregalaram e ele percebeu que ela ficou imaginando que ele podia ser algum tipo de pedófilo.

— Não — ele disse. — Não *esse* tipo de problema.

Ele contou-lhe sobre Graham Turvey e a briga que tinha impedido, sobre a tentativa de chantagem do pai de Wayne Cross e sobre a suspensão da St. Peter's.

Ela balançou a cabeça quando ele terminou.

— Não posso acreditar que trataram você desse modo. Você não fez nada de errado, Conor. Você não tinha opção.

— Acha mesmo?

— É claro! — Ela deu de ombros. — Não se sabe o que poderia ter acontecido com aquele garoto se você não tivesse intervido. Ele poderia ter se machucado seriamente.

Conor pagou a conta enquanto Becky foi ao toalete. Lá fora, o ar estava quente e úmido. Multidões andavam pela rua, entrando e saindo dos bares e restaurantes. Conor se deu conta de que era noite de sexta-feira. Não tinha vontade de voltar para o hotel. Percebeu que se sentia sozinho. Não havia percebido o quanto. Ficou em dúvida se a convidava para mais uma bebida.

— É melhor deixá-lo trabalhar — ela disse antes que ele tivesse a oportunidade de abrir a boca.

Ela inclinou-se, deu-lhe um rápido abraço e saiu andando. Foi só quando ela chegou na esquina que ele viu que sua saia *estava* presa na calcinha.

Parecia haver cinquenta pessoas espremidas na pequena sala de testes observando Greg de cuecas tentando convencer Dermot Nervoso e Ben Rosen.

— Pode dar uma voltinha, Greg? — pediu Ben Rosen. Greg deu uma volta completa, lentamente.

— Não sei. Não estou tão seguro quanto ao traseiro. — Rosen virou-se para Dylan. — Você é especialista. O que acha?

Greg estava suando com as luzes. Queria que Saffy estivesse lá para dar-lhe apoio moral, mas ela estava no hospital.

Dylan cruzou os braços.

— É um traseiro considerável para quem tem as pernas tão curtas. Mas ele vai usar uma tanguinha e nós podemos alterar alguma coisa com computação gráfica.

— Não façam isso. Não toquem nele — disse Dermot Nervoso com reverência. — É perfeito. Tudo nele é perfeito. Se eu fosse mulher e imaginasse um anjo, ele seria *exatamente* assim.

Uma das enfermeiras da noite encontrou Saffy esticada dormindo em um banco na cozinha da enfermaria e acordou-a.

— Isso é ridículo. Sua mãe pode levar semanas para se recuperar. Você tem que se cuidar. Vá para casa e tenha uma boa noite de sono.

Saffy chamou um táxi e foi para a casa de Jill. O jardim havia sido invadido pelo mato e por Kevin Costner, que tinha se acostumado a ser alimentado pela sra. O'Keefe e estranhou Saffy, mostrando-lhe os dentes. Fazia nove dias que ela não dormia em uma cama de verdade e caiu num sono ansioso e leve. Estava receosa demais para relaxar. E se sua mãe acordasse sozinha e assustada naquele quarto escuro de hospital ou, pior ainda, e se ela morresse quando Saffy não estava lá? E se sua presença ao lado da cama toda noite fosse o que mantinha sua mãe viva?

— Você parece exausta, Saffy — disse Jess ao telefone. — Volte a dormir. Você está precisando. Vou até o hospital ficar algumas horas com Jill.

Quando Saffy acordou, já era quase meio-dia. Ela tomou um banho rápido e vestiu-se, tropeçando em Kevin Costner, que subitamente tinha decidido que estava feliz em vê-la e veio se enroscar em suas pernas.

No hospital, impaciente demais para esperar o elevador, pegou as escadas, prendendo a respiração o máximo que conseguia. O pior cheiro do hospital estava nas escadas. Por alguma razão, hoje parecia particularmente ruim, um bafo de urina, legumes cozidos e o odor picante e triste de gerânios podres que ela começava a perceber que era o cheiro de gente à beira da morte.

Ela pegou um atalho pela ortopedia, passando por uma fila de idosos que eram forçados a se exercitar depois da cirurgia de quadril. Pelas portas abertas das alas comuns, ela viu pessoas encorujadas em camas, duas adolescentes com colar cervical sentadas com as costas coladas dividindo o mesmo iPod, uma enfermeira dando de comer a um homem com os dois braços engessados.

Depois, virou o corredor e viu Jess e Greg parados no fim da ala de sua mãe. Faltou-lhe o ar. Algo havia acontecido. Ela sabia que não devia ter deixado sua mãe sozinha!

Começou a correr, mas, ao cruzar com o carrinho do almoço, foi surpreendida pelo bafo de carne assada, torradas queimadas e ovos mexidos, e seu estômago deu tamanho sobressalto que ela precisou sair do corredor e entrar no banheiro mais próximo. Ajoelhou-se no piso úmido ao lado do vaso sanitário e vomitou a xícara de café que havia bebido no carro.

— Saffy? — Jess estava na porta.

— O quê? O que aconteceu? Ela está bem?

— Eu estava para mandar uma mensagem. Sua mãe acordou! Ela está meio grogue, mas eles dizem que não é motivo para preocupação. Vai levar algum tempo para ela voltar a falar corretamente.

Jill estava sentada em posição torta, apoiada na cama. Seus olhos estavam desfocados, mas se mantinham abertos, e isso era só o que importava.

— Pedaços de meu rosto continuam tocando pedaços de meu rosto. — Ela piscou para Saffy. — Por que estou chorando?

Saffy enxugou os olhos dela e sentou-se na beirada da cama. Seus joelhos estavam fracos e ela se sentia tonta, e percebeu que parte dela pensava que Jill nunca mais voltaria.

— Não tente falar, mamãe. A senhora dormiu por alguns dias. Precisa ir devagar.

Pamela trouxe uma bandeja com um prato coberto por uma cúpula de aço inoxidável.

— Eu soube que a Bela Adormecida acordou. Um pouco de comida sólida é bom, mas acho que devemos mantê-la afastada das facas até que sua mente volte ao normal. — Ela lançou para Greg um olhar de paquera. — Talvez nosso Mac Malone queira dar-lhe de comer?

Greg levantou a tampa.

— Carne enlatada com repolho. — Ele fez uma careta. — Isso é do tempo de ancinho.

— De antanho, Greg. — Jess revirou os olhos.

O cheiro de repolho pegou na garganta de Saffy e ela teve que levantar, abrir a janela e respirar um pouco de ar fresco.

Quando virou de volta, os olhos de Jill estavam fechados.

Jess viu a expressão de Saffy.

— Tudo bem. Ela só está cansada, eu acho. Ela comeu uma colherada de repolho e...

Saffy contraiu-se.

— Podemos não falar de comida só por um minuto?

Greg levantou-se.

— Tenho que ir. Só passei para trazer um café para a Jess. Maravilha o que aconteceu com a Jill, Saff. E se você souber de alguma coisa, qualquer coisa, sobre a Pluma Branca, me liga, tá bom?

Saffy pegou a mão de sua mãe. Estava mais leve agora do que quando ela estava inconsciente. Podia sentir a vida próxima da superfície da pele.

— Saffy, você ficou enjoada algumas vezes ultimamente, não é? — Jess ficou olhando para ela.

— O quê? Ah, é. Duas vezes. Deve ser o estresse ou alguma virose. Tem sempre alguma ala do hospital fechada por causa disso.

— Quando foi sua última menstruação?

— Eu não sei. Há algumas semanas, eu acho. Está anotado no meu diário, dentro da bolsa.

Suas menstruações eram sempre erráticas, mas ela sempre anotava o primeiro dia. Jess tirou o diário da bolsa e folheou as páginas. O último círculo vermelho feito por Saffy fora no dia 1º de maio. E aquele dia era 14 de agosto.

— Eu devo ter esquecido de marcar. Meu ciclo sempre vem errado quando eu... Jess! — O ar deixou seus pulmões como se tivessem dado um soco em seu peito. — Você acha que...

— Bom, se você não menstrua desde maio...

— Eu devo ter menstruado uma vez. — Saffy pegou o diário e começou a vasculhá-lo.

— Duas — disse Jess. — Se a última foi no dia primeiro de maio, você deveria ter menstruado duas vezes. Talvez até três.

Quando Jess voltou com o teste de gravidez, Saffy levou-o para o banheiro no corredor. O aposento ainda cheirava a vômito. Ela fez xixi no bastão e voltou correndo para o quarto da mãe.

Ficou olhando para o kit por bastante tempo, até muito depois de terem aparecido as duas linhas azuis.

Jess pegou a mão dela e a apertou.

— É melhor contar ao Joe — falou.

— Não é do Joe, Jess. — Saffy sentiu que a sala estava encolhendo ou então que ela estava aumentando de tamanho, ou ambos.

— Joe fez vasectomia.

— Meu Deus! Não é daquele australiano...?

Saffy balançou a cabeça.

— Aquilo foi em fevereiro.

— Bom, então deve ser do Greg. Quando vocês transaram pela última vez?

— Eu não sei. Acho que foi em maio. Mas nós sempre usamos camisinha. Sempre usamos... — Ela parou. — Exceto daquela vez. Na noite do chá de cozinha. Eu estava quase dormindo. Merda. Você acha que...? — Ela olhou para Jess, atormentada.

Jess fez as contas mentalmente.

— Acho que você está grávida de três meses.

— Estou grávida? — Jill abriu os olhos e sorriu para elas. — Parabéns.

Capítulo 32

— Acho que você acertou em cheio quanto à data da concepção. — A médica da clínica tirou suas luvas de látex e sentou-se na sua mesa. — Você está grávida de treze semanas.

O bebê era *mesmo* de Greg. Não era culpa da médica, mas Saffy a odiava mesmo assim. Ela odiava seu avental imaculado, seu rabo de cavalo loiro, suas pernas bronzeadas e seus pezinhos perfeitos em sandálias bege de tirinhas.

Saffy tirou os pés da mesa de exame. Estavam inchados e ela não conseguia calçar nada a não ser chinelos. Começou a se vestir.

— Tem uma ginecologista ótima no Rotunda. Ela acaba de voltar dos Estados Unidos. Posso indicá-la para você, e tem também a maternidade da Rua Holles.

— Não sei se vou precisar.

A médica não se virou.

— Está bem. Então você não quer que eu indique nenhuma maternidade.

— Acho que não. — Saffy tentava fechar o zíper da saia, mas a cintura não fechava. No hospital, ela passava o tempo todo de agasalhos largos. Não tinha percebido que nada mais lhe servia, exceto o adjetivo "gorda".

Cobriu o zíper com a camiseta e abriu sua bolsa para pegar a carteira.

— Olhe, sei que você não pode falar comigo sobre isso, então tudo bem. Eu fiz um teste, mas queria ter certeza absoluta.

A médica virou-se e olhou-a com carinho, o que fez Saffy sentir-se ainda pior.

— Você tem opções? O pai está envolvido?

— Estamos separados.

— Que tal ser mãe sozinha, mas com o apoio dele?

— Acho que não — Saffy retrucou. — Minha mãe me criou sozinha.

Não é exatamente um passeio no parque, sabe.

— Eu sei, sim. — Ela sorriu. — Mas tem o lado bom.

Saffy seguiu o olhar dela até algumas imagens afixadas num painel de cortiça acima da mesa. Uma menina loira soprando quatro velinhas de um bolo de aniversário, dormindo com os braços em volta de um ursinho, andando na ponta dos pés em um jardim coberto de neve.

— Como pode ver — a médica disse — o pai não está em nenhuma foto. Então eu sei exatamente o que você está passando. E se você decidir manter sua gravidez, sabe onde me encontrar. Ah, e não se preocupe com essa coisa de odiar todo mundo. É hormonal.

Saffy ia levar Greg ao bar do outro lado da rua e dar-lhe a notícia, mas Len ainda não tinha chegado e ela não queria deixar Jill sozinha. Então, ela lhe contou no pequeno quarto do hospital, quando estavam sentados cada um de um lado da cama, com sua mãe adormecida entre eles, como uma muralha.

Ela fechou os olhos para não ter que ver a boca de Greg abrir-se e começar a vomitar as bobagens que ele certamente diria. Foi bem direta.

— Estou grávida, Greg. Aconteceu naquela noite do chá de cozinha. O filho é seu. Mas você não precisa fazer nada, está bem? Eu cuido de tudo.

Ele não disse nada, quando ela abriu os olhos, ele estava olhando fixamente para ela com aquele jeito de Jesus.

— Você vai dar conta, gata.

Ele falara como se estivesse lhe dizendo que ela podia desligar uma tomada ou mudar um cartucho de tinta.

— Você está me dando permissão para fazer um aborto, Greg? Porque eu não preciso...

— Não estou. Não estou falando de um aborto. Estou dizendo que você pode ter esse filho. Você está pronta. Só que ainda não sabe.

— Eu não quero um filho, Greg. Você sabe que eu nunca quis um filho.

Isso não era exatamente verdade. Por uma fração de segundo, quando pensara que poderia ser de Joe, antes de lembrar que não poderia ser, a porta fechada em seu coração se abrira, mas voltara a se fechar.

— Ora, Saff. Você já percorreu um terço do caminho. A pior

parte já deve ter passado. Exceto pelo nascimento, obviamente. Mas eles dão um monte de drogas nessa hora.

Meu Deus, ele era tão ingênuo.

— Um filho não ocupa só nove meses da vida, Greg. Um filho ocupa dezoito anos, no mínimo. — Ou *mais,* ela pensou. Ela tinha 33 e ainda morava na casa da mãe.

— E você tem certeza de que é meu? — Greg apertou os olhos. — Não é daquele australiano que...

— Não!

— E aquele outro sujeito? O que atendeu ao telefone na noite em que sua mãe veio para o hospital?

Saffy balançou a cabeça.

— Por Deus, Greg, você tem que me pintar como uma devassa? Não. Não é do Joe.

— Mas você não fez um teste de DNA nem nada.

— Ele não pode ter filhos, Greg. Está bem?

— E aquele ruivinho que ficou pentelhando você no supermercado? Eu vi vocês três no estacionamento pela janela do gerente e...

— Ele teve o Liam há muitos anos e depois fez vasectomia.

— É mesmo? O cara não tem munição? — Ele parecia contente.

— Olhe, nem sei por que estamos falando nisso. É seu, OK?

Jill se mexeu. Eles esperaram até que ela se acomodasse novamente.

Greg abaixou a voz para um sussurro.

— Eu acredito em você. Só acho que é muito incrível. Deve ter sido a única vez que transamos sem camisinha, exceto naquele fim de semana em Ibiza, quando nós ficamos na piscina depois que todo mundo foi dormir e você...

— Pare! — ela disse baixinho. — Não quero falar nisso.

Ele deu de ombros.

— Tudo bem. Só acho que parece destino, sabe, engravidar só por causa de uma vez. Talvez esse bebê seja como aquela banda, a Destiny's Child.

Ela levou as mãos à cabeça. Só o Greg, ela pensou, podia levar a conversar de um aborto para a Beyoncé.

— Pense nisso, Saff — ele dizia agora. — Nós fizemos um bebezinho!

Ela odiava quando as pessoas diziam "bebezinho". Por que o "inho"? Por acaso, algum bebê era enorme?

— Greg, eu estou sozinha. Estou dura. Minha mãe está doente. Tenho um emprego extremamente estressante...

— Você não está sozinha, gata — ele disse. — Eu estou aqui. — Ele estendeu o braço sobre os joelhos de sua mãe e pegou a mão dela. Era estranho ver suas mãos juntas novamente. — Olhe, a decisão é sua, mas, se isso tivesse acontecido seis meses atrás, eu teria apoiado você. E só estou dizendo que ainda estou aqui e não vou abandoná-la.

Ela evitou os olhos dele e ficou olhando pela janela. Um homem com tremores pós-derrame atravessava o estacionamento com uma enfermeira.

— Mas não aconteceu há seis meses...

— Eu sei. Eu estraguei tudo. Você estragou tudo — ele disse baixinho.

Ela esperou que ele conjugasse o resto do verbo. *Ele estragou tudo. Ela estragou tudo. Nós estragamos tudo.*

— Mas nós temos uma coisa que não tínhamos há seis meses, gata. Estamos casados. Podemos fazer isso juntos, Saffy. Podemos ter esse filho!

Ela ficou olhando para o homem no estacionamento lá embaixo, de pé, dócil como um cão adestrado, enquanto a enfermeira conversava no celular.

— Estou confusa, Greg. Você quer que a gente volte a ser um casal? É isso que está dizendo?

— É — ele disse sorrindo. — Olhe, você não precisa decidir imediatamente. Pode voltar para o apartamento, eu posso cuidar de você e podemos lidar com essa coisa de casamento um dia de cada vez. Depois, quando o bebê chegar, podemos cuidar dele juntos. Podemos continuar trabalhando, eu posso ficar em casa entre um trabalho e outro...

Saffy balançou a cabeça.

— Que trabalhos? Você não trabalha há meses!

Ele deu risada.

— Eu peguei a Pluma Branca. A Lauren ainda não assinou, mas está pressionando para conseguir 25 mil.

— Está brincando! Isso está além do limite do orçamento.

— É, mas, se eles não me contratarem, isso vai arrasar com o comercial.

Devia ter cochilado depois que Greg saiu, porque sonhou que estava em Killiney com sua mãe. Elas tinham ido nadar e estavam sentadas nas pedras secando ao sol. Sua mãe estava com o cabelo loiro e comprido que tinha quando Saffy era bem pequena, mas usava as roupas do hospital com uma bolsa de soro e uma máscara de oxigênio.

Pascal e o dr. Kenny passaram nadando e acenaram. Jill acenou de volta e virou-se para Saffy.

— O que você vai fazer? — Sua voz saiu abafada pela máscara.

Saffy olhou para baixo e viu que estava nua e muito grávida, como se fosse dar à luz a qualquer momento.

— Não sei.

Sua mãe levantou-se e arrancou os cabelos.

— Bom, não faça nada que eu não faria! — Ela tirou a agulha de soro, tirou a máscara de oxigênio e mergulhou na água.

Saffy acordou assustada. Sua mãe estava sentada na cama, olhando para ela.

— Quem vai cuidar de mim quando eu partir? — ela disse. Depois, chacoalhou a cabeça, frustrada.

Saffy pegou sua mão.

— Tudo bem. Acho que sei o que quis dizer. Quem vai cuidar de *mim* depois que *você* partir. — Tudo que sua mãe dizia ainda estava saindo ao contrário, mas agora ela estava ciente disso, o que era um bom sinal.

— Você deve ter pensado — Saffy disse baixinho — em fazer um aborto. Você, às vezes, deve ter desejado que eu não tivesse nascido.

Sua mãe fez uma careta.

— Eles tentaram fazer você se livrar de mim, mas você não deixou.

Ela chacoalhou a cabeça novamente, como se estivesse tentando chacoalhar as palavras para ver se elas saíam na ordem certa.

— Eu sou a melhor coisa que já aconteceu na sua vida, Sadbh.

— Eu sei que é, mãe. Não fique nervosa. Por que não descansa um pouco?

Jill recostou-se novamente, exausta. Saffy observou-a dormir por algum tempo e depois se lembrou das fotografias. Abriu a bolsa e tirou a foto de seu pai que Jill lhe havia dado e uma outra foto que ela havia tirado do consolo da lareira da sala de estar de sua mãe.

Era uma fotografia de Jill e Saffy tirada em um restaurante de praia naquelas últimas férias em Tenerife.

Elas estavam de pé, de costas para o mar. Sua mãe usava um biquíni cor-de-rosa e um sorriso com o batom combinando, e tinha o braço em torno da cintura de Saffy. Saffy usava jeans brancos e uma camiseta azul de manga comprida e não estava sorrindo, mas também não estava carrancuda. Na verdade, ela estava inclinada suavemente para o lado de sua mãe, de modo que suas cabeças quase se tocavam. Era uma linda foto. Quando Jill melhorasse, ela a pediria emprestado para tirar uma cópia.

Colocou os dois porta-retratos no parapeito da janela, bem juntos, de modo que os três pareciam estar na mesma foto. Seu pai, bonitão para seus 40 anos, fumando. Sua mãe, bronzeada e linda e, de modo mágico, da mesma idade que ele. E Saffy entre os dois, meio sem jeito, mas mais bonita do que se achava na época. Eles eram uma família. Eles sempre tinham sido uma família, mesmo sem que ela soubesse.

Foi somente bem depois, quando Saffy estava tentando encontrar dinheiro para pagar o estacionamento, que entendeu o que sua mãe tinha tentado dizer.

Ela havia dito "Eu sou a melhor coisa que aconteceu na sua vida". Mas na verdade tentara dizer "*Você* é a melhor coisa que aconteceu na *minha* vida".

Simon deu um sorriso afetado para Saffy quando ela passou pela sala dele.

— Hora errada, lugar errado — ele disse. — A sessão de figurinos é no Four Seasons e começou há dez minutos.

Ela não sabia que havia uma reunião. Só havia passado na agência para pegar seu laptop para poder acompanhar a gravação da Pluma Branca. Não havia como não acompanhar. Marsh tinha deixado bem claro.

— Que sessão de figurinos?

— Eu sei que você parou de escrever relatórios compactos, mas não sabia que tinha parado de lê-los. A figurinista chegou de Londres hoje de manhã com as asas.

— Merda! — Saffy correu para a recepção. — Ciara — ela disse — me chame um táxi. Não! Esqueça! Eu chamo um na rua.

— O que você está fazendo aqui? — Marsh inclinou-se sobre o mezanino. — Dermot acaba de ligar. Ele está encontrando problemas nas asas.

— Estou indo para lá agora — disse Saffy. — Eu tinha que voltar para o hospital, mas posso passar meia hora lá.

Marsh cruzou os braços. Em seu vestido cáqui, assumia um ar assustadoramente militar, como se estivesse só esperando que lhe dessem uma arma para matar alguém.

— É mesmo? Bom, então nem se dê ao trabalho. Você deve ter coisas mais importantes para fazer. Simon pode ir. Mas, se você *tiver* alguns minutos, gostaria que viesse à minha sala.

— É claro. — Saffy subiu as escadas de metal com cansaço. Agora que sabia da gravidez, se sentia grávida. Tinha que parar de colocar a mão nas costas e de empinar a barriga.

Alguns objetos, cuidadosamente selecionados por sua beleza, estavam dispostos na enorme mesa vazia de Marsh: uma peônia cor-de-rosa em um pequenino vaso, uma agenda de couro de crocodilo Hermès vermelha, uma xícara de porcelana branca com pires. Saffy sabia que cada uma daquelas coisas tinha sido escolhida para dizer algo sobre a própria Marsh. *Eu sou bonita. Eu sou organizada. Eu sou preciosa.* Deve ser exaustivo, ela pensou, ser tão obcecada pela própria pessoa. Onde Marsh arranjava tanta energia?

— Não estou contente — disse Marsh, e seu tom era de uma conversa tão normal que, por um instante, Saffy pensou que ela iria lhe fazer confidências. Como se fossem ter uma conversa de amigas que não se veem há muito tempo. Então, ela notou seu olhar. Era glacial. — E não sou a única. Vários membros da equipe começaram a fazer perguntas sobre seu comprometimento com a Komodo.

— Bom, obviamente, tenho passado bastante tempo no hospital e...

— Ah, por favor! Eu dirijo uma empresa, não um serviço de aconselhamento. Você recebe um salário fantástico para fazer um trabalho fantástico e, francamente, a única coisa que está fazendo de modo fantástico são cagadas.

— Marsh, estou fazendo meu trabalho. O elenco está fechado. O orçamento, aprovado. A gravação está andando. — O sangue bombava na cabeça de Saffy. Um sangue cheio de hormônios. Muitos e muitos hormônios.

— Eu vim para uma reunião de pré-produção enquanto minha mãe estava em coma e você está questionando o meu comprometimento?

As pequenas narinas de Marsh inflaram muito ligeiramente.

— Como... é?

— Não posso dar mais do que estou dando. E isso vale para o Simon, que é a única outra pessoa nesta empresa que pode dizer que eu estou folgando. Estou fazendo o melhor que posso. Pare de ser uma megera e me dê um tempo.

Marsh balançou a cabeça com tanta força que Saffy achou que seu pescoço fininho ia quebrar.

— Muito bem. Tire um tempo. De modo permanente.

O coração de Saffy pulava em seu peito como se estivesse procurando uma rota de fuga. Marsh a colocara exatamente onde queria. Aquilo tudo fora planejado. Ela não podia permitir que isso acontecesse.

— Por favor, Marsh... — ela começou.

— Não adianta — Marsh disse. — Está despedida.

— Está me despedindo? Dez dias depois de eu pegar você e o Mike transando no banheiro do escritório? Mas que coincidência!

— Está tentando me chantagear?

— Não pode me despedir sem dar três avisos.

Marsh recostou-se na cadeira. Estava sorrindo.

— Você teve três avisos verbais, Saffy, sobre sua desastrosa pontualidade. Tenho testemunhas. Por lei, é só o que eu preciso.

Saffy devolveu o sorriso.

— Entendi! Está me despedindo porque fiquei grávida!

Os olhos de Marsh se arregalaram.

— Eu não sabia que estava grávida.

— Bom, agora sabe — disse Saffy. — E não existem testemunhas para o fato de eu só lhe contar agora.

Ela estava vencendo. Podia ver pela expressão no rosto de Marsh.

— A licença-maternidade é de nove meses. Eu soube de empregadores que tentaram dispensar funcionárias para evitar pagá-las. A maioria acabou no tribunal.

Marsh tentou rir.

— Você não está grávida! Está fazendo o mesmo que fez com o pobre Dermot quando disse que seu pai tinha tido um infarto. Está mentindo.

— Não — Saffy disse, esticando seu vestido de malha para mostrar a Marsh o pequeno caroço em sua barriga. — Não estou, não.

Marsh recostou-se e ficou batendo os dedos na mesa.

— Dou-lhe três meses de salário. É pegar ou largar.

Saffy lembrou-se de uma tática de negociação que a própria Marsh lhe ensinara a jogar. Chamava-se "A Próxima Pessoa que Falar Morre".

— Ah, não tente fazer esse joguinho idiota comigo. — Marsh revirou os olhos. — Sou muito melhor do que você.

Mas parece que não era, porque foi ela quem falou primeiro.

— Quatro meses de salário. É minha última oferta.

— Seis. E referências. E eu fico com o Audi.

— Não me faça rir!

Saffy tinha uma última carta na manga.

— Muito bem, Marsh, não farei. Greg ainda não assinou o contrato com a Pluma Branca, assinou?

Greg não abandonaria aquele trabalho por nada no mundo, mas Marsh não sabia disso. Suas narinas inflaram novamente, mas desta vez, bastante. O celular de Saffy tocou. Ela verificou a tela. Era Jess.

— É o Greg. — Ela levantou-se. — Com licença, preciso atender.

— Não — Marsh disse imediatamente —, não precisa.

Saffy sentou-se novamente, graças a Deus. Suas pernas estavam tremendo, mas ela conseguiu manter a voz firme.

— Vou precisar de tudo isso por escrito. Eu vou digitar a minha própria carta de referência e a enviarei para você assinar antes de eu sair.

Marsh deu de ombros, virou-se, tirou a tampa de sua caneta Mont Blanc e rabiscou um bilhete. Entregou-o a Saffy.

— Estou desapontada com você. Houve um tempo em que eu achei que você tinha algum valor.

Saffy levantou.

— É mesmo? Bem, e eu pensei que você estava tendo um caso com algum jovem bem gostoso, e não se esfregando por aí com um cara de meia-idade, casado, e depois o tratando feito lixo em público. Mas gosto não se discute.

Meu Deus, esses hormônios eram fantásticos. Era como estar possuída pela Joan Rivers.

— E não me refiro ao *seu* gosto. Até consigo ver algum atrativo no Mike. Mas só não sei o que ele viu em *você*.

Saffy deletou seus e-mails e arquivos pessoais no disco rígido, digitou uma carta de referência maravilhosa para si mesma e a enviou para Marsh. Ant estava certo. Este era um espaço impessoal. Não havia nada para limpar exceto alguns livros, sua mochila de ginástica empoeirada, dois guarda-chuvas e os chinelos de bola de futebol de Liam. Ele os esquecera ali no dia em que viera para o escritório.

Ela os levou para a cozinha e colocou-os no lixo reciclável, mas depois de um minuto voltou lá e pegou-os de volta. Colocou-os num envelope de papel-bolha com uma nota de 10 euros e escreveu o nome de Liam e o endereço de Joe na frente.

Encontrou um postal em branco em sua gaveta e desenhou um cofrinho de porco bem bonito na frente com um marcador, depois virou-o e tentou pensar no que poderia dizer para que ele soubesse que ela o amava, mesmo o conhecendo há tão pouco tempo. Depois, lembrou-se dos postais que seu pai havia escrito para ela. Não importava muito o que ela dissesse, desde que viesse do coração.

Caro Liam, sei que devo muito ao seu porquinho. Não sei se esta quantia será o suficiente. Você deixou seus chinelos na minha sala. Espero que ainda sirvam! Me desculpe por ter partido sem me despedir adequadamente. Continue nadando e não aceite mais "você sabe o quê" do Alex. Com amor, Saffy.

— Você poderia colocar isso no correio para mim? — Saffy pediu.

Os olhos de Ciara estavam vermelhos. Ela devia estar sabendo do que acontecera. Ela sempre sabia de tudo.

— Cla... ah... ah... ah... ro — ela concordou, ofegante. — Me desculpe. Maldita asma. Ela ataca quando eu me... i... i... rri.... rri... to.

Saffy contornou o balcão da recepção para abraçá-la.

— Virei encontrar com você e com a Vicky lá fora — disse. — Será como naquele filme *Um Sonho de Liberdade*. E vou contar uma coisa que vai deixar você animada: sabe que Ant ouviu Marsh transando com Simon na sala dela?

— Sei. — Ciara iluminou-se. — Que ela tinha um esquili... li... nho lá.

— Bom, não era o *Simon* — Saffy sussurrou. — Era o *Mike!*

O rosto de Ciara se abriu em um enorme sorriso.

— Não!

O telefone tocou e a última coisa que Saffy ouviu antes de se fecharem as portas foi o som de Ciara, aos solavancos, tentando atendê-lo:

— A... A... A... lô, Komodo. Po... po... pois não?

Capítulo 33

— Tem um trampolim e eu fiz carinho num bebê jumento. O nome dele é Ciunas. Em irlandês, quer dizer "cale a boca". Ele não tem dedos nos pés. Só um dedo enorme, que chamam de casco. O Luke quer falar com você.

Luke pegou o telefone.

— O vovô falou que eu posso comer chocolate. Já temos um divórcio?

Jess fez uma careta. Ela havia dito aos seus pais para não dar bobagens para os gêmeos. Ela levaria meses para desacostumá-los quando eles voltassem.

— Querido, por favor, diga ao vovô que vocês não podem comer chocolate e não, é claro que não nos divorciamos, porque para se divorciar é preciso casar primeiro.

— Ah! — Luke pareceu desapontado. — A mãe do Jack pegou um divórcio e agora ele tem duas casas e dois pais, e Papai Noel traz dois presentes. Não sei se a Fada do Dente também traz. Ela veio ontem à noite, quando o dente de Lizzie caiu.

Jess colocou a mão sobre a boca. Lizzie tinha perdido seu segundo dente e nenhum deles estava com ela! Ela poderia presenciar o próximo, ou talvez Conor, mas não os dois juntos. De agora em diante, todos os momentos especiais na vida dos gêmeos seriam divididos e parcelados.

Conor era a pessoa mais honesta que ela conhecia. Ele não brigaria pela custódia nem pressionaria pelos filhos. Ela ficaria com o Natal e a Caça ao Ovo de Páscoa, embora ele fosse muito melhor para deixar pistas. E ela teria que lhe dar algo em troca. Os fins de semana, talvez, e algumas semanas durante as férias de verão. Apoiou a cabeça no corrimão e apertou o telefone contra o ouvido até doer. Precisava sentir outra coisa além de pânico, e aquela dor resolveu.

— Saiu muito sangue — Luke continuou —, mas não era vermelho, era marrom. E a Lizzie pode enfiar a língua pelo buraco. O papai vai ficar morando em casa quando ele voltar das férias?

Jess respirou fundo.

— Vamos ver! Olha só! Vou até aí no sábado para pegar vocês e vamos voltar para Dublin de trem! — Achou que estava falando igual à Saffy. Sua voz tinha aquele brilho falso que Saffy inventava quando falava com os gêmeos. — Vai ser divertido, não vai?

Luke não respondeu. Já não estava mais lá. O menino devia ter deixado o telefone cair. Ela podia ouvi-lo brincando ao longe.

— Luke? Alô! — Jess olhou através do lambuzado vidro da porta da frente como se ele estivesse lá, no jardim, e não a quilômetros de distância, em Cork. — Alô? Alô?

A grama havia crescido uns trinta centímetros desde que Conor a aparara. Parecia um matagal, mas pelo menos escondia a profusão de brinquedos de plástico que normalmente cobriam o jardim. Tudo tem um lado bom.

Lembrou-se do livro que estava lendo enquanto fazia companhia para a mãe de Saffy. Sobre como ser feliz. Len, o namorado hippie, o havia esquecido ali uma noite. Era simples. Olhe para o lado positivo de cada coisa. Conte suas bênçãos todas as noites. Plante algo. Mantenha isso vivo. Seja gentil com estranhos. Faça exercícios três vezes por semana. Qualquer um poderia fazer aquilo. Aparentemente.

Ela ficou ouvindo as vozes distantes do outro lado da linha. Sua mãe chamando o cachorro, seu pai rindo. Lizzie gritando “É a minha vez! É a minha vez!”.

— Mãe! Pai! Luke! Lizzie! — Jess levantou a voz até quase gritar. — Estão ouvindo? Eu ainda estou ao telefone. — Mas ninguém ouviu.

— Só levante os braços, incline os quadris para frente e encolha o estômago. Isso! Fique assim!

A esteticista passava o spray nas pernas de Greg, para cima e para baixo. Ele sentia as borrifadas frias seguindo a linha de seus músculos. Era bom. Na verdade, era ótimo. Estava curtindo cada instante desses últimos dias, até as partes chatas. Ficar parado de pé por uma hora enquanto o modelador aparava milímetros de cada pena em suas asas, experimentar várias tangas enquanto as figurinistas discutiam qual era mais sexy, esperar vinte minutos entre as tomadas enquanto todos os extras eram arrebanhados para suas posições — ele estava adorando cada minuto.

— Isso deve ser muito chato — a esteticista disse.

— Que nada. — Greg balançou a cabeça. Como ele poderia achar aquilo chato se era a pessoa mais importante do *set*? O foco da atenção de todos? A pessoa de quem tudo aquilo dependia?

A esteticista desligou a pistola de tinta por um momento e inclinou-se para limpar uma linha na parte de trás do joelho dele com algodão. Atrás dela, no espelho de corpo inteiro, acima de seu exagerado, mas simétrico bumbum, ele já podia ver que o bronzeado artificial, em quatro tons diferentes, lhe conferia o corpo de David Beckham.

Estava nu, exceto por uma meia estrategicamente posicionada. Os anjos não possuem marcas de bronzeado. Ela lhe deu um pequeno toque para que se endireitasse.

— Perfeito, sr. Gleeson. Agora poderia se virar, inclinar-se ligeiramente e colocar as mãos na parede?

— É claro. — Greg deu-lhe um sorriso preguiçoso e virou-se devagar, apertando as nádegas e as panturrilhas.

— Humm — ela disse. — Que lindo.

Ele sorriu para si mesmo. Sabia que era. Havia recuperado seu brilho, seu charme, seu *glamour*. Durante algum tempo, pensara tê-lo perdido para sempre, mas agora lhe fora dada uma segunda oportunidade, e desta vez ele não colocaria nada em risco.

Conor não esperava voltar a ver Becky antes de retornar para Dublin. Havia enviado as mudanças no texto logo de manhã, aguardado algumas horas e depois telefonado para ver se ela tinha tudo de que precisava.

— Obrigada, tenho sim. E tenho boas notícias. Enviei os dez primeiros capítulos para a editora, ela leu as primeiras páginas e me respondeu pedindo que não enviasse o material para mais ninguém. Isso não quer dizer que vai comprá-lo, mas é um bom sinal.

— Nossa mãe! Foi rápido!

Becky riu.

— Esse "nossa mãe" foi bom ou ruim?

— Foi um "nossa mãe" muito bom. Bom trabalho!

— O bom trabalho foi você quem fez. Escute, não devíamos soltar fogos antes da festa, mas acho que uma pequena comemoração não faria mal. Eu deveria almoçar com uma editora, mas ela cancelou. Você vai ficar por aqui? Poderíamos voltar àquele vietnamita. Se você puder, é claro. Se não for voltar correndo para Dublin.

— Não. Quero dizer, sim. Seria ótimo almoçar. Eu estava pensando em ficar mais uns dois dias.

Ele tinha planejado sair do hotel e pegar o voo noturno para Dublin, mas poderia mudar os planos.

Ele caprichou na roupa para o almoço. Jeans novos que tinha comprado em uma loja na Rua Oxford e uma velha camisa azul de algodão que passara muito mal usando o ferro do hotel. Achou que ela não estava apresentável ao sentar no sofá de couro da recepção da Douglas, Kemp & Troy. Deveria ter utilizado o serviço de lavanderia.

A princípio, Conor não percebeu que a recepcionista estava falando com ele.

— Sr. Fah... hee. — Seu sotaque perfeito fazia com que o nome dele soasse árabe. — Era a sra. Kemp. Ela foi chamada para uma reunião de emergência e parece que vai demorar, então precisou cancelar o almoço. Ela pediu desculpas.

— Não tem problema. — Ele se levantou. O que deveria fazer? Esperar por ela? Ir ao restaurante sozinho? Voltar para o hotel?

Estava parado diante do prédio, olhando para a rua quente e movimentada, perguntando-se o que fazer quando Becky desceu as escadas correndo.

— Conor! Que bom que o peguei. — Ela usava um vestido azul-marinho de manga curta e salto alto. Colocou a mão no braço dele. — Peço desculpas pelo almoço. Eu realmente queria ir. Mas um de nossos autores mais importantes está tendo um chilique. Ele está lá em cima agora, arrancando seus famosos cabelos, ameaçando mudar de agência. Os outros sócios estão de férias, então tenho que tentar acalmá-lo.

— Não se preocupe. Almoço é para os fracos. Ou será que é o café da manhã? Eu nunca lembro.

— Você é tão legal, Conor. — Ela apertou o braço dele. — Você não tem ideia do *quanto* é legal.

Conor não sabia o que dizer, então só sorriu, e ela retribuiu o sorriso. Ele não se importava mais com o almoço. Ele se contentaria em ficar ali, com a mão dela no seu braço, vendo aquele sorriso pelo resto da tarde.

Ela tirou-o de seus devaneios.

— Ai, meu Deus, o que estou fazendo aqui fora? Tenho que voltar para lá. O cabelo dele deve ser a única razão por que compram seus livros. Olhe, não sei até quando isso vai durar, mas, se eu sair viva, você gostaria de sair mais tarde? Posso passar no seu hotel. Poderíamos sair para beber alguma coisa, ou beber lá mesmo, ou...

— Seria... — Antes que Conor pudesse pensar numa resposta, ela ficou na ponta dos pés, deu-lhe um beijo rápido nos lábios e subiu as escadas correndo. Ele ficou observando suas pernas nuas e bronzeadas subindo os degraus de dois em dois e terminou a sentença em sua cabeça: *... um perigo.*

— Primeira posição, por favor.

Uma centena de mulheres de cabelos longos e índice de massa corporal mais baixo que 20 vestindo túnicas de gaze brancas estavam alinhadas em fileiras de dez, no fundo do campo. E que peitos elas tinham, Greg reconheceu, inspecionando-as de uma distância segura, através da janela do toalete móvel.

Em todas as outras locações ele tinha seu próprio toalete químico. Mas esta era a última cena e eles estavam oficialmente no meio do nada, embora se ele estendesse o pescoço, poderia ver o telhado de Woodglen, onde ele e Saffy fizeram sua festa de casamento.

Ele havia dado uma semana para que ela pensasse no seu pedido de casamento, seu segundo pedido. Ele próprio refletira muito antes. Saffy sempre fora taxativa acerca de não ter filhos, então ele nunca tinha pensado seriamente no assunto. Mas, agora que era uma possibilidade, começava a acalentar a ideia.

Crianças eram legais. Nunca fingiam. Quando ficavam bravas, choravam. Quando estavam contentes, riam. Não era preciso enganá-las. Elas eram divertidas. Olhe só para Lizzie. Ele preferiria ficar preso em um elevador com ela do que com a maioria das mulheres adultas que conhecia. Exceto, possivelmente, Jennifer Aniston ou Angelina Jolie. Embora não as duas juntas, é claro.

E havia também aquela história de genética. Fazer um filme seria muito legal. Mas ele só ficaria em cartaz alguns meses e depois sairia em DVD. Uma criança duraria noventa anos, talvez até mais. A medicina fazia novas descobertas todos os dias. Olhe só a orelha que nasceu naquele camundongo.

E olhe para as mulheres. A maioria de seus fãs eram mulheres, certo? E o que as mulheres amam, além de homens gostosos? Nenês. Todos os grandes estavam procriando. Pitt, Cruise, Affleck. Embora Ben realmente estivesse precisando largar um pouco aquele bebê e fazer mais alguns testes. O outro Affleck, o Casey, estava pegando o lugar do irmão.

Agora era o momento perfeito para Saffy engravidar. Um bebezinho era um excelente motivo para eles recomeçarem.

Ele já estava solteiro há dois meses, e era assustador. As mulheres haviam *mudado*. O que tinha acontecido com a população feminina? Elas só pensavam em *sexo*. Fazia só seis anos que estava com Saffy, mas desde então o sexo tinha virado um jogo completamente diferente. Só podia ser culpa da internet.

Ele tinha pensado que a Tanya era maníaca, mas agora todas as mulheres eram assim. Aquela modelo loira, Alyssa, poderia abrir um *sex shop* só com as coisas que carregava na bolsa. E ela queria fazer sexo a três, que ele tinha achado legal até que ela avisara que seria *com outro homem*.

Sim, estava na hora de se estabelecer.

Ben Rosen gravava os extras com a câmera sobre um carrinho. O roteiro dizia que elas deviam flutuar em torno da câmera em uma onda de membros lustrosos e cabelos sedosos, mas as garotas estavam marchando diante dela em fila marcial.

— Corta! — Rosen saiu de trás da câmera e agachou-se sob o toldo onde Ant e Vicky acompanhavam no monitor. Deu uma olhada rápida na cena gravada. — Bom trabalho! — gritou para a equipe. — Foi fora de série! Verifiquem o portão.

— Fora de tom, isso sim. Essas mulheres parecem o exército soviético — Ant sussurrou para Vicky. — Diga ao rabo de cavalo para fazer novamente.

Pela centésima vez nos últimos dois dias, Vicky desejou que Saffy estivesse lá. Simon e Dermot Nervoso estavam ocupados demais babando nas extras minimamente vestidas para se preocupar com o que vinha acontecendo.

Ela levantou-se e foi procurar Dylan Rick. Rosen havia deixado bem claro que ninguém deveria falar com ele diretamente. Todos os comentários tinham que ser canalizados por seu assistente.

"Não é que eu não queira a opinião de vocês", ele assegurara. "Esta é a sua cria e o processo é colaborativo. Mas eu tenho que me manter focado, entendem? Então não posso ter mais que uma voz de cada vez na minha cabeça."

Mas em algum momento, provavelmente quando Dermot Nervoso suspendera o elenco, Rosen havia perdido o interesse. Vicky estava começando a desconfiar que a única voz que ele ouvia em sua cabeça era a dele mesmo. E ela dizia "pegue o dinheiro e dê o fora".

Ela havia levantado vários problemas para Dylan. A extra que ficava olhando diretamente para a câmera. A interpretação de Greg, muito exagerada. O fato de que Rosen deveria estar fazendo *close-ups* em cada tomada para dar-lhes flexibilidade na edição, mas não estava.

Dylan sorria e balançava a cabeça, dizia muitos "é claro" e depois não acontecia absolutamente nada. Não seria um comercial terrível — Rosen era vaidoso demais para fazer algo assim —, mas seria um comercial medíocre, o que era ainda pior.

Ela encontrou Dylan parado perto do portão do campo. Ele tinha espalhado as páginas de uma revista no chão para proteger seus sapatos. Ele estava em cima de uma foto de Jessica Alba de biquíni, falando ao telefone. Uma dúzia de vacas agrupavam-se perto da cerca elétrica, observando-o com interesse.

— Não foi ele — Dylan dizia. — Cale a boca. Foi você? Cale a boca!

Vicky puxou a manga dele.

— Dylan, me desculpe por interrompê-lo — ela sussurrou —, mas preciso que você peça ao Ben para fazer mais uma tomada da última cena.

Ele levantou um dedo pedindo um minuto.

— Sai daí! — disse no telefone. — Cale a boca!

Vicky ficou lá com as vacas, esperando que ele terminasse. Ela ansiava desesperadamente por uma bebida, mas Ant lhe dissera que, se ela bebesse na gravação, ele nunca mais falaria com ela, e como ela era a *única* pessoa com quem ele falava, ela sabia que isso estragaria a vida dele.

Dylan demorou cinco minutos para encerrar a chamada. A essa altura, Vicky sabia que o fotógrafo já devia ter desmontado o carrinho, os trilhos já se achariam dobrados e Rosen já deveria estar montando a próxima cena. Era tarde demais. Novamente.

Greg manteve os braços esticados enquanto a figurinista fixava suas asas.

— Última cena — ela falou. — Aposto que vai ficar contente de se livrar dessas benditas asas.

A verdade era que ele não gostaria de devolver suas asas. Tinha adorado ser anjo. Atuar tinha seus altos e baixos. Receber 25 mil para passear de tanguinha e ser secado por um bando de mulheres bonitas era, certamente, um dos momentos altos.

Tinha pensado que iria voar de verdade, mas ao que parecia o orçamento não cobria esse custo, então o comercial terminaria com ele caminhando na direção do pôr do sol em um balão de ar quente, com todas as mulheres acenando.

Tony, o primeiro assistente de direção, ajudou-o a subir em um quadriciclo, enfiando seus pés em chinelos de algodão para que não ficassem enlameados ao atravessar o campo.

Ao se aproximarem do balão, Greg reconheceu o sujeito que estava conversava com Ben Rosen. Era o babaca que estava saindo com Saffy. Greg só o vira uma vez, parado no estacionamento do supermercado, com o braço em volta dela, mas nunca esquecia um rosto. Principalmente de alguém com o nariz torto e as sobrancelhas unidas.

— Então, quando gritarmos "roda", Joe — Rosen dizia —, preciso que você se agache no cesto para que vejamos somente o Greg.

— É gôndola — disse Joe. — Chamamos de gôndola, não de cesto.

— Seja o que for. Você não precisa ficar completamente fora de quadro, porque podemos tirá-lo na pós-produção, mas quanto menos você ficar, melhor.

— Parece boa ideia! — disse Greg, descendo do quadriciclo.

Ele permitiu que o primeiro assistente tirasse a coberta. Depois, ficou parado empinando o peito, olhando Joe de cima a baixo. Mais para cima do que para baixo, na verdade. O sujeito tinha quase dois metros. Desejou estar usando botas em vez de chinelos.

— Greg, este é o Joe — Ben Rosen apresentou. — Joe vai levá-lo para voar. Está em boas mãos. Dizem que ele é um dos melhores.

— Não foi o que me disseram. — Greg cruzou os braços.

Joe levantou uma sobrancelha, mas, para a frustração de Greg, parecia não saber quem ele era. O cara simplesmente lhe deu as costas, pulou para dentro da cesta/gôndola e começou a mexer em alguns instrumentos.

Vicky ficou olhando o primeiro assistente ajudar Greg a subir a escadinha para entrar no balão. Seu bronzeado estava manchado e suas asas, tortas. Por que ninguém tinha feito a checagem final? Ela meteu outro enroladinho de salsicha na boca e tentou engolir a irritação junto. Sua tomada favorita, aquela em que o anjo voava, havia sido cortada na última hora. Rosen tinha prometido a ela que a cena do balão seria igualmente boa, mas Greg era tão baixo que quase não se conseguia vê-lo por causa da altura das gôndola de vime. Isso já era demais. Ela procurou por Dylan e encontrou-o perto do portão, falando ao telefone novamente. Rosen estava a alguns metros dele, conversando com o fotógrafo. Ela engoliu o enroladinho de salsicha e foi ter com ele.

— Ben, eu sei que não devemos falar com você diretamente, mas vamos ter que retocar o bronzeado do Greg. E precisamos achar alguém para colocar uma caixa na gôndola para ele ficar mais alto. Ele fica muito pequeno.

Rosen não olhou para ela.

— Relaxe. Podemos consertar a altura dele na pós.

— Tudo bem, mas será que podemos ter pelo menos uma tomada com ele em cima de uma caixa, porque...

— Afaste-se, por favor. Estou ocupado!

Enquanto Vicky se afastava, ela ouviu-o cochichar com o fotógrafo: “Pelo amor de Deus. Alguém poderia pedir ao Dylan para tirar a Malvada Bruxa do Oeste da minha cola?”.

— Da sua cola? — Ant aproximou-se e se plantou diante de Ben Rosen. Colocou a mão no bolso e tirou algo brilhante.

— Ai, meu Deus! — Dermot Nervoso começou a morder os dedos. — Ele está com uma faca!

— Você vai ver o que eu vou fazer com esse rabo de cavalo engordurado — Ant disse com desdém, mostrando a coisa brilhante.

Vicky percebeu que era a tesoura de unhas de seu canivete suíço.

Rosen deu um passo para trás, nervoso.

— Acalme-se, amigo. Você não deve falar comigo! Você deve falar com o Dylan.

— Ah, é? E você não deve insultá-la. Ela tem mais talento no dedo mindinho do que você tem no corpo inteiro. Você é uma fraude! Você é falso! Seu cabeça de merda!

Ant deu um bote e agarrou o rabo de cavalo dele com uma das mãos. Começou a cortá-lo com a tesoura, mas, antes que conseguisse acabar, Simon, num movimento de rúgbi, atirou-o ao chão.

Rosen virou-se para a equipe.

— Conseguimos gravar isso? — perguntou. — Estava gravando? O sujeito queria cortar minha garganta!

Dylan Rick apareceu, correndo pelo campo como se tivesse rodas.

— Intervalo, todo mundo! — Ele colocou o braço em volta de Rosen.

— Mais uma tomada, Ben. Mais uma tomada e eu tiro você dessa bosta de ovelha. Vamos direto para o aeroporto. Fazemos a edição em Nova York. Vamos de Virgin, primeira classe. Você faz uma massagem. Temos dez minutos antes que a luz vá embora. Faça a tomada.

Simon levantou-se e deixou que Vicky ajudasse Ant a ficar de pé.

— Tire esse cara daqui — Dylan gritou, furioso. — E não deixem que ele volte.

Vicky conduziu Ant até o seu carro e abriu a porta para ele. Afastou uma pilha de revistas, um suéter e algumas embalagens de doce do banco do passageiro para que ele sentasse. Depois, deu a volta e sentou no banco do motorista.

— Me desculpe a bagunça. — Pegou uma embalagem de chocolate de entre os bancos e enfiou-a no porta-luvas. — Eu sei que você odeia bagunça.

Ele balançou a cabeça e apertou os lábios.

— Você foi incrível, Ant, simplesmente incrível! Obrigada por me defender! Ninguém nunca me defendeu desse jeito.

Ela sabia que Ant não gostava de contato humano, mas não conseguiu evitar. Inclinou-se sobre a alavanca de câmbio, colocou os braços em volta dele e apertou-o contra o peito bem forte. Ele tremia.

— O que foi? — Ela afastou-se e olhou o rosto dele. Ele piscava muito depressa, como se estivesse tentando dizer alguma coisa em código Morse. Ponto ponto traço. Traço traço ponto. Traço. — Ant! Você está machucado? Precisa de alguma coisa?

— Sim — ele disse. — Preciso. Há 6 anos, 11 meses e 22 dias que eu espero você fazer isso. Preciso que faça novamente.

— Todos na primeira posição! — As extras formaram um círculo em volta do balão. — Silêncio no *set*!

Joe fez a checagem final dos instrumentos e depois virou-se para dar o OK para o primeiro assistente de direção. O pequenino ator fantasiado de anjo estava começando a assustá-lo. Ele não parava de fitá-lo. Seu rosto estava quase laranja e um de seus olhos se contraía. Parecia bem perturbado.

— Você tem o hábito de transar com mulheres casadas, é? — O anjo subitamente indagou.

Voar deixava algumas pessoas paranoicas. Se esse sujeito era uma delas, Joe pensou, preferia lidar com isso no chão. Ficar em um espaço fechado a algumas centenas de metros nas alturas com alguém surtando não era uma boa ideia.

— Acho que você está me confundindo com outra pessoa — respondeu com calma.

— Vamos parar de brincadeira, cara — o homem alaranjado disse. — Eu sei quem você é e você sabe quem eu sou. Sou Greg Gleeson.

— Me desculpe, sei que você é famoso, mas eu...

— Sou o marido de Saffy. Agora se lembra de mim?

Saffy. Joe sentiu um misto de prazer e dor ao ouvir aquele nome. Exceto pela breve conversa com Liam, quando explicara que eles não a veriam mais, não se permitira nem pensar no assunto desde aquela noite em Wicklow.

Quando telefonaram para o trabalho da Pluma Branca, ele tinha verificado se ela participaria da gravação. Só tinha aceitado porque lhe disseram que ela não trabalhava mais na agência. Agora ele estava cara a cara, ou peito a cara, com o *marido* dela. O cara estava bravo e Joe não o culpava.

— Não — ele disse. — Não tenho o hábito de transar com mulheres casadas. Sinto muito, está bem? Se eu soubesse que ela era casada, não teria acontecido nada.

— Joe, trinta segundos para decolar! — gritou o primeiro assistente de direção lá de baixo.

— E quanto a mulheres grávidas? — Greg ainda o encarava. — Tem o hábito de transar com elas?

Joe balançou a cabeça.

— Olhe, não sei qual é seu problema. Terei prazer em sentar e conversar sobre isso outra hora, mas neste momento nós dois temos que trabalhar, então podemos parar de falar e tocar adiante?

— Puxe a corda e rode! — Ben Rosen gritou.

— Eu tenho mais uma pergunta. Como é ficar sem munição?

Joe virou-se para ele.

— O quê?

— Saffy me contou que você fez vasectomia.

— Ela contou o quê?

O primeiro assistente de direção viu o punho do anjo conectar--se com o queixo do piloto. *Pou!* Em seguida, os dois desapareceram no fundo da gôndola.

— Mas que merda! — ele disse a ninguém em especial. — Será que é lua cheia ou algo assim?

Saffy estacionou o carro na Rua Vico e olhou para a chuva. Bray Head tinha desaparecido. O mar era uma mancha cinza lá embaixo. A intenção dela era ir até Killiney observar os nadadores por algum tempo, mas teve medo de escorregar nas pedras e achou perigoso para o bebê. O que ela ia fazer com aquele bebê?

O tempo estava se esgotando. Devia dar uma resposta para Greg no dia seguinte e, se fosse um "não", ela teria que ir a Londres na próxima semana.

Ela fechou os olhos e tentou imaginar a si mesma e Greg como pais. Conseguiu ver Greg, nu da cintura para cima, segurando uma criança e parecendo um pôster da Athena, mas, quando imaginou a si mesma, só conseguiu se ver deixando a criança cair, derramando café quente nela ou deixando-a no teto do carro e partindo.

O bebê não se lembraria de nada disso quando crescesse, mas a odiaria mesmo assim. Ela tentaria fazer tudo perfeito e não conseguiria. Falharia de todas as maneiras que conseguia imaginar, e de outras maneiras que ainda não tinha imaginado. E a criança ficaria magoada, solitária e poria a culpa nela. Olharia para ela do mesmo modo que ela olhava para sua mãe quando era adolescente e saberia que, às vezes, ela estaria pensando "eu queria não ter nascido". Como as pessoas podem ter filhos? Como elas lidam com o medo?

Um sujeito com uma toalha enrolada debaixo do braço passou por ela fumando, e Saffy colocou a cabeça para fora.

— Oi! — ela gritou. — Por favor, pode me dar um cigarro?

— Belo carro. — Ele sorriu.

Essa era outra coisa da qual ela teria que abdicar se tivesse um filho: o Audi. Não se veem muitos assentos para bebê no banco de trás de um TT.

Ele lhe deu o cigarro. Ela não queria pedir fogo porque ele poderia querer puxar papo, então esperou ele ir embora e estendeu a mão para alcançar o acendedor do carro, mas ele não estava lá.

Subitamente, ela se lembrou de Liam mexendo com o acendedor no primeiro dia que se encontraram, no dia em que ela lhes dera carona da escola para casa e ele manchara o carro todo de sangue. Lembrou-se de Joe limpando o sangue com uma toalha azul. Mas, antes que lembrasse mais alguma coisa, ela se ordenou que parasse. As lembranças tinham que parar. Ela precisava seguir adiante.

Colocou a mão debaixo do banco e encontrou o acendedor. Em seguida, seus dedos tocaram em mais alguma coisa. Puxou e reconheceu a pasta plástica que havia enfiado ali no dia em que lera as cartas de seu pai. Havia se esquecido completamente daquilo.

Estava cheia de fotografias. Pareciam ser fotos de sua mãe do tempo em que ela fora modelo. Saffy tinha visto fotos como aquelas, mas não exatamente iguais. Jill estava bonita e era muito jovem — no máximo, 16 ou 17 anos. Essas fotos deviam ser as primeiras da carreira dela.

Havia um maço separado de fotografias unidas por um elástico que se rompeu quando Saffy o tocou, espalhando as fotos em seu colo. Sua mãe era um ano ou dois mais velha nessas, e não estava bonita. Ela estava linda.

Não eram fotos de modelo, eram retratos tirados em um jardim qualquer, e Jill não estava posando, estava simplesmente olhando para a câmera, sorrindo e deixando que a câmera olhasse para ela. Subitamente, Saffy percebeu que o fotógrafo devia ter sido seu pai.

Examinou todas rapidamente. A última era um retrato de corpo inteiro. Havia um homem com o braço em volta de Jill e a outra mão pousada em sua barriga de grávida. Era seu pai.

Ela recostou-se no banco, pressionou o acendedor e acendeu o cigarro. Pensou nos porta-retratos que deixara no parapeito da janela de sua mãe no hospital e sorriu. Havia tentado criar uma imagem deles três juntos e agora tinha uma. Ela ainda não havia chegado, mas parecia que não demoraria muito.

Eles já tinham sido felizes, sua mãe e seu pai. Agora ele era seu *papai*, não seu pai. Eles tinham sido felizes por quase três anos. *Eu achava que não podia ser mais feliz, então veio você e eu descobri que estava errado,* ele dissera na carta. Só porque ela não se lembrava, só porque não tinha durado, não significava que não havia acontecido.

Saffy sempre dissera para si mesma que o fato de seu pai tê-la abandonado era a pior coisa que poderia ter acontecido. Na verdade, havia algo ainda pior. Eles poderiam ter escolhido não tê-la.

Ela jogou a bituca do cigarro pela janela, quase atingindo um cocker spaniel que passava. A dona, com um saquinho de catar cocô pendurado em um braço e um telefone no ouvido, ficou olhando para ela. Mas Saffy nem percebeu. Ela estava digitando uma mensagem para Greg. Uma mensagem de uma palavra só. A palavra era: SIM.

Capítulo 34

Saffy chegou atrasada para o encontro com Greg. Enquanto seguia a garçonete extremamente magra por entre a multidão que lotava o 365 no horário de almoço, ela se deu conta de que era a primeira vez que chegava depois dele em um local marcado.

— Gata! — Ele se levantou e abriu os braços. Ela se deixou abraçar forte por um longo momento.

— Sexta-feira informal? — Ele riu de seu vestido largo e sandálias. Ele vestia calça jeans Diesel azul bem justa e uma camiseta incrivelmente branca. Estava usando o anel de casamento e ela usava o dela, junto com o anel de noivado, mas ia pedir que ele o trocasse por algo menor. Ela poderia machucar o bebê ao tentar trocar as fraldas.

— Você está linda, gata — ele disse ao soltá-la. — Está com aquela luz especial, sério. — Eles se sentaram e ele serviu-lhe uma taça de champanhe de uma garrafa já aberta.

Saffy fez que não.

— Não posso beber.

— Vamos lá. Todas as supermodelos bebem champanhe quando estão grávidas. Precisamos comemorar.

— Não sei se é um bom momento para comemorarmos. A Marsh me despediu.

A garçonete voltou. Ela conseguiu tocar em Greg quatro vezes enquanto lhe dava o menu, sem olhar para Saffy nem uma vez quando passou por ela.

— Sabe de uma coisa? — Greg disse quando ela tinha acabado de fazer aquilo mais uma vez. — Tudo bem você ter sido despedida, porque agora pode vir comigo para Los Angeles. — Ele deu um sorriso largo. — Consegui o papel no filme de Elmore Leonard. Farrell desistiu novamente. Não está 100 por cento garantido, mas eles querem que eu vá até lá na semana que vem para fazer um teste. A filmagem começa em fevereiro!

Saffy olhou para ele, confusa.

— Greg, o bebê vai nascer em fevereiro...

Ele riu.

— Nos Estados Unidos, as pessoas também têm filhos!

— Mas e a minha mãe?

— Em fevereiro, sua mãe já estará bem. Tenho um sexto sentido sobre isso. — Ele levantou sua taça de champanhe. — A taça está meio cheia, certo? Sua mãe vai se recuperar. Você vai ter nenê. Eu vou entrar em Hollywood. E vou pedir a salada Caesar sem anchovas no molho. Pode deixar os *croutons*.

— O quê? — Sua vagarosa mente de grávida não estava conseguindo acompanhar. Depois, ela percebeu que ele estava pedindo o almoço.

— Espere. Os... *croutons* — disse a garçonete, de alguma forma fazendo com que os cubos de pão frito parecessem horrivelmente sujos. — E para você? — Os olhos dela viraram para Saffy e voltaram para Greg, como se estivesse faminta. Mas ela devia mesmo estar com fome. Parecia que não comia há anos.

— Eu não quero nada.

A garçonete curvou seus ombros ossudos e balançou a cabeça de pirulito.

— Você tem que comer alguma coisa. Temos consumação mínima de 20 euros.

— Eu pago a consumação. Só não quero comer nada.

— Sinto muito. Não é possível.

— Mudei de ideia. Quero uma coisa, sim — disse Saffy. — Quero que pare de babar no meu marido só por alguns minutos para a gente conversar a sós. Será que *isso* é possível?

A parte mais gorda da garçonete era o lábio inferior. Ele começou a tremer, ela deu as costas e foi embora.

Greg deu um tapinha no braço de Saffy.

— Isso foi um pouco drástico.

— Não consigo evitar, Greg. São os hormônios. Qual é a desculpa dela?

— Gata, ela também tem hormônios.

Saffy quebrou um palito salgado ao meio e segurou uma metade entre os dedos, como se fumasse um cigarro, na esperança de que aquilo a acalmasse. Havia tomado uma decisão. Ela ficaria com o bebê. Voltaria para Greg. A parte difícil já deveria ter terminado. Mas agora, de repente, havia um monte de novas decisões a tomar.

— Você não pensou bem, Greg. O bebê já pode ter nascido. E mesmo se não tiver, se nascer em Los Angeles, em fevereiro, o que vai acontecer? Você vai estar filmando em locação...

— ... durante seis meses. No México. Você adora o México, Saffy. Lembra daquelas férias incríveis que passamos em Puerto Escondido? Lembra da praia, do pôr do sol e dos mojitos?

Saffy se lembrava. Também se recordava do casal de americanos do quarto ao lado que tiveram disenteria amebiana e do francês que fora mordido quando tentava dar um *tamale* a um cão de rua.

— Eu adorei porque eram duas semanas de férias, Greg, mas é um país do terceiro mundo. Não está na minha lista de países para se levar um recém-nascido.

— Olhe, ainda não pensei em tudo. — Greg encheu sua taça de champanhe. — Mas nós vamos dar um jeito. Vamos fazer isso acontecer e será ótimo. Será uma aventura!

Ela começou a amassar o palito salgado na toalha de mesa com o polegar.

— Essa coisa toda de Hollywood seria mais fácil se eu não estivesse grávida, não seria? — Não queria olhar para ele. Estava assustada demais com a possibilidade de ter razão.

Greg colocou a garrafa de volta no balde.

— Epa! Espere aí! Eu não disse isso!

Mas ele não precisava dizer. Estava na cara.

— Seja franco comigo, Greg — ela pediu em voz baixa. — Por favor. Não é tarde demais para mudar de ideia.

Ele franziu a testa e passou a mão no cabelo.

— Eu não sei. A gente poderia ter planejado melhor, mas... — O celular dele tocou. Ele fez uma expressão de que tinha que atender. — Me desculpe. É a Lauren. — Recostou-se na cadeira e sorriu para o teto. — Lauren, querida! É claro que posso falar. Eles não permitem celulares aqui, mas tenho certeza de que abrirão uma exceção para mim.

Saffy encontrou a garçonete diante do banheiro feminino e pediu um cigarro depois de se desculpar por ter sido rude.

— Tudo bem. Você deve ser taurina, não é? O signo do touro?

Saffy era capricórnio, mas fez que sim.

— Minha mãe é de touro — a garçonete disse. — Mas às vezes ela é uma vaca.

A enferrujada escada de incêndio nos fundos do restaurante era a área onde os empregados fumavam. Devia haver um terraço lindo para os clientes, mas Saffy não ligava. Era uma emergência. Acendeu o cigarro e deu uma tragada. Sentiu aquele delicioso *frisson* da nicotina nas pontas dos dedos das mãos e dos pés. Depois lhe veio um pensamento. E os dedos do bebê? Será que ele já tinha dedos? O cigarro não lhe faria mal?

Ela afastou o pensamento. Por que estava se preocupando com o bebê? O bebê não devia estar se preocupando com o quanto iria prejudicá-la. Ela fez uma lista mental de tudo. Para começar, ninguém a empregaria durante um ano.

Perderia seu corpo, isso era certo. Algumas mulheres, como Jess, ficavam com barrigas bonitinhas. Saffy não era uma dessas mulheres. Ela já havia engordado cinco quilos. Viraria uma baleia. As pessoas a veriam bamboleando e pensariam "Será que um homem consegue fazer sexo com ela?" E, se Marsh estivesse certa, nenhum homem iria querer fazer sexo com ela.

Se ela fosse para Hollywood com Greg, ficaria presa em algum subúrbio frio de Los Angeles com o bebê enquanto Greg estava em Oaxaca saindo com Maggie Gyllenhaal ou Sandra Bullock.

— Vejo que andou garimpando diamantes. Foi por isso que não retornou meus telefonemas?

Ela virou o rosto. Era Doug, o australiano. Ele usava seu uniforme de *chef* e o sorriso que era sua marca registrada. Doug fez um sinal com a cabeça para o anel e assobiou.

Já ocorrera a Saffy que poderia encontrá-lo ali, mas ela não tinha se importado. Tudo aquilo já estava tão no passado. E parecia tão sem importância.

— E você começou a fumar. — Ele balançou a cabeça. — Você *realmente* andou ocupada. Eu também andei ocupado, mas encontrei algum tempo para telefonar.

— É — Saffy disse com cansaço —, encontrou. Mas aposto que desde que dormimos juntos você pintou quadros horríveis, descascou muitas pobres ostras e deu em cima de mulheres comprometidas, mas não se casou, se separou, foi despedido, ficou grávido nem cuidou de uma mãe doente e...

Ela viu pela expressão no rosto dele que finalmente tinha conseguido arranhar a superfície de Teflon de seu ego, mas a sensação não era tão boa quanto achara que seria. Ela suspirou.

— Ai, meu Deus. Não ligue. Eu estou grávida. Os hormônios estão me deixando muito ranzinza.

Ele levantou uma sobrancelha.

— Você sempre foi ranzinza. Mas espere aí, *nós dormimos juntos*? Por que ninguém me disse?

— Como assim?

— Bom, você sugou meu lendário suflê de chocolate, mandou quase uma garrafa inteira de meu Armagnac 25 anos e chorou feito uma leitoa no meu sofá enquanto me contava a história da sua vida. Dormir? Eu não conseguia fazer você calar a boca. Fui para a cama depois de umas três horas e você me seguiu e deitou do meu lado. Eu pensei que ia parar de falar, mas que nada. Continuou falando sem parar sobre você, sobre seu pai, e chegou uma hora que eu coloquei meu protetor auricular e deixei você falando sozinha.

— Nós não *transamos?*

Doug lançou-lhe um olhar safado.

— Benzinho, se tivéssemos transado, você teria retornado meus telefonemas.

Ela olhou para ele e alguma coisa se soltou em seu peito, então percebeu que o tempo todo tivera medo. Tinha pensado que havia saído dos trilhos quando terminara com Greg no Dia dos Namorados, e tudo que havia feito desde então fora, de alguma maneira, ofuscado pelo medo de que pudesse acontecer novamente.

— Tem certeza absoluta?

— É claro que tenho. Mas, se você alguma vez quiser transar quando for uma mamãezinha gostosa, sabe onde me encontrar.

A palavra "mamãe" provocou alguma coisa nos joelhos de Saffy. Ela segurou no corrimão para se equilibrar.

— Mas da próxima vez, nada de papo — disse Doug. — Nem de choro. Bom, você pode chorar, se quiser, mas só de gratidão.

Ele deu-lhe as costas e voltou para dentro. A luz atrás dele iluminou seu cabelo por um instante, como um halo de cobre.

— Se você está grávida, devia parar de fumar — ele ainda disse virando a cabeça. — Cigarros fazem mal ao nenê.

Saffy soltou o cigarro. Ele caiu formando uma pequena constelação de centelhas no pátio lá embaixo.

— É — ela disse sorrindo —, você tem razão.

Conor parou em uma farmácia em Covent Garden e comprou uma loção pós-barba e um pacote de camisinhas. Sentiu-se um idiota ao comprá-las, mas não tão idiota quanto sabia que iria se sentir se estivesse em uma situação em que precisasse delas e não tivesse nenhuma.

Fazia anos que não comprava camisinhas. Ficou imaginando por que havia tantos tipos. Ficar imaginando outras coisas o impedia de visualizar como seria ir para a cama com Becky. Vinha se forçando a não pensar nisso há quase duas semanas, e estava perdendo a batalha.

O dia estava sufocante de tão quente. Ele voltou para o hotel. Tirou a roupa, tomou banho e vestiu-se novamente. Sentou-se na beirada da cama e viu um pouco de cricket na televisão, mesmo não conhecendo as regras. Ficou tentando adivinhá-las e isso o manteve distraído por algum tempo, mas depois não funcionou mais.

Tirou as camisinhas da sacola e colocou-as na gaveta do criado-mudo. Depois, mudou-as para o armário do banheiro. Abriu a loção pós-barba e passou um pouco. Depois, jogou um pouco na pia para que Becky não pensasse que ele a havia comprado especialmente, caso visse o frasco.

Forçou-se a sair do quarto e andou até a Rua Old Compton, pegando a Rua Frith até a Praça do Soho. Parte dele queria que ela telefonasse enquanto ele estava fora. Mas parte dele ficou aliviada ao verificar na recepção que ela não tinha telefonado.

Tirou as camisinhas do armário do banheiro, embrulhou-as em um lenço de papel e jogou-as no cesto. Tentou ler um livro. Preparou um gim com tônica com bebidas do frigobar. Era a primeira bebida que ele tomava no quarto. Preparou outro. Depois, sentiu fome e pediu uma omelete para o serviço de quarto. Devia ter cochilado. Quando acordou, seu celular estava tocando. Ele sorriu antes de atender.

— Achei que você não ia ligar.

— Eu tive que ligar. — Não era Becky, era Jess. Seu primeiro pensamento foi que havia acontecido alguma coisa.

Ele se sentou.

— Está tudo bem?

— Está tudo bem.

— Os gêmeos estão bem?

— Estão ótimos. Ainda estão com os meus pais em Cork. Eles sentem sua falta.

— E como vai a mãe de Saffy?

— Está acordada. Ela não está muito lúcida, mas parece que isso é comum, e a pneumonia e a septicemia estão sob controle. Eles vão extrair material da medula dentro de um ou dois dias para decidir se ela pode voltar para a quimioterapia. Como vão as mudanças?

— Eu terminei. Enviei tudo hoje de manhã. — *Merda!* Por que ele tinha dito aquilo? Esperou que ela perguntasse quando ele voltaria para Dublin, mas ela não perguntou.

— Que bom — ela disse depois de uma pausa. — E o que você está fazendo agora?

— Nada de mais. — Meu Deus, que saia justa. — Eu estava descansando. Você pode dizer ao Luke e a Lizzie que eu os amo e que voltarei logo? Eu mando uma mensagem quando reservar o voo.

— Escute, Conor, eu me lembrei de uma coisa.

— É? — Ele esperava que fosse algo rápido. Becky poderia chegar a qualquer instante.

— Lembra de quando você chegou em casa com o hamster e disse que era o Brendan, que você tinha encontrado na casa do Greg e da Saffy?

— Sim?

— E eu não acreditei em você? Acontece que eu me lembrei de uma coisa. Há uns dois meses, levei o Luke para lá e ele levou o Brendan no *bolso*. Eu o coloquei numa sacola porque a Saffy poderia surtar. Ele deve ter escapado. Foi assim que ele chegou às Torres Trump!

Conor encaixou o telefone entre o ombro e a orelha e foi até o frigobar. Tirou a tampa de uma garrafinha de gim e tomou um gole. O que ela estava querendo? Para onde ia essa conversa? E quanto tempo ela levaria para chegar aonde queria?

— Então era o Brendan mesmo, Conor. Era o *verdadeiro* Brendan o tempo todo!

É claro que era o Brendan. Só havia um Brendan.

— Me desculpe por não ter acreditado em você — disse Jess.

— Esqueça. Não importa.

Alguém bateu à porta. Seria o serviço de quarto? Seria Becky? Ele não prestava muita atenção a Jess.

— Tem mais uma coisa. Li o seu livro ontem à noite. Procurei nos seus e-mails e encontrei uma cópia. Fiquei acordada a noite toda lendo. E adorei, Conor. O livro tem tanto de você. E de mim. E dos gêmeos. E fiquei imaginando se não poderia levá-lo para jantar em algum lugar legal para dizer como ele é brilhante e o quanto eu estou arrependida por ter tornado tão difícil para você escrevê-lo.

Ele tentou absorver tudo aquilo, mas era muito confuso. Havia um chamado mais urgente.

— É claro. Olhe, eu ligo quando voltar. Tenho que desligar. Alguém está batendo na porta. Tenho que ir. Adeus, Jess.

— Adeus, Conor — ela disse. — Até já.

Conor desligou e jogou o telefone na cama. Ele se olhou no espelho. Depois, respirou fundo e abriu a porta.

Parada no corredor, de vestido azul e sandálias, estava Jess. Ela estava linda, mas não foi a aparência dela que o surpreendeu. Foi o modo como ela olhava para ele. Ele nem se lembrava de quando fora a última vez que ela o olhara daquele jeito.

Ela enfiou o cabelo atrás da orelha e deu um sorriso nervoso.

— Eu disse até já!

Ele engoliu em seco.

— Eu não sabia que seria *tão* cedo. Pensei que estava ligando de Dublin.

— Me desculpe. Tive que vir. Mas, se você me disser para dar meia-volta e ir para casa, não vou culpá-lo. Eu tenho sido uma megera. Me desculpe, Conor. — Ela olhou para o chão. — Sei que não é desculpa, mas tenho tido tanto medo nos últimos meses. Desde que você recebeu a primeira carta da sua agente.

A agente poderia aparecer a qualquer minuto! Conor espiou o corredor.

— Medo de quê?

Um homem de terno com uma pasta saiu do quarto na frente deles. Jess esperou que ele passasse antes de responder.

— Eu me sinto tão idiota dizendo isso. Medo de as coisas mudarem. De não ser mais suficiente para você. Por muito tempo fui tudo o que você desejava, entende? E me acostumei com isso. E fiquei apavorada pensando que você teria uma nova parte da sua vida na qual eu não estava envolvida. E descontei em você.

Ela olhou para ele com os olhos cheios de lágrimas.

— Estou tão orgulhosa de você, Conor, por ter aguentado aquela escola horrorosa todos esses anos e por impedir aquela briga, e por acordar no meio da noite para escrever seu livro. E espero que ele seja publicado e espero que seja um best-seller, mas, mesmo que não seja, quero que você comece outro. Porque sabe de uma coisa? — Ela começou a rir. — Você é muito melhor escrevendo do que lecionando. É isso que você tem que fazer, está bem?

— Está bem. — O nó na garganta de Conor o impedia de dizer qualquer coisa. Era tão importante ouvi-la dizer tudo aquilo.

— E tem mais uma coisa que eu quero...

— O que é?

Ela entrou no quarto, chutou as sandálias e fechou a porta com o pé descalço. Depois, tirou o vestido pela cabeça e começou a desabotoar a camisa dele.

— Isso aqui.

Jill sonhou que andava sobre a água. Era tão fácil que ela não podia acreditar que nunca havia tentado antes. Depois, perdeu o equilíbrio, a água se abriu e ela submergiu. Acordou molhada de suor. Estava ligada a um emaranhado de fios. Dois jatos frios de oxigênio sibilavam nos tubos plásticos em seu nariz.

Era final de tarde. Sadbh estava sentada ao lado da cama quando ela adormecera, mas agora não se encontrava lá. Seus olhos pareciam colados de sono. A boca estava seca e amarga, mas sua mente permanecia clara. Ela prendeu a respiração e esperou que a nuvem de palavras corretas desaparecesse, mas elas continuaram ali.

— Estou aqui — disse bem alto. Sua voz estava enferrujada, mas respondia ao comando. As palavras que antes lhe escapavam feito peixes agora nadavam em cardumes de sentido perfeito. — Aqui estou.

Ficou absolutamente imóvel, temendo mover-se e dissipar aquela deliciosa clareza. Olhou o quarto, tentando achar os nomes do que via.

— Porta. Fechadura. Livro. Parapeito. Fotografia. — Ela endireitou-se para vê-la melhor e, por um minuto, pensou ainda estar sonhando.

Era uma foto dela com Rob e Sadbh, e Sadbh estava crescida. Mas aquilo era impossível. Rob as abandonara quando ela mal conseguia andar. Ficou olhando os três ali, lado a lado. Um momento da vida que eles deveriam ter vivido. A vida que ele destruíra ao partir. Depois, percebeu que era uma ilusão. Havia duas fotografias, uma na frente da outra.

Ela havia criado sua própria ilusão depois que ele partira, e a compartilhara com Sadbh. A mentira sem importância que ele simplesmente as abandonara. Que ele simplesmente virara as costas sem nunca olhar para trás. Por alguma razão, tinha pensado que isso ajudaria ambas a sobreviver sem ele. Sadbh crescera acreditando nisso e, depois de um tempo, a própria Jill começou a acreditar também. E então já era tarde para mudar a história. Seria confuso demais para Sadbh.

Ele enviara dinheiro todo mês durante dezoito anos. Ela o odiava por ter mantido a palavra. Queria que ele parasse para poder odiá-lo mais, mas ele não parou. Ela não se permitia gastar um centavo, nem mesmo no começo, quando estava desesperada. Tinha intenção de dá-lo a Sadbh um dia, junto com seus cartões, no momento certo, mas esse momento nunca chegara.

Rob havia partido o coração de Jill e ela queria partir o dele, e conseguira. Podia ler a dor nas entrelinhas de cada um dos descomprometidos bilhetes que ele escrevia. *Com amor, do papai*. No começo, era confortador pensar que ele também sofria, mas, com o passar dos anos, suas tentativas frustradas de entrar em contato com uma menina que nem se lembrava de como ele era a entristeciam.

Todos os aniversários, todos os Natais que ele havia perdido e todos os momentos entre eles. As idas ao zoológico. Os novos sapatos para a escola. As noites dormidas na casa das amigas. O peso de todo esse tempo mais os dois quilos de papel e tinta, quando colocados juntos, pesavam menos do que Sadbh quando ele a vira pela última vez.

Não passa um dia sem que eu sinta sua falta, Sadbh, Rob havia escrito naquela primeira carta. *Você é a primeira coisa em que penso pela manhã e a última coisa em que penso quando vou dormir.*

Ela tinha dormido com aquela carta sob seu travesseiro durante semanas. Relia cada linha muitas e muitas vezes. *Eu amava sua mãe. Ainda amo*. E depois ela a guardara junto com as outras cartas. Guardara todas elas.

Quando a última carta escrita por seu amigo chegou, informando que ele tinha morrido, ela havia buscado ajuda psicológica. Uma vez por semana durante seis meses, sentara-se em um tipo de pufe numa sala pobre, acima de uma loja de bicicletas em Blackrock, diante de uma mulher mais velha que usava um permanente cinza horrível. Ela chorou e agonizou, se perguntando se devia ou não contar a verdade para Sadbh. No fim, teve muito medo de que, se fizesse isso, perderia sua filha. E quase a perdera.

Havia decidido partir o coração de Rob, mas terminou partindo o coração de Sadbh também. Não tinha direito de impedi-la de ver o pai. Agora sabia disso. Lá no fundo, sempre soubera.

Não havia relógio no quarto. Jill não tinha ideia de há quanto tempo estava acordada nem de quando sua filha viria. A familiar exaustão da doença começou a se instaurar. E se essa clareza de pensamento se fosse antes que ela tivesse tempo de dizer a Sadbh o quanto estava arrependida? Ficou olhando para a porta, desejando que Sadbh chegasse. Havia tantas coisas que deveria ter dito à filha anos atrás. Havia perdido muito tempo. Não queria perder nem mais um minuto.

Capítulo 35

Em algum momento Saffy começara a contar os passos necessários para ir da porta do hospital até o leito de sua mãe. Costumava contar entre 80 e 100. Nunca parecia o suficiente para cobrir a vasta divisão entre o mundo real e o estranho universo paralelo em que viviam as pessoas doentes.

Lá fora, se alguém estivesse machucado, sangrando ou chorando, ela automaticamente pararia para ajudar. Aqui dentro, tinha aprendido a continuar andando. A passar pela loira chorando no corredor do pronto-socorro (18 passos). Passar pelo homem careca de pijama se contorcendo e gemendo diante da seção de raio-X (31 passos). Passar pela mulher de rosto vermelho numa cadeira de rodas sussurrando consigo mesma diante da hematologia (44 passos).

Foram 58 passos para chegar ao elevador. Deveriam ser 56, mas precisara se afastar para permitir que uma mulher empurrando um menino de cadeira de rodas entrasse primeiro. Ele era adolescente e havia perdido todo o cabelo. Vestia uma jaqueta de couro sobre o pijama azul.

— O que eu estou tentando dizer — a mulher apertou os olhos para ver os botões do elevador e apertar um — é que Jesus ama você.

— Eu não quero que Jesus me ame. — O menino revirou os olhos. — Eu quero que a Scarlett Johansson me ame. Ou a Beyoncé. Ou aquele loira gostosa do Girls Aloud.

A mulher lançou um olhar de sofrimento para Saffy. Mas Saffy achava que ele tinha razão. Que adolescente quer ser amado por um homem barbado de 30 anos? Não quis encarar a mulher, pois tinha medo de rir, então ficou olhando para os próprios pés.

A mulher usava sandálias macias abertas. O menino usava chinelos azul-marinho que a fizeram lembrar-se de Liam. Ela olhou ainda mais para o chão, para não pensar nele. Tinha saudade dele.

Achara que ia se acostumar, mas não se acostumou.

O elevador parou e uma senhora idosa com um pacote de doces pendurado em uma perna do andador entrou, seguida por um homem de mocassim com enfeites de couro. Quando a porta começou a fechar, entrou mais alguém. Saffy ficou olhando para aquelas botas Caterpillar com pequenas pintas de tinta azul e branca. Pareciam familiares.

— Por favor, não vá para os Estados Unidos — a voz também lhe pareceu familiar.

— Eu não vou para os Estados Unidos — disse a senhora. — Vou para a geriatria, no segundo andar.

— Eu conheci aquele ator que diz que é seu marido. Ele me disse que vocês reataram e que ele vai levá-la para Los Angeles.

— Você deve estar me confundindo com outra pessoa — a senhora insistiu. — Meu marido faleceu em 1992 e ele não era ator, era corretor de imóveis.

— Saffy, olhe para mim, por favor.

Saffy lentamente levantou a vista das botas de Joe para os olhos dele. Seu cabelo havia crescido, a barba estava por fazer e seu rosto tinha uma mancha roxa. Teve vontade de passar a mão no rosto dele, mas sabia que, se o tocasse, não conseguiria mais parar.

— Eu sei que você vai ter um filho dele — Joe falou —, mas, por favor, não vá para os Estados Unidos com ele. Não até ouvir o que eu tenho a dizer.

Saffy engoliu em seco.

— O Greg contou que estou grávida?

— Contou — Joe respondeu, fazendo um gesto com a cabeça. — E depois me bateu. Ou eu bati nele. Não consigo lembrar quem bateu primeiro. Eu estava muito bravo, mas não estava bravo com *ele*, eu estava bravo comigo, pelo modo como a tratei.

— Mas você não fez nada de errado, Joe.

— Ah, é? Que tal não permitir que você explicasse seu lado da história? Que tal trazer à tona toda aquela velha autopiedade que eu tinha com relação a Shelley me trair pelas costas e botar toda a culpa em você?

— Vocês poderiam discutir em outro lugar? — perguntou o homem de mocassim. — Tem crianças e idosos aqui.

— Eu não sou idosa! — a senhora idosa disse. — Setenta anos hoje são 50.

— É. E eu tenho 16 — o menino na cadeira de rodas disse. — E estou gostando.

Joe pegou os ombros de Saffy.

— E aquela noite quando eu deixei que você voltasse para Dublin sozinha depois de saber que sua mãe estava no hospital? — Ele disse com carinho. — Não acredito que fiz aquilo. E nem telefonei, nem ao menos mandei uma mensagem perguntando se ela tinha melhorado.

— Melhorou. — Os olhos de Saffy se encheram de lágrimas, mas eram lágrimas de alegria. — Ela melhorou.

Jill estava melhorando aos poucos e aquela confusão toda desaparecera. O dr. Kenny dissera que ela começaria a quimioterapia dentro de uma semana. E Saffy sentia que também se recuperava. Toda vez que vinha para o hospital, sua mãe estava sentada e sorrindo, olhando para a porta, recordando mais um fragmento perdido de seu pai. Coisas pequenas de que ela se lembrava. Que ele costumava assobiar "Penny Lane" enquanto fazia a barba. Que adorava filmes de cowboys. Que quando era garoto, tinha um cão chamado "Grin".

O elevador parou novamente e entraram duas enfermeiras.

Joe esfregou as sobrancelhas com o polegar e o indicador.

— Quando o pacote que você mandou para Liam chegou, o que eu fiz? Eu o tomei dele. Nem permiti que ele o abrisse. Eu fui tão idiota!

Uma das enfermeiras deu uma risadinha.

— Shhh! — disse o menino na cadeira de rodas.

— Eu tinha bagagem. Eu tinha o Liam e esperava que você o acolhesse, e você o acolheu. Mas não estava preparado para acolher o que você me trazia.

A porta do elevador se abriu mais uma vez e o homem de mocassim e a senhora idosa desceram.

— Foi minha culpa — disse Saffy. — Eu devia ter contado que era casada. Mas fiquei com medo. Pensei que, se você soubesse, não ia me querer.

— Não ia te querer? Você enlouqueceu? Eu te quero tanto que até dói.

O menino na cadeira de rodas os observava como se estivesse em uma partida de tênis, mas Saffy não se importou.

Ela sorriu.

— Mesmo?

— Dói aqui. — Joe segurou a cabeça. — E aqui. — Ele agarrou a parte de sua camisa que cobria o coração. — E aqui. — Apontou para a virilha. — E eu não sei o que vou fazer se você for para Los Angeles...

— Eu não vou para Los Angeles — Saffy disse quando as portas se fecharam.

— Não vai?

Ela balançou a cabeça. Greg havia tentado fazer com que ela mudasse de ideia no restaurante depois que ela devolvera os anéis. Mas o coração dele não estava ali. Aquela chance em Hollywood significava mais para ele do que qualquer outra coisa. Sua carreira vinha em primeiro lugar. Ela percebeu que sempre tinha sido assim, só que ela não tinha se dado conta disso. Foi bom enquanto eram só os dois. Mas não seria bom com um bebê a caminho.

— Vou precisar que você pague uma pensão quando se arranjar — ela lhe dissera. — E precisa me prometer que, mesmo estando nos Estados Unidos, vai estar presente. Eu cresci sem conhecer meu pai, não quero isso para nosso filho.

— Greg vai para Los Angeles — ela contou a Joe —, mas eu vou ficar aqui. Nós vamos nos divorciar.

Ele deu um sorriso largo.

— Vão?

O elevador parou no quarto andar, e a porta se abriu. Saffy podia ver a placa da ala de Jill no final do longo corredor. Uma pequena pluma branca dançava na corrente de ar vinda do poço do elevador.

A mulher empurrou o menino da cadeira de rodas para fora.

— Espere o próximo, querido — ela disse para um homem com uma criancinha que aguardava o elevador. — Este é proibido para menores.

— Que ótimo! — o menino na cadeira de rodas resmungou, olhando para trás e vendo as portas se fecharem. — Agora nunca vamos saber o que aconteceu depois.

Lakeview
Butterhill

Blessington
County Wicklow
Irlanda

Caro Frank,

Você me escreveu em 2005 para dar a triste notícia de que meu pai, Rob Reilly, havia morrido. Sinto muito ter demorado tanto tempo para agradecer sua gentileza. Na verdade, só vi sua encomenda no ano passado, quando encontrei um maço de postais e duas preciosas cartas de meu pai.

Não sabia que papai me escrevia cartas. Eu nasci pensando que ele não queria participar da minha vida. Ainda estou me acostumando ao fato de ele ter querido manter contato comigo por todos aqueles anos e de ele nunca ter deixado de esperar que nos encontrássemos.

Eu teria dado qualquer coisa para vê-lo nem que fosse uma só vez antes de ele morrer, mas fiquei tão grata por ter suas cartas e postais. Desse modo, mesmo não tendo lembranças vívidas de papai, sinto como se reconhecesse sua voz quando os leio. Acho que em algum lugar no meu coração, eu nunca o esqueci de fato.

Queria que o senhor soubesse que estarei na Inglaterra em julho. Vou levar minha mãe para Bristol. Ela ainda tem família lá, embora não os veja há muito tempo. A mamãe está se recuperando de uma longa doença, então não creio que ela possa ir a Gales desta vez, mas eu irei até Swansea com meu noivo, Joe.

Se o senhor tiver tempo, gostaria de conhecê-lo. E adoraria visitar o túmulo de papai ou o lugar onde suas cinzas foram espalhadas para poder dizer-lhe um "adeus" apropriado.

Atenciosamente,
Sadbh Martin

P.S. Esqueci de agradecer-lhe pelas fotografias. Tenho uma com papai no jardim emoldurada na parede da minha cozinha, ao lado de algumas fotos de meu enteado, Liam, e de meu filhinho de três meses, Robert. Ele tem os olhos do avô!

RR DONNELLEY

IMPRESSÃO E ACABAMENTO
Av Tucunaré 299 - Tamboré
Cep. 06460.020 - Barueri - SP - Brasil
Tel.: (55-11) 2148 3500 (55-21) 3906 2300
Fax: (55-11) 2148 3701 (55-21) 3906 2324